Николай ЛЕОНОВ

Алексей МАКЕЕВ

ИЗОБРЕТАТЕЛЬ СМЕРТИ

Москва

2016

УДК 821.161.1-312.4
ББК 84(2Рос=Рус)6-44
Л47

Оформление серии художников *В. Щербакова, Г. Саукова*

Иллюстрация на суперобложке художника *В. Петелина*

Серия основана в 1993 году

Леонов, Николай Иванович.

Л47   Изобретатель смерти / Николай Леонов, Алексей Макеев. — Москва : Издательство «Э», 2016. — 384 с. — (Черная кошка).

ISBN 978-5-699-87477-4

На презентации развлекательного центра «Тридевятое царство» произошла трагедия: рухнула крыша одного из павильонов. Пострадали люди, в том числе родственники уголовного авторитета по кличке Зубр. Подозревая, что это теракт, устроенный кавказскими или среднеазиатскими криминальными группировками, Зубр объявляет им войну. Приступивший к расследованию дела полковник Гуров предотвращает бандитскую бойню, обещая найти виновных в десятидневный срок. Постепенно следователи приходят к выводу, что это не рядовая бандитская разборка — в павильоне действительно сработало сложное взрывное устройство, изготовленное профессионалом высочайшего класса. Вычислить такого специалиста — не просто дело чести сыщика-важняка, но и задача государственной важности.

УДК 821.161.1-312.4
ББК 84(2Рос=Рус)6-44

ISBN 978-5-699-87477-4

Изобретатель смерти

РОМАН

Суббота и воскресенье

Погода в последнюю субботу мая стояла сказочная, словно на заказ, потому что в этот день состоялось наконец открытие огромного развлекательного центра «Тридевятое царство». Он был выстроен в одном из недавно присоединенных к столице районов в чисто русском стиле — все персонажи и декорации были взяты только из русских народных сказок, а также сказок русских и советских писателей, поэтому и получил в народе название «Наш ответ Диснейленду».

Высокие гости и руководство фирмы сели в два электропоезда: «Паровозик из Ромашково» и «Голубой вагон», и поехали на экскурсию, а по дороге их приветствовали русалка, кот ученый, тридцать три богатыря, Маша и три медведя, старуха у разбитого корыта, Хозяйка Медной горы и герои других сказок. Одним словом, все, что раньше показывали только в рекламных роликах по телевизору, гости могли теперь увидеть своими глазами.

Совершив полный круг, поезда остановились снова у входа, возле которого стоял павильон — большая избушка на курьих ножках, в которой за легким угощением и должна была закончиться экскурсия. Павильон был сложен из блоков пенобетона, что значительно облегчало конструкцию, а снаружи утеплен и облицован пластиком под дерево. Якобы куриные ножки были на самом деле двумя сваями — проектировщики клялись и божились, что никакого перекоса никогда не будет, тем более что массивное крыльцо тоже являлось опорой. Обрамленные ярко раскрашенными наличниками и ставнями окна были небольшими, но двускатную крышу покрыли тонированным стеклом, так что внутри было светло. А для вечернего времени предусматривалось искусственное освещение — на якобы деревянных балках висели сделанные на заказ и расписанные вручную на сказочные темы стеклянные светильники, каждый два метра в диаметре. Рассчитанный на триста посадочных мест павильон внутри был также декорирован соответствующим образом, выполненные в виде молодого месяца столы располагались так, чтобы, сидя за ними с вогнутой стороны, все гости могли видеть, что происходит на сцене. В углу была сложена самая настоящая действующая русская печь, в которой пеклись пироги, и аромат стоял одурманивающий.

Высокие гости вошли внутрь, но задерживаться не стали, а просто выпили по бокалу шампанского, поздравили владельцев Центра с успехом, пожелали всяческого процветания и убыли. А тем временем два веселых поезда уже забрали первую группу гостей и отправились в путь.

Центр был разрекламирован так, что билеты раскупили до конца летних каникул, но в этот свой первый, к тому же воскресный, день он должен был работать в особом режиме. Владельцы фирмы распространили бесплатные билеты исключительно среди нужных людей, для них-то и была придумана эта сокращенная программа, чтобы охватить как можно больше народа. А чтобы не было очереди, в пронумерованных билетах указывалось время прохода в Центр, а также места в вагончиках и за столиками в павильоне.

Пока все шло по плану. Первая группа экскурсантов, проехав по Центру, заняла свои места в павильоне, чтобы отдать дань угощению, а вторая группа тем временем отправилась в поездку. Полные впечатлений дети восторженно осматривались по сторонам, на сцене выступали клоуны, между столами сновали одетые в русские народные костюмы официантки, гремела музыка. И вдруг с балки неожиданно сорвался светильник и, упав на один из столиков, накрыл собой сидевших за ним людей. Все замерли от неожиданности. Потом какой-то мужчина бросился к столику, чтобы помочь пострадавшим, но, увидев капавшую на пол кровь, застыл на месте. Тут с балок сорвались еще два светильника и, упав на пол, разбились вдребезги. Павильон резко осел на тот угол, где находилась печь, и люди вместе со столами и стульями стали съезжать в ее сторону, а те, кто стоял, попадали на пол. Началась страшная паника! Схватив детей, люди бросились к дверям, но оказалось, что их заклинило от перекоса. Крыша тоже его не выдержала, листы стекла, из которых она была собрана, с оглушительным треском лопались, и осколки сыпались на людей. Некоторые гости под градом осколков сумели добраться до окон, вышибли их и стали буквально выбрасывать наружу детей. Уши закладывало от детского плача, визга женщин, криков боли и отборного мата мужчин. Одним словом, это был ад кромешный.

К счастью, владельцы Центра предусмотрительно вызвали на всякий случай не только бригаду «Скорой помощи», но также спасателей и пожарных, и все три машины с самого утра дежурили в укромном месте, поэтому ехать им было недалеко. Поняв, что своими силами справиться не удастся, они вызвали подкрепление и приступили к работе. Завывая сиренами, к Центру со всех сторон неслись машины, в больницах срочно готовили места для пострадавших.

Так весело начавшийся праздник закончился трагедией!

Ничего не подозревавший полковник-важняк с Петровки Лев Иванович Гуров ехал этим утром на дачу к своему другу и коллеге, тоже полковнику-важняку Станиславу Васильевичу Крячко. Жена Гурова, народная артистка России Мария Строева, была занята в вечернем спектакле, жена Стаса маялась в Москве от радикулита — перетрудилась в огороде, так что друзья могли без помех наслаждаться отдыхом. Радио что-то тихо бубнило, к чему Лев не особо прислушивался, но вдруг прозвучало:

— Мы прерываем нашу программу, чтобы передать срочное сообщение. Несколько минут назад в развлекательном центре «Тридевятое царство» произошла трагедия: обрушилась крыша павильона. На месте происшествия работают сотрудники МЧС и бригады «Скорой помощи». Имеются человеческие жертвы.

— Строители, мать их! — выругался Гуров.

Он поехал дальше, но вдруг его пронзила страшная мысль — его друг Алексей Попов должен был быть там в это время с женой и внуками, и Лев тут же схватился за телефон. К счастью, Попов ему ответил — оказалось, они были не в павильоне, а на территории.

— Лева, мы в порядке. Ты не дергайся, Степа с Ликой уже сюда сорвались.

— Понимаю, только я к вам ближе, — ответил Гуров и помчался к Центру, предупредив по дороге Крячко, что приезд отменяется.

Дорога к центру развлечений была забита машинами родственников тех, кто находился в Центре. Полиция пыталась навести хоть какой-то порядок, только это у них получалось плохо. Поняв, что ему не проехать, Гуров оставил машину и пошел к входу пешком. Предъявив полицейским удостоверение, прошел на территорию и, найдя старшего, объяснил:

— У меня здесь друг! Не в павильоне, а на территории. Я хочу вывезти его с семьей.

— Размечтался! — нервно рассмеялся тот. — Тут «Скорым» приходится через всю территорию до запасного въезда пилить, а потом здоровенный крюк делать, чтобы в Москву ехать. Мы «неотложки» сейчас именно тем путем сюда и запускаем, а то ведь не пробьются здесь.

Он ушел по своим делам, а Лев позвонил Попову:

— Леша, я здесь. Где вы конкретно находитесь?

— Лева, мы уже по дороге в Москву — один знакомый здесь неподалеку оказался. Ну а мою машину потом Степан заберет.

Успокоившись за Попова и его семью, Гуров наконец огляделся и увидел, что возле одного из спасателей, майора, стоят четверо молодых мужчин и что-то возбужденно говорят ему, а тот орет на них:

— Русский язык понимаете? Не положено! А если вас там завалит, к едрене фене? Кому за это отвечать? Мне!

— Пусть нас лучше там завалит, чем потом живьем закопают за то, что хозяина не уберегли! У него жена беременная!

Двое детей с ними! И никого из них еще не вынесли! Может, они там кровью истекают? — орали ему в ответ.

— Командир! — тихо, но твердо произнес старший из парней. — Пойми меня правильно. Я тебя не пугаю. Просто если хозяин или кто-то из его семьи погибнет из-за того, что мы их не нашли и вовремя к врачам не доставили, нам не жить. Но и тебе тоже. Очень тебя прошу: побереги себя. Так ты нас пропустишь или нам с боем прорываться? Учти, нам терять нечего.

Майор призадумался, а Лев подошел к нему, представился и обратился к парням:

— Вы чьих же это будете? — Ответа он не получил и повернулся к майору: — Пропустите их. Пусть своих найдут — все вашим полегче будет. А чтобы вы не думали, что они мародерством займутся, я сам с ними пойду.

— Ну... — растерянно пожал плечами майор. — Тогда идите. Только каски наденьте. — Он рукой показал, где их взять. — Не дай бог, приложит вас сверху чем-нибудь по головушке. Хотя... Не в обиду вам будет сказано, товарищ полковник, но вы, кажись, и так на всю голову ушибленный, если по своей воле туда лезете.

Метнувшийся за касками парень принес пять штук, все их надели, и Лев предложил:

— Не будем осложнять спасателям жизнь. Они из дверей пострадавших выносят, а мы через окно войдем. Кстати, возле «Скорых» кто-то из ваших дежурит? А то вдруг разминетесь?

Оказалось, что там остался водитель одной из машин, который сообщит, если кого-то увидит. Гуров вслед за парнями влез внутрь, и спасатели тут же возмущенно заорали на них.

— Мы здесь по своей надобности, мешать не будем, — успокаивающе проговорил Лев и, увидев в окно лежавшие на земле тела с закрытыми лицами, в том числе и детские, спросил у парней: — Среди трупов смотрели?

— Тьфу-тьфу-тьфу, нет там наших, — ответили ему.

Он заинтересовался кучей под столом, которая вопреки законам физики осталась на месте, хотя ей положено было съехать к печи. Лев пробрался к ней и начал осторожно стря-

11

хивать в сторону темные осколки — видимо, лист стекла с крыши упал целиком и попал одним краем на стол, а другим — на пол. И вдруг увидел ботинок из белой замши.

— Парни, какая обувь на вашем хозяине была? Случайно не из белой замши?

Парни мгновенно бросились к нему, и Гуров отошел, чтобы не мешать им. Они отставили в сторону стол, и стало видно, что на полу, лицом вниз, лежит мужчина и кого-то закрывает своим телом. Они стали его поднимать, но не смогли сдвинуть с места. Оказалось, что он, сорвав кожу с пальцев и, видимо, ногти, намертво вцепился в плинтус. С большим трудом его пальцы все же удалось разжать, его подняли, перевернули, аккуратно положили в сторонке и только тогда увидели, что под ним на правом боку лежала без сознания женщина, прижимавшая к себе двух девочек, а вот в левом боку у нее торчал длинный осколок стекла.

— Господи! Только бы жива была! — простонал старший.

Он пощупал пульс на ее шее и с огромным облегчением вздохнул. Но самым ужасным было то, что перепачканные ее кровью дети были в сознании, они дрожали мелкой дрожью, постоянно икали, а глаза у них были как у затравленных зверьков. Увидев знакомые лица парней, дети дружно заплакали, а у Гурова сердце зашлось и дыхание перехватило.

— Носилки несите, — приказал старший и объяснил Льву: — Мы тут две частные «Скорые» вызвали, совсем рядом стоят.

— Какие носилки? — заорал Гуров. — Вон занавес на сцене! Срезайте его! Ты на ее ноги посмотри! Они все в крови! Она же ребенка потеряла! Пока вы копаться будете, она кровью истечет! А детей я на руках понесу!

— Твою мать! — выкрикнул тот. — Несите занавес, быстро!

Занавес сдернули, сложили в несколько раз и на одной его половине вынесли мужчину, а на другой, положив ее на правый бок, чтобы не потревожить осколок, женщину, а Гуров нес перепачканных кровью девочек, которые вырывались так, что он с трудом их удерживал. Но сколько перед этим потребовалось сил, чтобы оторвать их от нее! В машинах «Скорых» над потерпевшими тут же захлопотали врачи, а старший позвонил кому-то и с огромным облегчением сказал:

— Всех нашли! Все живы! Едем в больницу! — Отключив телефон, он обратился ко Льву: — Спасибо тебе, полковник Гуров! Ты сегодня не только им, но и нам четверым жизнь спас. Будет нужда — обращайся! — Он пошарил по карманам, бумаги не нашел, тогда написал на сотенной купюре свой номер телефона и протянул ее Гурову.

— Как хоть зовут тебя? — поинтересовался Лев.

— Глеб, — ответил парень. — Луну с неба не обещаю, но мы и на земле много чего можем.

Завывая сиреной, «Скорые» рванули с места, за ними тронулись и машины парней, а Лев вздохнул и тяжело поплелся к своей. На душе было так погано, что хотелось нажраться до провалов в биографии, чтобы наутро ничего не помнить, чтобы не стояли перед глазами ряды лежавших на земле тел, чтобы не звучали в ушах крики и стоны людей. Он сел за руль, и тут силы окончательно оставили его. «Да-а-а! Старею! — с тоской подумал Лев и мысленно взмолился: — Господи! Сделай так, чтобы меня к этому делу не подключили! А то ведь я, когда найду виновных, своими руками их убью!»

Приехав домой, он, к счастью, не застал там жену — Мария уже ушла в театр. Лев снял свой измазанный кровью старый костюм, который надевал только для поездок на дачу к Стасу, и засунул в мешок для мусора. Потом долго стоял под душем, чтобы окончательно успокоиться, и, решив, что у него это получилось, собрался поесть, но кусок не лез в горло. Включить телевизор ему и в голову не пришло, читать — тоже, и он, выпив снотворное, лег спать. Таким его и застала вернувшаяся домой Мария.

Звонок домофона Гуров утром услышал, но решил проигнорировать. Зря, потому что Мария его все равно разбудила — к ним пришел Орлов и уже ждал его в кухне. Генерал-майор Петр Николаевич Орлов был самым старшим в этой троице друзей и начальником управления, где служили Лев и Стас, но сначала другом, а уже потом начальником. Лев быстро оделся и прошел на кухню. Орлов, сидя за столом, мял своими короткопалыми руками лицо, зачем-то подергал себя за нос картошкой, вздыхал... В общем, всем своим видом демонстрировал, как ему неловко.

— Петр! Ты что-то долго разбегаешься, — заметил Лев. — Прыгай уж!

— Лева! Ты слышал, что в развлекательном центре произошло? — спросил наконец Орлов.

— И даже видел! Я там вчера был!

— Лева, создается... — начал было Петр, но Гуров перебил его:

— Уже все понял! Межведомственная рабочая группа по расследованию этого происшествия. Так это само собой подразумевалось. Учти, если ты скажешь, что от нас в нее, как почетная затычка ко всем бочкам, включен я, то...

— И Крячко, — подтвердил Петр. — Все же знают, что вы только вместе работаете.

— Ну, знаешь! — возмутился Гуров. — Сколько можно нами все дыры затыкать? Неужели кроме нас во всем Главке никого не нашлось? Ты что, не мог стукнуть кулаком по столу и отстоять нас?

— Мог! — кивнул Орлов. — И в понедельник у вас был бы уже новый начальник. И ты даже знаешь кто — Шатров. Он спит и видит, как в мое кресло сесть, и тех, кто его туда с радостью посадит, ты тоже знаешь. Так не проще ли нам троим подать рапорта, чтобы нервы себе не мотать, и с чистой совестью в отставку?

— Ну сколько можно нас друг другом шантажировать?! — окончательно взбесился Лев.

— Пойми, я не виноват, что там хотят именно тебя, — развел руками Петр.

Хорошо зная своего друга, он предпочел мудро помолчать, пока Лев успокоится и можно будет поговорить по делу. И действительно, пока Гуров налил и включил чайник, пока доставал бокалы, ложки и сахар, его гневный настрой несколько поутих, и он уже нормальным голосом произнес:

— Петр! Какая сейчас может быть рабочая группа, когда еще ни коня, ни воза! Там, наверное, еще и завалы до конца не разобрали, и эксперты ничего не отработали. Это будет просто говорильня.

14

— Ну, некоторые версии мне уже озвучили, — заметил Орлов. — Во-первых, конечно же, строители. Они торопились сдать объект к намеченной дате и что-то недоделали.

— Бесперспективно! — категорично заявил Лев. — Ты помнишь, как в аквапарке «Трансвааль» стеклянная крыша обрушилась? Там жертв тоже много было, а чем все закончилось? Главного архитектора и главного эксперта Москвы суд оправдал! И никто за смерть людей не ответил!

— Во-вторых, конкуренты, — продолжал как ни в чем не бывало Орлов.

— Даже не смешно! — поморщился Лев. — Ну какие могут быть конкуренты у заведения, равного которому в России нет?

— Тогда третья версия — теракт.

— Хрень беспробудная! — отмахнулся Гуров. — Что же тогда это обрушение не устроили, когда внутри была чертова прорва начальства? И городского, и областного? Так что это тоже не вариант.

— А вот давай мы вместе с тобой съездим в наше министерство к двенадцати часам и послушаем, что умного нам скажут, — предложил Петр. — Крячко я предупредил, он уже выехал. И не надо мне говорить, чтобы я только с ним туда пошел, а ты дома останешься, все же знают, что первая скрипка — ты, а не он.

Когда Лев пошел переодеваться, Петр с облегчением выдохнул — когда Гуров закусывал удила, справиться с ним было практически невозможно, даже вдвоем со Стасом. Теперь оставалось надеяться на то, что Лев ничего не выкинет прямо на совещании — Гуров терпеть не мог дураков и непрофессионалов и не считал нужным скрывать этого. В министерстве, в холле их уже ждал Крячко. Он все еще дулся на Гурова за то, что тот не к нему поехал, а помчался спасать Попова, но мудро молчал, видя, что друг не в настроении.

Совещание действительно было чисто организационным. В межведомственную рабочую группу включили представителей различных ведомств, а возглавил ее генерал-лейтенант со смешной фамилией Плюшкин. Когда он взял слово, Лев откровенно затосковал, потому что тот нес откровенную ахинею. Он распинался, что совершившие это преступление террористы нанесли международному престижу России колоссальный ущерб, они бросили нашей стране вызов, который мы не имеем права оставить без ответа, и теперь все наши силы должны быть направлены... И все в этом духе.

— Идиот! — тихо сказал Лев. — Но почему он так уверенно говорит о теракте?

— Принимает желаемое за действительное. Наверное, надеется, что если раскроет дело, то станет национальным героем. Уже и новые погоны себе заказал, и дырочку под орден в кителе провертел, — язвительно прошептал Крячко.

Наконец Плюшкин выдохся, членов рабочей группы представили друг другу и постановили встретиться для разработки общего плана действий, как только появятся первые данные, а в дальнейшем собираться ежедневно для обмена информацией. Пока же решили танцевать в буквальном смысле слова от печки, то есть от допущенных при проектировании и строительстве ошибок и недочетов, которые должны были выявить изучавшие уже изъятую документацию эксперты. Как оказалось, проектировщики и руководство всех фирм, причастных к строительству павильона, уже находились под стражей. Оставлять их на свободе было нельзя — родственники пострадавших их просто растерзали бы. Но вот один из четырех совладельцев Центра, не успев, видимо, вовремя смыться за границу, находился под домашним арестом.

Выйдя из министерства, все трое, не сговариваясь, поехали к Гурову.

— Давайте решим так, — начал Лев. — Пока не появятся какие-то реальные улики, на эти ежедневные посиделки будет ездить Стас, а то, если Плюшкин опять начнет чушь молоть, я ведь не удержусь и выскажусь по полной программе.

— Лева, расскажи, что там в Центре было, — попросил Стас.

Глядя в окно и стараясь сдерживать эмоции, Гуров вкратце рассказал, что видел и делал. Орлов с Крячко слушали его молча, только желваками поигрывали, а когда он закончил, Петр спросил:

— Так кого же ты найти помог?

— Я его не знаю, но, судя по всему, это какой-то крупный криминальный авторитет. Если только его охрана не блефовала, чтобы запугать майора, то нравы в этой группировке царят даже не жесткие, а жестокие.

— Ну, тогда виновные в том, что он с семьей пострадал, на белом свете не заживутся, и смерть их легкой не будет, — заметил Стас.

— Их сначала еще найти надо, — вздохнул Лев.

Понедельник

Гуров ошибся, и на совещание в понедельник ему пришлось ехать самому, потому что не только спасатели, но и эксперты работали круглосуточно и выявили интересные факты.

Один из экспертов вывел на экран изображение павильона и наглядно показал, что произошло. Итак, в местах крепления четырех светильников к балкам были заложены точечные заряды самодельной взрывчатки, а в качестве детонаторов использовались сотовые телефоны. Три устройства сработали, а одно — нет. При относительно небольшом взрыве крепление разрушилось, и светильник упал. Дальнейшее объяснение Гуров даже не стал слушать — вес, сила ускорения, сила тяжести и так далее были не его епархией. Но вывод он понял — именно упавший возле печи светильник вызвал смещение центра тяжести павильона, который в результате осел на этот угол. Смещение также вызвало перекос дверей и конструкции крыши, что привело к ее разрушению, и листы стекла начали падать вниз. По мнению экспертов, время, когда взрывчатку заложили к креплениям светильников, определить невозможно, потому что они были смонтированы заранее, и проводка выведена наружу, сами светильники повесили за неделю до происшествия, а сотовые-детонаторы подключили в пятницу. Преступнику оставалось только позвонить на них, и цепи замкнулись.

— Могу с уверенностью заявить, что работал не профессионал, а гениальный дилетант, — подытожил эксперт. — В качестве взрывчатки он использовал смесь собственного изобретения. Сотовые телефоны были старыми, поэтому на один из них сигнал не прошел, и светильник не упал, а мы, таким образом, получили в руки всю конструкцию.

После эксперта слово взял криминалист и доложил, что на сотовых телефонах и непосредственно взрывных устройствах были обнаружены и полные, и фрагментарные отпечатки пальцев двух человек, но ни по каким базам данных они не проходят. Потожировые следы дали возможность определить, что преступники — мужчины, группа крови у обоих вторая, резус положительный. На одном из соединений были найдены следы крови — видно, один из преступников укололся проводом, ДНК выделена, так что в случае задержания подозреваемого идентифицировать преступника будет несложно.

Выслушав все это, Гуров крепко призадумался, а вот Плюшкин принялся с пеной у рта доказывать, что это был самый настоящий теракт, преступник просто прикинулся дилетантом, чтобы ввести следствие в заблуждение. Когда Льву надоело слушать этот бред, он встал и громко сказал:

— Полковник полиции Гуров. Разрешите высказаться? — И, не дожидаясь ответа, начал говорить: — Господа офицеры! Совершенно очевидно, что это не теракт, а дело чисто уголовное. Что говорит в пользу этой версии? Исполнитель — не профессионал, что особо отметили специалисты. Он применил самодельную взрывчатку...

Продолжить ему не дали, стали перебивать, возражать, а Плюшкин почти завизжал:

— Что, полковник, одеяло на себя тянешь? На генеральские погоны надеешься?

— Если бы хотел, давно бы носил, но они мне не нужны, — отрезал Гуров. — Честь имею! — И, бросив тихонько Крячко: — Досмотри этот цирк, а потом приезжай ко мне, — вышел из кабинета.

Дома Мария, взглянув на мужа, тут же поняла, что с вопросами лучше не приставать. За ужином Лев немного успокоился и стал ждать Крячко, чтобы обсудить с ним, как они будут работать дальше — ясно же как божий день, что это покушение на убийство чистой воды. Но дождаться Стаса он не смог, потому что зазвонил его сотовый, и он, увидев, что это глава Администрации президента Олег Михайлович Александров, тяжко вздохнул — понятно, на него нажаловались, и теперь предстоит объясняться. Но он ошибся.

— Лев Иванович! Как вы понимаете, такое резонансное дело находится на контроле у Самого, и поэтому мне постоянно докладывают, как оно продвигается. Мне сообщили, что сегодня на рабочем совещании вы хотели высказать свою точку зрения, но вас не стали слушать. Если вас не затруднит, не могли бы вы немедленно приехать ко мне на Старую площадь, чтобы мы могли обсудить те выводы, к которым вы пришли. Машину за вами я вышлю.

— Конечно, Олег Михайлович, я немедленно выезжаю, — с готовностью ответил Лев, понимая, что с такой поддержкой он сможет довести расследование до конца.

Увидев, что муж бросился в спальню и стал спешно переодеваться, Мария тут же всполошилась:

— Лева! Ты куда на ночь глядя?

— В Администрацию президента, к Александрову, — пояснил Лев. — Машину он за мной вышлет, а с их номерами она здесь будет уже через несколько минут. Скажи Стасу, чтобы он меня дождался.

И вот Гуров уже сидел в знакомом ему кабинете напротив Александрова.

— Лев Иванович, один раз я высказал сомнение в вашей компетентности и оказался не прав, а свои ошибки я повторять не люблю. Поэтому расскажите мне, пожалуйста, свое видение ситуации, а также возможные направления расследования этого дела. Говорите подробно, время у меня есть.

Гуров сосредоточился, помолчал пару минут, потом заговорил:

— Озвученная генерал-лейтенантом Плюшкиным версия о теракте вызывает у меня большие сомнения. Первое, имей это дело политическую подоплеку, взрывы произвели бы в тот момент, когда в павильоне было городское и областное руководство, а этого не произошло. Второе, по утверждению экспертов, подрывник не является профессионалом, но он

19

обязательно должен обладать глубокими познаниями в самых разных областях. Подтверждением чему служит тот факт, что он изобрел взрывчатку, смастерил взрывные устройства и нашел у павильона самое уязвимое место, что и вызвало его перекос. Как бы не с высшим техническим образованием наш подрывник оказался. Но! Он использовал в качестве детонаторов старые, видимо, купленные в каком-нибудь киоске или с рук сотовые телефоны. То есть он рисковал, что какой-то из них может не сработать, а именно это и произошло — аккумуляторы-то все старые! Такие заряжай — не заряжай, а надолго не хватит! Потому-то и установил он все в пятницу. Допустим, он очень хорошо разбирается в мобильниках, проверил их и устранил неисправности. Но аккумуляторы-то остались старые! А это значит...

— Он ограничен в средствах, — понятливо покивал Олег Михайлович.

— Да! На новые телефоны у него не было денег, и он решил рискнуть, а профессионал так никогда не поступил бы. Вывод: это неорганизованная самодеятельность какого-то отдельного лица или группы лиц. Итак, что мы имеем в сухом остатке. Преступник — человек, обладающий глубокими познаниями в химии, физике и математике. Можно предположить, что в девяностые он остался без работы и очутился на улице. Найти себя не сумел, поэтому сейчас без денег. Кого он в первую очередь должен винить за свою сломанную жизнь? Властей предержащих. Но он не произвел подрыв, когда они находились в павильоне, а это значит, что политическую составляющую можно смело отбросить.

— Может быть, этот человек просто ненавидит всех, кто чего-то добился в жизни, и чужое веселье ему как нож острый? — предположил Александров.

— Тогда он мог бы устроиться уборщиком в какой-нибудь ночной клуб и подорвать его, к чертовой матери, — возразил Лев. — А его не остановило даже то, что в павильоне будет много детей. Значит, мотив у него был! Причем мотив личный! Видимо, в тот момент в павильоне находился человек, которого он считает своим смертельным врагом и личность которого предстоит выяснять. Это может быть человек, обанкротивший предприятие, где он работал. Врач, сделавший неудачную операцию близкому ему человеку. Человек, сбивший насмерть на своем автомобиле кого-то из его родных и не понесший за это наказания. Список можно продолжать до бесконечности.

— То есть вы полагаете, что хотели убить какого-то конкретного человека и ради этого положили столько ни в чем не повинных людей? — Лицо Александрова окаменело.

— Лист прячут в лесу, Олег Михайлович! — жестко ответил Гуров. — Я не знаю, сколько человек уже погибло и сколько еще умрет в больницах, но мне хватило и тех трупов, которые я видел на земле возле павильона. Я буду искать этого подонка день и ночь и не успокоюсь до тех пор, пока не найду!

Они немного помолчали, чтобы успокоиться, и Александров спросил:

— Значит, вы хотите сначала вычислить жертву и уже через нее выйти на преступника?

— Да, Олег Михайлович, хотя сейчас это будет очень трудно сделать — людям ни до чего: у них или похороны, или больницы. К тому же у людей этого круга врагов столько, что о существовании некоторых из них они могут даже не подозревать. Но это будет все-таки легче, чем искать преступника среди рабочих, а там точно был если не он сам, то его сообщник. Большая часть рабочих на таких стройках — нелегалы, у которых нет регистрации, и работали они без оформления, их сейчас уже днем с огнем не сыщешь. Тем более что строители, завершив свою часть работы, переходили на другой объект, а им на смену приходили другие. Но у нас есть отправная точка — сотовые-детонаторы были подключены в пятницу. В этот день преступник обязательно был в Центре. Нужно выяснить, кто из рабочих находился на объекте, и очень предметно с ними побеседовать.

— Но преступник откуда-то должен был точно знать, что его враг находится в павильоне, — напомнил Олег Михайлович.

— С тех пор как появился Интернет, люди лишились права на личную жизнь, что уж тут говорить о компьютерной базе какой-то фирмы? А преступник наш с физикой и математикой знаком не понаслышке. Нужно будет выяснить, не было ли там информации о том, кому конкретно раздавались пригласительные билеты. Пусть умельцы посмотрят, не взламывали ли базу, откуда это сделали и когда. Конечно, могут появиться и другие проблемы, но их будем решать по мере поступления.

— Насчет билетов я вам и сам могу сказать. В Администрацию их принесли в одном конверте тридцать штук, на субботу и воскресенье, на разное время. Я позвонил Попову, он подумал, посоветовался с женой и выбрал себе билет на субботу, на самое раннее время, а остальные я отдал Митрофанову — он у нас такими делами занимается. Сейчас его на месте нет, но завтра утром он подготовит вам список сотрудников, которым раздал билеты, — объяснил Александров и, подумав, предложил: — Давайте решим так. Рабочая группа будет отрабатывать версию теракта, хотя, после того, что вы мне рассказали, она представляется сомнительной, а вы займетесь своей версией.

— Хотелось бы, чтобы полковник Крячко остался в составе рабочей группы, мне нужно оперативно получать через него свежую информацию, — попросил Лев.

— А зачем? — усмехнулся Александров. — Вы будете получать ее одновременно с ними, а может быть, и раньше. — Он вдруг вздохнул: — Эх, Лев Иванович! Насколько все было бы проще, будь вы генералом! Я назначил бы вас руководителем рабочей группы и...

— И я тут же погряз бы в отчетах, согласованиях, разборе межведомственных склок и так далее. На ковре бы перед вами за чужие ошибки отдувался! Простите, что перебил, но нет, Олег Михайлович! Меня и мои работа с должностью и званием вполне устраивают!

— Лев Иванович! Вы не опер, а очень хороший аналитик. И это не лесть, а констатация факта. Вот и занимайтесь этой работой, а бегать ножками предоставьте тем, у кого это лучше получается, хотя бы в силу возраста. Кандидатура Степана Савельева вас устроит?

— Более чем, — выразительно произнес Гуров. — Но ведь ему тоже не разорваться.

— Ну, зачем вам знать, сколько и каких людей он будет привлекать к работе? — усмехнулся Александров. — Вы ставите задачу, а он находит способ ее решения.

— Мне кажется, что господин Савельев сделал в неведомой мне организации гораздо более успешную карьеру, чем та, какая ждала бы его в полиции, — заметил Лев.

— Просто мы умеем ценить умных, смелых, инициативных и исполнительных людей, — невозмутимо ответил Александров. — Я сейчас дам команду, и Степан свяжется с вами, может быть, даже сегодня вечером. А вы пока подумайте, что и как нужно будет еще сделать. Я полагаю, его полномочий для решения ваших задач должно хватить. Если же нет, обращайтесь непосредственно ко мне, и любая помощь будет вам оказана незамедлительно. Желаю удачи. Да, кстати, машина вас ждет.

Приехав домой, Гуров увидел дремавшего в кресле перед телевизором Крячко, а Мария занималась своими делами — люди свои, давно знакомы, занимать гостя беседой не обязательно. Растолкав Стаса, Лев отвел его на кухню и пересказал ему свой разговор с Александровым. Тот озадаченно почесал в затылке:

— А ты уверен, что мы вдвоем эту ношу потянем? Вот был бы ты руководителем рабочей группы и тогда только указывал бы пальчиком, кому в какую сторону бежать, а сам...

— Бежал бы следом и перепроверял за ними! — язвительно закончил Гуров. — Нет уж! Если хочешь что-то сделать хорошо, делай это сам! Да и потом, нам в помощь Степана дают, так что потянем!

И, словно услышав, что речь идет о нем, позвонил Савельев:

— Лев Иванович, я уже более-менее в теме, но давайте я к вам утром приеду, а то я уже дома и до вас доберусь только ночью. Зато в качестве извинения привезу кое-какие материалы — мне их обещали срочно отксерокопировать.

— Хорошо, жду тебя завтра утром с подарками, — согласился Гуров.

— Степка? — спросил Крячко и усмехнулся: — Тот еще оторва! Он даже мне форы даст и обгонит.

И действительно, этот парень прошел суровую школу выживания сначала под руководством своего соседа, вора-рецидивиста Василия Зимина по кличке Шурган, а потом

23

на Северном Кавказе, где служил в войсковой разведке и откуда вернулся домой с правительственными наградами. Несмотря на то что его отец, Николай Степанович Савельев, был не самым последним российским олигархом и ворочал миллионами отнюдь не рублей, Степан в удовольствиях жизни не погряз. Отдав им должное, он занялся настоящим мужским делом: служил сначала в полиции Новоленска — это в Якутии, потом в Москве в группе Гурова, а сейчас вот стал не самым последним человеком в неведомой Льву секретной службе, подчинявшейся кому-то на самом верху. И то, что его туда устроил тесть, ни о чем не говорило — будь Степан бестолочью, Попов пальцем о палец не ударил бы, чтобы ему помочь, а уж к своей дочери на пушечный выстрел не подпустил бы.

— Но вот где мы штаб-квартиру устроим? — озадаченно спросил Стас. — На Петровке нельзя. Там у нас столько заклятых друзей, что утечку информации устроят на раз-два, чтобы нам подгадить.

— Ничего, Степан что-нибудь придумает. Ты предупреди Орлова, что нас с утра не будет, и приезжай сразу ко мне. Дождемся Степана, все обговорим, и за работу.

— Петра в подробности посвящать будем?

— Конечно, нет, — категорично заявил Гуров. — После моего демонстративного ухода с совещания, да еще если ты на них больше ходить не будешь, Плюшкин поймет, что мы ведем альтернативное расследование, и за Петром станут бдить изо всех сил. И с просьбами мы к нему обращаться не будем, потому что по ним легко выяснить направление, в котором мы двигаемся. Но это не проблема, как я понял, через Степана «вся королевская конница и вся королевская рать» будут в нашем распоряжении. Главное, самим не оплошать.

Вторник

Утром Гурову позвонил Савельев и сказал, что он и Крячко ждут его внизу — незачем мешать Марии. Спустившись, Лев действительно увидел их возле подъезда и спросил у Крячко:

24

— Ты Орлова предупредил? — Тот кивнул. — Ну и что он сказал?

— Горбатый, могила, лопата! Что же еще? — хмыкнул Стас.

— Значит, благословил! — сделал вывод Лев и перешел к делу: — Степан, у нас есть одна проблема...

— Уже знаю, — улыбнулся Савельев. — Предлагаю свою городскую квартиру. Дом в тихом центре, на охраняемой территории, охранник на входе, замки в двери надежные, а в самой квартире есть сейф. Заберу у жены и тестя ключи, вот и будет у каждого по комплекту. Думаю, вам подойдет.

— Сказочно хорошо, — обрадовался Лев.

— Ну, тогда прошу вас следовать за мной, — предложил Степан и пошел к своим «Жигулям», потрепанным на вид, но имевшим мощнейшую начинку, в чем Лев уже имел возможность убедиться.

Гуров и Крячко, каждый на своей машине, отправились вслед за Савельевым. Как он и говорил, эта элитная многоэтажка серьезно охранялась, так что Степану пришлось на въезде оформить пропуска на неопределенное время для сыщиков. В подъезде тоже сидел охранник при оружии, и там эта процедура снова повторилась. Квартира Степана находилась в пентхаусе, металлическая дверь была сделана из бронебойной стали, а замки оказались швейцарскими и, по утверждению специалистов, взлому не поддавались.

— Ну, я пойду чай приготовлю, а вы пока осмотритесь, что и как — вам ж тут не один день работать, — предложил Степан, когда они вошли.

Лев и Стас отправились на экскурсию и, осмотрев все, вернулись в совмещенную со столовой кухню, где на столе уже стояли бокалы со свисавшими из них ярлычками дорогого чая, в вазе лежали даже на вид каменные сушки и несколько штук овсяного печенья.

— Все, чем богат, — развел руками Степан. — В морозилке, правда, есть пельмени, но это на обед.

— Да-а-а! — окинув взглядом скромное угощение, заметил Крячко. — С завтрашнего дня будем спасаться самостоятельно, как и заповедовали классики.

Чай они пили впустую, потому что зубы — не волосы, новые не вырастут, а сломать свои об эти сушки было проще простого.

— У меня в дипломате ксерокопии всех документов, что на сегодняшнее утро были у рабочей группы. Я уже просмотрел их, но ничего для нас полезного там нет. Если хотите, позже сами почитаете, — сказал Степан. — Ваш выход, Лев Иванович.

Гуров начал рассказывать ему, к каким выводам пришел, а тот внимательно его слушал.

— Итого, суммируя и обобщая. Первое направление — мы ищем жертву, ради убийства которой и было совершено это преступление. Как мне сказал Александров, в Администрацию принесли тридцать билетов, которые уже там распределялись... — Вдруг Лев похолодел, потому что до него дошло то, на что вчера он не обратил внимания. — Степа, а почему твой тесть, у которого был билет в первую группу гостей, не попал в павильон?

— Они просто опоздали к своему времени из-за аварии на въезде в Москву, вот и попали во вторую группу — тесть договорился, — объяснил Савельев. — Когда там это все случилось, он позвонил мне, я связался со своими ребятами, выяснил, кто из них был ближе всего к Центру, и отправил его за своими. Он приехал туда, козырнул удостоверением, прошел внутрь и вывез моих. Если бы я верил в Бога, то решил бы, что это он их уберег, а так — просто счастливый случай. — Степан немного помолчал — уж очень болезненными были эти воспоминания, а потом спросил: — На чем мы остановились?

— Нам нужен полный поименный список жертв, как погибших, так и раненых. Уберем оттуда артистов и обслуживающий персонал и будем отрабатывать только гостей на предмет их смертельных врагов, да и вообще, на них потребуется самая полная информация. И с работниками Центра, кто в живых остался, надо предметно побеседовать — вдруг заметили что-то подозрительное в субботу или накануне.

— Списки раненых и погибших уже есть, и их сейчас отрабатывают, пока по документам и досье. Если появится что-то интересное, мне сообщат, и тогда мы будем работать уже целенаправленно по конкретным фигурантам, — сказал Степан.

— Теперь по строителям, — продолжил Лев. — Это, конечно, головная боль, но заниматься все равно надо.

— Их поиском, и вообще всех, кто бывал на стройке, занимаются ФСБ, миграционная служба и полиция. Хвосты им накрутили так, что они всех выявят и никого не пропустят — они же среди них террориста искать будут. Ну а мы, получив эти данные, сможем их с пользой для себя употребить. Что еще?

— Компьютеры фирмы нужно изъять, если их еще не прибрала к рукам конкурирующая сторона... — начал Гуров, но Степан перебил его:

— Сервер фирмы еще в пятницу накрылся медным тазом с громким звоном — кто-то запустил туда вирус, и вся информация исчезла. Сайт фирмы тоже. Тот, кто совершил эту диверсию, запутал свои следы так, что найти будет непросто.

— Значит, у нас остаются только бумажные носители и свидетельские показания, — вздохнул Лев.

— Офис фирмы опечатан, установлен полицейский пост, но это не проблема. Только после того, как документацию изъяли, там остался такой кавардак, что без кого-нибудь из работников нам в нем не разобраться. Поэтому предлагаю сейчас поехать к Владыкину — это один из совладельцев фирмы, и он под домашним арестом. Узнаем у него, в какие организации отдавали пригласительные и в каком количестве, кто занимался непосредственно их отправкой и так далее. А уже там на месте будем выяснять, кому были розданы билеты.

— Зачем это все? — удивился Стас.

Савельев долгим укоризненным взглядом посмотрел на Крячко, а Лев решил не ждать, когда до того дойдет, и объяснил сам:

— Мы не знаем, сколько билетов было заказано в типографии и сколько распределено. В типографии могли напечатать лишние, чтобы взять себе или продать. Да и на фирме кто-то мог стащить. Потом этот билет вручается нужному человеку, тот приходит в Центр, погибает, а при проверке выясняется, что он сотрудник фирмы X, но это не вызывает подозрений, потому что туда билеты отправлялись официально.

— Но преступник должен был точно знать, что нужный ему человек в павильоне, — не унимался Крячко. — А вдруг он, как Попов, опоздает и войдет со второй группой? Вдруг он заболел и вообще не приехал в Центр. Этот суперпрофи даже к видеокамере наблюдения, которая наверняка была внутри павильона, подключиться не мог, потому что компьютерная сеть накрылась. Это во-первых. А во-вторых, откуда у преступника была гарантия, что человек точно погибнет? А вдруг ему удастся спастись?

Лев со Степаном переглянулись, и Гуров торжественно проговорил:

— Стас! Ты — гений! — Он повернулся к Савельеву: — Все было для отвода глаз! И перекос павильона, и все прочее! Был точно рассчитан один-единственный удар по конкретному человеку, а все остальное — отвлекающий маневр.

— Но для этого преступник должен был точно знать, где этот человек будет находиться, — заметил надувшийся от гордости Крячко.

— На билетах был указан номер столика, — напомнил Степан.

— Ничего! Самое главное, что с основным направлением мы определились, а остальные проблемы будем решать по ходу дела, — с облегчением сказал Гуров. — Но с каким же изощренным и извращенным умом мы столкнулись!

— Господа офицеры! По коням! — Степан поднялся со стула. — Нам нужно к Владыкину! Предлагаю всем ехать на моей машине — если что-то важное узнаем, на обратном пути сможем обсудить.

До дома Владыкина в одном из коттеджных поселков Подмосковья они добрались быстро. Из стоявшего недалеко от его ворот «уазика» ППС доносились музыка и мужской смех, который, однако, тут же стих, когда из «Жигулей» вылезли нежданные гости. Один из полицейских выпрыгнул из машины и, поигрывая дубинкой, направился к ним.

— Не положено! — хамским тоном заявил он, но, увидев удостоверения Гурова и Крячко, завял и скромно удалился.

Степан нажал кнопку звонка и не отпускал ее до тех пор, пока за калиткой не раздался раздраженный женский голос:

— Чего вам от нас еще надо?

— Полиция! Нам надо поговорить с вашим мужем.

— А вы еще не наговорились? — скатываясь в истерику, почти взвизгнула та.

— Хотите маски-шоу посмотреть? — поинтересовался Савельев. — Вызвать недолго.

Калитка открылась, и они увидели довольно молодую женщину с темными кругами под глазами и изможденным лицом. Они предъявили ей свои удостоверения, и она обреченно вздохнула:

— Проходите. И решите уже что-нибудь, потому что дальше так жить невозможно. Детей мама к себе забрала, от греха подальше, а прислуга сама разбежалась — испугалась, когда нас громить приехали. Так что мы с мужем в доме вдвоем. И сил моих уже больше нет! — заплакала она. — Знали бы вы, что нам по телефону говорили! Как и чем угрожали! Я уж и выключила их все, а сама боюсь нос из дома высунуть. Пойдемте, только я представления не имею, как вы с ним будете разговаривать, он пьет постоянно. И оставить его одного я здесь не могу, тогда он точно погибнет.

Они вошли в небольшую комнату на первом этаже, где на диване в одних трусах лежал и спал беспробудным пьяным сном мужчина лет тридцати пяти — сорока, всклокоченный, небритый, потный.

— Он сегодня что-нибудь ел? — спросил Степан, и женщина покачала головой. — Уже лучше! Где у вас тут ближайшая ванная?

— Наверху, но тут в кухне есть большая мойка.

— Замечательно! Сейчас будем вашего мужа очеловечивать! — Савельев повернулся к Гурову и Крячко: — Чего стоим? Понесли!

Даже не пытаясь скрыть отвращение, они втроем дотащили Владыкина до кухни, где бесцеремонно засунули голову пьяного под сильную струю холодной воды. Ждать пришлось долго, но наконец мужчина стал подавать признаки жизни, то есть сопротивляться, что-то бессвязно бормоча. Подержав его под этим своеобразным душем еще минут пять, Степан сказал женщине:

— Поставьте стул вон туда в угол, чтобы он не упал, когда мы его посадим.

Плюхнувшись на стул, Владыкин оглядел их пьяным, бессмысленным взглядом, но по сравнению с тем, что было, чувствовался прогресс. Савельев достал из внутреннего кармана пиджака футляр, а из него большую ампулу. Отломив горлышко, он запрокинул голову Владыкина, отчего его рот открылся, и вылил в него из ампулы какую-то желтоватую жидкость, а потом сказал женщине:

— Дайте стакан обычной воды! — И, когда та его принесла, сунул его в руки Владыкина: — Пей, алкаш!

Мужчина охотно взял стакан, но, выяснив, что это всего лишь вода, отбросил его, и тот разбился. Он попытался встать, но у него ничего не вышло по двум причинам: во-первых, ноги не держали, хоть он и цеплялся за стоявший рядом стол, а во-вторых, хлесткая затрещина, которую он получил от Степана, мигом вернула его на место. Тут до Владыкина наконец дошло, что все это въявь и всерьез, а не снится ему, и второй стакан он выпил уже безропотно.

— Степа, что все это значит? — спросил Лев.

— Отрезвин. Очень действенная штука, — спокойно пояснил парень, убирая ампулу обратно в футляр, а его в карман.

На собственном опыте знавший, что на вооружении у Степана и его людей есть медикаменты, о существовании которых, наверное, даже врачи не догадываются, Гуров углубляться в этот вопрос не стал, а поинтересовался, когда будет результат и надолго ли его хватит.

— Поскольку желудок у него пустой, подействует минут через пятнадцать. Потом где-то с полчаса с ним можно будет разговаривать, а затем он вернется в первоначальное состояние и вырубится.

Они устроились на стульях вокруг Владыкина и молча ждали, когда подействует лекарство. А вот женщине явно нужно было выговориться:

— Вы знаете, а Илюша раньше почти не пил, только шампанское по праздникам. Эта трагедия его почти убила, он все никак не мог поверить, что это их вина — они же и проект самому лучшему архитектору заказали, и сами постоянно на стройку ездили, все проверяли. И Володя Шатунов, это их начальник службы безопасности, там каждый день был, следил, чтобы и материалы не разворовали, и посторонних на объекте не было.

— А какие-нибудь координаты Шатунова у вас есть? — тут же спросил Гуров.

— Конечно, — подхватилась женщина и, достав из кармана сотовый, нашла в нем нужные номера, которые Лев переписал себе, а Степан, глядя ему через плечо, просто запомнил.

— Скажите, а вы случайно не знаете, в какой типографии они пригласительные билеты на субботу и воскресенье заказывали? — продолжил Лев.

— Они не хотели ни от кого зависеть, вот и купили себе мини-типографию.

— А почему он не уехал, как остальные? — спросил Крячко.

— Понимаете, Юра Мелентьев, Гриша Аникин, Антон Калачев и Илюша — друзья с самого детства, в одном дворе выросли, в одном классе учились. Они свой бизнес с нуля начинали — удобрениями торговали, сначала на своих машинах заказы развозили, а потом постепенно поднялись, все нормально было. И тут они этот грандиозный проект задумали, все свои деньги в него вложили, кредиты сумасшедшие взяли, инвесторов привлекли. И все бы у них получилось, если бы... Когда это произошло, Гриша Илюше позвонил и сказал, чтобы тот немедленно срывался, что они в аэропорту его ждут, а муж отказался. Он был уверен, что они ни в чем не виноваты, и полиция с экспертами во всем разберутся и докажут это. Они его уговаривали, говорили, что истинных виновников никто искать не будет, а повесят все на них, но он им не поверил. А потом начался этот кошмар... И Илюша сорвался.

— Откуда же в доме столько спиртного, если он не пьет? — удивился Стас.

31

— У нас годовщина свадьбы была. В воскресенье, — дрожащим голосом ответила женщина. — Хотели собраться все вместе, чтобы сразу два праздника отметить: и этот, и открытие Центра.

— Всем тихо — Владыкин приходит в себя, — сказал Степан и похлопал Илью по щеке: — Ну, все! Хватит! Открывай глаза! Я же вижу, что ты уже вменяемый! Открывай по-хорошему, а то сейчас врежу!

Владыкин тут же открыл глаза, его взгляд еще не был до конца осмысленным, но уже и не мутно-пьяным.

— Предупреждаю, у нас полчаса, — напомнил Степан.

— Илья, — начал Гуров. — Ваша компьютерная сеть больше не существует, вся информация исчезла. Нас интересует только то, что существует на бумажных носителях или свидетельские показания сотрудников. Вопрос первый: сколько было отпечатано пригласительных билетов на субботу и воскресенье?

— Два дня по пять экскурсий. Триста человек в каждой. Всего три тысячи билетов. Все пронумерованы, — медленно проговорил Владыкин.

— Бракованные и пробные экземпляры куда девали?

— Шредер. Мы не могли рисковать. Слишком важные гости. Посторонних не должно было быть.

— Где они хранились?

— У Юрки в сейфе. Он этими вопросами занимался.

— В какие организации были отправлены пригласительные билеты?

— Принеси мой ноут, — попросил Илья жену, и она мигом умчалась.

— Кто занимался непосредственно распространением билетов?

— Лариса Артамонова.

— Как именно отправлялись пригласительные?

— Курьер, имя не знаю. Спросите в отделе кадров. Ольга Васильевна. Пономарева. Или у секретарши. Люба Светлова.

— Илья! Сосредоточьтесь, пожалуйста! Вспомните, какие-нибудь происшествия на стройке были? Попытки украсть материалы? Бомжи? Просто посторонние, которые зашли поглазеть?

32

— Это к Шатунову. Но что-то такое было. Кажется, несчастный случай.

Прибежала его жена и принесла ноутбук. Она хотела отдать его мужу, но Степан забрал его.

— Еще уронит, чего доброго. Пароль? — спросил он у Ильи.

— Танечка, — тихо ответил тот, и его губы чуть тронула улыбка.

— Нашу дочку так зовут, — объяснила женщина.

— Где искать?

— Разбирайтесь сами, — слабо махнул рукой Илья. — У меня еще диски с рабочими материалами есть. Жена отдаст. Мне теперь все равно. Все рухнуло. Мы на такие бабки попали! — простонал он.

— Да будь же ты мужиком! Умей держать удар! — заорал на него Степан. — Ты жив! Жена! Дети! По сравнению с этим все остальное — тьфу и растереть! Бабки, видите ли! Люди своих родных потеряли! Это горе! Это беда, которую невозможно пережить! А ты мне про бабки! И кончай пить! Посмотри, до чего жену довел! Она уже на человека не похожа! И ведь не бросила тебя, пьянь беспробудную! Возилась с тобой! Так ты хоть ради нее! Ради детей себя в руки возьми!

Илья заплакал, а Савельев попросил женщину принести диски, и она убежала, а вернувшись, попросила:

— Помогите мне его положить, а то я одна не справлюсь.

Сцепив зубы, они отволокли Владыкина на тот же диван, и, когда собрались уходить, Степан предупредил женщину:

— Если вас будут спрашивать, что мы тут делали, скажете, что пытались поговорить с вашим мужем, но он пьян настолько, что, как мы с ним ни бились, у нас ничего не получилось.

— Но он же протрезвел!

— Это был временный эффект. Организм на короткое время мобилизовал все свои силы, поэтому мы смогли с ним поговорить, но сейчас он снова пьян и, когда проснется, даже не вспомнит о том, что было.

— А он от этого не умрет? — испуганно спросила она.

— От этого, — выразительно произнес Савельев, — нет! Но вот если не перестанет пить, то к нему скоро прискачет веселая, пушистая «белочка», и дело закончится наркодиспансером.

Забрав ноутбук, который Стас спрятал под пиджак, и рассовав по карманам диски, они вышли на улицу, где под пристальными взглядами полицейских сели в «Жигули» и уехали.

— Да-а-а, сломался мужик! — презрительно произнес Савельев. — Видно, жизнь его раньше по маковке не прикладывала.

Когда они были на полпути к Москве, Гурову позвонил Орлов:

— Лева, у меня не очень хорошие новости. Мне только что сообщили, что приказом Плюшкина тебя и Крячко вывели из состава рабочей группы за несанкционированную им деятельность, а вместо вас включили Шатрова и Богданова. Что вы уже натворить успели?

— Петр, мы всего лишь съездили к Владыкину — это один из совладельцев фирмы, чтобы с ним поговорить. Но он ушел в запой, и сколько мы ни старались, он даже «агу» связно сказать не смог, — бестрепетно соврал Гуров.

Отключив телефон, он сообщил о замене, и Савельев хмыкнул:

— Кажется, мой счет к Плюшкину растет прямо-таки в геометрической прогрессии.

Вернувшись в Москву, они поставили вариться пельмени — очень хотелось есть. Им предстоял долгий, переходящий в ночь вечер напряженной работы, о чем они тут же предупредили своих жен — чего женщин зря нервировать, им с ними и так трудно приходится.

Поужинав, заварили себе по большому бокалу крепкого сладкого чая и распределили обязанности: Лев читал лежавшие в дипломате документы, Степан копался в ноутбуке Ильи, а Стас просматривал его же диски с рабочими материалами на компьютере Савельева. Они договорились друг друга от дела не отрывать, а отмечать то, что покажется перспективным, чтобы потом всем вместе посмотреть и обсудить. Конечно, Гуров предпочел бы сделать все сам, но понимал, что сил, по крайней мере сейчас, у него на это не хватит, и решил, что потом все посмотрит. Разойдясь по разным комнатам, чтобы не мешать друг другу, они приступили к работе.

Крячко уснул в компьютерном кресле — он просто, как ему показалось, на минутку прикрыл глаза, а вот открыть их уже не смог. Гуров уснул, положив голову на руки, а их — на бумаги. Мало того что они провели ночь в ненормальных условиях, так еще и пробуждение их радостным не было. Ну какая может быть радость от раздавшегося из кабинета, где работал Степан, шквала отборного мата. Натыкаясь на мебель, Лев и Стас бросились туда.

— Полюбуйтесь! — гневно произнес Савельев и, поколдовав над ноутбуком Владыкина, вывел на экран изображение. — Это сегодня в утренней новостной программе прошло. Я как проснулся, решил посмотреть, что в мире нового, и нате вам!

Это было совсем короткое интервью, взятое у генерала Плюшкина, но вот ЧТО он говорил!

«Теперь можно со всей уверенностью утверждать, что страшная трагедия, которая произошла в развлекательном центре «Тридевятое царство» и вызвала столько жертв, была на самом деле терактом, который совершили окопавшиеся в нашей стране исламисты. Мы считаем, что с их стороны это месть России за то, что наша армия приняла самое активное и очень успешное участие в урегулировании конфликта в Сирии. Нами разработан план оперативных мероприятий, который обязательно выведет нас на преступников, являющихся, скорее всего, уроженцами Северного Кавказа или Средней Азии. Как вы понимаете, я не имею права посвящать посторонних во все подробности нашего расследования, но обещаю, что мы будем постоянно держать телезрителей и широкую общественность в курсе событий. Естественно, в рамках дозволенного».

— Он что, охренел? — заорал Крячко. — Ладно бы в узком кругу, на рабочем совещании нес эту чушь, но на всю страну!..

Гуров тоже выразился очень живописно и в тему.

— Наши планы на день? — поинтересовался Степан.

— Для начала крепкий чай, а то я еще плохо соображаю, — попросил Лев. — Потом обменяемся новостями — кто что накопал, и по домам, чтобы в порядок себя привести. Ну а дальше — в бой!

Пока Савельев возился с чаем, Стас сказал:

— На тех дисках, что я успел посмотреть, — планы отдельных строений, общий план Центра со всем, что там есть, различные сметы, одним словом, документация по строительству, и ничего больше. Может, на других что найдется?

— Ну а я вообще зря документы читал, — вздохнул Гуров. — Все надеялся, вдруг там хоть что-то полезное найдется, так нет! Кроме списков погибших и раненых — ничего! Эти деятели по известной схеме работают — чем больше бумаг, тем глубже начальство должно проникнуться, с каким рвением они трудились в поте лица.

— Я нашел главное: это схема павильона, на которой указано, где что стояло, в том числе и столики, и перечень организаций, куда и в каком количестве отправлялись билеты, — доложил Степан и жестом фокусника достал, словно из воздуха, три файла. — Вот! Каждому по экземпляру!

Гуров просмотрел свой и только головой покачал:

— Да уж! Знали ребятишки, как и перед кем прогнуться!

— Ты лучше вот сюда посмотри, — ткнул пальцем в список Крячко. — Шатунову отдали пять билетов, и явно не для него самого, видимо, для «крыши», раз уж сам начальник службы безопасности взялся собственноручно их вручить. И может быть, кого-то из этих бандюков ты и вытащил тогда.

Гуров отмахнулся — разберемся, мол, а Савельев продолжил:

— А еще я вчера парней озадачил поисками Ларисы Артамоновой, Ольги Васильевны Пономаревой, Любови Светловой и Владимира Шатунова — с ним будет легче, потому что есть его номера телефонов.

— А зачем нам ждать его адрес, если можно позвонить прямо сейчас? — заметил Гуров и, поставив сотовый на громкую связь, набрал номер. Когда тот ответил, он представился и сказал: — Владимир, как бы нам с вами встретиться — есть кое-какие вопросы по охране развлекательного центра.

— Встретиться не получится, я за границей, — ответил Шатунов.

Савельев тут же сделал брови домиком и, отойдя в сторону, кому-то позвонил и что-то тихо сказал — видимо, велел засечь, где Шатунов находится.

— Вы-то чего сбежали? — удивился Лев.

— Так в России сначала хватают всех без разбора, а уже потом начинают разбираться, кто в чем виноват и виноват ли вообще. Лучше уж я здесь отсижусь, пока ясность не появится.

— Но поговорить-то мы можем?

— Не возражаю, — согласился Владимир. — Что вас интересует?

— Ваша непосредственная работа, то есть охрана строившегося Центра. Была ли у посторонних людей возможность проникать на объект, на каком этапе строительства, и так далее?

— Нет! — уверенно ответил Шатунов. — Когда готовилась площадка под строительство, рабочие охраняли технику своими силами. А потом мы первым делом выстроили по периметру стену, высокую и надежную, потому что стройматериалы бешеных денег стоили, и охотники на них нашлись бы. Так что попасть на территорию можно было только через основные и запасные ворота, а там тогда уже наша охрана стояла и постороннего бы не пропустила.

— Не будьте так уверены, — возразил Гуров. — У меня есть абсолютно точные сведения, что посторонний на территории был, причем неоднократно. Так что подумайте хорошенько, как это могло произойти.

В телефоне повисло молчание — затем Шатунов с сомнением в голосе произнес:

— Если вы говорите, что у вас точные сведения, то тогда только через очистные.

— Не понял, какие очистные? — насторожился Гуров.

— Видите ли, без воды Центр существовать не может, пришлось тратиться и подсоединяться к общему водоводу, и обошлось это в копеечку. Вот хозяева и подсчитали, что дешевле будет построить свои очистные сооружения, чем тянуть трубу к магистральной линии. В Центре ведь и водопад, и фонтаны, и пекарня, и пруд — мы хотели давать детям напрокат радиоуправляемые кораблики, и конюшню планировали со временем открыть, чтобы дети верхом кататься могли, так что отвод воды требовался. Там за Центром речка есть, туда и вывели, но очистные все равно на нашей территории, чтобы под присмотром были. На трубе, конечно, решетка с замком, но если его открыть, то проползти по ней можно, диаметр позволяет.

— Сколько ключей от этого замка? — тут же спросил Лев.

— Было пять, осталось четыре. Один утонул. Действительно утонул, — повторил Владимир, решив, что ему могут не поверить. — В марте, когда очистные монтировать заканчивали, одного парнишку послали трубу, что к речке выходит, специальным составом сверху покрыть, чтобы не ржавела. Так он не только в воду свалился — весна-то в этом году ранняя была, но еще и ногу себе серьезно разодрал. Ума не приложу, где он умудрился тот заусенец найти, вроде край трубы нормально зачистили. Тогда-то он ключ и утопил. Орал как резаный! Хорошо, люди недалеко были, услышали, пришли и вытащили его. Вызвали «Скорую», а та его в районную больницу отвезла. Я как узнал, тут же на место выехал, а потом в больницу. И что вы думаете? Он же, блин, москвичом оказался! — не выдержав, яростно воскликнул Шатунов. — И прописка! И медицинская страховка! Вот откуда он взялся? Меня же заверили, что там все приезжие и без оформления работают, а с ними просто — дал денег, и все! А тут в приемном все, как положено, оформили — производственная травма, страховой случай! А это такой геморрой! Нам это надо? Пошел я к мальчишке, стал его уговаривать, чтобы он не настаивал на производственной травме, пообещал ему, что после выздоровления мы его к себе на работу возьмем, сначала в офис, а потом в Центр! Он так обрадовался, что в сказку попадет, тут же согласился! Ну, с врачами я договорился, заплатил, само собой, и переделали ему производственную травму на бытовую.

— И как, взяли к себе на работу? — стараясь казаться невозмутимым, спросил Гуров.

— Ну да! Курьером — не самим же постоянно в Центр мотаться, чтобы бумажку какую-нибудь отвезти. Звали его Борькой, а вот фамилию не помню. Да это в кадрах легко узнать.

— У меня еще один вопрос: для кого вы взяли пять билетов?

— Извините, но это я обсуждать не хочу и не буду, — твердо произнес Владимир, и Крячко значительно поднял палец — прав, мол, я был.

— Ну, на нет и суда нет. Спасибо за информацию. Не исключено, что еще раз придется вас побеспокоить, — предупредил Гуров и, отключив телефон, тяжелым взглядом посмотрел на Крячко: — Значит, план Центра со всем, что там находится, ты видел! А пояснения к нему ты читал? — Стас виновато потупился, а Лев пробормотал: — Если хочешь чтото сделать хорошо... — Продолжать он не стал, но и так было все понятно.

— Лев Иванович! Не лютуйте! — вмешался Степан. — Все раскроем, всех найдем, никто от нас никуда не денется! Но неужели вы думаете, что Борис ради ключа специально себе ногу поранил?

— Я пока ничего не думаю! — раздраженно ответил Гуров. — Ключ у него был? Был! Курьером он потом в офисе работал? Работал! В Центр постоянно ездил? Ездил! Доступ к билетам имел? Имел!

— Ладно! Я прямо сейчас ребят к этим очистным отправлю, пусть осмотрятся — вдруг чего интересного найдут? И в больницу они заедут, чтобы насчет этого Бориса поговорить, — пообещал Савельев. — И еще. Врал Шатунов, что он за границей! В Подмосковье он! И адресок его мы вычислили. Так что, если понадобится, возьмем его «тепленьким» для дальнейшего использования в следственных целях. Кстати, адреса Артамоновой, Пономаревой и Светловой установлены.

— Так! От Пономаревой нам нужно все, что есть на курьера Бориса. Светлова работает секретаршей, а курьеры обычно в приемной и трутся, так что она о нем тоже много может знать. Но главное — Артамонова. Она непосредственно занималась рассылкой билетов и вполне могла написать в отчете, что отправила двадцать, а по факту оказалось, что люди получили, например, восемнадцать. Вот только как мы, не имея теперь никаких полномочий, будем посылать запросы, чтобы выяснить, сколько билетов реально до места дошло, и кто конкретно их получил, я не знаю.

— Мне бы ваши заботы, Лев Иванович, — улыбнулся Степан и пообещал: — Решим! Не проблема!

— Тогда давайте разделимся прямо сейчас, — предложил Лев. — Стас возьмет на себя Пономареву и Светлову, я — Артамонову, а ты, Степа, будешь заниматься арифметикой: сколько из одной трубы вылилось и сколько в другую попало. Давай нам адреса и телефоны! Будем на связи, а вечером соберемся здесь.

Дома Гуров после прохладного душа испытал два чувства: первое, прилив бодрости, его порадовало, а вот второе — не очень. У него ныл левый бок — это проснулась его поджелудочная, в чем он был сам виноват — нечего было пельмени жрать! В кухне он открыл холодильник и стал рассматривать его содержимое — зрелище было малоутешительное, и он попросил:

— Машенька, мне бы чего-нибудь полегче.

— Опять! — всплеснув руками, вздохнула она. — Горе ты мое! Выпей таблетку, а я тебе пока манную кашу сварю. А потом ты чай с сухариками попьешь.

— Самая пища для здорового мужика! — хмыкнул Лев.

— К сожалению, Левушка, нездорового, — поправила его Мария.

Съев свой «детсадовский» завтрак, Гуров вышел из дома и уже только из машины позвонил Артамоновой — сделай он это дома, жена бы не только сама извелась, но и его вопросами извела — о ее ревности можно было поэмы слагать. Сотовый телефон Ларисы был вне зоны, а по домашнему ему ответил немолодой женский голос. Лев представился и объяснил, что хотел бы задать Ларисе несколько вопросов.

— Ее нет дома, — резко ответила ему женщина и повесила трубку.

«Да дома она, только выходить боится, — понял Гуров. — Хотя, после того что наплел по телевизору Плюшкин, ей уже опасаться нечего». Он поехал к дому Ларисы, поднялся к квартире и позвонил. За дверью раздались чьи-то шаги, было видно, что в глазок кто-то посмотрел, но ничего не спросил.

— Я знаю, что вы дома, — я только что звонил вам по телефону. Повторяю еще раз: мне просто нужно задать Ларисе несколько вопросов. Если вы не откроете дверь, то у меня будет только один выход: я вызову вашего участкового, наряд полиции, слесаря, понятых, и мы вскроем дверь. После этого вашу дочь посадят в полицейскую машину, и мы с ней будем беседовать уже в отделении. — Дверь распахнулась, и на пороге появилась невысокая худая женщина со скалкой. — А вот кухонную утварь лучше убрать — за нападение на сотрудника полиции при исполнении дают очень солидные сроки.

— Удостоверение покажите! — потребовала женщина, и Лев его предъявил. — Ладно! — сказала она и крикнула: — Ларка! Иди сюда! — Потом снова повернулась к нему: — В зал проходите. — Он прошел, а мать раздраженно позвала: — Ну, где ты там? — Заглянув в другую комнату, она выволокла оттуда упирающуюся дочь, а потом, толкнув в спину, направила ее к Гурову.

Девушка села в кресло, мать — на его подлокотник, и обе с испугом смотрели на него.

— Не надо меня бояться, — миролюбиво попросил Лев. — В моих вопросах нет ничего страшного. Итак, что я знаю. Лариса, в вашей собственной типографии были отпечатаны три тысячи пригласительных билетов на субботу и воскресенье, которые положили в сейф Юрия Мелентьева. Никаких неучтенных, бракованных и так далее не было. Был составлен перечень организаций, куда хозяева собирались отправить эти билеты, и определено количество, куда сколько. Теперь вопрос, соответствует ли количество указанных в перечне билетов тому, которое вы реально отправляли в организации.

— Да! — не задумываясь, ответила Лариса, но Лев видел, как она напряглась.

— Милая девушка! Я старше вас больше чем вдвое и допросил за свою жизнь очень много самых разных людей, поэтому фальшь чувствую мгновенно. Поймите, от вашего честного ответа зависит сейчас очень многое, поэтому прошу вас, будьте откровенны. Не хочу вас пугать, но в Уголовном кодексе России есть статья 294 «Воспрепятствование осуществлению правосудия и производству предварительного расследования», есть в ней пункт 2, наказание по которому — от довольно крупного штрафа до шести месяцев ареста. Итак, если вы не помните вопроса, я его повторю.

— А я вам повторю свой ответ, — упрямо твердила девушка.

— Хорошо, перейдем к другому. Билеты хранились в сейфе Мелентьева. Какими порциями он выдавал вам их для отправки в организации?

— В некоторые организации он отвозил билеты сам, а в те, что попроще, — наш курьер, — несколько расслабившись, начала рассказывать она. — Юрий сам компоновал пакеты — билеты же были на разные дни и разное время, и делал так, чтобы Борька, это наш курьер, за один раз мог доставить билеты в несколько мест. Потом он отдавал их мне и велел, чтобы я для учета переписывала номера билетов, после чего я их красиво упаковывала, запечатывала и передавала курьеру.

— Лариса, мы обязательно сверим указанное в этом перечне количество билетов с тем, которое получили в организациях. И если окажется, что данные не совпадут, будет уже поздно что-то объяснять, — внимательно глядя на нее, предупредил Лев. — А теперь ответьте, пожалуйста, на первый мой вопрос: сколько билетов не хватает?

— Одного, — прошептала она и вдруг заплакала: — Это 12 мая было. Сама не знаю, как получилось. Юрий мне выдал очередную порцию, я половину работы сделала, а потом мы с девчонками пошли покурить. Когда я вернулась, все было нормально, а под конец оказалось, что одного билета нет.

— Вы их оставляли на столе?

— Да вы что! — У нее даже слезы высохли. — Меня бы за такое шеф прибил! А вдруг их кто-то чем-то нечаянно испачкает? Они же дрожали над ними, как не знаю над чем! Я их в стол положила.

— Вы его заперли?

— Нет, у нас никогда ничего не пропадает!

— А не мог кто-то из ваших коллег взять билет для себя?

— Зачем? — воскликнула Лариса. — Нам Григорий пообещал, что в первый же санитарный день в Центре вывезет нас всех туда вместе с семьями, чтобы мы могли от души оторваться! Зачем кому-то из нас эта куцая экскурсия? Я же сама ее программу писала! Там и половины увидеть было нельзя, но мне сказали, чтобы я рассчитала по два часа на одну группу, и все.

— Когда вы вышли из комнаты, там кто-нибудь оставался?

— Нет, мы с Надей вместе на перекур уходим, а больше с нами никто не сидит.

— И долго вас в тот день не было на месте?

— Ну, мы потом еще кофе в кухне попили, — потупившись, ответила Лариса.

— Мне не интересно, что вы делали, я спросил: сколько времени вас не было? — теряя терпение, повторил свой вопрос Лев.

— Ну, где-то полчаса, минут сорок, — отвернувшись, пробормотала она.

— И все это время комната стояла открытая?

— Нет, мы дверь закрыли, но запирать не стали — у нас же...

— Уже слышал! Никогда ничего не пропадает! — раздраженно сказал Гуров. — Вы этот билет искали?

— А вы как думаете? — нервно рассмеялась девушка. — Я в тот день в офисе ночевала, все документы на всех и во всех столах по листочку пересмотрела, все мусорные корзины перерыла — не было его!

— Посторонние в тот день в офисе были?

— Да мы и дверь-то входную в то время изнутри запирали, чтобы нам никто не мешал, потому что люди толпами шли, чтобы как-нибудь билетик достать, а мы на ушах стояли — к открытию готовились.

— Среди коллег у вас есть недоброжелатели? — Она помотала головой. — Итак, посторонних не было, врагов, которые хотели бы вас подставить, тоже. А вдруг кто-то из ваших коллег потихоньку взял билет, чтобы подарить, например, кому-то?

— Зачем? Мы еще не раскрутились с рекламными роликами, а продажа через Интернет уже началась, так что мы сколько хотели, столько и набрали себе билетов в подарок друзьям и родственникам.

— То есть коллектив у вас сплоченный, работаете все вместе давно...

— Так почти все друг другу родственники! Пономарева — теща Аникина, Светлова — племянница жены Калачева и так далее. Там посторонних всего два человека: я и бухгалтер Нина. Нет, три, — поправилась она. — Еще курьер Борька, но он у нас совсем недавно появился.

— И откуда же он взялся, если никому не родственник?

— Да он на стройке работал и ногу себе сильно поранил. А как из больницы вышел два месяца назад, его временно к нам взяли. Сначала он на нашей разгонной машине на стройку всякие бумаги и пакеты отвозил, а потом вот билеты по городу. После того как Центр откроется, его собирались обратно вернуть, уж не знаю кем.

— А что он собой представляет?

— Зашуганный он какой-то. Может, из-за того, что хромает, а может, по жизни такой. Придет тихонько, возьмет, что надо, и уйдет. Я так думаю, пожалел его Шатунов, как убогих жалеют, вот он к нам и прибился.

— А теперь, Лариса, запоминайте, что мне от вас, причем очень срочно, нужно. Первое. Вы напишете мне все организации в том порядке, в каком туда доставлялись пригласительные билеты. В такой-то день — такие-то, в другой — такие-то, и так далее. Второе. Отметите, куда Мелентьев сам отвозил билеты, а куда — Борис. Третье. Мне нужен номер пропавшего билета.

— У меня все на работе. Я ездила туда в понедельник, а там все опечатано. Постояли мы возле закрытых дверей, покурили, даже выпили на помин нашей фирмы и по домам разъехались.

— Все пришли? — затаив дыхание, уточнил Гуров.

Она подумала немного, а потом уверенно заявила:

— Кроме великолепной четверки — мы так хозяев зовем, — наши все были. — Она вдруг запнулась и добавила: — А вот Борьку я не видела. Точно! Не было его!

— Ладно! С офисом мы вопрос решим, — сказал Лев и позвонил Савельеву: — Степа! Если ты занят тем, что я тебе утром поручил, то бросай — нам это уже не надо. Важно другое: делай что хочешь, но офис должен быть совершенно официально открыт, причем срочно! Я привезу туда Артамонову, потому что все необходимые нам сведения — у нее.

— Понял! Немедленно займусь! — пообещал парень. — Думаю, в течение часа вопрос решим. А мои ребята носом землю роют, так что не волнуйтесь.

— Позвони Стасу и скажи, чтобы он Пономареву и Светлову в офис привез, а я с Ларисой сейчас тоже туда отправлюсь. Будем на месте разбираться. — Выключив телефон, Лев повернулся к девушке: — Срочно собирайтесь! Нам нужна ваша помощь.

Лариса собралась на удивление быстро, они спустились вниз, и она с неприкрытой жалостью посмотрела на машину Льва — надо же, полковник, а на такой развалюхе ездит! Поняв ее без слов, Гуров сказал:

— Я, Лариса, из вымирающего племени честных ментов! Взяток не беру!

Они ехали к офису, когда зазвонил сотовый Льва. Посмотрев, кто его беспокоит, он поморщился — это был Джафар Мусаевич Мирзоев, глава, как теперь принято называть, этнической преступной группировки. Отношения у Гурова с ним были сложные: с одной стороны, он сам кое в чем ему помог, а с другой — тот не остался в долгу и в трудную минуту не только спас его самого от смерти, но и Марию от похищения бандитами, да и в других случаях был ему очень полезен. Звонок этот оказался совсем не ко времени, но проигнорировать его было бы стратегически неверно — мало ли что в жизни еще случиться может? — и Гуров ответил.

— Здравствуйте, уважаемый Лев Иванович! — начал Мирзоев, причем обычная оживленность в его голосе напрочь отсутствовала. — Не найдется ли у вас немного времени, чтобы заехать ко мне? Дело очень, — выделил он, — важное!

— Мне сейчас не совсем удобно говорить, уважаемый, — сказал Лев. — Я сейчас занят очень серьезным делом и совсем не располагаю свободным временем. Не могли бы вы хотя бы вкратце описать мне проблему, чтобы я мог решить, насколько она важна?

— По телефону не могу, уважаемый Лев Иванович. Скажу только, что наша проблема очень тесно связана с вашим делом. Извините, но мы знаем, чем вы сейчас заняты, — обтекаемо говорил Мирзоев. — Поэтому и просим вас приехать, когда сможете, мы вас будем ждать столько, сколько нужно.

— «Мы» — это кто? — спросил Гуров.

— Это все! Люди оказали мне большую честь и собрались у меня.

А вот это было уже очень серьезно! И Гуров решил поехать!

— Уважаемый! Я сейчас завершу одно короткое дело и сразу приеду к вам, — пообещал он.

Лев ехал и ломал себе голову над тем, что же могло случиться у кавказцев. Он передал Степану Ларису с рук на руки и сказал:

— Это Лариса Артамонова. — А девушку попросил: — Расскажите этому человеку все, что вы раньше рассказали мне, а также сделайте то, о чем я вам говорил. Это очень важно! — Он снова обратился к Савельеву: — А я отъеду по одному делу. В случае чего, я на телефоне, только по пустякам не беспокой. Как все проблемы решу, сам свяжусь.

Среда. День. Она же — день первый

Возле ресторана «Мелхиста» улица была забита такими машинами, словно туда Парижская выставка автомобилей переехала. На их фоне его собственная выглядела до того убого, что плакать хотелось. Но Гуров утешил себя тем, что эти разъезжающие на дорогущих иномарках люди за помощью прибежали именно к нему, а не наоборот. Охраны возле входа было столько, что не протолкнуться, и, когда Гуров попробовал пройти, его остановили властным, «хозяйским» окриком:

— Ты куда прешь? Иди отсюда!

— Уже ушел, — усмехнулся Лев и направился к своей машине.

Но дойти до нее он не успел, потому что сзади раздался окрик Мирзоева:

— Уважаемый Лев Иванович! Подождите!

Оглянувшись, он увидел, что этот невысокий толстяк, задыхаясь и обливаясь потом, почти бежал к нему. Решив дожать ситуацию до конца, Гуров все-таки дошел до машины и даже дверцу открыл. И он действительно уехал бы, если бы не мысль о том, что проблема кавказцев может быть связана с трагедией в Центре. Лев остановился и стал ждать, но дверцу не закрыл, чтобы продемонстрировать свое недовольство. Джафар, добравшись до него, немного отдышался, а потом извиняющимся тоном проговорил:

— Уважаемый Лев Иванович! Я вас очень прошу! Простите этих глупых баранов! Просто они вас не знают! Пойдемте, пожалуйста, все вас ждут!

Якобы поколебавшись, Лев хлопнул дверцей, пискнул сигнализацией и пошел с Джафаром обратно.

Возле входа в ресторан уже шла крутая разборка. Какой-то среднего роста сухощавый мужчина с седой шевелюрой что-то гневно выговаривал охране, которая стояла понурившись, с самым виноватым видом и даже не решалась вытереть кровь с лиц. Когда Гуров подошел, мужчина повернулся к нему:

— Здравствуйте, уважаемый Лев Иванович! Я...

— Я вас узнал по голосу, уважаемый Салман Асланович, — перебив его, сказал Гуров и протянул ему руку, которую тот пожал двумя руками — знак очень большого уважения для тех, кто это понимает, а понимали это все стоявшие вокруг.

— У меня на хороших людей тоже очень хорошая память, — сверкнув белоснежными и острыми, как у волка, зубами, ответил ему Салман. — Не сердитесь на этих дураков! Они еще молодые! Глупые! Думают, что важный человек должен только на большой, дорогой и красивой машине ездить! А такой человек ездит на том, на чем хочет! И имеет на это право!

За этим разговором они вошли внутрь и повернули к большому залу. Все столики, располагавшиеся раньше по отдельности, были теперь составлены вместе, и получился один длинный стол, в торце которого были три свободных места — видимо, два из них занимали Салман с Джафаром, а третье предназначалось для него. Оглядев присутствовавших, Гуров увидел как знакомые, так и незнакомые лица, причем там были представители не только Северного Кавказа, но и Средней Азии. «Да, — подумал он, — проблема действительно серьезная, если они все вместе собрались ради встречи со мной». Как он и ожидал, ему предназначался стул в торце стола, причем в середине — куда уж почетнее? А уж что стояло на самом столе! Гуров даже смотреть туда боялся — слюной можно было захлебнуться. Когда он сел, оставшийся стоять Мирзоев торжественно заговорил:

— Друзья! У нас в гостях полковник полиции Лев Иванович Гуров! Он очень умный человек, и мы очень надеемся, что он поможет решить нашу проблему. А сейчас угощайтесь, дорогие!

Джафар сел, а Лев, обращаясь ко всем, сказал:

— Господа! Я уважаю ваши традиции и обычаи! Я знаю, что считается неприличным переходить сразу к делу, а нужно сначала поговорить о родных, о бизнесе, о погоде, отведать приготовленное хозяйкой угощение. Извините, но у меня нет для этого времени. К тому же все, что стоит на этом столе, мне просто нельзя есть. Я очень надеюсь, что никто из вас не знает, как болит поджелудочная железа, и желаю всем вам, чтобы вы никогда этого не испытали. — В полной тишине Лев оторвал кусок лаваша, съел его, запив водой, продолжил: — Уважаемые! Я преломил с вами хлеб. А теперь давайте поговорим о вашей проблеме. Кого-то из вас я знаю хотя бы в лицо, кто-то мне совсем незнаком, но, раз вы все здесь собрались, я уже понял, что она достаточно серьезная. Я слушаю вас.

Все сидевшие за столом переглянулись, и в их взглядах читалось одобрение и понимание — Гуров повел себя по отношению к ним очень уважительно. Откашлявшись, слово взял Салман:

— Уважаемый Лев Иванович! Вы знаете человека по кличке Зубр?

Вот это был удар! Зубра по-настоящему звали Анатолий Андреевич Кабанов, а кличку свою он получил потому, что у него была очень короткая шея, и ему приходилось поворачиваться всем туловищем. Сейчас он был главой всего уголовного мира России. Должность это была выборная, и Зубр торил к ней дорогу отнюдь не дипломатическими методами. Гуров столкнулся с ним еще в молодости, и своей, и его, но и тогда уже было ясно, что у молодого уголовника выдающиеся задатки, причем со знаком минус, что в полной мере подтвердилось в дальнейшем.

— Скажем так, мы пересекались, но очень давно, однако я никогда не терял его из виду, да и он, думаю, обо мне слышал, — ответил Лев.

— В той трагедии, что произошла в развлекательном Центре, пострадали его близкие: мужчина, его жена и двое детей, — продолжил Салман. — Хвала Аллаху, они все живы, но мужчине отрезали ногу, женщина была тяжело ранена и потеряла ребенка, а девочки совсем плохие. Они хоть и не маленькие, но больше не могут разговаривать, всего боятся и постоянно плачут. Зубр говорил, что это его племянник, но мы думаем, что сын. Сегодня по телевизору один генерал сказал, что это был теракт, а совершили его исламисты, которые приехали с Кавказа или из Средней Азии. Поэтому Зубр позвонил мне и пригрозил, чтобы мы через неделю выдали ему тех, кто это сделал, иначе будет большая война! — Салман очень старался оставаться спокойным, но с каждым словом это получалось у него все хуже и хуже. — Уважаемый Лев Иванович! Клянусь Аллахом! — почти прорычал он. — Если бы такое произошло с моими родными, я бы тоже мстил! Но я бы мстил именно тем, кто действительно виноват! Но он не хочет ничего слушать!

Как только прозвучало слово «война», Гуров уперся локтем в стол и закрыл лицо рукой — его трясло, и, если бы рядом с ним сейчас оказался Плюшкин, он задушил бы его собственными руками.

— Уважаемый Лев Иванович, вам плохо? — с тревогой спросил Мирзоев, и за столом воцарилась мертвая тишина.

Лев помотал головой, перевел дух, налил себе в бокал воды и залпом выпил. Посмотрев по сторонам, он увидел возле одного из мужчин сигареты и знаком попросил, чтобы их передали ему, что было мгновенно сделано. Он закурил, немного успокоился и поинтересовался:

— Что-то еще?

— Он уже из провинции людей подтягивает, — добавил кто-то из сидевших за столом. — Мы свои семьи на родину отправляем, здесь только мужчины остаются.

— Война никому не нужна! — сказал еще кто-то. — Мы здесь давно живем, ведем свой бизнес, наши дети ходят в школы и институты, наши женщины завели себе подруг и радуются жизни, а теперь все это рухнет из-за каких-то шакалов!

— Уважаемый Лев Иванович! Мы разделяем горе Зубра и понимаем его. Но никто из наших людей этого не совершал! — твердо заявил Мирзоев. — Мы в них уверены! Но все равно всех до единого проверим!

Лев и так знал, что кавказцы, или, как их принято называть среди уголовников, «черные», здесь ни при чем, однако заметил:

— Но есть еще неорганизованные одиночки, которые вам не подчиняются.

— Всех найдем, дорогой! Всех! Поштучно переберем! На свет посмотрим! В душу заглянем! И если этого шакала найдем, своими руками Зубру отдадим, — отчаянно жестикулируя, горячился кто-то из гостей.

— Я так и не понял, что же вы от меня хотите? — спросил Гуров.

— Неделя, уважаемый Лев Иванович, — выразительно проговорил Мирзоев.

— То есть вы хотите, чтобы я поговорил с Зубром и убедил его дать вам больше времени? — уточнил Лев.

— Уважаемый Лев Иванович! Серьезные люди к вашему мнению очень прислушиваются, — объяснил Джафар.

— Ну, что ж, давайте попробуем, — согласился Гуров. — У кого из вас есть телефон Зубра?

Салман тут же достал свой сотовый и набрал номер, а Лев попросил его:

— На громкую связь поставьте.

Не успел он это сказать, как все гости, вскочив из-за стола и уронив стулья, бросились к нему и окружили, чтобы не пропустить ни слова. Раздались гудки, а потом послышался низкий хриплый голос:

50

— Что, Салман, уже нашел террориста? Или ты мне кого-нибудь «левого» хочешь подсунуть? Так ты учти, что я с ним сам разговаривать буду и правду все равно узнаю.

— Это Гуров, — сказал Лев.

— Ба! Да ты, я смотрю, с «черными» так скорешился, что они к тебе за защитой кинулись? — рассмеялся Зубр.

— Не хами! Тем более что должок за тобой, — спокойно ответил Гуров. — Или тебе не доложили, что это я тогда в Центре помог твоим парням внутрь пройти, а потом и твоих близких нашел.

— У меня так не бывает, — сразу посерьезнел Зубр. — Я все знаю и долг признаю. Чего ты хочешь?

— Первое, чтобы ты меня выслушал и не орал, — начал Лев. — Это не был теракт.

— Погоди! — воскликнул Зубр. — Тот генерал по телевизору сказал...

— Он свои звезды на паркете получил, а я — старый сыщик и знаю, что говорю.

— Отвечаешь? — с угрозой спросил тот.

— А когда-то было иначе? — спокойно парировал Гуров.

— Так что же это было?

— Покушение на убийство одного человека или группы лиц. Чистая 105-я.

— Моих? — внезапно севшим голосом спросил Зубр.

— Пока не знаю, а когда не знаю, молчу.

— По поводу того, кто это сделал, у тебя какие-нибудь соображения есть?

— В подробности я тебя посвящать не буду, но с полным основанием говорю, что ни в какую группировку он не входит, более того и скорее всего — он русский.

— А то нет русских, которые на сторону террористов перешли! — возразил Зубр.

— Есть, — согласился Гуров. — Но рассуди сам: Салману Аслановичу и его коллегам эта трагедия невыгодна ни с какой стороны — сам знаешь: там, где живут, не гадят, а у них тут и бизнес, и семьи. За своих людей они ручаются, но все равно проверят, а неподконтрольных им одиночек просеют через мелкое сито. — Стоявшие вокруг него люди тут же активно

51

закивали головами. — Так что ты, Зубр, зря людей не нервируй, а дай им работать спокойно.

— А ты, как я понимаю, эту сволочь ищешь?

— И можешь не сомневаться, что найду.

— Ну, тогда я тебе неделю сроку даю, — рассмеялся Зубр. — А не найдешь, так в том, что потом случится, уже твоя вина будет.

— Ты мне не начальство, чтобы сроки устанавливать! — отрезал Лев. — И угрожать мне тоже не надо! Когда я вас боялся? И вообще, мы с тобой разговор не по делу ведем. Давай по существу. Ну, первое мы с тобой обсудили, а теперь второе. Мне с твоим племянником поговорить надо.

— Это еще зачем? — насторожился Зубр.

— Пойми, он единственный, кто там тогда не растерялся, а смог свою семью спасти. Пусть они и не все здоровы, но ведь живы же, а это главное. А раз он вовремя сориентировался, что и как нужно делать, то реакция у него хорошая. Будем надеяться, что наблюдательность тоже. А мне для дела очень важно знать последовательность того, что и за чем в павильоне происходило.

— Ладно, — подумав, согласился Зубр. — Подъезжай завтра в двенадцать в частную клинику на Грибова, я предупрежу. И мое последнее слово, Гуров. Десять дней тебе сроку! Учти, что сегодня уже первый! И любая, даже невозможная помощь. Но если не найдешь, пеняй на себя, об остальном я и не говорю, — заявил он и отключил телефон.

Стоявшие вокруг Гурова мужчины перевели дыхание и немного расслабились, а он поднялся и сказал:

— Ну, вы все слышали, так что выводы делайте сами. И одиночек своих действительно потрясите, а то вдруг я ошибся, и это кто-то из них? — В ответ Мирзоев только возмущенно всплеснул руками, давая понять, что Лев не ошибается никогда. — Все когда-то бывает впервые, уважаемый Джафар Мусаевич, — ответил ему на это Гуров. — А еще попридержите своих джигитов, чтобы они сами никого ни на что не спровоцировали — эту передачу по телевизору не только вы видели, но и вся страна, вот и нечего гусей дразнить.

52

— Уважаемый Лев Иванович! — Салман чуть поклонился ему, прижав руку к груди. — У вас будет много тяжелой работы, и мы хотим взять на себя ее часть. Что бы вам ни потребовалось, мы все узнаем, из-под земли достанем или сделаем. Только скажите, что именно вам надо.

— Спасибо, уважаемый Салман Асланович, может быть, мне и потребуется помощь, — не стал отказываться Гуров — кто знает, какие еще сюрпризы ему приготовила межведомственная рабочая группа в лице генерала Плюшкина?

Мирзоев тоже не остался в стороне и осторожно сказал:

— Уважаемый Лев Иванович! Вы моих мальчиков уже в лицо знаете, так, может, они поездят за вами туда-сюда? А то мало ли что, Москва такой неспокойный город!

С трудом удержавшись, чтобы не хмыкнуть, Гуров и с этим согласился — он видел Мирзоева насквозь и ни секунды не сомневался, что эти парни, конечно же, будут его охраной и в случае необходимости кому угодно горло за него порвут, но Джафар преследовал при этом и другие цели. Во-первых, и это было основным, он хотел быть ежеминутно в курсе событий, а во-вторых, просто показать всем, насколько он близок к такому известному в определенных кругах человеку, как Гуров, и этим повысить свой авторитет в глазах остальных. Гуров стал прощаться, а Джафар, горестно качая головой, расстроенно заметил:

— Вы так ничего и не съели, уважаемый Лев Иванович!

— И рад бы, да нельзя! — развел руками Гуров.

До машины его провожали Мирзоев и Салман, а стоявшие возле дверей охранники только почтительно поклонились. Едва отъехав от ресторана, уже в сопровождении джипа своей охраны, Лев позвонил жене:

— Маша, ты где?

— Почти вышла из театра и собралась домой ехать, а что? — весело ответила она — видно, у нее было хорошее настроение.

— Мне сейчас некогда тебе все в подробностях объяснять, поэтому слушай и запоминай сразу: ни-ку-да из театра не выходи! Сиди там и жди меня! Хоть до вечера! Хоть до утра! Но чтобы носу на улицу не высовывала! Даже если тебе позвонят и скажут, что меня убили и тебе требуется опознать мой труп. Кто бы ни пытался выманить тебя на улицу, не выходи!

— Лева, что случилось? — дрожащим голосом спросила она.

— Маша, тебя уже похищали, и ты знаешь, что это такое. Но в этот раз ты можешь попасть в руки такого человека, от которого живой уже не выберешься. И поверь, я знаю, что говорю!

— Хорошо, Лева, я даже в гримерке запрусь. — Мария балансировала уже на грани истерики.

— Это будет надежнее всего, и не открывай дверь никому, кроме меня. Поняла? Ни-ко-му!

Поговорив с женой, Гуров позвонил Александрову:

— Олег Михайлович! Мне нужно срочно с вами поговорить — это очень важно!

— Хорошо, приезжайте. Я жду вас. Охрана будет предупреждена, — несколько озадаченный его напором, ответил тот.

Бросив машину на стоянке возле Администрации президента, Гуров почти бегом направился внутрь, а потом через ступеньки наверх. Увидев его, Александров сказал:

— Лев Иванович, у вас очень встревоженный вид.

— Простите за вольность, Олег Михайлович, но у вас сейчас будет такой же, — многозначительно произнес Гуров.

— Присаживайтесь и рассказывайте.

— Извините, но у меня такие новости, что на месте не сидится, — отказался Лев и спросил: — Скажите, пожалуйста, это вы санкционировали выступление генерала Плюшкина сегодня по телевизору в утренней новостной программе?

— Конечно, нет, — поморщился тот. — Когда мне об этом доложили, я принял меры для того, чтобы этот материал больше не повторялся ни на одном из каналов.

— Поздно! — выразительно сказал Лев, с трудом удержавшись, чтобы не выругаться, и, расхаживая по кабинету, рассказал о том, что произошло.

— Да сядьте вы! — не выдержав его метаний, рявкнул Александров и, когда Гуров сел, уточнил: — Значит, столицу ждут криминальные разборки?

— Вы недооценили опасность ситуации. Просто вам никогда не приходилось выступать на этом ковре, а вот я на нем уже много лет кувыркаюсь! — заметил Лев. — Криминальные разборки — это когда кого-то из снайперской снимут, машину подорвут и тому подобное. Нас ждет полномасштабная война, со всеми вытекающими последствиями в виде сопутствующих жертв среди мирного населения! Девяностые, по сравнению с ней, покажутся компьютерной стрелялкой! Зубр подтягивает людей из провинции, кавказцы и выходцы из Средней Азии свои семьи на родину отправляют. Но!.. Обратными рейсами сюда отнюдь не ангелы с крылышками прилетят!

— Что мы можем этому противопоставить, кроме работы вашей группы? Учтите, любая мыслимая и немыслимая помощь будет вам оказана незамедлительно.

— Запретите, пожалуйста, Плюшкину делать какие-нибудь публичные заявления, а то неизвестно, что он в следующий раз ляпнет, — попросил Лев.

— Хорошо, что напомнили, — кивнул Александров и, нажав клавишу селектора, сказал: — Генерала Плюшкина ко мне! Немедленно! Можно без соблюдения политеса! И согласуйте приказ об отстранении его от руководства межведомственной рабочей группой по расследованию происшествия в развлекательном центре «Тридевятое царство», а также возбуждении в отношении его служебного расследования за превышение должностных полномочий.

— Олег Михайлович, если это возможно, не назначайте на его место полковника Шатрова — он того же поля ягода, — сказал Лев.

— А может быть, все-таки вас на его место?

— Нет, из меня получится плохой руководитель. Я привык работать сам, чтобы быть уверенным в каждом факте, слове, улике... Сегодня утром вот на Крячко сорвался за то, что тот просмотрел одну деталь, хотя и понимал, что день у нас был безумным, ночь бессонная, и он элементарно устал. Но ведь я бы этого не пропустил! И это Стас, опер от Бога, которому я верю, как себе! Как же я могу надеяться на тех, кто меня люто ненавидит? Они же, пусть и во вред делу, но заодно и мне, будут дурака валять или факты подтасовывать.

— А если мы поступим так: официальный руководитель группы — вы, а Крячко ваш заместитель, который контролирует исполнение ваших поручений?

Гуров изумленно посмотрел на него и невольно хмыкнул:

— И за что же вы так людей не любите, Олег Михайлович? Я человек не мстительный, но, если Крячко дорвется до власти, мало никому не покажется, он за все прошлые обиды на них отыграется.

— Значит, как я понял, вы согласны?

— При таком раскладе — да, — ответил Лев.

Александров отдал секретарю соответствующее распоряжение, а Гурову сказал:

— Приказ о вашем и Крячко назначении будет доведен до членов рабочей группы самое большее через час. А сейчас давайте вернемся к нашей проблеме. А что, если нам изъять Зубра?

— Олег Михайлович! Если эта изысканная формулировка означает его ликвидацию, то последствия будут тяжкими. Его убийство тут же повесят на кавказцев, и война начнется немедленно — такого не прощают. Если же вы подразумевали его задержание, то это нереально — не за что! Между ним и обычным криминалитетом такое расстояние, что мы при всем желании не сможем притянуть его ни к одному громкому делу. С таким же успехом можно задержать заведующую детским садом за то, что два малыша в песочнице совочек не поделили. Брать его на сорок восемь часов без всяких оснований, так его адвокаты — а я не сомневаюсь, что они у него самые ушлые из всех московских, — размажут нас по жизни тонким слоем, а журналюги — по газетным листам, типа: «Полиция окончательно ссучилась и легла под «черных». Так что нам остается только пахать как проклятым!

— Обычно этот процесс заканчивается для вас в больнице, у вас и сейчас уже очень нездоровый вид. Не стесняйтесь, говорите, что у вас случилось.

Вспомнив, как его всего двумя уколами поставили на ноги, когда у него случился жесточайший приступ радикулита, Гуров, поколебавшись, признался:

— Да поджелудочная! Для нее ведь что главное? Холод, голод, покой. Ну, горячее я давно не ем, но вот дробно питаться, следуя жесточайшей диете, при моей работе не получается, а уж покой нам только снится — от нервов уже и обрывков не осталось.

— Это дело поправимое, сегодня вам передадут лекарство, но вы уж все-таки постарайтесь нормально есть. А чем еще мы можем вам помочь?

— Понимаете, мне неудобно просить, но... Я должен быть спокоен за своих близких — они мое уязвимое место, моя болевая точка.

— Вы думаете, что Зубр может кого-то из них похитить, чтобы, скажем так, активизировать вашу работу в нужном для себя направлении? — недоверчиво спросил Александров, и Гуров кивнул. — Неужели он способен на такое в отношении полицейского вашего уровня?

— О-о-о! Поверьте мне на слово, он еще и не на такое способен!

— Что конкретно нужно сделать? — явно оценив серьезность ситуации, спросил Олег Михайлович.

— Мои родители живут под Херсоном в Крыму, а с тех пор, как он вошел в состав России, он автоматически попал под юрисдикцию Зубра, так что найти их там ему будет несложно.

— Пишите адрес, я распоряжусь, и за ними присмотрят, — сказал Александров и, получив листок с адресом, спросил: — Что еще?

— Моя жена, актриса Мария Строева, — она для него самая легкая добыча. Ее из-за моей службы уже не раз похищали, и мне не хотелось бы повторения пройденного. Она сейчас в театре и ждет меня. Конечно, я мог бы ее кое у кого спрятать, но если война... — Услышав это слово, Александров недовольно нахмурился, и Гуров повторил: — Да-да, Олег Михайлович! Давайте смотреть на вещи реально! Именно война начнется, это место не будет для нее безопасным.

— Хорошо, я вас понял, — покивал Александров и, нажав клавишу селектора, приказал: — Воронцова и Самойленко ко мне! Срочно! — Затем снова обратился к Гурову: — За всеми этими безрадостными новостями вы так и не рассказали мне, как продвигаются дела.

— По моему мнению, мы движемся в правильном направлении, и у нас уже есть подозреваемый, если, конечно, это не очень продуманная подстава. Но у меня нет последних данных, так что я не буду торопиться с выводами, — уклончиво ответил Лев. — Как бы там ни было, у нас впереди десять дней, и я сделаю все, что от меня зависит, чтобы предотвратить беду.

— Воронцов и Самойленко в приемной, — раздался голос секретаря.

— Пусть войдут, — разрешил Александров.

В кабинет вошли двое мужчин лет сорока, в хороших костюмах, белых рубашках, с подобранными в тон галстуками, и вопросительно посмотрели на начальство.

— Это сотрудники нашей службы безопасности, — сказал Александров и представил им сыщика: — Это полковник полиции Гуров. Сейчас его жена находится в театре. Ее нужно оттуда незаметно вывезти на объект номер три. Не беспокойтесь, Лев Иванович, ей там будет комфортно. А вы работайте! Я очень надеюсь на то, что проблема будет успешно и в срок решена.

Гуров ничего не ответил, только попрощался и вышел в сопровождении подчиненных Александрова. Как оказалось, в приемной между двумя мужчинами сидел ничего не понимавший Плюшкин, и секретарь, увидев, что Гуров и Воронцов с Самойленко выходят, доложил:

— Олег Михайлович, генерал Плюшкин в приемной.

И вдруг раздалось:

— Заводите!

Осев на стуле, Плюшкин мигом сдулся, как воздушный шарик, и посмотрел на Гурова ненавидящим взглядом. «Вот идиот! — подумал Лев. — Он думает, что я буду злорадствовать! Как будто у меня есть на это время и силы. Да у меня даже желания такого нет!»

Выработав план действий, Гуров и Воронцов с Самойленко поехали в театр на разных, естественно, машинах, но в сопровождении все того же джипа с кавказцами, которым было плевать, кто там рядом с Львом Ивановичем — раз хозяин приказал охранять, значит, будут охранять. Мужчины вошли в театр через парадный вход — еще бы им с их удостоверениями его не открыли, — а дальнейший путь Гуров им объяснил. Сам он прошел через служебный вход и направился прямо к гримуборной жены. И вот тут начались проблемы — Мария была запугана настолько, что не хотела открывать даже ему. Наконец, потеряв терпение, он заорал:

— Машка! Да ты откроешь или мне придется дверь вышибать?

И тут дверь открылась. Белая как мел, Мария стояла, сжимая в руках тяжелый подсвечник из реквизита, который она постоянно держала у себя, потому что он ей очень нравился. При виде мужа она выронила его из рук, бросилась Льву на шею и разрыдалась:

— Слава богу, это действительно ты, а я думала, кто-то чужой.

— Дожил! Жена мой голос после стольких лет семейной жизни не узнает, — попытался пошутить Гуров. — Все, Машенька! Все! Успокойся, это действительно я. — Заметив, как она с подозрением смотрит на сопровождавших его мужчин, он объяснил: — Это сотрудники службы безопасности Администрации президента. Ты сейчас переоденешься и загримируешься так, чтобы тебя нельзя было узнать... Словом, ты лучше меня все знаешь. Потом выйдешь с ними, и они отвезут тебя в безопасное место, где, как меня заверили, тебе будет комфортно. Там и поживешь некоторое время.

— Но мои спектакли! — воскликнула Мария.

— Какие спектакли? — возмутился Лев. — Заменят тебя, вот и все! А ты будешь сидеть тихо как мышь! И не вздумай мне звонить ни на домашний, ни на сотовый, потому что они могут прослушиваться. Как только станет можно, ты вернешься домой.

— Но у меня же с собой ничего нет! — растерялась она.

— Я. Найду. Возможность. Передать. Тебе. Вещи, — уже окончательно теряя терпение, произнес он со зверским выражением лица.

— Но ты же не знаешь, что именно... — начала она, но, взглянув ему в глаза, поняла, что ей лучше замолчать.

— Преображайся! И быстро! — велел Лев.

Мужчины вышли в коридор, и Гуров, встретив их сочувственные взгляды, вздохнул:

— Никогда не женитесь на артистке! Лучше сразу мужественно застрелиться самому, чем потом сидеть за ее убийство.

Мария — что значит мастерство, которое, как известно, не пропьешь! — вышла из гримерки через пять минут, но это была уже не она. Светлый парик из длинных волос, большие темные очки, губы накрашены яркой помадой, пронзительно-желтая, опасно короткая кофточка в обтяжку была до последней грани приличия декольтирована и спереди, и сзади. Но главное — короткие кожаные шорты, открывавшие ее стройные ноги в черных колготках. Довершали наряд большая красная и явно клеенчатая сумка через плечо и нечто невообразимое на толстенной платформе и с множеством шнуровок на ногах. Мария медленно, открывая при этом рот, жевала жвачку, потом выдула пузырь, а когда он лопнул, вернула жвачку обратно и игривым тоном спросила:

— Чё, мальчики? Нравлюсь? Ну, куда девушку повезете? Девушка шампусик любит!

— Маша, это же из какого спектакля реквизит? — обалдело спросил Гуров.

— Можно подумать, что ты все мои спектакли знаешь, — своим нормальным голосом и очень язвительно ответила она и тут же вернулась в образ: — Чё стоим? Кого ждем? Девушка развлекаться хочет! Мальчики! За мной! — И пошла вперед длинным, медленным шагом от бедра, выписывая немыслимые пируэты, отчего кофточка то поднималась, то опускалась, открывая обнаженные части тела.

— Вы были не правы, товарищ полковник, — шепнул ему Воронцов. — Стреляться надо было еще на подступах к ней. А теперь у вас круглосуточно домашний театр.

— Цирк-шапито, блин! — не выдержал Гуров.

Мужчины поспешили за Марией, а он остался стоять, глядя им вслед, и что-то возмущенно, но бессвязно бормотал себе под нос, но не мог не отметить, какой титанический труд она приложила к своему преображению. Наконец он мысленно махнул на все рукой — не до этого сейчас, и так дел полно, главное, что жена будет в безопасности, и вернулся в свою машину, откуда позвонил Степану.

— Мы со Станиславом Васильевичем ждем вас в офисе, — сказал тот. — В свете того, что рассказала Артамонова, есть кое-что интересное, и от моих парней тоже. Кстати, тут один приказ прошел...

— Знаю, — перебил его Лев.

— А еще, говорят, второй...

— Тоже знаю. Сейчас приеду, и разберемся.

Приехав в офис, Лев увидел, что там не только Артамонова и Пономарева со Светловой, а вообще все, кроме руководства. В ответ на недоуменный взгляд Льва Степан ему тихонько объяснил, что Ольга Васильевна, как теща одного из совладельцев, временно и самолично возложив на себя обязанности начальства, вызвала на работу всех сотрудников — раз есть возможность обелить имя фирмы, надо ею воспользоваться.

— Что по курьеру Борису? — спросил Гуров.

— Докладываю, — начал Степан. — Беклемищев Борис Владимирович...

— Что-то фамилия знакомая, — попытался сосредоточиться Лев и тут же махнул рукой. — Ладно, потом вспомню. Давай дальше!

— Москвич, образование среднее, год рождения 1995, и прописка имеется, причем не в самом захудалом районе. По сотовому он недоступен. Я на адрес уже своих ребят послал — пусть разузнают, что и как. Под протокол изъяты образец подписи и почерка, а также ксерокопия паспорта, но такая темная, что лица на ней не разбрешь. Артамонова отксерокопировала нам все свои документы по распределению билетов и их отправке. Сейчас люди сидят и вспоминают, что Борис точно трогал руками, чтобы нам отпечатки снять, и где бы нам найти что-то, с чего его ДНК можно взять.

— Ускорим процесс, — жестко сказал Гуров и обратился к сотрудникам: — Дамы и господа! Сейчас вы все разойдетесь по своим рабочим местам и будете думать, вспоминать и ломать голову над тем, где могут быть отпечатки пальцев

61

курьера Бориса! И вы не уйдете отсюда до тех пор, пока не предоставите то, что мне надо!

Сотрудники покорно разошлись по разным комнатам, а Гуров, повернувшись к Крячко и Савельеву, спросил:

— Новые материалы есть?

— Есть, но там ничего полезного, кроме списков получивших билеты людей, правда, еще не из всех организаций. Как вы понимаете, к этому рабочая группа никакого отношения не имеет. — Гуров только зубы покрепче сцепил, чтобы не выругаться, а Степан усмехнулся: — Ничего! Вы со Станиславом Васильевичем их так вдохновите, что как электровеники работать будут, или я ничего не понимаю в жизни. Кстати, а где вы целый день были?

— Все потом и дома, а то я сейчас сорвусь, — недобрым тоном произнес Лев.

— Между прочим, уже полпятого, а в шесть — время вечерних посиделок. Вам теперь там быть положено — вы же начальство, — неожиданно напомнил Степан.

— Вместо меня там Стас будет отдуваться, а мы с тобой делом займемся. Где тут можно спокойно поговорить?

Они втроем зашли в первый попавшийся кабинет, и Гуров попросил:

— Давайте все, что еще накопали.

— Что касается внешности и привычек Беклемищева, — начал Крячко. — Невысокий, щуплый, глаза и волосы светлые, обычная среднерусская внешность, зацепиться не за что, только вот хромота. Одевался дешево, следил за собой по принципу: чисто, и ладно. Чувствуя себя здесь чужаком, в близкие друзья не набивался, держался особняком, внимание к себе старался не привлекать, о себе ничего не рассказывал, да его и не спрашивали — кому он интересен? Если просили в чем-то помочь, делал, если не тяжело. Большую часть времени проводил в холле. Приходил и уходил вовремя, не опаздывал. По работе придраться не к чему. В последний раз его видели в пятницу. Сотрудники фирмы всем коллективом, как в старые, добрые, советские времена, отправились в Центр развлечений наводить последний лоск. Он поехал туда вместе со всеми на автобусе. А вот разъезжались оттуда вечером кто с кем, кто раньше, кто позже, и никто не может сказать, куда он делся. В понедельник, когда все, сами не зная зачем, пришли к офису, его не было.

— Хорошо, что у тебя, Степан? Ты говорил, что твои ребята что-то нарыли.

— Обследовали они эти очистные, замочек аккуратненько вскрыли, зашли, посмотрели, но потом все снова заперли, — поспешил успокоить его Савельев. — Шатунов был прав, по трубе можно проползти непосредственно в строение недалеко от ограды, где находятся фильтры и прочие механизмы, а уже оттуда выйти на территорию.

— Мокрым как мышь! — возразил Стас.

— Будь у меня ключ от очистных, я бы в пятницу спрятался где-то на территории, потом сделал свое черное дело и ушел через очистные, а мокрым или сухим — уже не важно, — заметил Степан.

— Резонно, — согласился Гуров. — Что по больнице?

— Ребята выяснили, какого числа туда «Скорая» привезла со стройки парня. Поскольку он побывал в воде, паспорт и медицинская страховка намокли, но разобрать, что там написано, было можно. Была большая кровопотеря, и ему делали переливание крови, у него вторая группа, резус положительный.

— Это нам ничего не дает — такая у половины России, — отмахнулся Лев. — Что дальше?

— Наколок на его теле не было. Ребята отксерокопировали его историю болезни, можно будет покопаться. И тут интересный факт — вечером того же дня к нему приехала какая-то женщина лет сорока пяти — пятидесяти, представилась его родственницей. Она привезла ему вещи, продукты, поговорила с ним, с врачами, все выяснила, но больше ее там никто не видел. А на следующий день к нему приходил мужчина, назвавшийся его отцом! Что вполне вероятно, потому что они похожи! Он очень недолго посидел возле Бориса, потом побеседовал с врачом и ушел. Больница маленькая, камера видеонаблюдения допотопная, записи хранятся неделю, так что внешности женщины и мужчины у нас нет. Возникает вопрос: как они узнали, что Борис в больнице, если врачи никому не звонили — он сказал, что не хочет никого волновать, и никаких номеров телефонов никому не давал!

— Борис с этими людьми сам как-то связался, — тут же заявил Стас. — Но раз он побывал в воде, его сотовый сдох, значит, он звонил либо из больницы, либо попросил телефон у кого-то из соседей по палате. Следовательно...

— Уже делается! — заверил его Савельев. — Со стационарного телефона он звонить не мог — ему вставать запретили и он первые два дня пластом лежал, ему костыли только потом выдали. Кто были его соседи по палате, мы выяснили, и люди их уже ищут, кроме того, мы пробиваем их телефонные звонки за первые два дня после поступления Бориса в больницу. А еще медсестер, санитарок, врачей и так далее.

— Врачи «Скорой помощи». Он вполне мог попросить телефон у кого-то из них, — добавил Гуров и по виноватому виду Савельева понял, что их пропустили. — Ничего, наверстаете, с ними будет проще всего. А что с вещами Бориса? Они же были мокрые. Их что, в таком виде сестра-хозяйка в приемном покое в мешок и засунула? Или она их сушила? И вообще, что с ними? Там же брюки рваными должны быть, он в таких и ушел из больницы! Если та женщина ему одежду для больницы принесла, то кто-то мог и верхнюю потом привезти.

— К нему больше никто не приходил, — уверенно заявил Степан.

— Врачи этого могли просто не заметить! Кроме того, в палату тот человек мог не заходить — Борис-то уже сам ходячий был! — начиная раздражаться, сказал Лев. — Где его история болезни?

— Мне ее еще не передали, — пробормотал Савельев.

— Чтобы к вечеру у меня было все! — твердо проговорил Лев. — И еще раз пошли людей в больницу! Толковых! Если у тебя такие есть, — язвительно добавил он. — Пусть там как хотят, так и изворачиваются, но я в подробностях должен знать, что там происходило!

Он немного посидел, глядя в сторону, чтобы успокоиться, затем повернулся к Крячко:

— Стас, ты знаешь, что теперь я руководитель рабочей группы, а ты мой зам? — Тот кивнул с самым заинтересованным видом. — На совещании я только обозначу свое присутствие, а фактически руководить всем будешь ты. Гоняй их в хвост и в гриву, невзирая на личности. Если что-то будет не так, пиши на них рапорта, потому что дело настолько серьезное, что вы даже не можете себе представить.

— Что-то новое появилось? — насторожился Степан.

— Да, и очень неприятное, но, как я уже сказал, об этом потом и дома. А сейчас пиши, Стас, что конкретно нужно сделать.

Крячко огляделся, нашел на столе какие-то бумаги и стал записывать на обратной, чистой стороне листов, а Лев начал перечислять:

— Раз у нас теперь есть все полномочия, еще раз связаться с теми организациями, которые не предоставили нам списки получивших билеты людей. Снять домашний арест с Владыкина — это само собой. Нужно найти рабочих, которые обслуживали очистные, и выяснить у них, не заметили ли они что-то необычное, когда пришли в субботу утром на работу. Найти среди работников Центра тех, кто первым в субботу открыл павильон — не видели ли они там следов чьего-то пребывания. Если это Беклемищев подсоединял сотовые к взрывчатым устройствам, то должен был на что-то вставать.

— Он хромой, у него нога больная, — напомнил Стас.

— За два месяца могла и пройти, а хромоту он симулировал, — возразил Степан.

— Вот именно, — поддержал его Лев. — Высота там, как я помню, небольшая, но и он невысокого роста, так что просто со стола не достал бы. Значит, должен был притащить хотя бы ту же стремянку, отсюда вопрос к электрикам: где они ее держат, в каком состоянии и где оставили, в каком и где нашли. Опросить охрану, дежурившую ночью, — не заметила ли она чего-нибудь необычного. И нужна полная информация от врачей, в каком состоянии находятся пострадавшие в павильоне люди, с кем из них уже можно говорить. Если таковые есть, начать осторожно опрашивать их на предмет наличия смертельных врагов. У тех, с кем говорить еще нельзя, опрашивать семьи, тут уже можно действовать более настойчиво, как и с семьями тех, кто погиб. Главное, сразу озвучить нашу версию — это не теракт, а покушение на убийство, и мы выясняем, кого именно. Они такой мозговой штурм устроят, что все обиды с детсадовских времен вспомнят, ну а мы потом отсеем лишнее.

— Лева! Ты представляешь себе, какие разборки начнутся? — покачал головой Крячко.

— Поверь мне, Стас, что это мелкие семечки по сравнению с тем, что будет, если мы срочно не найдем Беклемищева, — горько усмехнулся Гуров.

Тут в комнату вбежала какая-то девушка:

— Я знаю, где есть отпечатки! Борька мне календарь к стене кнопками прикреплял! Только я его теперь боюсь трогать! — проговорила она, выскакивая в коридор.

— И правильно, что не трогала! Я его сам сниму! — крикнул ей вслед Степан и бросился за девушкой. Вскоре он вернулся, неся коробку из-под больших скрепок. Лев заглянул туда и увидел, что он не стал забирать весь календарь, а вырезал часть бумаги вокруг кнопки вместе с ней самой — таким образом, отпечаток получался целиком.

— А на одной кнопке, между прочим, и кровь есть — укололся он, — тихо сказал Степан.

— Господи, не выдай! — шепотом взмолился Стас и тут же вздрогнул от пронзительного крика:

— Я вспомнила! — Это к ним прибежала секретарша Люба. — Когда был объявлен конкурс на проект, нам каждый день мешками разные рекламные буклеты приходили. Мы их в холле положили — придут люди, пусть смотрят, пока ждут. И Борька часто сидел в холле и тоже их смотрел, а один, с корабликами, так постоянно!

— Я пошел на дело, — тут же подхватился Савельев. — Мадемуазель! Составьте мне компанию и покажите необразованному сухопутному, как выглядят корабли.

Девушка засмеялась, и они вышли в холл. Вскоре Степан вернулся, неся в файле какой-то рекламный буклет, и Гуров сказал:

— Итак, что мы здесь имеем. Установочные данные, образцы почерка и подписи, ксерокопию паспорта, отпечатки пальцев и, будем надеяться, потожировые с кровью. Хоть я теперь и руководитель группы, но подстраховаться не мешало бы — вряд ли нас там с распростертыми объятиями встретят. Поэтому считаю целесообразным улики разделить: кнопки с бумажками заберет Степан — все необходимые для сравнения данные у его конторы есть, а буклет мы отдадим. Имя Беклемищева пока «светить» не будем, сначала сами с ним разберемся.

— Тогда я сейчас одного парнишку своего высвищу, он у меня все заберет и отвезет в нашу лабораторию, — пообещал Степан.

— Быстро оформляйте под протокол изъятие всего этого! Степан! Не забыл еще, как это делается?

— Обижаете, гражданин начальник! — по-блатному ответил тот.

— Значит, вдвоем быстрее справитесь. Вперед! — скомандовал Гуров.

Через несколько минут все было оформлено, и Крячко, посмотрев на часы, сказал:

— Лева, пора ехать и принимать командование.

— Хорошо, Стас. Я выскажу им все, что о них думаю, а потом ты уж сам рули. Основное для начала я тебе набросал, а дальше война план покажет. Мы же со Степаном поедем по адресу Беклемищева — пора посмотреть, что это за фрукт такой. Степан, отдай Стасу ключи от дома, а ты, Стас, видимо, раньше нас освободишься, так приготовь хоть что-нибудь, потому что иначе я свалюсь — за ведь день ни крошки во рту не было.

Среда. Вечер

Комната, где собрались лишившиеся своего прежнего руководителя члены рабочей группы, встретила Гурова и Крячко (Степан остался ждать Льва в машине) напряженной тишиной. Из всех присутствовавших только Шатров и Богданов знали, что представляет собой Лев, но, несомненно, уже успели сказать остальным, что ничего хорошего ждать от него не приходится. Гуров и Крячко прошли к столу, Стас сел, а вот Лев остался стоять и, оглядев всех неприязненным взглядом, заговорил:

— Я полагаю, что до вас уже доведены два изданных сегодня приказа. По поводу причин, которыми они были вызваны, прошу обращаться к тому, чья подпись под ними стоит, а я никаких комментариев давать не буду. А вот по поводу результатов вашей работы, с которыми я ознакомился, могу сказать только одно — это саботаж! — Все возмущенно вскинулись, а он жестко продолжил: — Сейчас на основании собранных доказательств стало совершенно очевидно, что это не теракт, как громогласно объявил сегодня утром на всю страну генерал Плюшкин, а покушение на убийство, то есть преступление чисто уголовное! Мы по этому делу три дня работали, как каторжные, а вы упражнялись в чистописании! Предупреждаю: если увижу еще хоть одну отписку, ее автор может тут же подавать рапорт, а я постараюсь, чтобы он был рассмотрен в кратчайшие сроки. Далее. Я согласился на эту должность только в силу чрезвычайных обстоятельств, о которых вам знать не следует. Я никогда не имел склонности к кабинетной работе, вот и сейчас ею заниматься не намерен. Все мои поручения будет доводить до вас мой заместитель полковник Крячко, он же будет контролировать их исполнение и сроки. На все про все у нас десять дней! Сегодня закончился первый! Если мы не уложимся, дело закончится катастрофой, причем для всех вас лично — тоже! И даже не надейтесь удержать на плечах хоть какие-то погоны! У меня все! Честь имею!

Он прошел к двери, и тут взбешенный Шатров, не удержавшись, бросил ему в спину:

— А если дело срастется, то Гуров поменяет свои погоны на генеральские и займет кресло начальника управления.

— Шатров! — Лев на секунду приостановился. — Я очень не хочу ни первого, ни второго. Но обязательно сделаю это только в том единственном случае, если буду точно знать, что иначе эту должность займешь ты, потому что тебя к ней на пушечный выстрел подпускать нельзя.

Он вышел, а Крячко язвительно улыбнулся:

— Эх, Шатров! Ну, что ты за человек? Ведь знал же, что под козырной отбой попадешь, а все равно решил выпендриться! Ну ничему тебя жизнь не учит! — И, став серьезным,

68

обратился ко всем: — Ну что, господа офицеры? Продолжим наши игры?

Стас начал раздавать поручения, уточняя при этом, что срок исполнения двадцать четыре часа, но досрочное и, главное, качественное исполнение не только приветствуется, но и будет должным образом оценено при подведении результатов работы. Естественно, все возроптали, на что он спокойно заметил:

— Те, кого это не устраивает, могут переквалифицироваться в юрисконсульты — у них рабочий день нормированный. А пока несогласных прошу на выход, со всеми вытекающими последствиями. — Количество возражавших резко сократилось.

Спустившись вниз, Гуров увидел, как Степан машет ему из своей машины, и сел в нее.

— Лев Иванович, что это за джип с кавказцами за вами ездит? Приструнить шалунишек? — спросил Савельев.

— Не надо, это моя охрана, — покачал головой Гуров. — Просто ты не все знаешь. Потерпи до вечера.

— Можно подумать, что сейчас утро, — хмыкнул Савельев и, перегнувшись, достал с заднего сиденья пакет, в котором оказались апельсиновый сок и плюшки.

— Подкрепитесь, Лев Иванович, а то действительно свалитесь.

В ответ Гуров только невесело рассмеялся:

— Спасибо, Степа, но апельсиновый сок мне сейчас категорически противопоказан, а на плюшки у меня с некоторых пор идиосинкразия. Если у тебя найдется простая вода, то я попью, а нет — так перебьюсь. — Степан с сокрушенным видом развел руками. — Ладно! Скажи, твои архаровцы, которых ты посылал по адресу, насчет Беклемищева что-нибудь выяснили?

— Эти кретины напрямик поехали, а Москва-то стоит! — зло проговорил Степан. — Ну, я им завтра вломлю по первое число! Ничего, мы сейчас сами козьими тропами туда доберемся, вы, главное, за мной держитесь.

Гуров пересел в свою машину, и они поехали. Лев хорошо изучил Москву, но таких закоулков не знал даже он. Однако факт остается фактом — через полчаса, что для столицы практически мгновенно, они уже были возле нужного дома. В квартире Беклемищева никого не было, так что пришлось звонить в соседнюю. После долгих уговоров и заверений, что они из полиции, дверь приоткрыли на длину цепочки, и показался любопытствующий глаз.

— Удостоверение покажи! — потребовал немолодой женский голос, и Гуров, раскрыв свое удостоверение, поднес его поближе к двери, чтобы она могла его рассмотреть.

— Куда суешь! — раздраженно сказала женщина. — Дальнозоркость у меня! — Лев покорно отодвинул его от щели, и она спросила: — Ну, и чего полиции от меня надо?

— Да мы, собственно, не к вам. Нам Борис Беклемищев нужен, — объяснил Степан.

— Вот говорила я Вовке, что Борька плохо закончит! — послышался за дверью торжествующий голос. Щель немного уменьшилась, раздался металлический звук, и дверь распахнулась — на пороге стояла женщина лет семидесяти, в испачканном мукой халате, а из квартиры доносился запах ванили.

— Зря приехали! Борька вам не по зубам! Вовка его от всего отмажет — он же адвокат! — выразительно произнесла она.

Услышав это, Гуров мысленно застонал — ну, конечно! Вот почему ему показалась знакомой эта фамилия — адвокат Владимир Борисович Беклемищев! И пусть он не входил в десятку самых известных и дорогих, но и не из последних был.

— У Борьки все не как у людей! Квартира-то эта ему от бабки, Вовкиной матери, досталась! И много лет она пустая стояла, а как Борька в университет поступил, так тут поселился — ближе ему, мол, на учебу ездить. И машину ему Вовка купил! Ну, и началось! Что ни вечер — то пьянки-гулянки! Девки разные! Шум-гам до утра! Совестила я Борьку, а ему все как с гуся вода! Ростом с вас вымахал, а ума не нажил! А Вовку-то я еще мальчишкой знала, вот он мне свой телефон и оставил! И попросил позвонить, если что! Я и позвонила, как очередная гулянка началась! Вовка мигом примчался! Всю эту компанию расшугал, а Борьку только что не пинками в свою машину загнал и увез — дом у него за городом. А на

70

следующий день слесаря привез, и тот в дверь новые замки врезал! Ну, чтобы Борьке сюда уже совсем ходу не было!

— А вы не подскажете, где нам все-таки Бориса найти? — спросил Лев.

— Адреса Вовкиного дома я не знаю, а телефон могу дать, да только зря проездите, — сказала женщина.

Она скрылась в квартире и вернулась с визиткой адвоката, с которой Гуров переписал номера телефонов. Поблагодарив женщину, они вышли из подъезда, и Степан, зло сплюнув, процедил:

— Можно я не буду говорить, что обо всем этом думаю?

— Да говори ты что хочешь! Хоть вслух, хоть мысленно! Только сначала пробей адрес загородного дома адвоката, — устало ответил Гуров.

— «Пустышку» же тянем! — почти простонал Савельев. — И так ведь понятно, что это не наш клиент!

— Но паспорт-то его! И медицинская страховка тоже! Как знать, вдруг, если мы узнаем, где этот шалопай все это потерял, или украли у него, то нам это хоть какую-то зацепку даст!

Степану ничего не оставалось делать, как выяснить адрес адвоката, а Лев позвонил Крячко:

— Стас, вы все еще заседаете?

— Имеют место быть жаркие дебаты на тему, кого из твоих нынешних подчиненных назначить крайним за столь непродуктивную работу, — тихонько сказал в трубку Крячко. — Лично я поставил на Богданова, звиздюли со всех сторон на него так и сыплются, а он, как обычно, отбивается должностными инструкциями, но остальные его массой задавят.

— Кончай хохмить! — рассердился Лев. — Наш фигурант жил по чужим документам, это мы точно выяснили. А вот как они к нему попали, поедем выяснять сейчас. Поэтому надо найти ту фирму, от которой на стройке в Центре работал лже-Беклемищев, выяснить, в какой именно бригаде, и поговорить с ее рабочими о том, что он собой представляет, что о себе рассказывал и так далее. Короче, вывернуть их наизнанку! Кроме того, пусть кто-нибудь завтра же утром соберет сотрудников фирмы для составления фоторобота якобы Бориса — вдруг это нам что-нибудь даст?

71

— Понял, дело привычное, — заверил его Стас.

Гуров и Савельев на своих машинах поехали к адвокату Беклемищеву. И опять Степан ехал первым по непонятным улочкам, а Лев изо всех сил старался не отстать от него и не потерять из виду. Да вот только этих сил оставалось все меньше и меньше.

Охрана коттеджного поселка, увидев удостоверение Льва, не могла не пропустить их. Предупрежденный ими Беклемищев встретил оперов уже у открытой калитки, и, судя по его виду, ничего хорошего он от столь поздних гостей не ждал.

— Ну, кто же не знает полковника Гурова, — приветствовал он незваных гостей. — Проходите! — Они втроем вошли в дом, прошли в гостиную, заняли места вокруг стола, и хозяин спросил: — Чему обязан? Хотя всем известно, что Гуров пустяками не занимается, значит, случилось нечто серьезное.

— Нам надо задать вашему сыну несколько вопросов, — объяснил Лев.

— Та-а-ак! — угрожающе протянул Беклемищев, вышел в холл, подошел к лестнице и крикнул наверх: — Борька! А ну, спустись вниз!

Было слышно, как кто-то сбежал по лестнице, а потом в гостиную вошел одетый только в шорты высокий парень, светловолосый, голубоглазый, обычной среднерусской внешности, но ни у кого даже мысли не возникло бы назвать его пришибленным или убогим — это был мажор во плоти!

— А скажи-ка мне, отрок, при каких обстоятельствах ты утратил паспорт и медицинское страховое свидетельство? — усталым голосом спросил Гуров.

Парень напрягся, искоса глянул на отца, который приказал ему:

— Сядь! — Тот потупился и покорно сел. — А теперь рассказывай!

— Да это случайно получилось, — начал мямлить парень. — Мы тогда окончание сессии в «Чертовом колесе» отмечали. Вышли оттуда, и тут к нам какие-то гопники привязались. Началась драка, охрана клуба в стороне стояла и не вмешивалась — не их же территория. Я отбивался борсеткой, а потом у меня от нее только ручка и осталась. Тут «ментовоз» завыл, все врассыпную бросились. Я в свою тачку прыгнул, и по газам. Хорошо, что ключи от машины у меня в кармане были, а права — всегда в ней.

— О том, что ты сел за руль выпивши, мы потом поговорим, — зловеще пообещал отец. — А сейчас говори, что у тебя в борсетке было?

— Только документы: паспорт, медицинская страховка, студенческий, зачетка, читательский, — глядя в пол, перечислял Борис. — И по мелочи: сигареты, презервативы и все прочее. Банковские карты вместе с деньгами в бумажнике были, а ключи от дома и машины, как и говорил, в кармане. Сотовый тоже при себе.

— Ты пытался найти борсетку? — спросил Степан.

— Искал, конечно, — пробормотал парень. — Я тогда на пару кварталов отъехал, подождал, пока возле клуба все успокоится, а потом обратно вернулся. Все там облазил, но не нашел. С охраной поговорил, вознаграждение пообещал, если найдут. На следующее утро снова приехал, чтобы уже при свете посмотреть, и опять не нашел. Вечером у охраны спросил — они сказали, что тоже ничего не видели. Мне ребята говорили, что могут написать на домашний адрес, что, мол, вернем паспорт за деньги, так я в бабкин дом каждый день ездил — в паспорте же тот адрес стоит. Это ты в квартире замки поменял, а ключ от почтового ящика тот же остался. Но никто не написал.

— Ты заявление в полицию подал? — спросил адвокат, и парень отрицательно помотал головой. — Почему?!

— Некогда было — в ментовке же надо в очереди сидеть, — промямлил Борис. — Страховое? Так мы все равно в частных клиниках лечимся. А в университете я все восстановил.

— Идиот! — заорал на него отец и повернулся к Гурову: — Лев Иванович, что с его паспортом?

— По нему жил преступник, — объяснил Гуров.

Парень побледнел как мел и в ужасе уставился на него, а вот Беклемищев внезапно успокоился, усмехнулся и сказал:

— Это все, Борис! Я тебя предупреждал!

— Владимир Борисович! Давайте вы с сыном потом разберетесь, — попросил Лев и спросил у парня: — Какого точно числа ты потерял паспорт?

— 29 января этого года, — буркнул тот.

— Если вспомнишь что-нибудь еще об этом случае, скажи отцу, и он со мной свяжется, — сказал Гуров, прощаясь с хозяевами.

Адвокат проводил Гурова и Степана, и они уехали. Миновав шлагбаум, остановились и вышли из машины. Гуров махнул рукой сидевшему за рулем джипа Гураму, которого неплохо знал, и тот мигом подбежал к нему.

— У вас есть самая обыкновенная вода? — спросил Лев.

— Конечно, уважаемый, — удивленно ответил тот.

— Тогда принеси мне, пожалуйста. И вот еще что. Пусть кто-нибудь из твоих ребят поведет мою машину, а я на заднем сиденье «Жигулей» попробую подремать.

Гурам убежал, и вместо него мигом появился другой парень, который протянул Гурову пластиковую бутылку воды и пакет:

— Покушайте, пожалуйста, уважаемый.

Лев взял пакет, но, едва открыл его, как ему в нос ударил острый запах кавказской кухни, и он со вздохом вернул его парню:

— Спасибо, но мне это все нельзя.

Лев отдал ему ключи от своей машины, а сам сел на заднее сиденье «Жигулей». Первым делом выпил всю бутылку воды и почувствовал, как совершенно пустой желудок обрадовался ей, словно родной — наконец-то в него хоть что-то попало. Устроившись поудобнее, он попросил:

— Степа, пошли своих парней прямо сейчас к клубу «Чертово колесо». Пусть с охраной поговорят, вокруг порыщут... Надежда, конечно, слабая, но вдруг кто-то что-то вспомнит. Нам бы хоть кончик ниточки уцепить, хоть след от нее найти!

— Уже! — заверил его Савельев. — Я им сказал, чтобы кровью свой позор смыли, а то я их на атомы разложу! Это же надо было додуматься — ехать в час «пик» к дому Бориса напрямую! — бушевал он. — Ну, я им завтра устрою!

Он говорил еще что-то, но Лев его уже не слышал — он спал.

Проснулся Гуров от того, что Степан тряс его за плечо и только что не орал в ухо:

— Лев Иванович! Мы уже на месте! Ваша машина тоже здесь, а кавказцев я отпустил — все равно ведь вы до утра никуда не денетесь.

Лев открыл глаза, с трудом выпрямил затекшую спину и осмотрелся — «Жигули» стояли уже возле дома Савельева. Исключительно на автопилоте он поднялся в квартиру Степана, но, почувствовав доносившиеся из кухни дивные ароматы, немного приободрился.

— Стас, это ты там кулинарничаешь?

— Станислав Васильевич отбывает наказание возле телевизора, а то вздумал мне советы давать! — заявила появившаяся со стаканом воды и флаконом лекарств Лика. — Пейте, Лев Иванович, это вам от поджелудочной, гарантированно поможет, — сказала она и, подождав, пока он выпьет, продолжила: — Флакон держите при себе, принимать лекарство нужно по одной таблетке три раза в день за полчаса до еды, так что ужина раньше не ждите. Идите пока свои дела обсуждать — меня предупредили, что у вас аврал. Я вам постелила на диване в зале, а Станиславу Васильевичу — в кабинете. Как я поняла, прошлой ночью никто из вас не ложился, так хоть сейчас отдохнете по-человечески.

Гуров даже не подумал отказываться — сил на то, чтобы добираться еще и до дома, у него не было. Они прошли в зал, Стас и Степан устроились на диване, а Лев остался стоять — боялся, что если сядет, то вырубится. С сочувствием глядя на друга, Крячко проговорил:

— Лева, я смотрю, ты держишься исключительно на морально-волевых, но все-таки расскажи, что случилось. Откуда взялись эти десять дней?

Гуров, расхаживая по комнате, начал говорить. Когда он закончил, с минуту стояла полная тишина, а потом Крячко, схватившись руками за голову и раскачиваясь из стороны в сторону, стал бессвязно материться.

— Господи! Ну, дай же ты мне Плюшкина в руки хоть на минуту! Хоть на полминуты! Честное слово, я успею! — отчаянно взмолился Савельев.

Постепенно все успокоились и вернули себе возможность хоть что-то — с учетом их вымотанного до предела состояния — соображать.

— Степа, где ксерокопия истории болезни Бориса? — спросил Гуров и, получив ее в руки, на ходу просмотрел, а потом, помахав в воздухе листками, устало произнес: — Ты это читал? — Чуя подвох, Савельев отрицательно покачал головой. — Напрасно! Тут русским языком написано, что больной Беклемищев Б.В. самовольно покинул больницу. Говоря проще, сбежал, как только смог самостоятельно передвигаться. И произошло это на третий день после его туда поступления. Степа, почему он сбежал? От кого? В чем? В пижаме и тапочках? Так это был март, а не лето. — Парень пошел пятнами и, сцепив зубы, играл желваками. — Опять та же история! — вздохнул Лев. — Если хочешь что-то сделать хорошо...

— Лев Иванович! Клянусь! Завтра к вечеру у вас будет полный расклад по пребыванию этого чертова Бориса в больнице! — воскликнул Савельев.

— Лучше уж я сам туда съезжу, — зло бросил тот. — Потому что твои дуболомы...

— Замолчите оба! — вмешался Крячко. — Завтра рано утром туда поеду я! Ничего! Обойдутся полдня без меня! Или ты, Лева, мне тоже не доверяешь?

— Стас, мне нужна максимально полная картина, — попросил Гуров. — Что-то в этой истории не так!

Некоторое время все молчали, успокаиваясь, только Степан шептал что-то себе под нос — видимо, репетировал свое завтрашнее выступление перед подчиненными, и даже постороннему человеку было бы ясно, что из приличных слов там будут только предлоги. Наконец, решив, что уже можно подать голос, он сказал:

— А посмотрю-ка я завтра, что у нас есть на Зубра. Обязательно что-то должно быть. Вдруг удастся найти какой-нибудь скелет в его шкафу, и тогда мы сможем его утихомирить. А то сроки он нам, видите ли, ставить будет!

— Лева, а может, ты поговоришь с ворами? — предложил Крячко. — Объяснишь, что Зубр на пустом месте волну гонит, и тогда они его сами остановят.

— Предлагаешь мне сходняк собрать? — устало спросил Гуров. — Так нет у меня таких полномочий.

— Зачем? Но с теми-то, кто в Москве, ты можешь встретиться? — настаивал Стас.

— Могу! Но никто из них против Зубра выступить не решится, а я буду иметь в его лице смертельного врага, потому что до него это обязательно дойдет. Нет уж! Я считаю, что то хрупкое перемирие, которое сейчас установилось, нужно изо всех сил сохранять, потому что достаточно одной искры, чтобы все полыхнуло! Найдем того, кто эту трагедию в Центре устроил, а потом уже можно будет подумать, как с Зубром разбираться.

— Но если тот парень, которому ногу отрезали, действительно его сын... — начал было Крячко, на что Гуров просто отмахнулся:

— Стас, такие вещи уже давно никого не волнуют. Тех стариков, которые жили по настоящему воровскому закону, уже практически не осталось, а сейчас «законником» может стать кто угодно — были бы деньги. Так что у них и жены, и дети, и бизнес, и все прочее.

Вошедшая Лика прервала их спор, пригласив к ужину. Гуров ел что-то мягкое и очень вкусное, автоматически жуя и проглатывая, но не вникая, а что, собственно, лежит на тарелке, потому что этот разговор не то что отнял последние силы, а они у него уже в минус ушли. Отвалившись от стола, он сказал:

— Последнее. Мне завтра утром надо заехать домой за вещами Марии, а ты, Степа, уж постарайся как-нибудь их ей передать. И еще. Стас, ты у руля, а мы со Степаном к двенадцати должны быть в частной больнице у Зубренка.

— Лев Иванович! Вы, главное, вещи соберите, а уж я сама их передам, нечего Степана от дела отвлекать, — вмешалась Лика и спросила: — Во сколько вас поднимать?

Гуров ей не ответил — он отключился. Савельев и Крячко отташили его на диван, а потом, повинуясь решительному взмаху руки Анжелики, вернулись в кухню. Эх, как жаль, что Лев не слышал, какой грандиозный скандал там бушевал!

— Вы что, Гурова угробить решили? — возмущалась Лика. — Он вам что, мальчик, чтобы над ним так издеваться? У него поджелудочная больная! Ему питаться регулярно надо, а он за целый день хоть что-нибудь съел? Вы что, не могли куда-нибудь заехать и пообедать нормально?

— А ты попробуй его остановить, когда он след взял! — огрызнулся Степан. — Он не только сам на всех парах вперед несется, забыв обо всем, но и нас за собой тащит!

— Я сейчас сама кое-кого остановлю! Причем навсегда! — пригрозила она.

— Между прочим, мы тоже за весь день почти ничего не съели, потому что шаурма и сок с плюшками — это не еда! — поддержал Савельева Крячко.

— Степан здоров, как молодой лось! Он и сосновую кору слопает — не подавится! А у вас, Станислав Васильевич, луженый желудок! Вы ржавые гвозди перевариете, и у вас даже изжоги не будет! — бушевала Лика. — В общем, так! Если Лев Иванович еще раз весь день голодным проходит, то я останусь вдовой, причем сделаю это с удовольствием! А полковнику Крячко закажу погребальный венок и собственноручно возложу на его могилу без малейших сожалений! Сомнения есть?

— Какие уж тут сомнения? — пробормотал Стас, бочком выскальзывая из кухни, и поманил за собой Степана.

Когда они оказались в коридоре, он сказал:

— Знаешь, я, пожалуй, домой ночевать поеду, тем более что мне завтра рано утром в больницу выезжать, а потом в кабинете сидеть, отчеты принимать, исполнение контролировать. Ты мне только ксерокопии всех рабочих материалов отдай, чтобы я их сам прочитать мог — вдруг на что-то интересное наткнусь.

— Испугались? — не столько спросил, сколько констатировал Савельев. — Бросаете меня одного в трудную минуту!

— Да как-то не хочется твоей жене под горячую руку попадать. Тебя-то она не тронет — детей осиротить не захочет, а вот мне достанется по первое число, — не стал лукавить Стас. — Потом она, может быть, и пожалеет об этом, а может, и нет. Только мне от этого легче уже не будет.

— Да ладно вам из нее монстра делать! — усмехнулся Степан. — Ну, погорячилась! Не без этого! Куда же вы на ночь глядя?

— Нет, Степа! Лучше уж вы к нам! — только и ответил Стас.

78

Савельев принес ему дипломат с документами, и Крячко ушел, а Степан зашел в кухню, где Лика загружала посуду в посудомоечную машину, обнял ее и спросил:

— Успокоилась уже? — Она сердито засопела. — Ну, и зачем ты Станислава Васильевича обидела? Перепугала его насмерть? Ты пойми, Гуров такой человек, что не остановить его! Тем более сейчас. Уж он-то лучше других представляет, чем эта война для города обернуться может.

— А вы успеете? Ведь всего девять дней осталось.

— Должны успеть, — твердо заявил Степан. — А теперь пошли спать — завтрашний день легче сегодняшнего точно не будет.

Четверг. Утро. День второй

Утром Гуров первым делом выпил спасительную таблетку, а потом долго стоял под прохладным душем, чтобы привести себя в рабочее состояние и обдумать предстоящий разговор с Зубренком. Затем отправился в кухню, где его ждал белковый омлет с сыром, который оказался неожиданно вкусным — видимо, Мария просто не умела его готовить, а вот Степан вовсю уплетал яичницу с беконом. Пока они ели, Лика спросила:

— Когда вас на обед ждать?

— Меня не жди, — ответил Гуров. — Спасибо вам большое за гостеприимство и заботу, но я перебираюсь к себе, мне там будет лучше.

— Но вам же нужно правильно питаться! — воскликнула она. — А у вас, как мне говорили, дежурный обед — это пакетик гречневой каши и пара сарделек!

— Ничего! Я на картофельном пюре продержусь. Вот дело закроем, тогда и займусь собой, а сейчас мне не до этого. А дома и стены помогают, — ответил Лев и перешел к делу: — Степа, выясни, кто из твоих сумел что-нибудь узнать, а часам к одиннадцати приезжай ко мне. Расскажешь, что и как, а потом мы с тобой к Зубренку поедем. Сумку с вещами жены я тебе отдам, а уж кто из вас ее Маше передаст, сами решайте.

Выйдя из дома Степана, Гуров увидел, что джип уже ждет за шлагбаумом — его охраняли всерьез. Подъехав к своему дому, он поднялся в квартиру, начал было собирать в большую сумку вещи Марии, но тут раздался звонок домофона. Он посмотрел на его экран и увидел Гурама. Сердце нехорошо заныло — они же только что расстались! Значит, что-то случилось! Лев открыл не только дверь подъезда, но и свою, чтобы сразу узнать, что произошло, и тихо обалдел, увидев, что из лифта выходит не только Гурам, но и его парни, и все несут ящики с бутылками.

— Это еще что? — остолбенел Лев.

— Уважаемый! — Осторожно взяв Гурова под руку, Гурам отвел его от двери, а парни тем временем занесли ящики в квартиру, вышли и стали спускаться вниз по лестнице. — Это с Кавказа самолетом для вас передали. Хозяин не знал точно, какая именно минеральная вода вам нужна, поэтому привезли всю, какая есть, по одному ящику. Пейте, пожалуйста, на здоровье! И не беспокойтесь, она вся настоящая! Нужно будет, еще привезем.

Минералка Гурову, конечно же, была нужна, но чтобы ее вот так доставили ему на дом!

— Сколько я должен? — спросил Лев.

— Не знаю, уважаемый! — улыбнулся Гурам. — Это вы с хозяином сами решайте. Только если я у вас хоть копейку возьму, он меня убьет.

Гурам ушел, а Лев вернулся в квартиру, посмотрел на стоявшие вдоль стены в коридоре ящики и вздохнул — взятка в чистом виде! А если он попытается Мирзоеву за минералку деньги отдать, обида будет смертельная! Вздохнув еще раз, он пошел собирать вещи жены дальше и почти закончил, когда снова раздался звонок, но уже непосредственно в дверь. Посмотрев в глазок, Лев увидел немолодую грузную женщину в темных очках и открыл дверь.

— Привет, Гуров, — проговорила она низким хрипловатым голосом и, повернувшись к стоявшим возле лифта двум парням, приказала: — Заносите!

Парни покорно подняли по два огромных, под завязку набитых пакета и двинулись к двери.

— Это еще что? — возмутился Лев.

— Гуров! А ведь ты меня не узнал! — рассмеялась женщина и сняла очки.

— Тома Шах-и-Мат! — приглядевшись, воскликнул Лев. — В миру Тамара Ильинична Ионова! Давненько я о тебе не слышал!

— Она самая! Меня к тебе люди прислали, — объяснила она и, отодвинув его к стене могучим плечом, рыкнула на парней: — Долго вас ждать? В коридоре поставьте! Я потом сама разберусь! И ступайте! Нужны будете — вызову!

Не обращая внимания на Гурова, парни занесли пакеты в дом и ушли.

— Может быть, ты все-таки объяснишь, что происходит? — разозлился Лев не только от этой бесцеремонности, но и от того, что сдвинуть Тому с места не смог бы при всем желании.

— Приглашай в дом, хозяин! Не здесь же нам разговаривать! — предложила она.

Лев жестом показал, что она может войти, и Тома, увидев ящики с минералкой, хмыкнула:

— Все ясно! Мирза постарался! — Легко подхватила два тяжеленных пакета и спросила: — Где тут у тебя кухня?

— Поставь пакеты и объясни, в чем дело! — холодным тоном приказал Гуров. — Мне наряд вызвать недолго.

— Эх, ты! Женщины испугался! — рассмеялась она, но поставила пакеты, прошла в комнату и села на диван, а Гуров сел напротив. — Я же тебе сказала: люди меня прислали, чтобы я тебе помогла. Сготовить, прибрать, рубашки погладить, а то ты выглядишь так, что вот-вот копыта откинешь, да еще и есть ничего не можешь. Загнешься ведь!

— Это кто же настучал? — язвительно спросил Лев. — Ваших на том обеде никого не было.

— На свете много предусмотрительных людей, — туманно ответила Тома. — Так что с этой минуты ты — моя основная забота, с меня за тебя люди спросят.

— У меня, между прочим, жена есть, — заметил Гуров.

— Которую ты спрятал, — тут же добавила она. — Ночью все окна в квартире темные были, домашний телефон и ее сотовый не отвечают, в театре никто не знает, куда она делась. И, между прочим, правильно поступил! Только мужик резкий, мог бы сгоряча и глупости наделать.

Лев даже не сразу сообразил, что она говорит о Кабанове, потому что он всегда называл его Зубр, но, когда понял, тут же воскликнул:

— Погоди! Так он же, как и ты, из Шахтинска! Ну, тогда скажи мне: тот парень, которого он своим племянником называет, ему действительно сын?

— Гуров! Не лезь куда не надо! — очень серьезно проговорила Тома, глядя на него тяжелым взглядом бывалой уголовницы. — Ты у меня ничего не спрашивал, а я ничего не слышала! — И вернулась к прежней теме: — Так что я к тебе временно помощницей по хозяйству. Этот диван меня вполне устроит. Ничего! Девять дней потерпишь!

— Тома! Давай сделаем так: вызывай своих парней, забирай пакеты и возвращайся... домой, — предложил Лев, с трудом удержавшись от того, чтобы не сказать «откуда пришла».

— Гуров! Ты чего, блин, выделываешься? — взбесилась Тамара, и зрелище это было устрашающее. — Мозги, блин, включи! Ты сейчас самому себе не принадлежишь! От тебя одного сейчас зависит, будет в Москве война или нет! А может, она и еще куда перекинется! А она никому не нужна, и нашим тоже!

— Ну, так остановите Зубра! Неужели, если люди соберутся и скажут...

— Ты, блин, дурак или придуриваешься? Не может он уже обратно повернуть! Понял?! Он слово сказал! Ты найди ту суку, которая людей погубила, а потом хоть котлеты магазинные жри, хоть стреляйся! Ты думаешь, мне за счастье будет тут у тебя по хозяйству колотиться? Хрена! Но раз так для дела надо, то буду! И паровые котлеты тебе буду готовить! И рубашки гладить, чтобы ты ни на что не отвлекался! А если надо будет что людям передать, то передам, потому что тебе не разорваться, а они все готовы сделать, лишь бы войны не было! У меня, может, сердце кровью обливается, как там Ванечка без меня один? И за Кузьму, хоть и не я его рожала, душа болит, потому что балбес он еще тот! За ним глаз да глаз нужен! Но мне люди сказали: «Тома! Помоги!» И я к тебе пришла! А ты тут как вошь на гребешке выживаешься!

82

— Значит, это Зубр тебя прислал, — понял он. — Попросил помочь по старой дружбе — вы же еще с молодости знакомы. Он поддался эмоциям, на что никакого права не имел, и из-за личных амбиций выдвинул ультиматум, который очень большой кровью может обернуться. Потом опомнился, да только ходу назад ему нет. И вся его надежда на то, что я найду преступника, а иначе... Тома, скажи честно, если я не сумею за оставшееся время это сделать, что будет?

Она посмотрела на него долгим невеселым взглядом и почти прошептала:

— Успей, Гуров! Мы тебя очень просим: успей!

— Значит, иначе война без вариантов, — вздохнул он. — Ладно! Постараюсь успеть. — И перевел разговор на другое: — Так, я понял, что ты сейчас с Кинг-Конгом живешь? Он — Иван Кузьмич, сын у него Кузьма...

— Ты это погоняло раз и навсегда забудь! — сказала, как отрезала, Тамара. — Нет больше никакого Кинг-Конга! Есть Иван Кузьмич Кунгуров! И судимости его все погашены, как и у меня! И бизнес у него чистый! Понял?

— Так вот почему я о тебе давно не слышал — ты теперь замужняя женщина и мать семейства.

— И даже наколки все свела, хоть и жалко было — красивые же были! — вздохнула она. — Теперь вот хожу и шрамы после них убираю.

— Ладно, Тома, может быть, ты и права, что мне одному сейчас трудно будет, — согласился Лев.

— Слава тебе господи! Дошло! — Она поднялась и пошла к своим пакетам. — Сейчас я тебя кормить буду. Специально из дома взяла, чтобы тут не возиться и тебя не задерживать. А то будешь, как вчера, весь день не жравши по городу носиться! Так и в голодный обморок грохнуться недолго. Так, где у тебя кухня?

— Следили за мной, значит, — хмыкнул Гуров. — А я и не засек.

— Не следили, а охраняли! — веско бросила она. — Так не дураков же за тобой поставили!

— То есть того, что меня люди Мирзоева охраняют, вам мало показалось?

— Гуров! Ты с годами поглупел или это от усталости у тебя? — язвительно спросила Тома. — В Москве всякой швали развелось столько, что, по-хорошему, ее давно пора бы почистить. Нарвался бы ты на банду отморозков типа националистов, ну, и чем бы тебе тут «черные» помогли? Они бы и тебя не спасли, и сами под раздачу попали.

Возразить Льву было нечего — швали в столице действительно хватало. Он показал ей, что и где у него находится, она быстро во всем разобралась, потом открыла холодильник, посмотрела и решительно сказала:

— Я бы твоей жене руки с корнем вырвала — все равно не оттуда растут. Ну, куда тебе с больным желудком этот силос?

— У меня поджелудочная, — поправил ее Лев и объяснил: — Это Мария для себя держит.

— Все равно кулема! — махнула она рукой.

Перетащив пакеты в кухню, Тамара достала из одного из них термосы и выложила на тарелку что-то белое и очень вкусно пахнущее.

— Творожная запеканка, — сказала она. — Ешь, пока теплая. У Ванечки моего тоже болячек не сосчитать, так что я всю эту премудрость освоила.

Гуров неплохо знал Кинг-Конга, мужика ростом за два метра, соответствующей комплекции, неимоверной силы, чье лицо, казалось, топором вырубали, вот за такую внешность он в свое время и получил свою кличку. И когда Тамара называла его Ванечкой, Льву стоило большого труда не улыбаться. Запеканка была необыкновенно вкусной, и Гуров пошутил:

— Ну вот! Зарезать меня у ваших не получилось, застрелить — тоже, так вы меня отравить решили!

— Ешь, балабол! — отмахнулась Тома. — Да сделай я такое, меня, несмотря на былые заслуги, мигом бы «на перо» поставили!

— Неужели? — удивился он. — И за что же?

— Гуров! — глядя на него как на несмышленыша, начала объяснять она. — Серьезные люди считают, что если уж попадаться, то лучше тебе, чем другому. Ты, по крайней мере, лишнего не навешаешь и разберешься по справедливости. Да и слово свое всегда держишь. Таких, как ты, теперь, считай, уже и не осталось!

Их разговор прервал звонок домофона, и Лев пошел открывать — это был Степан. Когда парень вошел в кухню, разбиравшая там холодильник и беспощадно выбрасывавшая все, что считала вредным, Тамара окинула его критическим взглядом и спросила:

— А это что еще за фраер?

— Мамаша! — восхитился с ходу просчитавший ее Савельев.

— Я тебя, сынок, сейчас так по-родственному ласково вдоль хребтины приложу, что ты у меня зубоскалить вмиг разучишься! — не предвещавшим ничего хорошего тоном предупредила его она.

— Это, Степа, Тамара Ильинична Ионова, она же в прошлом Тома Шах-и-Мат, потому что родом из Шахтинска, а разговаривать по молодости предпочитала исключительно матом, отсюда и кличка, — представил ее Гуров. — Четыре ходки за плечами, еще с малолетки начинала, и все за разбой. Так что ты, Степа, будь с ней поосторожней — она таких, как ты, двумя пальцами в узел завязывает. А это, Тома, Степан... — продолжил он, но тот, раскинув руки, уже радостно и с готовностью шагнул к ней со словами:

— Мадам! Я весь ваш!

— Да ну вас к черту! Сами разбирайтесь! — махнул рукой Лев и пошел в спальню, чтобы закончить с вещами жены.

Он окончательно собрал сумку, переоделся сам и, достав из сейфа два прослушивающих устройства, одно из них включив, положил в карман, а второе — в борсетку. Потом вынес сумку в коридор и, хотя время у них в запасе еще было, пошел в кухню за Степаном. И картину он там застал трогательную до слез: Тамара сидела, горестно подперев щеку рукой, а Степан сидел напротив нее, и вид у него тоже был довольно печальный.

— Ох, как Ваську-то жалко! — говорила Тома. — А я ведь и не знала, что его уже нет! Думала, живет он в своей Астрахани, а он помер давно, царствие ему небесное! — Она перекрестилась. — Счастье твое, Степка, что ты к нему в руки попал! Он человек был добрый и душевный! Пожалел он тебя! А другой бы на его месте тебя в наших делах так закружил, что сидеть тебе — не пересидеть! Помянуть бы его надо!

— Я за рулем, Тома, да и времени сейчас нет, — отказался Степан.

— Ничего! Не в последний раз видимся! Еще посидим, повспоминаем Ваську, — сказала она, а потом повернулась к Гурову и укоризненно произнесла: — Что ж ты не сказал, что Степка Шургану вроде приемного сына был?

— Вы сами разобрались? Разобрались! Вот и хорошо! Пошли, Степан! — позвал Лев.

— Э, нет! Погоди! — остановила его Тамара и выставила на стол полиэтиленовый пакет. — Степка, смотри! Это ложка и вилка. Это минералка и пробка к ней, а чем открыть, найдешь. В этом термосе — первое, в этом — второе, хлеб — в салфетке, сухарики для супчика — в пакетике, а в этом термосе заварен шиповник с курагой. На два раза Гурову перекусить хватит, а вечером уже основательно поест. Предупреждаю! Хоть ты Шургану и за сына был, но, только если Гуров чего не съест, быть тебе битым. Ты меня понял?

— Тома, ты во мне не сомневайся! Я за всем прослежу, и Лев Иванович все съест, — заверил ее Савельев. — Он нам живым и здоровым нужен.

— Тамара! Ну чего я буду народ смешить? — возмутился Гуров. — Где я с этими термосами устраиваться буду?

— А хоть в машине! — категорично заявила она. — Достал термос, открыл, поел, закрыл. И вообще, мы с тобой это уже обсуждали! Девять дней будешь жить так, как я скажу, а потом что хочешь, то и делай!

Поняв, что спорить бесполезно, Лев махнул рукой, Степан взял пакет, а в коридоре еще и сумку, и они вышли из квартиры. В лифте Гуров сказал ему:

— Степа, расклад такой. Тамара и Зубр знакомы с молодости, и ее ко мне прислал именно он. Он сильно погорячился со своим ультиматумом, но ходу назад у него нет. Я о нем много слышал, но и он обо мне — тоже. Цену он мне знает и понимает, что преступника я найду, поэтому кроме кавказцев за нами еще и «родные» уголовники ездят. Якобы для охраны, но, думаю, на самом деле, чтобы перехватить преступника, когда я на него выйду. Зубру совсем не надо, чтобы тот попал в руки полиции, он хочет сам с ним рассчитаться. Сегодня Тамара, может быть, еще не успела на меня «жучок» навесить — во-первых, не осмотрелась еще, а во-вторых, какой смысл, если мы к Зубренку едем? Но вот потом нам обоим надо соблюдать осторожность. Нам их разборки ни к чему! Нам надо преступника всей стране предъявить, чтобы людей успокоить, а не только уголовников всех мастей. У меня с собой «антипрослушка», которую я еще дома включил, и детектор на «жучки». Так что и ты с ними не расставайся и будь с Томой поосторожнее. Вот такие дела!

— Понял! — покивал тот и предложил: — Давайте завезем сумку ко мне домой. Лика из нее все вещи в нашу переложит и кое-кому отдаст, а уже те — Марии.

— Главное, чтобы они к ней наконец-то попали, — заметил Гуров. — Ну а у тебя какие новости?

— Лев Иванович, давайте позже, а то у нас времени только-только, чтобы ко мне заехать, а потом до клиники добраться, — предложил Степан, и Гуров, взглянув на часы, согласился с ним.

Оставив машины возле клиники — въезд на территорию был запрещен, Лев и Степан вошли во двор и увидели, что здание было оцеплено так, что и мышь не проскочит, а хмурые лица парней откровенно не светились дружелюбием.

— Степа, подожди меня в машине, потому что тебя со мной не пропустят — не тот расклад, — попросил Гуров. — А нарываться нам сейчас ни к чему.

Савельев поворчал, но смирился и пошел обратно, а Лев направился к входу, где спросил у одного из охранников, где старший. Тот что-то произнес себе в воротник, и буквально через минуту из здания вышел Глеб.

— Пойдемте, вас ждут, — сказал он.

— Что-то ты стал ко мне очень вежливо обращаться, — хмыкнул Гуров.

Они вошли внутрь и направились к лифту.

— Как они? — спросил Лев.

— Хозяину одну ногу врачи спасти смогли, прямо из осколков собирали, а вот вторую — нет, ниже колена ампутировали.

— А женщина как?

— Наталью вытащили. Восемь часов операция шла — очень неудачно тот осколок ей в бок вошел, еще бы чуть-чуть, и до сердца достал. А тут еще и выкидыш. С утра до вечера под капельницей лежала — крови-то сколько потеряла, да и сейчас ей врачи еще вставать не разрешают.

— Ну а девочки? Заговорили?

— Нет! — глухо ответил Глеб и даже зубами скрипнул. — Чертова прорва врачей вокруг них, а толку никакого! Во сне стонут, писаются, всего боятся... Прижмутся друг к другу и сидят, смотрят на всех испуганными глазами. Чуть что — тут же в рев! Только возле матери и успокаиваются. Ей широкую кровать поставили, так они по обе стороны от нее лягут, прижмутся и только тогда спокойно спят. А как их на ночь у нее забирают, так они опять в рев, — тусклым голосом рассказывал Глеб, а потом не выдержал: — Добраться бы мне до той суки, которая все это устроила, своими бы руками на мелкие кусочки живого резал!

— Подобный вид наказания УК РФ не предусмотрен, — охладил его пыл Гуров и посоветовал: — Детей ведь можно и к отцу пускать. Он-то, надеюсь, не под капельницей?

— Нет, это не выход, — кратко ответил парень.

Лифт остановился на последнем этаже, и, когда его двери открылись, возле него оказались два охранника, причем в руках одного из них был металлодетектор.

— У меня нет оружия, — сказал Лев, ничуть не солгав, потому что его пистолет лежал на работе в сейфе, но его все равно проверили, да еще и в борсетку заглянули.

— Шеф весь этаж снял, но лишним не будет, — объяснил Глеб, не сделав ни малейшей попытки извиниться.

— В каждой избушке свои погремушки, — пожал плечами Гуров и поинтересовался: — Как твоего хозяина зовут? Надо же мне к нему как-то обращаться.

— Николай Владимирович Чугунов, можно просто Николай. Хочу сразу предупредить, что я буду присутствовать при вашем разговоре.

— Знаешь, я сейчас развернусь и уйду! — не выдержал Гуров и остановился.

— Не злитесь — так надо для дела, — сказал Глеб и, поколебавшись, объяснил: — Николай пьет. Говорит, что иначе с ума сойдет — очень переживает, что ногу потерял. Как на следующий день после операции начал, так и не останавливается, к вечеру уже никакой, а наутро — все сначала. Вчера прошел приказ до вашего прихода ему спиртное не давать, чтобы он вменяемый был и смог на ваши вопросы ответить. Так что он сейчас трезвый и злой. Если меня не будет, он может вас просто послать или, например, попросить достать из шкафа пакет. И вы достанете — как же больному не помочь? А там коньяк! Он выпьет, и вы от него уже ничего не добьетесь — ему сейчас и ста граммов хватает, чтобы отключиться. Вот когда вы у него все выясните, коньяк ему отдадут обратно. — Он остановился возле одной из палат и открыл дверь: — Нам сюда.

Они вошли, и Гуров увидел лежавшего на кровати с ногой на вытяжке небритого мужчину, который со скучающим видом смотрел в экран висевшего на стене плазменного телевизора. Он обернулся на звук, и Лев внутренне передернулся: испитая, небритая физиономия Николая не вызвала у него ни малейшего сочувствия — он терпеть не мог слабаков.

— Это человек, который вас нашел и о котором вас предупреждали, — сказал Глеб.

— Лучше бы не находил, — буркнул тот. — Чем так жить, лучше не жить совсем!

— Не надо так пессимистично. Вы вправе считать себя героем — вы же свою семью от смерти спасли, — заметил Лев.

— Моя семья — это моя забота, — неприязненно ответил Чугунов. — Что вы хотите узнать?

Гуров взял стул, перенес его к кровати, возле которой тут же почувствовал запах перегара, и сел — этот человек был ему неприятен до омерзения, но выбора не было.

— Николай, я вас попрошу очень подробно рассказать мне, что происходило в павильоне, — попросил он. — Я понимаю, что вам неприятно это вспоминать, но так надо.

— Ну, вошли. Сели за столик...

— Какой у вас был номер столика? — быстро уточнил Гуров.

— Не помню. У Наташки спросите, может, она помнит. Ну, принесли чай, пирожки с пирогами. Дети вокруг вовсю веселились — такой шум стоял! Потом на сцене клоуны появились, музыка грохотала. И тут вдруг светильник с потолка упал, да так, что всех сидевших за столиком накрыл. К нему кто-то бросился... Кажется, официантка и какой-то мужик из-за столика, что рядом был, а там на пол кровь капает. Официантка завизжала. Потом один за другим еще два светильника упали, а пол стал наклоняться. Понял я, если нас всех в одну кучу свалит, то передавим мы друг друга, к едрене фене. Наташка от страха замерла, девчонки в голос орут. А тут еще с потолка стекла посыпались. Что было делать? Схватил я ее и к стене кинул, детей следом. Они там съежились, и Наташка все пыталась их как-нибудь под себя спрятать. Я стол схватил, сверху поставил, чтобы их закрыть, только стол этот дурацкий не закрывал ни хрена. Смотрю, и они, и стол сползать начали. Ну, я под стол залез и сверху лег, чтобы их закрыть. Во что руками вцепился, не знаю, помню, что боль была дикая. Помню грохот, помню, как Наташка подо мной вдруг вздрогнула и обмякла. А потом удар по ногам, невыносимая боль и темнота. Очнулся уже здесь.

— Вы действительно герой! Как я и сказал вашему дяде, вы единственный, кто там не растерялся и этим спас свою семью, — сказал Лев, хоть и неприятно было ему это произносить. — А что касается ноги, так с войны мужчины еще и не такими возвращались, но все знали, что они герои и относились к ним с большим уважением.

— Бросьте! — скривился Николай. — Я теперь инвалид! А этого никакими деньгами не окупить! Чего вам еще надо от меня? — Он явно спешил поскорее получить свой коньяк.

— Я не знаю, в каком состоянии ваша жена и сможет ли она ответить на мои вопросы, поэтому попрошу вас помочь мне. — Гуров достал из борсетки файл, а из него лист со схемой расположения столиков и всего остального в павильоне и протянул его Николаю, как и ручку: — Отметьте, пожалуйста, на схеме, где сидели вы и на какой столик упал тот первый светильник. Было бы просто замечательно, если бы вы вспомнили, куда упали следующие.

Чугунов взял лист в руки — каждый его палец был забинтован отдельно, видимо, действительно ногти сорвал, повертел его, посмотрел, подумал, а потом уверенно ткнул ручкой:

— Вот это был наш столик. А тот первый плафон упал на самый крайний во втором ряду справа от нас. По поводу остальных я ничего не знаю — уже не до того было.

Гуров взял у него лист, посмотрел и на этот раз искренне сказал:

— Спасибо вам большое, Николай! Вы нам очень помогли!

Он убрал файл с листком обратно в борсетку, поднялся, вернул стул на место и, пожелав скорейшего выздоровления, вышел, а вот Глеб задержался буквально на минуту, но тут же догнал его в коридоре.

— А теперь узнай, пожалуйста, не могу ли я задать Наталье всего пару вопросов, — попросил его Лев.

Глеб подошел к другой палате, возле которой стоял охранник, осторожно приоткрыл дверь и заглянул, а потом поманил Гурова рукой, шепнув:

— Не спит. Только вы уж потише, чтобы девочек не разбудить.

Они на цыпочках вошли в палату, причем, увидев шедшего первым Гурова, Наталья перепугалась насмерть, но, заметив за его спиной Глеба, тут же успокоилась. Она действительно лежала на широкой, видимо, привезенной из дома кровати, а по бокам у нее, прижавшись к ней, лежали ее дочки, и их лица во сне были безмятежными. Возле стены стояли две детские кроватки, а рядом с ними в кресле дремала пожилая женщина — то ли няня детей, то ли медсестра. Видимо, ночью ей приходилось несладко, вот она и пользовалась моментом, чтобы поспать днем.

— Наталья, это тот человек, который вас нашел, — тихо сказал Глеб, показывая на Льва.

На глазах у женщины тут же появились слезы, и она прошептала:

— Спасибо вам большое! Если бы не вы, мы бы погибли.

— Благодарить надо не меня, а Глеба и его товарищей — они были так решительно настроены, что их бы и танки не остановили, — улыбнулся ей Гуров.

— Я все знаю, но ведь это благодаря вам их пропустили, — возразила она. — И там, в павильоне, вы нас нашли.

— Не стоит благодарности: спасать людей — моя профессия. Наталья, я понимаю, что вам очень больно все это вспоминать, но мне нужно кое-что уточнить.

— Спрашивайте, — кивнула она. — Мне днем колют столько успокоительного, а на ночь еще и снотворное, что я уже не плачу.

— Тогда скажите, вы помните номер вашего столика в павильоне?

— Да, номер тридцать семь. Он был в третьем ряду как раз посередине, напротив сцены. Я еще обрадовалась, что девочкам будет все хорошо видно. И вообще, это был такой замечательный праздник, все так веселились!

— Наталья, ваш муж отметил тот столик, за которым сидели вы, и тот, на который упал первый светильник. Посмотрите, пожалуйста, все верно? — попросил Гуров и протянул ей схему.

Она взяла ее, посмотрела, опустила, задумалась, снова посмотрела, а потом сказала:

— Насчет нашего столика все правильно. А вот тот... Я точно помню, что он был самый крайний во втором ряду справа от нас.

— А вы случайно не помните, кто за ним сидел?

— Сначала никто, потом какая-то семья: муж с женой и двое детей. А потом вроде уже другая семья, но я могу и ошибаться, потому что... — ответила она, и ее губы задрожали.

— Все, мы уходим, — поспешно произнес Глеб.

— Да-да, Наташа, спасибо вам большое, и поправляйтесь, и вы, и девочки, — проговорил Лев, и они с Глебом вышли из палаты.

В машине Степан с нетерпением ждал Гурова, изнывая от любопытства.

— Поехали к Крячко — может, он уже вернулся, — садясь рядом с ним, сказал Лев. — А нет, так я сам пока все документы почитаю, отчеты уже должны поступать.

— Конечно, поедем, только сначала вы перекусите.

— Нет, потом, — покачал головой Лев. — Сейчас некогда.

— Лев Иванович, давайте договоримся. Сегодня вы будете питаться, как положено. А вечером, вернувшись домой, вы почитаете в Интернете о том, что такое рак поджелудочной железы. Если сочтете эту болезнь достойным завершением своего жизненного пути, вы мне завтра утром так и скажете: «Степа, я хочу умереть от рака поджелудочной железы». И даю честное слово, что я больше никогда, ни разу ни о чем вам не напомню, потому что привык уважать чужое решение. А то, что приготовит Тамара, мы будем просто выбрасывать, чтобы ее не расстраивать, — очень решительно и серьезно произнес Савельев.

Гурову стало стыдно так, как давно уже не было. Он посмотрел на себя со стороны и понял, что ведет себя как последний идиот. Близкие люди желают ему добра, а он, занятый своими нескончаемыми делами, отмахивается от них, как от назойливых мух. Но в конце концов им это надоест, и они оставят его в покое, но хуже от этого будет только ему.

— Прости, Степан, — пробормотал Лев. — Конечно же, я поем. Где там наши судки?

К чести парня надо сказать, что он и слова не произнес, а просто достал пакет с термосами и отдал Гурову. Лев начал есть, а сам в это время думал о том, какой же он дурак. Съев весь куриный супчик с сухариками и выпив стакан настоя шиповника с курагой — вкусно, оказывается! — он пересел в свою машину и оттуда позвонил Степану:

— Степа, можно ехать. — Затем, помолчав секунду, немного виновато спросил: — А ты сам что-нибудь ел?

— Лика сказала, что я здоров, как молодой лось, и способен питаться сосновой корой. Сосны поблизости не оказалось, так что я обглодал березу — ничего, тоже вкусно! — схохмил тот, а потом уже серьезно ответил: — Пирожки по дороге купил. Ну, поехали, что ли!

93

Сидя за столом и обложившись бумагами, Крячко вид имел необыкновенно важный. Они устроились рядом, Степан достал из кармана и положил на стол прибор, кратко объяснив:

— «Глушилка» на всякий случай, — после чего предложил: — Ну, давайте я первый, что ли. Я, как и обещал, посмотрел, что у нас есть на Зубра. Приблизительно год назад он под другой фамилией вылетал в Германию, а потом несколько раз в Израиль, где задерживался от недели до месяца. У него саркома! Жить ему осталось совсем недолго!

— Вот уж кому я не пожелаю царствия небесного! — с чувством проговорил Стас и зачем-то перекрестился.

— Так вот почему он как с цепи сорвался, — понял Гуров. — Как других убивать, так у него ничего не дрогнуло, а как сам в лицо смерти заглянул, нервы и не выдержали. Потому-то он и торопится, отсюда и сроки такие, что хочет отомстить до того, как сам умрет.

— Вот именно! — подтвердил Савельев. — А с полгода назад, видимо, когда стало окончательно ясно, что ему не поправиться, в его доме появился Николай Чугунов с женой и детьми. Зубр за свою жизнь много нахапал, а завещать на благотворительность или на церковь не стал, решил незаконного ребенка облагодетельствовать. А может, сентиментальным стал, тепла семейного хоть под конец захотелось, на руках у родного человека умереть? Черт его знает, но расклад такой.

— Очень познавательно, но нам это ничего не дает. По клубу есть что-нибудь интересное? — спросил Лев.

— Есть! — кивнул Савельев. — Если можно считать интересным найденную в мусорном баке и присвоенную дворником-таджиком дорогую пустую борсетку из натуральной кожи, но без ручки, которую не без труда отбили у него мои парни. Они отдали ее нашим криминалистам, но те ни за что не ручаются — лапали ее все, кому ни лень. По поводу врачей «Скорой помощи» — Борис ни у кого из них телефон не просил. Зато насчет кнопок и окружавшей их бумаги этого не скажешь — наш клиент! — торжествующе заключил Степан. — Те фрагменты отпечатков, что на месте преступления найдены, принадлежат ему.

От облегчения Лев даже головой повертел и шумно выдохнул — наконец хоть что-то.

— И сразу ложка дегтя, — добавил парень. — То, что я принял за кровь, оказалось всего лишь пастой от шариковой ручки. Ну а что у вас, Станислав Васильевич?

— Я в больнице все углы облазил, со всеми поговорил и вот что узнал. Привезли парня с большой кровопотерей. Вещи с него сняли, документы нашли и оформлять начали, а его самого тут же на стол — ногу зашивать, а потом в палату и под капельницу. Женщина вечером пришла, причем спрашивала именно Бориса Беклемищева. Из врача всю душу вынула, интересовалась, насколько это опасно, чем они его лечат и не нужны ли какие-нибудь лекарства. Ушла и действительно больше не появлялась. Сама она никому по имени не представлялась, да ее никто и не спрашивал. Теперь по поводу мужика, точнее, мужичонки, как его там одна медсестра назвала. Они с Борисом действительно похожи, вот он спрашивал про Бориса, которого с поврежденной ногой со стройки привезли, но фамилии не называл. Поскольку такой был только один, то его к нему и отправили. Правда, пришел он с пустыми руками, посидел рядом с сыном совсем недолго, спросил у врача, долго ли его сын в больнице пробудет, и, узнав, что минимум неделю, ушел. Но! Тут начинается самое интересное. Женщина о тех вещах, в которых Борис был, даже не вспомнила, а вот мужичонка их у сестры-хозяйки забрал, объяснив, что почистит, починит и погладит. Но только он больше в больнице не появлялся! Ни с вещами, ни без! Звонок, правда, от какого-то мужчины насчет Бориса Беклемищева был, уже после того, как тот сбежал, но тот ли мужичонка звонил или кто-то другой — неизвестно. Однако то, что звонивший расстроился, узнав, что Бориса в больнице больше нет, факт. Теперь по поводу того, как Борис из больницы слинял. На третий день ему костыли дали, чтобы он мог в столовую самостоятельно ходить, и тут пришел к нему здоровый мужик. Помог Борису вниз спуститься, а когда их на выходе охранник попытался задержать, мужик ему сказал, что они просто свежим воздухом подышать хотят. Он накинул Борису на плечи свою куртку, и они вышли во двор. И все! Костыли нашли лежащими на лавочке, а Бориса и мужика и след простыл. Я так думаю, что машина где-то поблизости стояла, на ней они и уехали. И заметим, на похищение это совсем не похоже, потому что уходил Борис с радостью! Тут и сказочке конец!

— Я уже ничего не понимаю! — взорвался Степан. — Это не уголовное дело, а концерт самодеятельности в дурдоме!

— Да, ясности не прибавилось, а все только еще больше запуталось, — вздохнул Гуров.

— А эти сволочи продолжают свой саботаж, — добавил Крячко. — Хоть и говорил я им, что досрочное выполнение поручения будет приветствоваться и должным образом оцениваться, но до сих пор никто ничего не сообщил.

— Ничего, сейчас я их взбодрю! — зловеще пообещал Лев. — А пока будем работать с тем, что есть. Счастье великое, у Владыкина сохранилась на дисках и в собственном компьютере вся документация по строительству. Смотрите! — Он достал и положил на стол схему павильона, которую давал Николаю. — Столиков было пять рядов по пятнадцать штук. Чугуновы сидели за тридцать седьмым столиком, то есть прямо напротив сцены, а тот, на который упал первый светильник и убил всю семью, был самым крайним справа от них во втором ряду, то есть шестнадцатым!

— И что это нам дает? — спросил Степан. — Или вы считаете, что именно за ним сидели те, против кого и было задумано это преступление?

— Да! — кивнул Лев. — Потому что после падения первого люди обязательно должны были вскочить со своих мест, броситься к двери, к окнам и так далее — это человеческая психология, и с ней ничего не поделаешь. Иначе говоря, их местоположение было бы невозможно предвидеть и, следовательно, нанести точный второй удар. Важен был именно первый, которого никто не ждал. Поэтому все последующее — это так, для отвода глаз. Светильники повесили за неделю до трагедии, но места-то для них были определены заранее, крепления установлены и провода выведены. На сервере фирмы все это тоже было, так что преступник, который чувствовал себя там как дома, легко мог все выяснить.

— Как же он с билетом подгадал? — с сомнением спросил Крячко.

— Артамонова работает в одной комнате с девушкой Надей. Кроме них там никого нет. Они вместе выходят на перекур, а потом еще и кофе в кухне пьют. Словом, их не бывает на месте по полчаса или даже больше, — сообщил Лев. — Преступник, предположительно Борис, мог совершенно спокойно зайти в комнату, дверь в которую, заметим, девушки не запирали, а просто закрывали, и поискать среди билетов тот, на котором указано нужное ему место. Это могли быть как суббота, так и воскресенье, и любое время — важно было само место! Преступник нашел такой билет и забрал его.

— А если бы его там застали?

— Сказал бы, что позвонить зашел, потому что его сотовый барахлит, а дверь закрыл машинально, — объяснил Гуров. — А поскольку у преступника был перечень всех организаций, он знал, что рано или поздно туда билеты отвезут.

— Ну, выяснили мы все это, и что? — заметил Степан. — Люди, которые сидели за тем столиком, мертвы. Более того! Поскольку всё и все съехали в один угол, мы теперь даже не сможем узнать, кто именно они были.

Некоторое время сыщики напряженно размышляли, что еще можно выжать из этой информации, а потом Гуров спросил:

— Степа, ты случайно не знаешь, какой номер столика должен был быть у твоих?

— Двадцать второй. Легко запомнить — перебор! — ответил Савельев.

Услышав это, Лев достал из бумажника сотенную купюру с телефоном Глеба и позвонил ему:

— Это полковник Гуров. Узнай, пожалуйста, у Натальи, был ли занят столик прямо перед ними, его номер, на всякий случай, двадцать второй, и вообще, были ли там свободные столики, а потом немедленно перезвони мне — это очень важно!

Отложив телефон, он начал от нетерпения барабанить пальцами по столу, а Крячко спросил:

— То есть, если он был занят, значит, люди пересаживались?

— Вот именно! — воскликнул Лев. — Наталья сказала, что за тем столиком, на который упал светильник, сначала никого не было, потом туда села семья, а позже — другая семья! То есть первая куда-то пересела! Видимо, люди из первой группы экскурсантов по каким-то причинам не приехали, появились свободные столики, и другие гости их заняли, чтобы быть к сцене поближе!

— Полная ерунда! — уверенно заявил Степан. — Тогда получается, что преступник сигнал к взрыву наобум дал.

— Или он не знал в лицо тех людей, которых решил убить, а только столик, за которым они должны были сидеть, — предположил Лев.

— Или знал, но плохо, — подключился Стас. — Например: муж — высокий блондин, жена — невысокая шатенка, дети — двое мальчиков, или две девочки, или мальчик и девочка.

— Ну, знаете! — воскликнул Савельев. — По такой наводке ни один мало-мальски вменяемый человек работать не будет!

— Вменяемый человек такое чудовищное преступление совершать не будет! — возразил ему Стас.

Тут зазвонил сотовый Гурова — это был Глеб. Лев выслушал его и сказал:

— Двадцать второй столик был занят, а вот в последнем ряду некоторые столики пустовали.

— Ну, и что это нам дало? — никак не унимался Степан. — Что преступник убил совершенно посторонних людей, а совсем не тех, кого собирался? Так теперь мы даже от жертвы танцевать не можем, потому что нам ее не вычислить!

— Дайте подумать! — бросил Гуров, но таким тоном, что оба тут же замолчали.

Они изредка посматривали на Гурова, а он, немного успокоившись, сказал:

— Стас! Дай мне те документы, что я еще не видел, — вдруг что-нибудь полезное найду.

Он ошибся — полезного ничего не было, но за чтением он, по крайней мере, окончательно успокоился. В начале шестого Степан шепнул ему:

— Лев Иванович, вам пора перекусить.

— Спасибо, Степа, — без малейших возражений ответил Гуров.

Он достал термос со вторым, открыл его, и по комнате поплыл восхитительный аромат домашней котлеты. Крячко тут же сунул в него нос и потрясенно спросил:

— Это Лика Леве специально приготовила?

Степан объяснил Крячко, что к чему, и тот всплеснул руками:

— Тома Шах-и-Мат у тебя в домработницах! Уму непостижимо! И вообще, Гуров! Имей совесть! Оставь мне хоть чуть-чуть! Много есть вредно!

— Утроба ты ненасытная, Стас, — рассмеялся Лев и пододвинул термос ему. — Здесь ведь столовая есть, и ты там наверняка побывал, но тебе все мало!

— Вкусно-то как! — с восторгом произнес Крячко. — Ты Томе скажи, чтобы в следующий раз она на двоих накладывала. Я ведь ей тоже не чужой! В 1992-м лично ее брал!

За этими шутками-прибаутками они оба старательно скрывали беспокойство — заканчивался второй день, а ничего полезного для дела они не нашли. А если еще и саботаж членов рабочей группы продолжится, то Гурову придется просить Александрова распустить ее — толку все равно никакого. Конечно, он и вдвоем с Крячко, плюс Савельев со своими парнями, найдут преступника, но вот смогут ли они сделать это за восемь оставшихся дней? Савельев в их натужном веселье участия не принимал, но понимал всю напряженность ситуации и думал, что делать. Рис с котлетами был съеден, настой шиповника выпит, комната проветрена, оставалось только ждать.

Ровно в шесть открылась дверь, и комната начала заполняться офицерами как в форме, так и в штатском.

— Что-то здесь дешевой столовкой пахнет, — вроде бы себе под нос, но достаточно громко заметил Шатров. — А что здесь Савельев делает? Он же в полиции больше не служит.

— Его присутствие здесь согласовано с высшим руководством. Тем самым, которое отстранило от должности генерал-лейтенанта Плюшкина, — жестко ответил Лев.

— Правда, он уже больше не генерал, — скромно добавил Степан.

Обстановка в комнате накалилась — Плюшкина вряд ли все успели так уж горячо полюбить, но чтобы вот так, одним махом?.. Нет, это слишком!

— Вступительную часть считаю законченной. Жду ваших отчетов, — сухо сказал Лев, кладя перед собой листок бумаги, на котором Стас второпях конспектировал. — Майор Кречетов, расскажите, нашли ли вы ту бригаду, в которой работал человек, присвоивший себе имя Бориса Владимировича Беклемищева?

Поднялся холеный молодой мужчина в дорогом костюме и сказал:

— Да, это небольшая строительная фирма «Прима». В настоящее время все ее рабочие заняты на строительстве коттеджей в Зеленоградском районе Московской области. Конкретно на участке между Митино и деревней Зеленуха. Более подробной информации у меня пока нет, она будет только завтра.

— Как это нет? — удивился Гуров. — Вы что же, туда не съездили и с рабочими не поговорили?

— Конечно, нет. Я связался с районным управлением внутренних дел и дал им поручение опросить рабочих, — с невозмутимым видом ответил Кречетов.

— А почему вы сами не поехали и не побеседовали с ними? — уже начиная закипать, спросил Лев.

— Потому что не собирался бить свою машину на этих колдобинах, — раздраженно бросил майор.

— То, что вы так о ней заботитесь, это похвально, но на этот случай есть электрички и автобусы. К тому же вы могли написать заявку на служебный автотранспорт, полковник Крячко ее подписал бы, и вы поехали бы на нем. Такая простая мысль вам в голову не пришла?

— Я вам не мальчик на побегушках, чтобы по области мотаться! — окончательно взорвался Кречетов.

— Да-да, не барское это дело, понимаю, — язвительно произнес Гуров. — Ну, тогда можете быть свободны. И не утруждайтесь сюда больше приходить. Завтрашним приказом вы будете выведены из состава рабочей группы как не справившийся с возложенными на вас обязанностями.

— Не больно-то и хотелось! — бросил на ходу тот и вышел из комнаты.

— Зря вы с ним так, товарищ полковник, — тихо сказал какой-то молодой капитан. — Вы просто не знаете, кто у него отец.

— Капитан! Я всей своей жизнью заслужил... Подчеркиваю! За-слу-жил! — почти выкрикнул Лев. — А не вы-служил! Почувствуйте разницу! Право не обращать внимания на такие мелочи! А кто его отец, я знаю! Генерал-полковник, один из руководителей Управления транспорта в нашем министерстве. Кто у нас дальше? Капитан Колосков! — Все тот же капитан поднялся. — Это же вы у нас ездили в Центр, чтобы поговорить с его работниками.

— Так точно! — отчеканил Колосков и начал докладывать. Оказалось, несмотря на то что Центр был закрыт, все, кроме артистов, продолжали приходить туда на работу. Механик очистных сооружений утром в субботу заметил, что один из люков был не заперт, а просто закрыт, но он подумал, что его сменщик в пятницу, после пробного пуска, просто забыл это сделать. Еще он удивился, кому в голову пришло мыть резиновые сапоги — в тот день дождя ведь не было, так что и грязи тоже. Внутри сапоги, однако, были сухими. Одна из уборщиц рассказала, что вечером в пятницу вымыла полы в павильоне, а утром администраторша на нее накричала, что на полу разводы. Она пошла посмотреть, и ей действительно пришлось перемывать. Только с администраторшей уже не поговорить — погибла. Электрики утверждали, что все оборудование, в каком состоянии оставили, в таком и нашли. А хранится оно в подсобном помещении административного корпуса, замок в двери туда легко открылся и закрылся. Да и мимо поста охраны в здание не пройдешь, а само здание на ночь запирается. От двух солидных замков на запасных воротах ключи хранятся у дежурной смены охраны — это два человека, которые работают в отдельном, выстроенном для этих целей домике рядом с главным въездом. Правда, в пятницу компьютерная сеть фирмы вышла из строя, и изображение с камер видеонаблюдения на мониторы не поступало, но охранники утверждают, что обходили территорию и вечером в пятницу после отъезда сотрудников фирмы и работников Центра, и ночью и никаких происшествий и странностей не было.

— Но я не склонен верить этому заявлению, — закончил свой доклад Колосков. — Видите ли, товарищ полковник, поздно вечером в пятницу началась трансляция футбольного матча «Реал» — «Барселона», а телевизор в помещении охраны имеется, так что, может, они футбол смотрели. Протоколы опроса всех свидетелей имеются, — протянул он Гурову папку. — У меня все.

— Как вас зовут, капитан, и где вы служите? — спросил Лев.

— Евгений Васильевич. ГУВД города Московский Новомосковского административного округа.

— Большое вам спасибо, Евгений Васильевич. Вы нам очень помогли. Как вы смогли один столько сделать?

— Я туда рано утром на велосипеде приехал, у меня весь день был в запасе, — просто ответил Колосков. — А работники Центра охотно мне помогали.

— Еще раз спасибо, и садитесь, — поблагодарил его Гуров и, заглянув в список, сказал: — Так, разговаривать с потерпевшими или их семьями было поручено Новикову, Трифонову и Колотушкину. Начнем с майора Новикова. — Один из сидевших напротив него мужчин встал. — Слушаю вас.

— Товарищ полковник! С этими людьми невозможно разговаривать. Родственники тех, кто погиб, тут же начинают плакать, а родственникам тех, кто в больнице, не до нас.

— Майор Трифонов, — поднялся еще один мужчина. — Я разделяю мнение коллеги. Я прослужил в органах ничуть не меньше, чем вы, товарищ полковник, и считаю недопустимым лезть с вопросами к человеку, только что похоронившему своего близкого.

— А что вы скажете, подполковник Колотушкин?

— Я солидарен со своими товарищами, — ответил тот.

— Значит, не справились, — вздохнул Лев. — А ведь все очень просто. Близким того, кто ушел, нужно выговориться. Да, они будут плакать, но и одновременно рассказывать о том, каким он был замечательным человеком. Они чувствуют свою вину перед ним за пусть и мелкие, но обиды, которые причинили ему при его жизни, и своим рассказом стараются оправдаться. Вам оставалось только слушать, запоминать и исподволь направлять разговор в нужное русло. И вам поведали бы о его жизни с пеленок до момента гибели, перечислили бы всех его друзей и врагов. Ну что? Постараетесь принести пользу на другом участке работы или желаете на выход? Учтите, я никого не держу.

— Товарищ полковник! Поручите нам более привычное дело, — попросил Колотушкин, а все остальные кивнули.

Стремительное падение Плюшкина и последовавшая за этим показательная порка Кречетова, о высоком положении отца которого Гуров, оказывается, знал, но не счел нужным принять во внимание, наконец-то возымели свое действие, и карьерой никто не хотел рисковать.

— Хорошо. Поручаю вам троим поговорить с пострадавшими, как гостями, так и сотрудниками Центра. Мне нужно очень подробное описание того, что там случилось. Максимально подробное! Все, что они помнят. Все отчеты только в письменном виде! Еще один провал станет последним в вашей карьере, — предупредил Лев. — Что у нас с фотороботом?

— Разрешите, товарищ полковник? — Поднявшийся мужчина громко представился: — Майор Карелин. Фотороботом занимался я. Мы с экспертом не стали приглашать людей к себе, а выехали непосредственно на место, где работники фирмы, чувствуя себя в привычной обстановке, поправляя и дополняя друг друга, помогли нам его составить. Они единодушно подтвердили, что получилась практически точная копия. — Он подошел и протянул Гурову лист бумаги.

Лев посмотрел на совершенно невыразительное, прямо-таки бесцветное лицо молодого человека — действительно, как и говорили, глазу зацепиться не за что.

— В розыск объявляем? — спросил Карелин.

Гуров ему не ответил, он думал о том, что Борис, несмотря на все имеющиеся против него улики, на преступника никак не тянет. Скорее всего, он или жертва обстоятельств, или его очень квалифицированно подставили. Если мальчишку сейчас объявить в федеральный розыск, да еще и награду за информацию о нем пообещать, телефоны, конечно, раскалятся, будет вал звонков, и частым бреднем можно его выцепить, но и воры не собираются дремать, постараются найти его раньше, потому что у них стимул более весомый. Они не будут разбираться, виноват парень или нет, и тогда полиция в лучшем случае получит его труп.

— Пока не будем, — сказал Лев, решив, что рисковать не стоит. — У нас есть небольшой запас времени, чтобы собрать более весомые улики.

— А их не будет! Этот парень не имеет никакого отношения к нашему делу! — раздался насмешливый голос Шатрова. — Нет совпадения его пальчиков с теми, что на месте преступления остались!

— Да ты что? — сделал вид, что удивился, Лев. — А посмотреть заключение можно?

Он подошел к Шатрову, взял акт экспертизы, вернулся на место, посмотрел сам, а потом показал Савельеву и Крячко, которому при этом прошептал что-то на ухо. Стас покивал, повертел заключение в руках, горестно произнес:

— Да-а-а! Оформлен, как положено! Не придерешься! — Он убрал документ в папку. — Ошиблись мы, выходит! Вся работа насмарку! Пойду покурю с расстройства! — и вышел из кабинета.

Вернулся Крячко буквально через минуту, причем табаком от него не пахло, но кто же на это обратил внимание? Все с неприкрытым торжеством смотрели на Гурова, упиваясь его унижением — разлетелся, раскомандовался, а потом мордой в грязь. Один только Колосков смотрел на него с сочувствием. Лев на это не обратил никакого внимания и заявил:

— Значит, будем искать другие улики, доказательства, свидетелей. Миграционная служба! Что у нас с рабочими? Как теперь стало ясно, нам нужны только те, что работали в Центре в течение последнего месяца.

— Майор Свириденко. Мы работаем, товарищ полковник, — поднявшись, ответил ему мужчина в штатском, но в углах его губ затаилась насмешка. — Правда, у нас есть свои

104

сложности — на такие объекты, как правило, берут людей без оформления. Но мы стараемся. — Не дожидаясь разрешения, он сел.

Тут поднялся еще один из мужчин:

— Майор ФСБ Гаврилов. Товарищ полковник! До нас доведена информация о причине столь сжатых сроков расследования. Не могли бы вы дать нам развернутую картину вашего видения ситуации, чтобы мы могли более четко представить себе стоящую перед нами задачу.

— Конечно! — согласился Лев. — Итак, что послужило причиной моего заявления на первом заседании рабочей группы о том, что это не теракт, а уголовное преступление.

Гуров просто, ясно и доходчиво, разбирая каждую ситуацию на составляющие, рассказывал собравшимся то, что не так давно говорил Александрову, и вдруг у Крячко зазвонил сотовый. Лев замолчал, повернулся к нему, и тот с виноватой улыбкой сказал:

— Извините, Лев Иванович, это по работе. — Выслушав то, что ему сказали, он незаметно кивнул Гурову.

— С вашего позволения, я немного отвлекусь, — проговорил Лев и посмотрел на Шатрова: — Жалко мне тебя, Шатров! Тебя от ненависти ко мне уже так переклинило, что только психиатр поможет. Неужели ты думал, что я не подстраховался, зная, как меня здесь все ненавидят? Мы под протокол, с понятыми, с соблюдением всех процессуальных норм изъяли на фирме два... Слышишь? Два образца отпечатков пальцев лже-Беклемищева. Один мы отдали сюда, а второй — в организацию, которая обладает всеми полномочиями для проведения любых экспертиз. У них пальчики с оставленными на месте преступления фрагментами отпечатков совпали, а на Петровке — нет! Вот чудо-то! Я Кириллыча, чья подпись под актом стоит, много лет знаю. Он бы «липу» никогда в жизни не подписал! Значит, ты его обманул!

— После того как ты этим заключением помахал, я вышел и Орлову позвонил, — продолжил Крячко. — Тот за Кириллычем машину отправил, благо тот живет недалеко, и поговорил с ним. И что же у нас получается? А то, что ты забрал у меня на экспертизу рекламный буклет фирмы, выпускаю-

105

щей радиоуправляемые кораблики, а Кириллыч получил на экспертизу рекламный буклет фирмы, занимающейся ландшафтным дизайном. Ты рядом с ним всю ночь просидел, все подгонял! Конечно же, старик совпадений не нашел — их и быть не могло! Но к утру он выдохся так, что уже спал на ходу, и тогда ты сам напечатал заключение, а он его только подписал, поверив тебе, что там именно то, что надо. А ты туда вписал буклет той фирмы, что у меня забрал.

— Кириллыч давно уже в маразме и ничего не соображает, — небрежно произнес Шатров, но видно было, как он напрягся.

— Все он прекрасно соображает и сейчас дает показания офицеру службы собственной безопасности. А твой сейф опечатан, кабинет — тоже, так что деваться тебе некуда! — развел Стас руками.

— Тебе, Шатров, 285-я статья, часть 3-я УК светит — «Злоупотребление должностными полномочиями», — подхватил Гуров. — А там до десяти лет, со всем сопутствующим! Лишением звания и так далее! Ты из-за ненависти ко мне сам на себя срок повесил! А с учетом того, какое дело ты пытался по ложному пути пустить и у кого оно на контроле находится, никаких смягчающих не будет.

— Во-первых, ты еще попробуй что-нибудь доказать, а во-вторых, максимум 292-я «Служебный подлог». — Шатров изо всех сил старался выглядеть спокойным.

— Не тешь себя иллюзиями и иди сушить сухари, — посоветовал Лев. — С тобой теперь другие люди и в другом месте разговаривать будут.

— Да пошел ты! — бросил Шатров и направился к двери.

И тут у него на пути, словно из ниоткуда, появился Степан, который с самым дружелюбным выражением лица попросил:

— Дипломатик свой оставь.

— Какого черта? — взвился Шатров. — Ты не имеешь права!

Удара никто не заметил, но Шатров странно пискнул и согнулся пополам, а Савельев взял у него из рук портфель, обошел его, как столб, и, подойдя к столу Крячко, открыл дипломат со словами:

— Что и требовалось доказать. Прошу всех посмотреть — оба буклета здесь. Идиот! Ты бы еще чистосердечное признание сюда положил!

Шатров, кое-как распрямившись и ни на кого не глядя, вышел из комнаты.

— Может быть, следовало его задержать? — встревоженно спросил Колотушкин.

— Да куда он денется? — отмахнулся Крячко. — В нелегалы, что ли, уйдет? Богданов! А ты чего сидишь? Иди, окажи моральную поддержку своему свергнутому кумиру! Заметь, его никто с пьедестала не сбрасывал, он из-за собственной дурости и подлости оттуда навернулся.

Богданов вышел, а вот Гуров стоял, глядя в пол, и на душе было до того погано, что хоть вой. Потом он поднял голову, обвел всех взглядом, и люди стали отводить глаза в сторону, а кое-кто просто уставился в пол.

— Господа офицеры! Голубые князья! — с горечью произнес Лев. — У нас дело такое, что душа должна за него не то что болеть, а в клочья рваться! И сроки поджимают так, что каждая минута на счету, а вы откровенно дурака валяете! В общем, так! Идите-ка вы по домам! Я завтра с руководством сам объяснюсь и докажу, что необходимость в рабочей группе отпала. Мы с Крячко и не такие дела вдвоем раскрывали, вот и сейчас справимся. В отличие от вас, честь имею! — Он отвернулся к окну и попросил: — Степан, дай сигарету!

Савельев подошел сбоку и протянул ему пачку и зажигалку. Лев открыл окно и, в нарушение всех существующих правил, закурил. Он смотрел вниз, на проезжавшие автомобили и пытался успокоиться. Напиться бы от такой жизни, так и этого нельзя!

— Товарищ полковник, разрешите остаться, — услышал он вдруг.

— Зачем, если я вам не верю? — Лев выщелкнул окурок за окно, закрыл его и повернулся. — Я привык работать с людьми, от которых не жду удара в спину, а у каждого из вас на меня в рукаве нож припасен. А то и два. Мне это надо?

— Товарищ полковник, — начал Гаврилов. — Я и мои коллеги, — тут два его соседа поднялись и встали рядом с ним, —

107

просим вас оставить нас в составе рабочей группы. Лояльность гарантируем.

— Товарищ полковник, разрешите остаться, — почти умоляюще попросил Колосков.

Да и остальные подключились, заверяя его в своей полнейшей благонадежности и обещая не подвести. Гуров подумал и согласился:

— Хорошо. На чем мы остановились? Ах, да! Итак, что мы имеем...

Он продолжал рассказывать, все его внимательно слушали, а в голове у него в это время вертелась одна-единственная мысль: «Как было бы замечательно остаться сейчас одному, чтобы спокойно все обдумать, проанализировать и определить хотя бы направление, в котором нужно искать путь к выходу из тупика. И чтобы никто не мешал и не трепал нервы!» Когда Лев закончил и спросил, есть ли у кого-нибудь вопросы, поднялся Гаврилов:

— Почему вы решили не подавать лже-Беклемищева в розыск?

— А у нас есть гарантия, что мы найдем его первыми? — ответил Гуров, и тот потупился. — Вот и я об этом подумал. Будем надеяться, что после разговора с людьми из бригады, в которой он работал, у нас появится новая информация. Сроки поджимают, поэтому я предлагаю привезти всю бригаду завтра в Москву в тот же Центр. Разобрать рабочих поштучно и опрашивать каждого по отдельности под запись. Кто-то из них вспомнит одно, кто-то другое, и так далее. Если вдруг выяснятся какие-то чрезвычайной важности факты, то можно будет и протокол составить. Потом мы прослушаем все записи, проанализируем их и в сухом остатке получим достоверную информацию. Возражения есть? — Возражений не было. — Степан Николаевич, это реально сделать? — спросил он.

— Да без проблем, — беспечно отозвался тот. — К десяти часам устроит?

— Вполне! Ну, что ж! Если все согласны, то встречаемся завтра в Центре в девять часов — вдруг у кого-то свежие мысли появятся, вот и обсудим. А теперь все свободны.

Люди ушли, и, когда они остались втроем, Савельев спросил:

— Лев Иванович, вы им верите?

— Конечно, нет, — устало ответил Гуров. — Если только Колоскову. Он, простая душа, еще не успел скурвиться. А на остальных уже пробу ставить негде.

— Лева, а ведь мы в тупике, — осторожно произнес Крячко.

— Знаю, — безрадостно согласился Лев. — Одна надежда на завтрашний день — вдруг какая-нибудь зацепка появится. Ну, и думать буду, конечно.

— Ну что, давайте по домам? — предложил Степан. — Правда, мне еще отчитаться надо.

— Езжайте, а я задержусь — приказ на Кречетова согласую и напечатаю, чтобы его, мразь такую, завтра прямо с утра обрадовать, — сказал Стас. Да еще нужно Орлову акт экспертизы шатровской работы отвезти — пусть сразу в дело пойдет.

— Знаете что, а давайте я все наработанные материалы и этот акт с собой заберу — потерпит Орлов до утра, — предложил Гуров. — Меня все-таки охраняют, и документы будут в безопасности, а то ведь Шатров — сволочь редкая, и терять ему нечего. О том, что он натворил, пока мало кто знает, и попасть ему в эту комнату, когда мы разойдемся, будет несложно — скажет, что сотовый здесь забыл, вот ему ключ и дадут. Кто же заподозрит, что полковник с Петровки гнида распоследняя? А он и буклеты, и акт экспертизы заберет! С чем мы тогда останемся?

Подумав, все согласились. Крячко остался в кабинете, а Гуров и Савельев, выйдя из здания, разъехались кто куда.

Лев был не только аккуратным, но и опытным водителем. Вот и сейчас, хотя у него в голове и крутились самые разные мысли, он внимательно следил за дорогой. Только благодаря этому он сумел вовремя сориентироваться, когда его машину подрезал какой-то джип и резко остановился прямо перед ним. Лев тут же затормозил, но силу инерции еще никто не отменял, и он врезался в него. Из джипа тут же выскочили парни в масках с бейсбольными битами и бросились к его машине. Единственное, что успел сделать Лев, заблокировать дверцы, но тут в него сзади врезался джип с кавказцами. Гурова, хоть он и был пристегнут, бросило на руль, он почувствовал резкую боль в груди, да и головой о лобовое стекло ударился.

Лев откинулся на спинку, попытался вдохнуть полной грудью и снова почувствовал боль. «Вот только перелома грудины мне сейчас не хватает!» — подумал он. Бандиты тем временем успели уже ударить битами пару раз по лобовому стеклу, один из них попытался открыть дверь с его стороны, а когда это не получилось, размахнулся битой, чтобы разбить стекло, но... Тут наступила тишина. Лев посмотрел и увидел, что бандиты побросали биты и стояли теперь с поднятыми руками — у кавказцев явно было с собой оружие, и переть на него с битами — все равно что с шашкой на танк. Вдруг рядом взвизгнули тормоза, и остановилась еще одна машина, из которой высыпали люди. Нападавших тут же поставили на колени, маски сдернули, и началась разборка с применением грубой физической силы. К окну машины наклонился незнакомый Льву мужчина и спросил:

— Гуров, ты в порядке?

Разблокировав дверцы, Лев с трудом вылез наружу и увидел невысокого, коренастого и совсем незнакомого ему человека. Словно прочитав его мысли, тот сказал:

— Не напрягайся! Ты меня не знаешь. Ты как себя чувствуешь? Разбитая бровь — не в счет, ребра как?

— Бывало и лучше, — пробормотал Гуров. — Откуда дровишки? — взглядом показал он на нападавших.

— Сейчас разберемся. Давайте сюда кого-нибудь! — приказал коренастый.

— Это мы полковника спасли! — горячился тем временем Гурам, пытаясь пробиться к Гурову.

— Никто не спорит, вы просто были ближе, а сейчас помолчи, — отмахнулся от него мужчина и спросил у нападавшего, которого подвели к нему, заломив руку за спину: — Кто послал?

— Да мы просто хотели бабок срубить...

Продолжить ему не дали, он получил такой силы удар снизу ногой в лицо, что невольно заорал и от боли в плече, и от разбитых, видимо, носа и губ. Поняв, что дальше будет только хуже, он выкрикнул:

110

— Колька-Лапоть! Сказал, что клиент хочет, чтобы мы этого «кента» кончили!

— А то, что этот «кент» на минутку полковник полиции, он вас не предупредил? — спокойно поинтересовался коренастый.

— Сукой буду! Не знали мы! — перепугавшись, уже просто орал парень.

— Будешь. Куда же ты денешься? — равнодушно заметил мужчина. — Где Лаптя искать? Мне всякую шваль знать не по чину.

— Барыга он, от Косого работает, на Арбате «герычем» приторговывает, — изливал душу парень.

— Разберемся, — пообещал коренастый и махнул рукой — парня тут же увели. — На кого думаешь? — повернулся он к Гурову.

— Только без трупов, — предупредил Лев.

— Беда с вами, с порядочными! — усмехнулся мужчина. — Он тебя «заказал», а ты его жалеешь!

— Он и так сядет, а для него это страшнее смерти, — сказал Гуров.

— Ладно, кончать не будем, хоть и заслужил. Ты время не тяни — тебе в больничку надо, рентген сделать, — поторопил его мужчина.

— Не надо в больницу, я лучше дома отлежусь, и все будет нормально. Некогда мне болеть. Это полковник Шатров, мой коллега с Петровки, теперь уже бывший, конечно.

— Ну, блин, и порядки у вас там! Как на зоне — не повернись спиной! — усмехнулся коренастый. — Ты возьми из машины все, что тебе надо, а потом тебя отвезут. Вон белый «Ниссан» стоит. Со своей-то машиной что делать будешь? У нее вся задница всмятку, да и морда побита.

— Ремонтировать, конечно. У меня на новую денег нет, а в кредит влезать не хочу, — пробормотал Лев.

— Ладно, — вздохнул мужчина. — Позвоню сейчас, чтобы ее в сервис забрали.

— Только счет мне потом выставите за ремонт, — предупредил Гуров.

— Тебе, блин, в долларах или в евро? — разозлился коренастый. — Ну, беда с честными ментами! Все у вас не как у людей!

Мужчина свистнул, и к нему тут же подбежал парнишка. Он мигом положил один на другой дипломаты Шатрова с документами и сунул их под мышку, забрал пакет с термосами и пошел к «Ниссану», а борсетка досталась Гурову — на всякие мелочи из бардачка он, чувствовавший себя с каждой минутой все хуже, решил не отвлекаться — ничего ценного там не было. Подойдя к «Ниссану», Лев осторожно опустился на пассажирское место впереди, а парнишка свалил все на заднее сиденье, заметив:

— Не бойся! Ничего не пропадет! Мне еще жить не надоело!

Возле дома процедура повторилась, и, выйдя из лифта, Гуров увидел, что Тамара уже стоит в дверях и горестно качает головой.

— Уже все знаю, — сказала она. — Как же это не вовремя!

Парнишка занес все в квартиру и ушел. Теперь уже Гуров перетащил все в спальню и наконец-то прилег.

— Врача надо, — твердо проговорила Тома, поднимая его за плечи и подкладывая под спину подушки, чтобы он полусидел.

— Отлежусь! — с трудом пробормотал Лев, потому что любое движение вызывало боль. — Сама знаешь, нельзя мне болеть.

— А вот это уже не тебе решать! — сварливо заметила Тамара.

— Колись, что натворила! — потребовал он, но прозвучало это не грозно, а жалобно.

— Получишь готовое, — буркнула она. — Я тебе сейчас спиртовую салфетку дам, руки протрешь и поешь. И не спорь! — решительно заявила Тома, увидев, что он хочет возразить. — А то потом времени не будет.

Не успел Гуров закончить с едой, как примчались Крячко и Степан с врачом. Лев укоризненно посмотрел на Тамару, монументально стоявшую, скрестив руки на неохватной груди, как памятник самой себе, но сопротивляться у него сил не было. Пока врач, Степан и Тамара занимались Гуровым, Крячко тайком проник в кухню, где обнаружил под салфеткой на столе пирожки. Взяв один, откусил, закрыл глаза и застыл от блаженства, что его и сгубило — он был застигнут на месте преступления бдительной Тамарой, получил за воровство заслуженный подзатыльник и могучим коленом под зад был изгнан с подведомственной ей территории. В ответ Крячко даже мяукнуть не решился — они были в разной весовой категории. Врач же, осмотрев Льва, сказал Степану:

— Так, бровь я ему обработал. Теперь по поводу остального: по моему мнению, переломов или даже трещин нет, но есть ушиб грудины, хотя рентген не помешал бы. Чем можно помочь сейчас? Покой, охлаждающие компрессы, противовоспалительное и обезболивающее. — Он повернулся к Льву: — Я понимаю, что дышать глубоко вам больно, но надо! А то потом придется лечить уже легочную инфекцию! Назначения я сейчас напишу.

Когда он ушел, Крячко, памятуя о своих прегрешениях, быстро схватил листок и поехал в круглосуточную аптеку, откуда привез кучу лекарств. Но надо было что-то решать с завтрашним днем, и Тамара решительно заявила:

— Гуров! Тебе прописали покой? Вот и лежи!

— Лев Иванович, вы не волнуйтесь! Мы сами всех опросим, потом записи послушаем и самое важное выцепим. А если хотите, то вам их привезем, чтобы вы сами послушать могли и убедиться, что мы ничего не пропустили, — успокаивал его Степан.

— Ладно, — скрепя сердце согласился Гуров. — Степан, вон в той тумбочке лежат запасные ключи от Машиного джипа, возьми их, и пусть кто-то из твоих ребят его к моему дому подгонит, а то я временно безлошадный. Кстати, там еще и доверенность на мое имя должна быть, посмотри, она не просрочена?

Савельев покопался в тумбочке, нашел ключи и доверенность, которая оказалась действующей, потому что Мария каждые три года ее возобновляла. Подаренный сибиряками Марии «Лексус» был Льву как нож острый — у него столько неприятностей из-за него было! Он дал себе слово, что никогда за его руль не сядет, и действительно до сих пор ездил в нем считаные разы, и то в качестве пассажира, но сейчас выхода не было.

— Дипломаты пусть пока здесь полежат, а завтра вы их заберете, — продолжал он. — Только акт экспертизы и буклеты достаньте — они сейчас Орлову нужны будут. Не думаю, что Шатрова теперь волнует их судьба.

Крячко с Савельевым ушли, Лев выпил все таблетки, включая снотворное, и уснул, даже не предполагая, как же он прав, потому что Шатрову действительно было сейчас не до каких-то документов.

Вызванный на встречу своим агентом Николаем Лаптевым, который хотел доложить о выполненном поручении и предъявить в качестве доказательства фотографии мертвого Гурова, Шатров без раздумий поехал на их обычное место. Его до такой степени захлестнула ненависть ко Льву, что крышу сорвало, и он сам не понимал, что творит. Приехав, он вышел из машины, огляделся, закурил, а потом почувствовал сильный удар по голове. И темнота. Его долго били, так, чтобы живого места не осталось, но молча, без злобы — работу выполняли. А потом ушли, оставив его под мостом. Он пришел в себя от холода и почувствовал дикую боль во всем теле, казалось, болели даже волосы. Но самым страшным для него была мысль о том, что Гуров его опять переиграл! Его нашли случайно. Он долго лечился, одновременно отвечая на очень неприятные вопросы сотрудников УСБ, потом был суд, лишение звания и срок в десять лет. И какие бы планы мести ни строил он потом на зоне, они никогда не осуществятся — он умрет в колонии. А ведь всего этого можно было избежать! Ну, чего проще? Соблюдай технику безопасности, не стой под стрелой, не буди спящую собаку и останешься жив и здоров!

День третий. Пятница

Гуров проснулся поздно и, взглянув на часы, ужаснулся — надо же было так проспать! Он хотел сесть, но, почувствовав боль в груди, тут же рухнул обратно и все вспомнил. Услышав, что он завозился, в дверях появилась Тамара:

— Привет, болезный! Тебе помочь встать или сам?

— Я сам! И выйди, пожалуйста, — буркнул Лев.

— Ах ты, господи! А то я мужиков в трусах не видела! — хмыкнула Тома. — Ты сначала свою таблетку выпей — вон вода на тумбочке, а потом уже по своим делам шкандыбай! Остальные после завтрака выпьешь, — приказным тоном сказала она и вышла.

Выпив таблетку, Лев осторожно поднялся и побрел в ванную. Приводя себя в порядок, он начал злиться — присутствие в квартире чужого человека раздражало его, одно дело видеть Тамару утром и вечером, а другое — провести с ней целый день. Добравшись до кухни, он позавтракал — вкуснейшая каша непонятно из чего несколько примирила его с Томой, и он, выпив обезболивающее и остальные таблетки, собрался вернуться в спальню.

— Не мучайся, ложись на диван и смотри телевизор, а я его и на кухне посмотреть могу, — предложила она. — Чего тебе в спальне глаза в стену пялить?

— Да я там лучше почитаю, чем всякую муть смотреть, — отказался Лев.

Он выбрал книгу, хотя и понимал, что читать все равно не получится — не мог он расслабиться, когда нужно срочно найти выход из тупика, в который зашло расследование. Он обдумывал один вариант за другим, когда вдруг услышал, что Тамара в комнате с кем-то разговаривает и даже сюсюкает.

— Тома, ты с кем там сейчас говорила? Кто-то пришел? — позвал ее Лев.

— Домой я звонила, — объяснила Тома. — У меня ведь теперь внучка есть! Кузина жена родила! Стерва, не приведи господи! Только из-за малявки ее и терплю. Ну, да у меня не забалуешь! Смотри! — Она достала из кармана смартфон, нашла там фотографию и показала Гурову: — Вот она у нас какая! Красавица наша!

Лев покорно посмотрел и увидел, что этой малышке красавицей точно не вырасти — не в кого! Но, чтобы сделать Тамаре приятное, согласился:

— Да, она хорошенькая.

— Что б ты понимал в детях! — обиделась она. — Красавицей девчушка вырастет!

115

Тамара вышла из спальни, а он подумал: «Все-таки люди странные! Всегда найдут что-нибудь, чтобы похвалиться, хотя на самом деле и нечем. Да и зачем, если вдуматься? Чтобы другие позавидовали? Или не считали их хуже себя?» И тут он вдруг все понял, даже невольно застонал! Господи! Какой же он кретин! В дверях тут же появилась Тамара.

— Тома! Я идиот! — воскликнул Лев. — Я нашел выход! Но я без машины!

— Нашел чем удивить! — съязвила она. — А машину я тебе в две минуты организую. Только объясни, зачем? И куда ты в таком состоянии?

— Надо! — Гуров уже немного легче поднялся с кровати — обезболивающее начало понемногу действовать. — Есть одно лекарство, которое мне от радикулита давали, и боль как рукой сняло. Правда, от него поджелудочная обостряется, ну да черт с ней, главное, чтобы я двигаться мог. Ты уколы делать умеешь?

— Любые! Я Ванечке все сама колю. Говорят, у меня рука легкая.

Лев достал из аптечки начатую упаковку чудо-лекарства, мигом поставившего его на ноги, протянул Тамаре готовый к использованию шприц и повернулся к ней спиной — давай, мол. Укола он действительно не почувствовал, а она удивленно сказала:

— Это что же за лекарство такое? Тут ни словечка по-русски нет.

— Из-за границы привезли, — объяснил Лев — ну, не пускаться же в подробности. — Ты выйди, а я пока оденусь. Как только лекарство подействует, я по делам поеду.

— Тогда я сейчас насчет машины позвоню, — пообещала Тома.

— Не надо, я такси вызову, — отказался он, потому что появляться возле Администрации президента на машине, за рулем которой сидит какой-нибудь, пусть и бывший, уголовник, ему совсем не хотелось.

Одевшись, Лев позвонил Александрову:

— Олег Михайлович, у меня возникла одна идея, но для того, чтобы проверить, насколько она жизнеспособна, мне нужно поговорить с Митрофановым. Причем только лично.

— Лев Иванович, это легко организовать, но мне доложили, что с вами вчера случилось. Вы не переоцениваете свои силы? Вдруг вам станет хуже?

— Надеюсь, что нет. Если я пойму, что двигаюсь в нужном направлении, то, простите за наглость, мне на сегодняшний день потребуется машина с водителем, а к вечеру у меня будет джип жены.

— Я готов предоставить вам транспорт с водителем на все время вашей работы над этим делом, был бы результат! А машину я сейчас пришлю!

— Когда вернешься? Опять целый день будешь не жравши по городу носиться? — сварливо поинтересовалась Тамара.

— Часов в семь буду, — пообещал Лев.

Он достал из дипломата список организаций, куда отправляли пригласительные билеты, и взял его с собой — если все получится, то он сможет съездить в некоторые из них, в те, что расположены недалеко друг от друга. Затем подошел к окну, чтобы посмотреть, не приехала ли машина, и увидел, что кавказцы, уже на другом джипе, по-прежнему на посту, но в этот раз их присутствие его только порадовало.

Приехав на Старую площадь, где охрана была о нем уже предупреждена, Гуров прошел к Митрофанову, который лучился готовностью оказать ему любую возможную помощь, но, когда услышал его вопрос, очень удивился.

— По какому принципу мы распределяли билеты? — переспросил он и задумался. — Видите ли, вообще-то, наши сотрудники вполне способны приобрести билеты в этот Центр самостоятельно, причем на весь день, поэтому возникли некоторые сложности. С одной стороны, начался дачный сезон, люди собирались провести выходные с семьей и друзьями, пожарить шашлыки, например, а тут эта достаточно короткая обзорная экскурсия, которая разбила бы выходные — Центр же находится довольно далеко. Поэтому руководство... я имею в виду начальников отделов и служб... не горело желанием брать билеты, но и обслуживающему персоналу нельзя было их раздать. Сами понимаете, на этих экскурсиях могли быть не самые последние представители различных ведомств...

— Я понял, соседство уборщицы Администрации и начальника отдела какого-нибудь министерства было нежелательным.

— Вы правильно меня поняли. Поэтому мы раздали билеты сотрудникам среднего звена, но лично у меня нет никакой уверенности, что они ими воспользовались бы.

— Скажите, а среди тех, кому вы предлагали билеты, не было ли кого-нибудь, кто сказал, что у него уже есть билет, причем именно на обзорную экскурсию? — спросил Лев.

— Нет, таких не было, — покачал головой Митрофанов.

Гуров вышел на улицу и сел в машину. Поскольку она была разгонная, ее водитель наверняка не раз бывал во всех перечисленных в списке организациях, и Лев попросил его о помощи:

— Посмотрите этот список, и давайте поедем в то ведомство, которое здесь ближе всего.

Зная, кто такой Гуров, водитель проникся, внимательно просмотрел список и тронулся с места.

И началось! Лев приезжал, предъявлял секретарше удостоверение, выяснял, кто занимался распределением билетов, предъявлял удостоверение уже ему и задавал все те же вопросы. Ответы, правда, были разными. В организациях попроще билеты брали охотно и чуть ли не перерутались из-за них. А вот в солидных — ситуация была почти как в Администрации. Но нигде ни один человек не похвалился тем, что у него уже есть билет на обзорную экскурсию. Правда, и до конца списка было еще далековато. Расстояния в Москве приличные, так что обеденное время ушло на переезды, а вот шесть часов вечера в пятницу — это практически уже начало выходных, и попробуй кого-нибудь задержать на работе! Служащие все на низком старте, не отрывают взгляд от часов и считают минуты до заветной цифры, а потом только пыль столбом, и до понедельника их можно не искать. Поэтому Гуров приехал домой в половине седьмого и был встречен гневным взглядом стоявшей в дверном проеме из прихожей в зал Тамары.

— Гуров! Таблетка! — почти прорычала она.

Но оказалось, что в доме Тамара не одна, потому что следом из гостиной раздался яростный вопль Крячко:

— Петр! Не держи меня, я его все равно пристрелю, чтобы он нас не мучил! Лева! Тебя где черти носили? Тебе было велено лежать, а ты по городу рассекаешь! Ты почему телефон отключил?

Может быть, Стас и прорвался бы к другу, но тут вмешалась Тамара и рявкнула:

— Я вас с каким условием в дом впустила? Сидеть в комнате и не рыпаться! Через семь дней — хоть передеритесь, а сейчас ты, Крячко, не шуми! Вот Гуров таблетку примет, через полчаса поест, а потом разговаривайте хоть до утра.

Гуров проглотил таблетку, переоделся в домашнее и пошел в гостиную, где его уже ждали кипевшие от негодования Орлов и Стас.

— Телефон выключил, чтобы от дела не отвлекал, — начал он. — По городу ездил, потому что версию одну проверял. Тьфу-тьфу-тьфу, но, кажется, мы таким путем выйдем на жертву. А у вас есть что новое?

— Шатров в больнице, — внимательно глядя на Льва, сказал Орлов.

— Инсульт или инфаркт? — невинно поинтересовался Гуров.

— Тяжкие телесные, — кратко ответил Петр.

— Я вот тоже не ожидал, что на меня с битами нападут, а что делать? Москва город неспокойный, — развел руками Лев и замер — это вернулась боль в груди, да и левый бок дал о себе знать.

— Ты чего застыл? — насторожился Стас.

— Действие обезболивающего прошло, — переводя дух, ответил Гуров. — Пока по городу носился весь на боевом взводе, ничего не чувствовал, а как расслабился, все снова и началось. Рассказывайте скорее, что нового вы узнали в Центре, а то Тамара меня скоро есть погонит.

— Ну, записи мы тебе, как и обещали, привезли. Послушаешь, как время будет, а я тебе сейчас расскажу самое существенное, что мы успели узнать, — начал Стас. — Короче, якобы Борис проработал в бригаде всего неделю, причем не

119

с улицы он туда пришел, а привел его один мужик, Федор, из сиделых. Парнишка возле него и держался. Из Федора слова не выжмешь, я к нему и так, и эдак, а он мне в ответ одно: «Оставьте мальца в покое! Он уже столько нахлебался, что на три жизни хватит!» Я ему про уголовную ответственность, а он мне в лицо смеется: «Я четыре года ни за что отмотал. За это время Уголовный кодекс с комментариями наизусть выучил, так что уж полгода как-нибудь на нарах перекантуюсь».

— Я его дело запросил, действительно мужика зря осудили, невиновен он был, но у нас ведь суд присяжных, мать их! — добавил Орлов.

— Все потом! — отмахнулся Лев. — Где он сейчас?

— В КПЗ, конечно, — пожал плечами Стас. — Ждем, когда дозреет. Степан проверкой его сотового занимается, фотографию Федора предъявили охраннику, который дежурил, когда Борис из больницы сбежал, но тот его не опознал. Мальчишка ничего о себе не рассказывал, а при таком покровителе, как Федор, к нему никто и не совался. Но! Одна интересная деталь — кстати, ее Колосков выяснил. Толковый парнишка! — одобрительно заметил Крячко. — Когда в ту, последнюю пятницу сотрудники фирмы приехали в Центр, Борис был среди них. Автобус заехал на территорию, все вышли, а где-то через полчаса Борис как ненормальный — глаза круглые, губы дрожат, сам весь трясется — подбежал к охраннику, который на воротах стоял, и попросил его выпустить. Тот удивился — чего это с парнем? — но выпустил. И выглядел Борис так, словно за ним черти гнались. Он, хромая, изо всех сил бежал к дороге, два раза даже упал, но поднимался и продолжал улепетывать со всех ног.

— Он неделю там проработал, потом с документами приезжал, все знал, все видел, — медленно рассуждал Гуров. — А тут его вдруг что-то до смерти напугало. Или кто-то. Человек, которого он до жути боялся и никак не ожидал там увидеть. Раз Борис оттуда убежал, то спрятаться, чтобы потом подсоединить детонаторы к взрывным устройствам, он не мог. К тому же, как выяснилось, хромоту он не симулировал.

— Мог проползти со стороны реки через очистные, — возразил Стас.

— Только в том случае, если ключ был по-прежнему у него. Ты, видно, забыл, что в больнице у него всю одежду забрали, зашили рану, выдали пижаму и отвезли в палату. Где он ключ держал? Во рту? Как Буратино золотые монеты? С закрытой, но незапертой крышкой люка все понятно, но объясни мне, куда пристегнуть чисто вымытые снаружи, но сухие изнутри сапоги? — спросил Лев. — Если он полз со стороны реки, то из трубы сухим не вылез бы! Значит, они и внутри были бы мокрыми. С другой стороны, зачем их было мыть, если их никто не надевал?

— Ты имеешь в виду, что кто-то спрятался на территории, надел сапоги для того, чтобы не оставить отпечатки своей обуви, сделал дело, вернулся в них в помещение очистных, вымыл и ушел по трубе? — уточнил Крячко. — Вероятно!

— Да, это возможный вариант, — согласился слушавший их Орлов.

— А где Степан?

— Помчался к мужику, который с Борисом в одной палате лежал. Обещал, как все выяснит, сюда приехать, — объяснил Крячко.

— Кстати, вы не в курсе, он Машин джип сюда пригнал? — поинтересовался Лев. — Я как-то не обратил внимания, на месте он или нет. А то не хотелось бы завтра снова одалживаться.

Орлов с Крячко переглянулись и пожали плечами — не знаем, мол.

— Гуров! Ужин! — раздался не терпящий возражений голос Тамары, а потом и она сама в дверях нарисовалась.

— Тома, ну, неудобно же получается — я буду есть, а они голодными сидеть, — сказал Лев.

— Я на всю ораву готовить не нанималась! — сварливо ответила она. — Если голодные, пусть пиццу закажут, а уж чай я им, так и быть, сделаю.

— Тома! Да я никогда в жизни не поверю, что у такой замечательной хозяйки, как ты, не найдется чего-нибудь к чаю, — хитрой лисой заюлил Крячко. — Вот тот пирожок, что я попробовал...

— Украл, пока все вокруг Гурова крутились, — безжалостно поправила его Тамара.

— Тома! От него шел такой аромат, что невозможно было удержаться, — не унимался Стас. — Готовила бы ты похуже, на него никто и не покусился бы, а так сама ввела меня в искушение! А Гурову, между прочим, пирожки пока нельзя!

— Для себя пекла! — отрезала она.

— Неужели все сама съела? — всплеснул руками Крячко.

— Фигура позволяет, — гордо заявила Тамара.

Мужчины еле сдержались, чтобы не рассмеяться во весь голос! Фигура! Да у Тамары, как в известном анекдоте, было: метр двадцать — метр двадцать — метр двадцать, и талию можно было делать в любом месте, но кто бы решился сказать это вслух? Только самоубийца-мазохист!

— Ладно! — смилостивилась она. — Сидите здесь, осталось у меня кое-что. — И повернулась к Льву: — Гуров! Ужин стынет!

Чувствуя себя донельзя неудобно, Лев пошел в кухню и начал есть, а Тома достала из шкафчика пирог, явно поколебавшись, отрезала половину и положила ее на тарелку, а потом включила чайник. Господи, какой же запах шел от этого пирога с капустой! Гуров с ненавистью посмотрел на белоснежное, воздушное картофельное пюре, на две паровые тефтели, на кисель в большой чашке и лежавшие на блюдце бисквиты, но делать нечего — сам виноват!

— Крячко! Принимай! — крикнула Тамара, и Стас, алчно поводя носом, материализовался в кухне, словно из воздуха.

— Кормилица ты наша! — с вожделением глядя на пирог, почти пропел он.

— Это я сейчас кормилица, а как ты мне в 1992-м руки крутил, помнишь? — грозно спросила она.

Другой бы на его месте растерялся или смутился, но это ведь Крячко!

— Да как же до тебя иначе дотронуться-то было, красавица ты наша. Ты и сейчас любой молодой фору дашь, а тогда!.. М-м-м! — Он от восхищения даже головой покрутил.

Услышав это, Гуров чуть не подавился — красавицей Тамара не была никогда! Даже в молодости! Она тогда больше напоминала и внешностью, и габаритами колхозницу из известной композиции скульптора Веры Мухиной, а с годами еще и прибавила в весе.

— Ладно врать! Иди уж! — отмахнулась Тамара, но видно было, что она польщена.

Стас ушел, а она села напротив Льва и очень серьезно шепотом спросила:

— Гуров! Получается что-нибудь? Третий день ведь заканчивается.

— Мне кажется, я на верном пути, — тоже тихо ответил он ей.

— Смотри! Сам знаешь, какая на тебе сейчас ответственность! И помни, если что сделать надо, так ты только скажи!

Поужинав и выпив все положенные таблетки, Гуров вернулся в зал, где его встретили довольные физиономии Стаса и Орлова.

— Вот закончу это дело, вылечусь и тоже буду пироги есть! — пригрозил он им, а потом уже серьезно продолжил: — Что мы можем сделать в данной ситуации? Я завтра... Черт! Впереди выходные! — горестно покачал головой Лев. — Все откладывается на понедельник!

— Что откладывается? — не понял Орлов.

— Вот Степан приедет, тогда и расскажу, — пообещал Гуров. — Итак, что у нас нового прибавилось? Рабочие в пятницу в Центре! Нужно срочно выяснить, кто они были, и не было ли среди них новеньких — кого-то же Борис испугался!

Гуров сходил в спальню за телефоном, нашел номер Шатунова и позвонил ему, поставив сотовый на громкую связь.

— Владимир! Это вас снова полковник Гуров беспокоит. Нам нужна ваша помощь.

— Я отвечу на любой ваш вопрос, кроме того, о котором мы уже говорили, — с готовностью отозвался тот.

— Тогда вспомните, пожалуйста, какие именно рабочие находились на территории Центра, когда сотрудники вашей фирмы приехали туда в пятницу перед открытием.

— Мне и вспоминать нечего. Там были наши постоянные работники, которые у нас официально в штате. Из посторонних — только электрики, которые заканчивали монтаж гирлянд из лампочек. Да и они, собственно, уже были не совсем чужими — эта бригада там два месяца проработала. А нашим штатным электрикам оставалось потом только поддерживать все это хозяйство в порядке.

— Владимир, поймите, это очень важно! Там из чужих точно были только электрики?

— Господин полковник! Я все-таки начальник службы безопасности и отвечаю за свои слова!

— Где вы взяли эту бригаду?

— Все документы в сейфе у бухгалтера, она вам точнее скажет, но я помню название «Да будет свет», а вот за всем остальным — к Нине.

— А где вы набирали своих постоянных работников для Центра?

— Москвичам к нам ездить далеко, пришлось бы покупать или арендовать автобус, чтобы он их всех где-то забирал и вез к нам. Поэтому мы подумали и объявили конкурс среди жителей близлежащих городков и поселков и уже потом по его результатам отобрали тех, кто нам подходил. У них там с работой туго, так что нам было из кого выбрать, а они все шли с радостью: и зарплата неплохая, и от дома близко, и работа не тяжелая и интересная. Все приняты на законном основании, с оформлением, соцпакетом и так далее.

Поблагодарив Шатунова, Гуров отключил телефон, посмотрел на друзей и выразительно проговорил:

— Электрики, однако! Потому что остальные работники на такое не пошли бы — они держатся за работу руками и ногами — не зря же все еще продолжают приходить в Центр, хотя он и закрыт. Они надеются, что он снова заработает, и тогда вот он я! Ни дня не прогулял!

— Согласен! — кивнул Крячко. — А бригада электриков кочует туда-сюда, люди в ней меняются. И преступнику ничего не стоило попасть туда на работу. А теперь скажите, у кого могут возникнуть какие-нибудь сомнения, если электрик полезет проверить подсоединение светильника к электросети?

— А если бы полез другой электрик и увидел там что-то лишнее? — спросил Орлов.

— Так мы же не знаем, как эти устройства выглядели — может, совсем безобидно? — возразил Стас.

— Чего мы мучаемся? Сейчас достанем рабочие материалы и найдем там фотографии, — разрешил их спор Лев.

Но сделать они ничего не успели, потому что приехал Степан. Уставший, вымотанный, но с таким торжествующим видом, что они поняли — парень вышел в цвет!

— Степушка! Ну, не томи! — попросил его Стас. — Что рассказал тот мужик?

— Повествую! — начал парень. — Он уже лежал в палате, когда туда Бориса привезли. И женщина вечером приходила при нем. Она к Борису бросилась, целовала его и все повторяла: «Слава богу, живой!» Стала ему все доставать, а он ей: «Ну, зачем ты пришла? Он же тебя выследит!» Она ему: «Ничего, вот завтра Леня из рейса вернется, и он уже не посмеет к нам сунуться!» Потом она к врачу пошла, а когда вернулась, сказала: «Слава богу, все обошлось! Тебе надо только пару дней полежать, а потом уже и ходить можно будет потихоньку». Борис ей: «Забери меня отсюда, я боюсь!» Она ему: «Потерпи совсем немножко, совсем чуть-чуть, пока Леня приедет». Короче, она ушла. Мужик попытался было с Борисом поговорить, а тот притворился, что спит, а может, и действительно спал. Но! На следующий день пришел мужичонка — тут его правильно описали, и, едва Борис его увидел, как у него такой ужас в лице появился, такой страх, что мужик сразу понял, кого именно мальчишка боялся. Мужичонка попросил его выйти — ему с сыном поговорить надо, а Борис с такой мольбой на него посмотрел — не оставляйте, мол, меня, — что мужик даже поближе пересел, улыбнулся понаглее и сказал, что ему и здесь хорошо. Мужичонка понял, что не выгорит у него, укоризненно сказал: «За что ты со мной так, сынок?» — и вышел. Едва за ним дверь закрылась, как у Бориса настоящая истерика началась, рыдал чуть ли не в голос и все мужика благодарил за то, что тот его спас. А на следующий день пришел мужик, видимо, тот самый Леня, и начал вещи Бориса собирать, а тот лежал, смотрел на него счастливыми глазами и улыбался. Мужик рыпнулся было, что мальчишке

125

еще долечиваться надо, а Леонид этот ему очень серьезно ответил: «Я тебе ничего объяснять не буду, только ты мне поверь, что так надо! А долечиться он и в другом месте сможет!» Вот такой расклад, отцы-командиры!

— Если кто-то что-то понимает, то объясните мне, а то я чувствую себя полным идиотом, — тоскливо попросил Стас. — На преступника мальчишка явно не тянет, но отпечатки пальцев на месте преступления его!

— Поверьте моему опыту, это подстава, — веско сказал Орлов. — А кто и как ее организовал, разберемся.

И никто ему и слова против не сказал, потому что опыт оперативной работы у него был гораздо богаче и больше, чем у Гурова и Крячко, не говоря уж о Савельеве.

— Разберемся, — недобрым тоном повторил Лев и спросил: — Степан, что по телефону Федора?

— Он в тот день вообще никому не звонил. Да и звонить-то ему особо некому. Когда он сел, его с работы уволили, потом жена с ним развелась, другого себе завела, так что вышел он на свободу в никуда. В квартире однокомнатной, что у них была, чужой мужик с его женой живет, но ради дочери он ее делить не стал, только машину забрал. Потому и в бригаду эту подался, что кочуют они с места на место, а живут в вагончиках.

— Ищите среди соседей, — посоветовал Лев. — Среди тех, с кем он до отсидки дружил. Ясно же, что не чужой человек попросил его Бориса к себе взять — парня от отца спрятать надо было.

— Понял, сделаем, — заверил его Савельев.

— Тут у меня еще одна мысль возникла, — подумав, продолжил Гуров. — Центр от трассы находится довольно далеко, а Борис бежал к ней со всех ног, падал, поднимался снова бежал. Зачем? Видимо, хотел остановить попутку или автобус. Нога у него до сих пор больная, так что, если бы он окончательно упал где-то на середине пути, его увидели бы сотрудники фирмы, когда в Москву возвращались. Значит, до трассы он добрался. Стас! А запроси-ка ты сводку происшествий за пятницу по тому району и поищи как Беклемищева — документы же, наверное, у него с собой были, когда он с остальными в Центр поехал, так и неизвестного. Не случилось ли с ним чего-нибудь?

— Завтра с утра этим займусь. И фирмой этой электрической, которая «Да будет свет», — пообещал Крячко.

— Что за фирма? — тут же поинтересовался Савельев и, когда его ввели в курс дела, решительно заявил: — Станислав Васильевич, этой фирмой мои ребята займутся — честное слово, у них лучше получится.

— Отбираешь ты у меня хлеб, — сделал вид, что обиделся, Крячко. — Можно сказать, изо рта выхватываешь! — Но тут же снова став серьезным, попросил: — Лева! Ты сегодня какую-то версию проверял, может, расскажешь, что к чему, тем более что и Степан здесь.

— Понимаете, есть в человеческом характере одна нехорошая черта — хвалиться, — начал Гуров. — Вот я и подумал, что если кто-то из сотрудников тех организаций, куда отправлялись билеты, каким-то образом получил его откуда-то еще, может, не удержался и сказал об этом. Например, ему не дали, а он в ответ: «А у меня уже есть!»

— Или, наоборот, ему предлагают, а он отказывается, потому что у него уже есть, — продолжил его мысль Степан.

— Вот именно, — кивнул Лев. — Я сегодня объехал несколько организаций и выяснил, что ситуация в них с этими билетами сложилась разная: в одних — не знали, как их людям всучить, а других — только что не дрались из-за них. Но при любом раскладе человек, уже имеющий билет, не остался бы незамеченным. Я исхожу из того, что вероятная жертва что-то собой представляет, а не работает там охранником. Впереди, к сожалению, выходные, но в понедельник эту работу нужно будет продолжить.

— Семен Семеныч! — укоризненно воскликнул Степан. — Недооцениваете вы силу административного ресурса! Не самому надо было по городу мотаться, а кое к кому зайти! И тогда всех этих людей собрали бы вместе в одном помещении, где вы смогли бы с ними поговорить!

— А я сегодня опять услышал в голосе этого кое-кого сомнение в собственных способностях и поэтому одалживаться не хотел! — резко ответил Гуров.

— Обиделась баба на мужика и все горшки перебила, — вздохнул Орлов. — Ты, Лева, сейчас не о самолюбии думай, а о деле! А губы надувать потом будешь!

— Спасибо за поддержку, Петр Николаевич, — сказал, поднимаясь, Савельев. — Я к кое-кому, — выразительно произнес он, — договариваться поехал!

— Подожди! — крикнул ему в спину Гуров. — Ты джип Марии сюда перегнал? А то мне ездить не на чем.

Парень медленно повернулся, и вид у него при этом был крайне виноватый.

— Забыл? — раздражаясь, спросил Лев.

— Не забыл. Просто... В общем, угнали его, Лев Иванович. Человек за ним приехал, а его на месте нет. Охранника театра потрясли, записи с камер видеонаблюдения посмотрели, а его два каких-то парнишки в толстовках с накинутыми капюшонами еще в ночь со среды на четверг вскрыли и угнали. Охранник утром обнаружил, что его увели, позвонил Марии, а она вне зоны, он ничего предпринимать и не стал.

— Да что за чертовщина творится?! — заорал Лев, в деталях представляя себе, какой скандал закатит ему жена за то, что он не уберег ее любимую игрушку.

— Гуров! Что у тебя в этот раз не слава богу? — ехидно спросила появившаяся в дверях Тамара.

— У его жены джип угнали, — наябедничал Крячко.

— Гуров! Это уже перебор! — восхитилась Тома. — То на тебя болячки со всех сторон сыплются, то твою машину раздолбали, так теперь еще и это! Уж не сглазил ли тебя кто-нибудь?

— Тамара! — взвился Лев. — И ты туда же?!

— Валерьянки выпей! — спокойно посоветовала она, доставая из кармана смартфон, и спросила: — Что за тачка?

Степан, чувствуя себя виноватым — хотя какая же его вина в том, что Лев сам вовремя о машине жены не подумал? — метнулся в спальню и принес доверенность. Тамара кому-то позвонила и сказала:

— Тут у жены Гурова джип увели, так ему теперь совсем ездить не на чем. Непорядок! Человек нервничает! Работать не может! Помочь бы надо! — Выслушав ответ, она продиктовала все, что было на доверенности, а потом отключила телефон и сказала: — Найдут! Причем в самом срочном порядке.

— Надо бы Салману позвонить, его джигиты тоже этим делом промышляют, — заметил Лев. — Только я его номера не знаю.

— Не волнуйся! Всех поднимут! — не предвещавшим угонщикам ничего хорошего голосом пообещала она. — Никому мало не покажется!

— Господи! Куда я попал? Это квартира Гурова или воровская «малина»? — тоскливо проговорил Орлов, когда Тамара вышла.

— А ты, Петр, глаза закрой, уши заткни, и будет тебе счастье, — посоветовал Крячко и получил в ответ бешеный взгляд.

— Все, Лев Иванович! Я убежал! — сказал Степан. — Завтра позвоню и доложу, где и во сколько состоится встреча высоких договаривающихся сторон. Обещаю, что все будут ждать вас с большим нетерпением!

— Стой! Я же в нескольких организациях уже был! Людей оттуда приглашать не надо! — крикнул ему вслед Гуров, но это был уже глас вопиющего в пустыне.

— Пожалуй, я тоже пойду, — поднялся Петр.

— Да и я засиделся, — поддержал его Крячко.

Они пошли в прихожую, Лев тоже вышел проводить их.

— Чуть не забыл! — одеваясь, вдруг воскликнул Петр. — Большой привет тебе от генерал-полковника Кречетова! Удостоил он меня сегодня своим звонком.

— И что ему было надо? — хмуро спросил Гуров.

— Чтобы ты смягчил формулировку приказа, его отпрыск только-только в кресло зама сел, а тут такая неприятность.

— И что же ты ему ответил?

— Настоятельно порекомендовал вспомнить печальную участь бывшего генерал-лейтенанта Плюшкина, а также многих других до него и не искушать судьбу — чревато! — выразительно произнес Орлов.

— Как мне все надоело! — простонал Гуров. — Служишь как проклятый, ни сна, ни отдыха! Грузят на меня все и со всех сторон так, словно я двужильный! А я все тяну и тяну этот воз! А как с других потребую всего лишь честного и добросовестного исполнения своих должностных обязанностей, так тут же крайним оказываюсь! Я его, сопляка, что, попросил полы в своей квартире вымыть? Ремонт сделать? Я дал ему поручение по делу, которое мы все вместе ведем! А он перепоручил это районникам! Зла не хватает!

Стас и Петр уже ушли, а он все никак не мог успокоиться. Наконец Тамара не выдержала и рявкнула:

— Пей валерьянку сию минуту и ложись спать! Будет он себе из-за какого-то сопляка нервы жечь! Ты их для дела побереги! Пригодятся!

От валерьянки Лев отбился — что он, барышня, что ли? — но снотворное выпил, лег спать и сразу уснул.

Суббота. День четвертый

Выспаться Гурову не дали. Тамара беспощадно разбудила его в семь утра.

— Степка звонил. Тебе в девять утра нужно быть в актовом зале Министерства финансов, — сказала она и сунула ему под нос листок с написанным адресом. — Машину за тобой пришлют — ехать-то тебе самому не на чем.

Он осторожно сел, прислушиваясь к своим ощущениям — грудь болела, но терпимо, левый бок ныл — побочное действие лекарства, но жить можно. Выпив таблетку, он решил, что не стоит искушать судьбу — мало ли, как день сложится, и попросил Тамару сделать ему укол. Посмеиваясь про себя, что заправляется лекарствами, как автомобиль бензином, Лев привел себя в порядок, позавтракал, выпил еще кучу лекарств и вышел из дома. Машина его действительно уже ждала, и он, хмыкнув, что его теперь как барина возят, да еще и с охраной, доехал до министерства, где, как оказалось, его уже ждал Савельев. Войдя в актовый зал и посмотрев на собравшихся, Лев увидел, что их глаза любовью к нему отнюдь не светились — кому же понравится, что его в законный выходной из дома или с дачи выдернули? И ведь, главное, не откажешься же! Поэтому он начал с извинений:

— Дамы и господа! Прошу прощения за то, что нам пришлось прервать ваш отдых. Будем надеяться, что ненадолго. Все вы знаете, какая страшная трагедия произошла неделю назад в развлекательном центре «Тридевятое царство». У нас есть свой план действий, но сейчас нам остро необходима ваша помощь! От вашей памяти и желания помочь будет зависеть, как скоро мы найдем преступника. И для этого нам нужно выяснить один момент, который может показаться вам странным. Итак. Во все ваши организации были отправлены пригласительные билеты на обзорные экскурсии по Центру на субботу и воскресенье. Я уже выяснил, что где-то они пользовались спросом, где-то — нет, потому что у людей были на эти дни свои планы. Теперь мой вопрос, и я прошу вас отнестись к нему очень серьезно. Говорил ли кто-нибудь из ваших сотрудников, что у него уже есть билет именно на обзорную экскурсию? Не на какой-то из последующих дней, а именно на эту короткую обзорную экскурсию в субботу или воскресенье. Может быть, это было сказано не вам, а вы просто слышали от кого-то. Очень прошу вас, вспомните! Это очень важно!

Люди переглядывались, пожимали плечами, рылись в памяти, уставившись взглядом в одну точку, а Гуров смотрел на них, затаив дыхание, и вдруг встретился глазами с одним мужчиной, который, встретив его взгляд, кивнул головой. Какое же несказанное облегчение испытал в этот момент Гуров! У него даже голова закружилась! А остальные люди тем временем разводили руками, показывая, что ничего подобного у них не было, но, чтобы окончательно убедиться в этом, Лев спрашивал их по отдельности, прямо по списку, и каждый отвечал «нет», кстати, и тот мужчина тоже. Поблагодарив всех за помощь, Лев, опять-таки с извинениями, всех отпустил, а вот мужчина задержался. Как только за последним из приглашенных закрылась дверь, Гуров бросился к нему.

— Скажите, этому человеку ничего не грозит? — спросил мужчина.

— Да бог с вами! Просто он может располагать нужными нам сведениями. Так кто это был?

— Видите ли, я из Министерства экономики. У нас есть консультант, светлейшего ума человек. Был профессором экономического факультета МГУ, но серьезно заболел, поэтому в шестьдесят лет сразу ушел на пенсию. Он вдовец, живет с семьей единственного сына, вот я и решил, что ему этот билет может пригодиться. Позвонил ему, предложил, а он рассмеялся и сказал, что у него уже есть — видимо, кто-то из его бывших студентов или аспирантов решил его порадовать, вот и прислал.

— Именно на обзорную экскурсию? — уточнил Гуров и, когда мужчина кивнул, затаив дыхание, попросил: — Имя!

— Александр Павлович Беляев, его адрес, к сожалению, у меня на работе, но телефон могу сказать. У них, правда, дача есть, может быть, они сейчас там...

Достав обычную записную книжку, мужчина нашел там номер нужного телефона, продиктовал его, а Гуров записал. Когда мужчина ушел и Лев остался вдвоем со Степаном, тот, с восхищением глядя на него, серьезно заявил:

— Лев Иванович! Вы гений!

— Я знаю! — тоже совершенно серьезно ответил Гуров и тут же перешел к делу: — Степа! Мне нужно на этого человека все, от момента зачатия по сию минуту! И срочно! Я сейчас с ним созвонюсь и, где бы он ни был, поеду к нему!

— Звоните, Лев Иванович, я подожду — вдруг он в Москве, тогда мы, как я получу данные, сможем встретиться.

К счастью, Беляев оказался в городе. Он несказанно удивился, узнав, что у полковника полиции может быть к нему какое-то дело, но пригласил приехать и сказал адрес. Его дом, выстроенный когда-то специально для профессуры МГУ, находился в тихом центре Москвы, и до него было недалеко.

Беляев Гурова уже ждал, и его глаза светились детским любопытством — он явно никогда не имел дела с милицией-полицией и знал о ее работе исключительно из детективов — счастливый человек! Вид у Александра Павловича был действительно очень болезненным, и Лев решил разговаривать с ним предельно осторожно.

— Александр Павлович, как мне сказали, кто-то прислал вам домой пригласительный билет на обзорную экскурсию в

«Тридевятое царство». Вы говорили, что это может быть кто-то из ваших бывших студентов или аспирантов?

— Да! Люся, это жена сына, выбрасывала из почтового ящика рекламный мусор, а там вдруг это письмо, — подтвердил Беляев.

— Но вы не поехали...

— Бог уберег! Внуки, конечно, загорелись, размечтались! Пуговка, это моя внучка, с вечера платье себе выбрала, гольфики, туфельки, бантики, чтобы быть самой красивой на свете — она ведь в настоящую сказку ехала! Шурка, он ее на два года старше, тоже настроился — очень хотелось живых витязей посмотреть. А утром Пуговка рассопливилась, затемпературила... Ну, куда ее везти? А чтобы поехать только с Шуркой, и речи быть не могло — обида у малявки будет на всю жизнь! Он там был, а она — нет! Вот и решили, что никто не поедет, а как Павлик, это мой сын, достанет билеты, так все вместе и поедут. Реву, конечно, было много, но постепенно Пуговка успокоилась. А когда мы услышали про то, что там случилось, мне с сердцем плохо стало, а Люся чуть в обморок не упала. Ведь, если бы не простуда внучки, они бы там могли оказаться и погибнуть. Ну а я бы тут же умер — зачем после такого жить?

— А у вас случайно не сохранился этот билет? — как бы невзначай поинтересовался Гуров.

— Ой, не знаю, — покачал головой Беляев. — Люся, кажется, отдала его Пуговке поиграть, чтобы та успокоилась, а зачем он вам?

— Понимаете, там с этими билетами некоторая неразбериха вышла, вот мне и надо кое-что проверить, — обтекаемо пояснил Лев.

— Молодой человек! — Беляев посмотрел на Гурова поверх очков. — Хорошее знание экономики подразумевает способность логически мыслить! А я все-таки профессор экономики!

— Александр Павлович, есть такое понятие, как тайна следствия, поэтому я вам ничего рассказать не могу, — мягко ответил Гуров. — Просто поверьте, что он мне очень нужен.

Беляев пожал плечами и позвал невестку, которую попросил найти этот билет.

— Ой, папа, если он еще и жив, то она его разрисовала так, что живого места нет — вы же ее знаете, — вздохнула молодая женщина.

— В каком бы он ни был виде, найдите его, пожалуйста, — попросил Лев. — То, что мне нужно, я на нем разберу. И, если сохранился конверт, то мне бы очень хотелось его тоже получить.

Людмила ушла, но буквально через несколько минут вернулась, держа в руке конверт и нечто непонятное, но очень разноцветное.

— Как я и говорила, Пуговка любит рисовать, так что не обессудьте, — сказала она, протягивая Гурову билет. — А вот в конверт я, оказывается, положила квитанции, так что он чисто случайно уцелел.

— О! У нее задатки большого художника! — выразительно произнес Лев, потому что на билете действительно не было живого места.

— Это еще что! Видели бы вы обои в детской! — в тон ему ответила женщина.

Попрощавшись, Гуров ушел и уже с улицы позвонил Савельеву:

— Степан, у меня есть чистый конверт без адреса и штемпелей — письмо бросили прямо в ящик. И билет. Но разобрать, что на нем было когда-то напечатано, способны только специалисты. Тут и принцессы с коронами, и цветы, и солнышко...

— Я все понял! — рассмеялся тот. — Я вас специально не беспокоил, потому что ваш разговор был важнее, но я уже кое-что нарыл.

— Давай сначала убедимся, что билет тот самый, — остановил его Гуров. — Мне нужна стопроцентная уверенность, что именно близкие профессора должны были стать жертвами. Александр Павлович очень больной человек, и волновать его без крайней необходимости нельзя.

— Хорошо, я понял, — сдался Савельев. — Давайте встретимся, и, пока наши спецы будут изучать билет и конверт, я вам расскажу, что нашел.

Они встретились в летнем кафе, причем Степан был не один, а с каким-то парнем, который, забрав билет с конвертом, прыгнул в машину и уехал. Пользуясь случаем, они решили перекусить, но если Савельев мог позволить себе все, что угодно, то Лев заказал только большую чашку чая и ватрушку.

— Итак! — начал Степан. — Да будет вам известно, Александр Павлович Беляев восемнадцать лет платил алименты, причем начал еще с первого курса. Деньги шли в Воронеж, откуда он родом, на сберкнижку Лазаревой Аллы Константиновны, ребенка зовут Всеволод Александрович Лазарев. Его адрес имеется, а все подробности сейчас выясняются.

— Как ты сумел так быстро все узнать? — удивился Лев.

— Любая деятельность человека оставляет за собой материальный след. В то время в Союзе был только Сбербанк, операции которого с незапамятных времен занесли в компьютер. Осталось только запросить, и я получил распечатку. Ошибки быть не может. Полное совпадение по всем данным.

— Значит, у Беляева есть сын, о котором он не хочет вспоминать — видимо, ошибка молодости. Но в случае его смерти он является наследником наравне с Павлом. Если бы Павел с семьей погиб, Беляев этого не пережил бы, и тогда Всеволод — единственный наследник. Но неужели он так бедствует, чтобы пойти на столь бесчеловечное преступление?

— Найдем — спросим! У меня к нему тоже вопросы накопились, — нехорошим тоном заметил Савельев.

И тут Гуров похолодел, он быстро сунул руку в карман и достал «антипрослушку». Убедившись, что она включена, он с облегчением вздохнул.

— Вообще-то, мне два раза повторять не надо, — обиженно произнес Степан и достал из кармана «глушилку». — Включил, как только мы с вами встретились.

— Извини, — буркнул Лев. — Нервы ни к черту! Кстати, ты знаешь, что папаша майора Кречетова Орлову звонил?

— Я знаю, что папаша Кречетова в лоб за своего сына получил! — выразительно сказал Савельев. — Да так, что теперь будет его очень долго чесать!

— А друзей в МВД у меня все прибывает и прибывает! — язвительно заметил Лев.

— Переходите на работу к Олегу Михайловичу, и эти заклятые друзья будут за квартал вам в пояс кланяться, — посоветовал парень.

Но вот уже и Савельев со своей едой закончил, и Гуров без всякой любви ватрушку дожевал, а результата все не было. Наконец приехал все тот же парень, отдал Савельеву конверт и скрылся. Степан достал оттуда заключение, внимательно прочитал его:

— Билет тот, его номер и номер столика, шестнадцать, совпадают. Насчет отпечатков на билете дело глухо, а вот на конверте есть один отчетливый отпечаток пальца, но он к нашему делу отношения не имеет. Что делать будем?

— Я вернусь к Беляеву и очень осторожно поговорю с ним, а ты будешь копать во всех направлениях все, что только можно, на Лазарева, — предложил Лев и поинтересовался: — Ты не знаешь, чем Крячко занят? Посмотреть оперативную сводку — дело пяти минут, а он мне до сих пор не позвонил.

— Боитесь, что он инициативу проявит? — усмехнулся Степан. — Тогда вы ему позвоните, а я скажу, чтобы засекли, где его телефон находится.

Лев позвонил Крячко, но телефон того был занят.

— Он на месте, — сказал Степан. — Остается только догадываться, с кем он так душевно беседует.

— Сейчас выясним, — пообещал Гуров и позвонил Орлову: — Петр, ты случайно не в курсе, чем Стас занят, а то я до него дозвониться не могу?

— Понимаешь, в сводке была информация о том, что в ту пятницу автобус подобрал на дороге сбитого машиной парня без документов и отвез в больницу в Пятницком. Вот Стас сейчас по телефону и выясняет все подробности этого дела.

— Степан, отряди своих орлов в больницу в Пятницкое — это по той же трассе, что в Центр развлечений ведет, — отключив телефон, попросил Гуров. — Туда в ту пятницу сбитого машиной парня привезли, документов при нем не было, так не наш ли, часом, клиент? Только чтобы они действовали очень аккуратно! Один раз его из больницы уже увезли, и второго нам не надо. Кстати, что там по электрикам?

— Лев Иванович! Поверьте мне, что люди работают, — заверил его Степан.

И вот Лев снова стоял возле двери Беляева. Открывшая ему Людмила спокойно поинтересовалась:

— Забыли у нас что-нибудь?

Гуров поманил ее на лестничную клетку — она удивилась, но вышла, и он ей шепотом сказал:

— Мне нужно поговорить с вашим свекром на очень неприятную тему. Вы приготовьте, пожалуйста, что-нибудь успокоительное, а то я боюсь, что он разволнуется. У него же, наверное, сердце больное?

— И сердце тоже, но в основном почки, — тихо ответила она и поинтересовалась: — А без этого никак? — Гуров только развел руками с самым сокрушенным видом. — Ну, тогда пошли.

Снова увидев Льва, Беляев невесело усмехнулся:

— А все-таки я хороший экономист. Так что же вас на самом деле интересует?

— Лазаревы, — ответил Гуров, садясь напротив него.

— Знали бы вы, сколько сил и времени мне потребовалось, чтобы забыть ту гнусную историю. А она снова всплыла, — с грустью произнес Александр Павлович.

— Пожалуйста, не травите себе душу подробностями, — попросил Лев. — Мне нужна только самая суть.

— Хорошо, — кивнул тот. — Я родом из Воронежа, из семьи рабочих, но по району был приписан к школе, считавшейся элитной. Сначала нас таких было несколько в классе, но постепенно остальные отсеялись, и я остался один среди детей всяких «шишек». Они презирали меня за обычную школьную форму и ширпотребовскую обувь и ненавидели за мои пятерки. В этой группе «золотой» молодежи верховодила Алла Лазарева, ее отец был начальником областного управления торговли, а мать — директором областной плодоовощной базы. Взбалмошная, капризная, неуравновешенная, она меня возненавидела какой-то патологической ненавистью, причем без всякой причины. Переводиться в параллельный класс не имело смысла — там были свои такие же «золотые». Да и повредить мне это могло — я шел на золотую медаль, а с новыми преподавателями мне было бы сложнее. Это случилось в десятом классе, в зимние каникулы. К нам домой пришли родители Аллы и заявили, что я изнасиловал их дочь, теперь она беременна, и я, если не хочу сесть в тюрьму, должен признать этого ребенка. О браке речь, слава богу, не шла — такой зять был им не нужен. Это был шок! И для меня, и для родителей. Я кричал, плакал и клялся, что никогда даже близко к ней не подходил! А насчет изнасилования и речи быть не могло — Алла вела настолько разгульный образ жизни, что потеряла девственность еще в восьмом классе! Она сама во всеуслышание рассказывала об этом подружкам. Я ее родителям даже их имена называл. Тогда они зашли с другой карты: сказали, что если я этого не сделаю, то медали мне не видать. После их ухода мы стали думать, что делать дальше, и отец в конце концов сказал, что черт с ними — медаль дороже!

Алла после каникул в школе уже не появилась, а в конце мая она родила. Оформлением документов занимались ее родители, так я стал отцом ребенка, к которому не имею никакого отношения. Отчество у него мое, но вот фамилию Лазаревы решили дать ему свою, но я этому только рад. Так Алла еще и на алименты подала! И сделала это все из той же патологической ненависти, потому что ей не нужны были мои гроши, в их доме только птичьего молока не хватало. И я восемнадцать лет их платил! Потому и женился так поздно, что мне нечего было дать жене — не москвич, то есть без жилья, да еще и алименты плачу.

— Вы когда-нибудь встречались с этим якобы сыном?

— Нет, конечно! Ни я, ни мои родители — зачем? Я как в семнадцать лет уехал из Воронежа, так больше там и не был ни разу — родители ко мне сами приезжали, а потом и в Подмосковье перебрались. Но я подстраховался. Когда в 2009 году умерла Людмила Зыкина и началась вся эта вакханалия с дележом ее наследства, когда изо всех щелей вылезли никому не известные родственники, я вспомнил об этом яко-

138

бы сыне. Я не миллионер, не олигарх, все, что у нас есть, это квартира, дача, машина и гараж. Ну, и какие-то средства на счете, в том числе и в валюте за публикации за рубежом. Но я не хотел, чтобы кто-то трепал нервы моему сыну. Поговорил со знакомыми, и мне порекомендовали частного детектива, который, с одной стороны, никакими методами не брезгует, но при этом по отношению к клиентам ведет себя очень порядочно. Я с ним встретился, объяснил ситуацию, дал деньги, и он уехал в Воронеж. А когда через неделю вернулся, то привез пробирку с кровью и документ, где было сказано, что она официально взята у Всеволода Александровича Лазарева, такого-то года, числа и месяца рождения, и даже печать лечебного учреждения была — правильно мне говорили, что он редкостный пройдоха. Я сдал свою кровь, отдал пробирку и через некоторое время получил документ, где было черным по белому написано, что мы друг другу совершенно чужие люди. После этого я рассказал все сыну и невестке, чтобы они в случае чего были ко всему готовы.

— Да, вы правы, мерзкая история, — вздохнул Лев. — А этот частный детектив ничего не рассказывал вам о семье Лазаревых, как их жизнь сложилась?

— Он принес мне отчет, сказав, что там их история от начала до конца, но я даже папку эту не открыл — побрезговал. Так и лежит с тех пор в столе.

Гуров от радости чуть на месте не подпрыгнул и попросил:

— Александр Павлович, отдайте отчет мне. Честное слово, он послужит благому делу.

— Может быть, вы мне все-таки расскажете, что произошло? — спросил Беляев.

— Поверьте, вам этого лучше не знать, — твердо ответил Лев.

Беляев поколебался, подумал, а потом открыл стол, достал с нижней полки из-под кипы бумаг обычную пластиковую папку и протянул ее Гурову, сказав:

— Я надеюсь на вашу порядочность.

— Даю вам слово офицера, что эти документы будут уничтожены, как только работа завершится, — серьезно пообещал Лев.

Выйдя из квартиры, он тут же позвонил Савельеву, чтобы узнать, где он, а тот, как оказалось, ждал его в машине внизу.

— Удачно? — спросил парень, встретив Гурова на выходе из подъезда. — Хотя можно и не спрашивать — сияете как начищенный самовар.

— Боюсь сглазить, но, кажется, мы поймали удачу за хвост.

— Ну, одно перо из этого хвоста от нас уже улетело, — вздохнул Савельев. — Парня из больницы, а судя по всему, это был именно Борис, увезли мужчина с женщиной. — И невинно поинтересовался: — Почему не спрашиваете, какие?

— Знаешь, ты мне сейчас настроение этим не испортишь. Вот! — Гуров помахал папкой. — История семейства Лазаревых!

Они смотрели бумаги по диагонали, чтобы выцепить главное, и нашли!

— Вот она! — торжествующе воскликнул Степан. — Екатерина Петровна Ракова! Сестра его матери! Они с мужем еще тогда опеку над мальчишкой хотели оформить, да Лазаревы не дали!

— Но Всеволод-то каков! Вот уж мразь! — процедил сквозь зубы Гуров. — Значит, выпустили его! То-то мальчишка его до смерти боится! Степа! Как хочешь извернись, но пробей мне Раковых!

— Пара минут! Когда у вас в распоряжении все возможные базы данных, найти нужного человека ничего не стоит!

Савельев позвонил и попросил найти адрес Екатерины Петровны и Леонида Викторовича Раковых. Ждать пришлось не больше двух минут, и они получили то, что хотели.

— Может, мне свою машину отпустить? — спросил Гуров, разъезжавший до этого на автомобиле, предоставленном ему Олегом Михайловичем.

— Думаю, что да, — согласился Савельев. — Нам предстоит в область ехать, а у нее посадка низкая, толку от нее не будет.

И они поехали на невзрачных «Жигулях» в Дедовск, в неизменном сопровождении джипа охраны. По дороге Гуров читал вслух документы, а Степан их комментировал, причем не всегда в печатных выражениях, но Лев не возражал — информация была такая, что и самому хотелось выругаться.

Итак, родив, сама не зная от кого, ребенка, Алла пустилась во все тяжкие, бросив сына на родителей и няню. Через пару лет, когда взбалмошность девушки перешла уже все границы, ее все-таки показали врачу, который и поставил диагноз — шизофрения. Ее пытались лечить дома, чтобы не выносить сор из избы, но из этого ничего не получилось. Она периодически попадала в психиатрическую больницу, выходила, опять туда возвращалась, пока, наконец, не умерла там.

Всеволод рос, ни в чем не зная отказа. Был мальчиком примерным, послушным и умным. Учился не просто хорошо, а с блеском — видимо, пошел в неизвестного отца, так что золотую медаль получил совершенно заслуженно. Потом, несмотря на уговоры деда с бабкой пойти в торговлю, поступил в тогда еще политехнический институт на факультет радиотехники и электроники, который окончил с красным дипломом и был оставлен на кафедре. Счастливые бабка с дедом купили ему квартиру, а машина у него и до этого была — его дед с бабкой с началом новых времен не растерялись, создали свои фирмы, а поскольку связи у них сохранились крепкие, то процветали.

Пару лет Всеволод преподавал, в это время и женился на восемнадцатилетней Дарье Михайловне Коробовой, и в марте 1997-го у них родился сын Игорь. Потом он поступил в аспирантуру, защитил кандидатскую диссертацию, и, может быть, все было бы хорошо, если бы ВАК ее утвердил, но этого не произошло. Взбешенный Всеволод поехал на кафедру и устроил скандал своему научному руководителю, в ходе которого разбил о его голову графин с водой, а потом начал биться в истерике. Вызвали не только милицию, но и «Скорую», которая, разобравшись в ситуации, увезла обоих.

Всеволод попал в неврологическое отделение больницы с первоначальным диагнозом «нервный срыв», а уже там ему поставили диагноз «шизофрения», о чем навещавшей его Дарье потихоньку сказала пожалевшая ее медсестра и посоветовала делать ноги от такого муженька как можно скорее и дальше. Насмерть перепугавшаяся женщина, забрав ребенка, перебралась к своей старшей, сводной сестре, той самой Екатерине, и ее мужу, преподававшему тогда в военном училище, в их комнату в общежитии. Там-то ее и нашел вышедший из больницы Всеволод. По показаниям соседей, они услышали пронзительный, полный ужаса крик ребенка, вышибли дверь и застали Всеволода с ножом над телом мертвой жены — он нанес ей семнадцать колотых ранений. Вызвали милицию, и его арестовали.

Не будь у него диагноза «шизофрения», дед с бабкой подсуетились бы, и суд признал бы, что Всеволод совершил это убийство в состоянии аффекта. Но при таком раскладе им оставалось только заплатить, чтобы психиатрическая экспертиза, а потом и суд признали его невменяемым, и он отправился по следам матери в «дурдом». Вот тогда Раковы и попытались через суд оформить опеку над Игорем, но проиграли — куда им тягаться с Лазаревыми? Тем более что военное училище было к тому времени уже расформировано, Леонид Викторович вышел досрочно в отставку, его жена, работавшая там же в библиотеке, тоже осталась не у дел, а общежитие, где они жили, должно было перейти в муниципальную собственность. Короче, Раковы уехали из Воронежа. Однако отношения между ними и Лазаревыми со временем восстановились, потому что Екатерина с мужем неоднократно приезжали к ним в отпуск и на праздники и даже жили у них в доме или на даче вместе с Игорем.

На момент составления отчета, а было это шесть лет назад, Игорь жил у прадеда и прабабки, для которых был весь свет в окошке, его отец находился в «психушке», а старики были еще живы. Теперь предстояло выяснить, что произошло за эти годы.

Чтобы найти нужное строение, Степану пришлось немало поплутать, но вот они увидели маленький одноэтажный дом, окруженный таким же маленьким садиком. Оставив машину на улице и велев кавказцам оставаться там же, Савельев и Гуров вошли во двор и направились к крыльцу. Не успели они сделать несколько шагов, как на нем появился здоровый немолодой мужчина в камуфляже и крайне недружелюбно на них уставился.

— Спокойно, дядя! Спокойно! Мы Игорю не враги! Нам Всеволод нужен, и поверь, что добра мы ему не желаем, — сказал Степан.

— Предположим, только вы представьтесь сначала, а там видно будет.

— Я — полковник полиции Гуров. — Лев достал и открыл свое удостоверение.

— А меня Степан зовут, я с ним за компанию, — выкрутился Савельев и заметил: — Дом у вас неплохой, но ремонт не помешал бы.

— Не наш он, родственники временно пустили пожить, а сами его на продажу выставили. Только вот желающих, на наше счастье, что-то нет. Тесно у нас там, так что внутрь не приглашаю, а здесь давайте поговорим. Так, чего вам надо?

— Леонид Викторович, а вы не рано Игоря из больницы забрали? — невинно поинтересовался Лев. — Не мешало бы ему основательно подлечиться.

— Ему тут спокойнее. Что дальше?

— Что собой представляет Всеволод? — спросил Степан.

— Встречу — убью! Потом, конечно, сяду, но сначала убью, чтобы такая гнида землю не поганила, — решительно ответил мужчина. — А вам-то он зачем?

— Есть к нему вопросы. И, если он кое в чем виноват, то ответит за это, — объяснил Гуров.

— Щас! — язвительно произнес Леонид. — Он Дашку на глазах у Гошки убил и не ответил за это. Парень потом год заикался, из-за этого и с восьми лет в школу пошел. Вот и сейчас он в «психушку» попадет, а потом выйдет как ни в чем не бывало.

— Это вряд ли, — твердо заявил Гуров. — Если он окажется виновен, то за такое пожизненное дают! Без вариантов!

— Да-да! Мы тоже думали, что никогда больше его не увидим, а у него хватило наглости сюда заявиться, — криво усмехнулся мужчина. — Хорошо, что Катерина у меня не робкого десятка и кочергой его отсюда наладила, а толку? Он же все равно до Гошки добрался.

— Вы кем работаете? — поинтересовался Гуров.

— Дальнобойщик я — на военную пенсию не проживешь, а Катя — на «Соколе», где плитку делают.

— Может быть, расскажете все с самого начала? — попросил Савельев. — Мы так поняли, что Игорь один остался?

— Да, — кивнул Леонид. — Мы его тогда у Лазаревых отобрать не смогли. Может, и правильно суд решил, потому что ни жилья, ни работы у нас не было. Но старики-то не дураки были, понимали, что до восемнадцати лет им Гошку не дотянуть, потому что деньги деньгами, но за них молодость и здоровье не купишь. Вот они и не стали с нами окончательно отношения портить, чтобы мы потом его к себе забрать могли. Так что общались мы с ним постоянно: и писали друг другу, и звонили, и в гости приезжали. Ничего не скажу — жил он у них как сыр в масле. Как Севку из «психушки» выпустили — неопасным он, видите ли, стал, — так они его на порог не пускали, чтобы Гошку не травмировать.

— А на что Всеволод жил? — спросил Лев.

— Сторожем на автостоянке устроился, ну, и старики деньги ему давали, а жил он в той своей квартире. А тут в прошлом году в начале декабря старуха умерла. Она в последние годы уже в маразме была, но тихая, Гошка за ней ухаживал. Когда хоронили ее, старик простудился, а потом воспаление легких началось. Гошке одному уже никак не справиться было, вот Катерина туда и поехала. Неделю он проболел и у нее на руках умер. Вернулись все с похорон, помянули его, а как все разошлись, Севка Катерину оттуда и наладил, мол, теперь он здесь жить будет. Она и не собиралась там оставаться — охота ей была с убийцей своей сестры в одном доме жить, но он ведь Гошку ей не отдал! Говорил: «Я отец, и родительских прав меня никто не лишил, а значит, сын будет жить со мной. Увезешь его самовольно, я заявление в полицию напишу, что ты его похитила, будешь по закону отвечать».

— Но зачем ему это? — удивился Степан.

— А чтобы нам насолить! Он же знал, как мы Гошку любим. А Гошке восемнадцати еще не было! Он, когда услышал это, так в Катю вцепился мертвой хваткой и кричит: «Не оставляй меня здесь!» А что ей было делать? Стала она его уговаривать, чтобы он несколько месяцев потерпел. Ну, уговорила, успокоила, а сама Севке сказала, что, если по его вине у Игорька хоть одна слезинка прольется, она его собственными руками убьет. И ушла, у подруги переночевала — есть у нее такая, Антонина. И договорилась с ней, что Гошка, если чего случится, к ней обратится. На следующий день Катя Гошку возле школы встретила, адрес и телефон Тонькин ему дала и домой уехала. А что потом было, вы лучше у Катерины спросите. Гошка все ей рассказал, а меня она на улицу выставила, понимала, что я сорваться могу: поеду в Воронеж и убью эту тварь.

— Ну, зовите тогда Екатерину Петровну, — попросил Степан.

Вышедшая к ним женщина выглядела уставшей, с темными кругами под глазами.

— Успокоился, наконец, — тихо сказала она им. — Он ваши голоса под окном услышал и бежать собрался, подумал, что это опять Севка за ним пришел. Пришлось мне его до окна дотащить, чтобы он убедился, что это другие люди.

— Я смотрю, вы оба Игоря как родного любите, — заметил Гуров.

— Своих-то нет — в неудачном месте Леня в армии служил. А с другой стороны, тогда бы его первая жена от него не ушла, и мы бы никогда не поженились. Так, чего вы знать хотите?

— Что произошло в Воронеже после вашего отъезда, — объяснил Степан.

— Понимаете, внешностью Игорек пошел, к сожалению, в отца, а вот головой в нас с сестрой, хоть мы только по матери родные. Чистый гуманитарий. Я с учителями в школе разговаривала, Леня, когда мы приезжали, пытался с Игорьком заниматься, но у него мозги иначе устроены. У него по физике, химии, математике и так далее — незаслуженные тройки, потому что он их и на двойку не знает. Ну, сначала Севка прилично себя вел, видимо, опасался, что если что-нибудь сделает, то опять в «психушку» загремит. Только вот звонить нам он Игорю запретил и его сотовый постоянно проверял. Игорек к Антонине бегал, от нее мне и звонил. Я слушаю, как у него голосок дрожит, а у самой сердце кровью обливается. Когда вторая четверть закончилась, Севка у него дневник потребовал, а там по точным наукам сплошные тройки. Он на него так орал, что даже охрип. Мол, он школу с золотой медалью окончил, институт с красным дипломом, а Игорь бестолочь и идиот, и нагуляла его Дашка от какого-то кретина, потому что у него такого сына-дебила быть не может. Пока Севка его только ругал, Игорек просто плакал навзрыд, а вот как этот гад про Дашку заговорил, вскинулся и сказал, чтобы он его маму не трогал. Тогда Севка избил Игорька, причем так, что тот с пола подняться не мог, — тусклым голосом рассказывала Екатерина Петровна. — Он лежал и плакал, а Севка стоял над ним и смеялся. И это Игорька, которого старики никогда в жизни не то что пальцем не тронули, даже голос на него не повысили! Один раз этот ублюдок ему психологическую травму нанес, от которой ребенок год оправиться не мог, так теперь снова! Севка потом спать лег, а Игорек ползком до коридора добрался, из квартиры выбрался и, в чем был, кое-как добрел до Антонины, а это же декабрь! Она хотела в полицию заявить, но Игорек так боялся еще раз с Севкой встретиться, что она решила — пусть мы сами с этой сволочью разберемся. Отмыла его, раны обработала, вещи постирала, спать уложила и мне позвонила. Как я на месте не умерла, не знаю. И, самое главное, Леонид в рейсе был. Ладно, одежда, но Игорек даже документы никакие из дома не взял — шуметь боялся. Так Антонина на следующий день по соседям собрала, что теплое было, договорилась с проводником, заплатила и в Москву Игорька отправила, а я уж здесь его встретила. Посмотрела на лицо его избитое, на синяки и ссадины и чуть сама на землю не рухнула. Везу его сюда, а он дрожит и все спрашивает: «А он нас не найдет?» Привезла я его, а он весь горит, температура, кашель жуткий — оказалось, тяжелейший бронхит, слава богу, что в воспаление легких не перешел. Ну, на Новый год праздники длинные, так что мне пришлось только после них несколько дней за свой счет брать, но выходила-таки Игорька!

— И все же, как сказал ваш муж, Всеволод вас нашел, — заметил Степан.

— В середине января заявился! Этот подонок в компьютерах — бог и царь! — с ненавистью процедила она. — Он еще тогда говорил: «Дайте мне компьютер, и я переверну весь мир!», а еще: «Мне не нужны квартира, машина и деньги! Дайте мне компьютер, и все это будет у меня уже через месяц!» У него действительно и голова варит, и руки золотые, но какая же он фантастическая сволочь! Жестокая, мстительная, изобретательная! Чтоб он сдох, тварь!

— Итак, он к вам пришел, и вы его выгнали кочергой, — возвращая ее к теме разговора, сказал Лев.

— Да он не столько моей кочерги испугался, сколько Федора, это друг Лени. Он у нас на «Соколе» инженером работал, а потом посадили его ни за что, а как вышел, так оказалось, что жить ему негде. Он, когда в Дедовске, у нас тут в сарае живет, поставил себе топчан, печку-буржуйку, словом, обустроился. И баня у нас здесь есть. Вот он и приезжает помыться да постирать — он ведь у жены машину забрал, так что, где бы ни работал, ему к нам добираться несложно. Услышал он, как я с кем-то воюю, и вышел. Сразу понял, кто это, — мы же Игорька из Москвы на его машине привезли — и как попер на Севку! А он очень здоровый, здоровее даже, чем мой муж. Севка так отсюда дунул — только пятки сверкали. А Федор ему вслед кричит: «Еще раз тебя увижу — возьму за ноги и башкой об угол! Мне терять нечего! Я уже сидел!» Севка-то убежал, а мы стали думать, что нам делать. Леня в рейсе, Федору уезжать надо, я одна с Игорьком остаюсь. А он от страха сам не свой. Я куда-нибудь по делу собираюсь, а он смотрит на меня такими глазами, словно я его голодным волкам на съедение оставляю. Что делать? Пристроить его куда-нибудь, чтобы на людях был, так у него никаких документов нет. Пошла я в полицию к своему знакомому, объяснила все, как есть, он и предложил: пусть твой племянник напишет заявление, что паспорт вместе с деньгами и другими документами у него на вокзале украли, когда он к тетке на зимние каникулы приехал, и мы ему выдадим справку об утере паспорта.

— Да, в тот момент это было единственно правильное решение, — одобрительно заметил Савельев.

— Так мы и сделали, а когда получили эту справку, пошла я к директору нашему. Теперь уже ему все объяснила и попросила, чтобы он без всякой оплаты принял Игорька на работу хоть кем-нибудь. Говорю, а сама слезами умываюсь. Посмотрел он на меня, хмыкнул и говорит: «Пропуск мы ему оформим, и пусть он здесь на территории где-нибудь сидит, только чтобы никому не мешал». С тех пор так и пошло: на работу вместе, он там весь день в библиотеке сидит — ему же, кроме книг, ничего не надо, и домой вместе.

— Как же он в бригаду к Федору попал? — спросил Степан. Екатерина сразу помрачнела и горестно покачала головой.

— Знаете, мы о Севке месяца полтора не слышали и не узнали бы ничего, если бы мне не потребовалось в металлоремонт зайти. А там он! Оказывается, устроился туда на работу и все это время в Дедовске жил. И поняла я, что притаился он, удобного момента выжидает, чтобы Игорьку какое-то зло причинить. А Леня, как назло, опять в рейсе! Да он из них и не вылезает — деньги-то нужны. Позвонила я Федору, объяснила все, и он на следующий же день приехал. Машину во двор загнал и в металлоремонт пошел с Севкой разбираться, а я пока вещи Игорька собирала. Говорят, он такого страху на этого подонка нагнал, что тот оттуда сломя голову улепетывал. Федор вернулся, я сумку в багажник поставила, а Игорек на заднее сиденье лег. Так они и уехали. Страшно мне, конечно, было его отпускать, но я надеялась, что там ему будет безопаснее.

— Это Федор вам позвонил и сказал, что Игорь ногу поранил? — спросил Лев.

— Кто же еще? Конечно, он. Я еще удивилась, что номер незнакомый, а он свой телефон, оказывается, в вагончике на подзарядку поставил и забыл, вот и пришлось у другого человека брать. Как до больницы добралась, не помню! Увидела, что Игорь живой, только тогда отпустило.

— А ведь Игорь не зря боялся, что Всеволод вас выследит. Так и произошло — он на следующий день к Игорю приходил, — сказал Гуров.

— Знаю, — вздохнула Екатерина Петровна. — Так я вам уже говорила, что руки у этого гада золотые, голова соображает, а вот душа черная. Значит, как-то он мой телефон прослушивал.

— Ваш муж увез Игоря из больницы... — начал Степан.

— И долечивался он в местной больнице, — закончила она. — Мы здесь уже давно живем, а город маленький, все друг друга знают, так что проблем положить его туда не было.

148

А я еще врачей, медсестер и его соседей по палате попросила, чтобы, если увидят похожего на Игоря взрослого мужчину, гнали его оттуда взашей. Ну а сама к нему забегала и утром, и в обед, и вечером.

— Екатерина Петровна, Игорь в Москву часто ездил? — невинно поинтересовался Гуров.

— Один — никогда, только вместе с нами, — ответила она и невесело усмехнулась: — Да знаю я, о чем вы! О документах! 29 января у Нади, родственницы мужа, день рождения был. Допоздна мы тогда засиделись. Мужики надымили так, что у меня голова разболелась, и я вышла на улицу, свежим воздухом подышать. Прогуливаюсь себе, и вдруг возле меня что-то на землю упало. Нагнулась, а это сумка мужская, в ней документы. Подошла я к фонарю поближе и увидела, что они молодому парню принадлежат, светленькому, как и Игорек. Вот тогда и рассудила: он москвич, ему документы новые себе выправить легко будет, а Игорек по этим поживет, чтобы Севка его не нашел. Документы я оттуда все себе взяла, то, что в борсетке оставалось, в один бак высыпала, а ее саму — в другой бросила. Из документов я только паспорт и медицинское страховое оставила, а остальное дома в печке сожгла. Так что это целиком и полностью моя вина, Игорек тут ни при чем. Готова отвечать по всей строгости закона.

— Ладно, посмотрим на ваше поведение! — буркнул Лев. — Скажите мне, как Игорь курьером стал?

— Понимаете, тот мужчина из фирмы, что к нему в больницу приезжал, обещал, если Игорь не будет шум поднимать, взять его туда на работу, а потом в Центр. Вот Игорь и загорелся — уж очень ему захотелось в сказку попасть. Я была категорически против — ему ведь пришлось бы каждый день отсюда в Москву и обратно ездить, мало ли что по дороге может случиться, когда тут Севка каждый его шаг сторожит? Не верила я, что он Игорька в покое оставит. А Надя — она полностью в курсе была, предложила, чтобы Игорек у ее соседки это время пожил. Эта женщина, едва снег сойдет, в свой деревенский дом уезжает, а ключи Наде оставляет, чтобы та цветы поливала. Познакомили эту соседку с Игорьком, посмотрела она на него и согласилась. Ну а кормить его Надя обещала, за наши деньги, конечно. Страшно мне было его отпускать до жути, но я надеялась, что в Москве Севка его не найдет. Я и Игорьку, и себе новые телефоны купила и велела ему звонить мне только на новый — уж его-то Севка не прослушает.

— И все-таки я уверен, что он его нашел, — сказал Лев, в голове которого понемногу стала складываться окончательная картина этого преступления. — Но, чтобы окончательно все прояснить, нам надо поговорить с Игорем.

Женщина тут же вскинулась, взгляд стал жестким, она напряглась, словно собиралась броситься на них.

— Надо, Екатерина Петровна! — твердо повторил Гуров. — Иначе Игоря могут обвинить в совершении очень тяжкого преступления. Вы же этого не хотите?

— Только при мне! — подумав, решительно заявила она.

— Конечно, — согласился Лев. — И при вас, и при вашем муже. Игорь будет себя чувствовать спокойным и все нам расскажет, а вопросов у нас к нему много.

Игорь лежал на кровати с забинтованной головой, правые рука и нога были в гипсе, но вид у него был довольный и счастливый, пока он не увидел Гурова со Степаном. Тут он страшно испугался, съежился, словно в ожидании удара, и с тоской и надеждой посмотрел на своих родных — спасите, мол! Защитите! И, конечно же, первым разговор начал Савельев.

— Ну, парень! Ты просто ходячая катастрофа! — весело сказал он. — Бронхит словил, ногу поранил, а теперь ее еще и сломал вместе с рукой!

— В ноге только трещина, — робко поправил его мальчишка.

— Легко отделался, — продолжал Степан. — Как ты умудрился-то?

— Я машину остановить хотел и, видимо, слишком далеко на дорогу вышел, вот водитель, наверное, и не смог меня объехать. Я помню удар, и все! Потом очнулся уже в автобусе, и опять сознание потерял. А окончательно очнулся уже в больнице.

— А что это за машина была? Надо бы владельца найти и по маковке ему настучать, чтобы больше никого не сбивал, — продолжал Савельев.

— Не знаю, я в них не разбираюсь, — пожал плечами Игорь. — Легковая какая-то, темно-синяя.

— Что ж тебя в больницу как неизвестного привезли? — подключился Гуров. — У тебя что, документов с собой не было?

— Дома остались. Мы же в Центре работать собирались, вот я старую куртку и надел, а они в новой были.

— Как же ты родным сообщил, где находишься? — удивился Савельев.

— Это не он, это мне врачи позвонили, — сказала женщина. — Его телефон уцелел, а там в контактах было всего два номера: «Мама Катя» и «Папа Леня». Я тут же и приехала.

— С этим ясно, а теперь скажи мне, Игорь, когда ты полез трубу красить, у тебя ключ был? — спросил Лев.

Тема для мальчишки была безопасная, и он охотно ответил:

— Да! Я сам решетку открыл, а его, чтобы не потерять, в карман куртки положил — мне там такую рабочую одежду дали. Наверное, я слишком близко к краю подошел, а сапоги у меня в грязи были, скользили, вот я и сорвался вниз, в воду. Закричал, конечно, от испуга, а то, что у меня нога поранена, выяснилось позже, когда меня вытащили.

— Что же ты Шатунову не сказал, где ключ? — укоризненно покачал головой Лев.

— Да я про него просто забыл, а он и не спрашивал.

— Начальник службы безопасности! — язвительно заметил Савельев.

— Не надо про него так, он меня на работу в фирму взял, — обиженно попросил Игорь.

— Скажи, тебя там официально оформили? — продолжил Гуров.

— Ну да! Мне же по документам уже восемнадцать лет было. Трудовую книжку завели, еще такую розовую бумагу дали... ННН, кажется...

— ИНН, — поправил его Савельев и повернулся к Льву: — Вот вам и все объяснение! База налоговой инспекции!

— Игорь, мне придется задать тебе очень неприятный вопрос, но от него зависит твоя дальнейшая судьба: будешь ты

151

спокойно жить со своими родными или вам придется по-прежнему бояться Всеволода, — сказал Гуров, специально не упомянув слово «отец» — ну, какой из этого мерзавца отец? — Скажи мне, когда он тебя в Москве нашел и что ему от тебя было надо?

— Рассказывай, Игорек, не бойся! — пересев к нему на кровать и взяв за руку, попросила Екатерина Петровна.

— 10 мая, — тихо начал Игорь, — я вышел из офиса, а он меня уже ждал. Я испугался и убежать хотел, а он мне сказал, что ничего плохого мне не сделает и вообще навсегда оставит нас в покое, если я ему совсем чуть-чуть помогу, только тете с дядей об этом говорить нельзя. А если скажу, он сделает так, что папа Леня на машине разобьется. Он спросил меня, от чего был тот ключ, что у меня в кармане куртки лежал, и я ему ответил, что от очистных. А еще он попросил, чтобы я ему билет на обзорную экскурсию принес, сказал, что снимает комнату у женщины, а у нее маленькие дети, вот он и хочет сделать им подарок.

— Он тебе сказал, на какой именно день, время? Может быть, место определенное ему надо было? — спросил Гуров.

— Нет, любой билет, — покачал головой Игорь. — Я начал объяснять, что пропажу билета заметят и меня выгонят, а он мне в ответ, чтобы я тихонько, когда никто не видит, зато мы с ним потом уже никогда не встретимся. Я очень за папу Леню испугался и согласился. Лариса с Надей часто из комнаты надолго выходят, вот я и взял. Мне было очень страшно — я ведь никогда раньше ничего не крал. Он мне номер телефона оставил, велел, как я билет достану, по нему позвонить. Я и позвонил. Он мне сказал, чтобы я в четыре часа был в супермаркете — это рядом с офисом, и я пришел. Отдал ему билет, а он велел мне всякие железяки из одного пакета, у которого ручка оторвалась, в другой, целый, переложить.

— А что это были за железяки? — вроде бы равнодушно поинтересовался Степан.

— Я в них ничего не понимаю, — помотал головой мальчишка. — Я хотел сказать, что туда весь пакет можно положить, но побоялся — вдруг он разозлится и передумает нас в покое оставлять. Я их перекладывать стал, а он в зал пошел, чтобы хлеба купить. Когда я возился, охранник подошел посмотреть, что я делаю. В пакет заглянул и спросил: «Что, батька твой ремонтом сотовых занимается?» Я не знал, что ответить, и кивнул. Тут он мне помахал, чтобы я к нему подошел, забрал пакет, сказал, что мы с ним больше никогда не встретимся, и ушел.

— Какого числа это было? — спросил Гуров, хотя и так это знал, но решил все-таки проверить.

— 12 мая, — тихо ответил Игорь.

— Ты того охранника запомнил? — поинтересовался Степан. Тот отрицательно помотал головой. — Ну, так не бывает! Ты подумай хорошенько! Высокий он был или низкий? Толстый или худой? Может, в очках? Или с бородой? Или с усами?

— С усами! — встрепенулся Игорь. — Они у него еще как у моржа. И цвет странный — темные с желтым.

— Они просто с сединой, а желтые потому, что прокуренные, — объяснил Гуров. — А почему ты в пятницу из Центра стремглав убежал? Кого ты там испугался?

— Его! Он меня обманул! — со слезами выкрикнул Игорь. — Он сказал, что навсегда нас в покое оставит! Я из-за него вором стал! А он!.. — И паренек разрыдался.

Екатерина Петровна обняла его, прижала к себе и стала укачивать, как маленького, пока он не успокоился и не затих.

— Все страшное позади, — сказал Степан. — Только ответь, а что он там делал?

— Он в такой бочке стоял, которую машина наверх поднимает, — прошептал Игорь. — Я его по куртке узнал, она у него приметная — черно-синяя.

Кое-что Гурову стало понятно, но многое еще оставалось под большим вопросом, и, самое главное, билет, который никак не вписывался в общую картину. Оказалось, что дело сделано даже не наполовину, самое трудное еще впереди. И помочь им в этом мог опять-таки Игорь. Гуров видел, что парнишка на пределе, но другого выхода не было.

— Игорь, — осторожно начал он. — Нам очень нужно найти Всеволода, помоги нам, пожалуйста! К сожалению, тебе пришлось некоторое время жить вместе с ним. Вспомни, если он разговаривал при тебе с кем-то по телефону, может, ты понял, с кем именно и о чем шла речь. Не торопись с ответом, подумай!

Некоторое время Игорь сосредоточенно размышлял, а потом пожал плечами:

— Он, в общем-то, только по работе звонил — ну, когда кого-то подменить надо было. Один только раз разговаривал с каким-то Гришей о рыбе, ловится она или нет. А в конце сказал странную фразу: «Только не там, где мы познакомились». А больше я ничего не помню.

— Спасибо, Игорь, ты нам очень помог, — искренне поблагодарил его Степан, потом показал Льву глазами на дверь, а остальным сказал: — Мы выйдем покурить.

Они вышли во двор, и Савельев, закурив, начал:

— Лев Иванович! Странные дела имеют место быть. Причем я сейчас не билет имею в виду — о нем речь впереди. Игорь сбежал из Воронежа под Новый год, и направиться он мог только к Раковым — других родных у него нет. Такому спецу в компьютерах, как Всеволод, выяснить их адрес — пара пустяков. Почему же он не явился следом за ним? Ждал, когда у него следы побоев пройдут? Не проходит! Есть свидетели: Екатерина, Антонина, Федор, врач, которого вызывали к Игорю из-за его бронхита, так что это не аргумент. Что он делал больше пятнадцати дней? Бурно отмечал новогодние каникулы? Он настолько незаменимый сотрудник, что его не отпускали с работы?

— Я смотрю, у тебя кое-какие соображения на этот счет уже есть, — внимательно посмотрев на него, сказал Лев.

— Есть! Прабабка умерла в начале декабря, прадед, ориентировочно, — в середине декабря. Сколько времени прошло? Почти полгода! Наследство! Как мне кажется, Всеволод отвел душеньку, избил сына, который ему совершенно не нужен, а после каникул пошел к нотариусу! Как вы думаете, кому старики все оставили? Внуку, которого на порог не пускали, или правнуку, доброму, послушному и ласковому? Он узнал, что все завещано Игорю, и рванул сюда, чтобы убить его — он же единственный наследник! Но Екатерина, Леонид и Федор сделали все, чтобы он до парня не добрался.

154

— Ерунда, Степа! — отмахнулся Лев. — Если бы такой человек, как Всеволод, захотел его убить, то убил бы! Причем так, чтобы в стороне остаться! Он просто хотел так нагнать страху на него и Раковых, чтобы они дорогу в Воронеж на полгода забыли! Побывав у нотариуса, он узнал, что все завещано его сыну, и ему нужно было всего лишь, чтобы тот пропустил срок подачи заявления о согласии принять наследство. А чтобы подстраховаться, подставил Игоря по полной программе с этими взрывами. Если бы мы мальчишку взяли, то следующие полгода он точно провел бы в СИЗО! И тогда все наследство перешло бы к Всеволоду! Какое счастье, что мы Игоря в розыск не объявили!

— А теперь мальчишка и наследство получит, и он наш бесценный свидетель, — напористо проговорил Степан. — Охранника из супермаркета найдем, не проблема. Сестру-хозяйку из больницы, которая Всеволоду вещи Игоря отдала, тоже. Электриков наизнанку вывернем, но он все равно основной!

— Свидетель чего Игорь? — разозлился Гуров. — Да ничего! Что видел охранник? Что какой-то мальчишка перекладывал железки из одного пакета в другой. Что нам даст сестра-хозяйка? Эта растяпа отдала грязную одежду человеку, не убедившись, что он действительно отец больного, потому что Игорь лежал под фамилией Беклемищев, а не Лазарев! Да она, когда поймет, что натворила, от своих слов тут же откажется! Под протокол-то ее не опрашивали! Билет, который Игорь стащил? Так здесь его слово против слова Всеволода! Никто больше их разговор не слышал! Тем более что билет, оказывается, нужен был любой, а не на определенное место, что вообще из моей схемы выпадает. Электрики — да! С ними надо работать вплотную! И главное, что нам надо выяснить, где жил Всеволод все то время, что с ними работал — он ведь где-то должен был делать взрывчатку и собирать устройства. И это единственная возможность его прижать!

— Нет, Лев Иванович! Пальчики-то свои он на сотовых и взрывных устройствах оставил! — возразил Савельев.

— Степа-а-а! Очнись! — почти простонал Гуров. — Да не его это пальчики! И кровь не его! И отпечатки эти «левые»! Они нас ни к кому не приведут! Он намеренно сделал так, чтобы одно взрывное устройство не сработало! Чтобы мы отпечатки Игоря и другого человека получили! Всеволод не ошибается! Господи! С каким же изощренным умом мы столкнулись! И не скрывается он нигде — по телевизору какую версию озвучили? Теракт! Чего ему бояться? Пока он еще в Москве и уедет отсюда в самый последний момент, чтобы к нотариусу успеть! Сейчас он все равно как-то за Раковыми наблюдает!

— Но все-таки вероятность того, что у него дело с наследством после бабки и деда сорвется, он предусмотрел. Иначе зачем бы против Беляева все это затеял? Не одно наследство, так другое!

— Вряд ли. То, что есть у Беляева, не идет ни в какое сравнение с тем, что накопили за свою жизнь Лазаревы. Скорее всего, он затеял это просто из мести — он же считает его своим отцом. Кто знает, что ему сумасшедшая мать и дед с бабкой о нем говорили? — пожал плечами Лев. — Может, выставили таким подлецом, что он его с детства лютой ненавистью ненавидит. На сайт МЧС он наверняка уже заходил и, не увидев среди погибших семью Беляева, понял, что промахнулся.

— Я вот что подумал: может быть, та машина сбила Игоря не случайно? — выслушав Гурова, предположил Степан. — Если Всеволод все просчитывает на сто ходов вперед, то мог это организовать. Он работал в Центре и не мог не знать, что туда в пятницу приедут сотрудники фирмы. А потом специально попался на глаза Игорю, зная, какой эффект это произведет. Мальчишка бросился бежать, его сообщник...

— А этого-то ты откуда взял? — устало удивился Гуров.

— Предположим, тот самый Гриша! — воскликнул Степан. — Ну, не мог он все это в одиночку провернуть! Обязательно был у него кто-то на подхвате! Так вот, этот сообщник на машине уже поджидал его, а у Всеволода алиби — он на территории с электриками. Получилось бы сбить Игоря насмерть — хорошо, покалечился бы он — тоже неплохо, завязнет в Дедовске надолго. Что и случилось — ну, куда Игорю теперь со сломанной ногой?

— Степа, кончай фантазировать, а то ты сейчас договоришься до того, что у Всеволода инопланетяне в подручных бегают, —

156

отмахнулся Лев. — Пошли наши версии проверять! А то, может, и нет никакого завещания, а мы тут напридумывали себе.

Они вернулись в дом, где Игорь встретил их уже не испуганным взглядом, но вот Екатерина с мужем смотрели настороженно.

— Игорь, тебе прабабушка с прадедушкой никогда не говорили, что они написали завещания в твою пользу? — спросил Гуров.

— После смерти бабушки дедушка сказал, что они с ней все мне оставили, а где документы лежат, па... — начал он, но тут же поправился: — Всеволод знает.

— Скажи, а у твоих дедушки с бабушкой машина была? — поинтересовался Степан.

— Это вопрос ко мне, — встрял Леонид. — Гошка в таких вещах все равно ничего не понимает. У них две машины были: у старика — белый «шестисотый» «Мерседес», а у Севки — темно-синий «Форд Скорпио».

— Темно-синий! — выразительно повторил Савельев, со значением посмотрев на Льва.

— Только «Форд» в гараже много лет стоял — Севка-то в «психушке» был. Анна Николаевна хотела мне его отдать, да я отказался — на его обслуживание деньги нужны немалые, а у нас их нет.

— Минутку, это же была машина Всеволода, что же она решила сама ею распоряжаться? — удивился Лев.

— Там вот какая история, — подключилась Екатерина. — Трехкомнатная квартира, где Севка жил, его машина и гараж были на Анну Николаевну записаны. Севка в этой квартире только прописан был. Это она подстраховалась на тот случай, если он неудачно женится, а жена потом при разводе раздела имущества потребует. А четырехкомнатная «сталинка» в центре, дача, «Мерседес» и гараж во дворе — уже на Константина Андреевича.

— То есть у Всеволода вообще ничего нет? — спросил Савельев, опять посмотрев на Льва, и Раковы согласно кивнули.

— Ну, вот что! — решительно сказал Гуров. — Собирайтесь! Вы ближайшим рейсом вылетаете в Воронеж! Игорю к нотариусу надо! У вас всего несколько дней в запасе!

— Ни о чем не волнуйтесь, у вас там будет охрана! — заверил их Степан, увидев, как испугался Игорь. — Я сейчас билеты закажу.

— Давайте на завтра! — попросила Екатерина. — Все равно ведь воскресенье, а к нотариусу мы попадем только в понедельник. Мы хоть соберемся нормально.

— Подожди с билетами, надо кое-что обсудить, — сказал Степану Гуров.

Они снова вышли во двор, где в этот раз закурил и Лев — есть хотелось страшно, а от сигареты чувство голода вроде бы немного притуплялось.

— Включай на полную мощность свой административный ресурс, — начал он. — Квартиру Игоря в Воронеже под охрану нужно взять немедленно, во дворе пусть тоже кто-нибудь незаметно покараулит. То же самое с квартирой Всеволода и дачей. Проверить наличие в гараже Всеволода его машины... Да и машины его деда тоже, на всякий случай. Помнишь, что Всеволод ответил Грише? «Только не там, где мы познакомились». Видимо, тот ему сказал «До встречи». А что это значит? Что они лечились вместе. Поэтому нужно немедленно запросить в психиатрической больнице, где лежал Всеволод, данные на всех людей по имени Григорий, которые находились там одновременно с ним, и их местожительство. Фотографии этих Григориев и Всеволода нужны обязательно! Пусть хоть из-под земли достают! Нужный нам Гриша живет где-то рядом с водой — раз они говорили про рыбу, или он рыбак, увлекающийся подледным ловом — разговор-то в декабре был. Пусть местные возьмут дома, где живут эти Григории, под круглосуточное и самое пристальное наблюдение, как и аэропорт, вокзал и автовокзал. Еще! Пусть на всякий случай на въезде в город гаишники проверяют все темно-синие «Форды Скорпио», а еще лучше — вообще все, потому что его и перекрасить могли. Если я прав и Всеволод наблюдает за этим домом, то он заметит отъезд Раковых. Но возможен и другой вариант: мы не знаем, на что способен компьютерный гений Всеволод, поэтому не исключаю, что он может и через Интернет узнать, заказали ли Раковы и Игорь билеты до Воронежа. Если да, то рванет туда первым, чтобы что-то предпринять и остановить

Игоря. Если узнает об этом после их вылета, то бросится следом. Особо предупреди воронежцев, чтобы без меня ничего не предпринимали, а только наблюдали. Вбей им в голову: ни-че-го! Только наблюдали! — подчеркнул Лев.

— Я уверен, что ни в одну из квартир он не сунется!

— Почему? Что мы ему сейчас предъявить можем? Ничего! Повторяю по складам — ни-че-го! Эта сволочь нигде не наследила! Конечно, он может остановиться у этого самого Гриши или у кого-то еще, о ком мы не знаем, но есть одно место, куда Всеволод точно придет — нотариус! Иначе вся затеянная им комбинация теряет смысл! А теперь вызывай сюда пару парней, чтобы они тут с Раковыми постоянно были, и заказывай всем пятерым билеты на завтра! А мы с тобой вылетаем сегодня! И выясни, что там с электриками!

Степан стал звонить, а Гуров тоже достал свой сотовый — надо же было узнать, как дела у Крячко. Стас ему ответил, но до того странно, что Лев буквально опешил:

— Да, дорогая? Я сейчас выйду, а то мне очень неудобно разговаривать — я людям мешаю. — А через некоторое время он заговорил уже нормально: — Гуров! Где тебя черти носят? Свалил на меня руководство группой, а сам...

— Помолчи и не перебивай! — остановил его Лев. — Стас, я вышел в цвет! И это совершенно точно! Первое: выпусти Федора из КПЗ и не дергай больше, он ни в чем не виноват. Второе: по поводу группы. Дай им какие-нибудь поручения по делу. Например, пусть не только те трое, а все дружно скопом опрашивают потерпевших: и гостей, и персонал. Скажи, что это очень важно! Мне нужна буквально пара дней! Займи их чем-нибудь, а главное, сдерживай, чтобы дров не наломали. Вернусь — поговорим, а сейчас у меня, прости, сил на это нет. У меня все.

Поговорив с Крячко, Лев позвонил Тамаре и попросил собрать ему сумку для командировки и что-нибудь перекусить, а то он целый день ничего не ел, и, не дожидаясь ее гневных воплей, отключил телефон. Степан тоже уже закончил давать указания своим подчиненным и начал рассказывать:

— В Воронеже всех предупредят, и к нашему прилету все будет готово: по тревоге поднимут, посты выставят, дела поднимут, фотографиями обеспечат. Мы с вами можем вылететь или в половине одиннадцатого из Внуково, или почти в двенадцать из Шереметьево, что выбираете?

— Мне все равно, решай сам, — отмахнулся Гуров. — Что с электриками?

— Ситуация такая. Человека по фамилии Лазарев в бригаде не было, и под его описание никто не подходит. Совсем! — выразительно сказал Степан. — И вообще, это бригада сплоченная, работает много лет, новеньких в ней нет! Со стороны даже на временную работу никого не приглашали! Насчет черно-синей куртки я попросил уточнить.

— Все летит к черту, — устало проговорил Гуров. — Степа! Мы четыре дня работали впустую! И билет сюда никак не вписывается! И в Центре Игорь непонятно кого в похожей куртке видел! И Всеволод непонятно как взрывные устройства активировал! У нас остается единственный путь — взять его в Воронеже и колоть на чистосердечное, потому что предъявить ему нам совсем нечего! Весь мой сыщицкий опыт, вся моя интуиция прямо-таки орут мне в ухо, что он всю эту кашу заварил, а доказательств нет!

— Прорвемся, Лев Иванович! Не отчаивайтесь! — попытался утешить его Савельев, но Лев только махнул рукой:

— Ну, командуй здесь дальше. А потом заедешь за мной по дороге в аэропорт. Я сейчас попрошу Гурама, чтобы он меня домой отвез. Нет у меня сил, Степа! Нет! Совсем, и никаких!

Дома он, не обращая внимания на бурчание Тамары и ее вопросы, куда это он собрался, поел, сел в кресло отдохнуть, где и уснул — он был настолько истощен морально и физически, что его организм уже не выдерживал.

Приехавший Степан с трудом его разбудил, и они отправились в аэропорт — в машине Гуров спал. Проснувшись ненадолго, чтобы пройти контроль, он в самолете снова уснул. Только на подлете к Воронежу пошел в туалет и умылся, чтобы взбодриться, так что его вымотанного до предела состояния встречавшие не заметили. Для начала они заехали в управление, где Гуров выслушал полный отчет.

Итак, личность Гриши была установлена. Григорий Семенович Шкварок, 1985 года рождения, официально был зарегистрирован в частном доме на окраине, но фактически там проживала его сестра с многочисленным семейством. Григорий с детства был мальчишкой странноватым, но тихим. Пока были живы родители, все было нормально, они с ним занимались, он ходил в обычную школу, играл с другими мальчишками, позже работал дворником. Когда родителей не стало, сестрица мигом упекла брата в психиатрическую больницу, чтобы освободить помещение, а когда он оттуда вышел, обратно в дом не пустила. В больнице Григорий находился вместе с Лазаревым, и они даже дружили. Григорий устроился сторожем на турбазу, что на Дону, там и живет круглый год. Зимой ее сторожит и печи топит, а летом с лодками возится, впрочем, работа там всегда найдется. В период с декабря прошлого года по настоящее время никуда за пределы области не выезжал. Автомобили Лазаревых — «Мерседес» и «Форд Скорпио» — находятся в своих гаражах, судя по виду и техническому состоянию, на них давно никто не ездил. Сам Лазарев Всеволод Александрович, зарегистрированный по такому-то адресу с 1994 года, уволился из гаражного кооператива, где работал сторожем, 14 января сего года. Имеет в собственности джип «Мицубиси» белого цвета, который обычно оставляет на стоянке возле дома. По показаниям соседей, ориентировочно 14-го же числа выехал на нем в неизвестном направлении и вернулся на нем же приблизительно 13 или 14 мая. В настоящее время он находится на турбазе, где работает Шкварок, куда приехал на своем джипе 15 мая и с тех пор никуда оттуда не уезжал. Наблюдение за ним ведется круглосуточно. Посты в указанных полковником Гуровым местах выставлены. Все документы, касающиеся прегрешений Лазарева, собраны и могут быть предоставлены в любой момент. Фотографии приготовлены.

Ну, что сказать? Придраться было не к чему. Воронежцы сделали все от них зависящее, только вот Гуров не знал, что ему самому со всем этим делать, потому что его версия рухнула, как карточный домик. Он поблагодарил всех за работу и поехал со Степаном в гостиницу. Они взяли один номер на двоих, чтобы, если нужно будет о чем-то посоветоваться, не бегать друг к другу через коридор, и Лев вырубился, едва коснувшись головой подушки.

Проснувшись на следующий день, Гуров увидел, что Степан уже полностью собран и готов к действиям, а вот о себе Лев такого сказать не мог. Какие, к черту, действия? То, что Лазарев приехал в Воронеж 15 мая, поставило жирный крест на его версии. Понимая, как ему плохо, Савельев с вопросами и разговорами не лез, а ждал, когда Гуров заговорит сам, и тот, приводя себя в порядок, дозрел:

— Степа! У нас есть только одна возможность — пригласить Лазарева на беседу, во время которой я постараюсь вывести его из себя, и тогда он хоть в чем-то, но проговорится — он же шизофреник. И, зацепившись за это, можно будет начать его колоть. Это удар ниже пояса, и я сам себя за это буду презирать, но другого выхода у нас нет.

— Лев Иванович, вы солируете, я — аккомпанемент, — пожал плечами Савельев. — Документы для начала не посмотрите? Всеволод от нас и так никуда не денется.

— Да все основное-то мы уже знаем, — отмахнулся Лев. — Понимаешь, мне не терпится посмотреть в глаза чудовищу, обрекшему на смерть ни в чем не повинных людей.

После завтрака они поехали на турбазу, причем в таком сопровождении, словно Лев был одним из первых лиц государства. Людей на турбазе было много — сезон же, бегали и кричали дети, кто-то плавал в реке, кто-то играл в бадминтон, кто-то загорал. Гуров смотрел на все это с завистью и втихомолку вздыхал — с его окаянной работой отдохнуть от души ему удавалось нечасто. Оставив сопровождение за оградой, он и Степан пошли искать Лазарева. Увидев вытащенные на берег лодки, Лев направился к ним, а Степан держался немного сзади, на всякий случай контролируя ситуацию. Возле лодок возились двое мужчин в шортах и майках: один повыше, второй пониже.

— Бог в помощь! — сказал, подойдя, Гуров.

Мужчины повернулись, и он увидел Григория и Всеволода — фотографии с их паспортов оказались на удивление качественными. Он с удивлением отметил, что у невысокого Лазарева хорошая спортивная фигура с рельефными мышцами и спокойный, твердый взгляд, и удивился, что в той больнице его могли принять за мужичонку. Нет, не мужичонка стоял перед ним, а сильный и уверенный в себе мужчина.

— Всеволод Александрович Лазарев? — спросил Лев, и тот кивнул. — Я полковник полиции Гуров. Нам бы с вами побеседовать в спокойной обстановке. Не возражаете?

— Судя по решительному выражению лица вашего спутника, мое мнение вряд ли будет принято в расчет, — усмехнулся Всеволод. — А о чем, если не секрет?

— О вашем пребывании в Москве и том, что вы там делали.

— Не возражаю, — охотно согласился Лазарев. — Одеться позволите? Или вас устроит такой мой вид?

— В моем присутствии, — предупредил его Савельев.

— Жаль, что я не озаботился в свое время изучить Уголовный и Уголовно-процессуальный кодексы. Там, наверное, об этом что-то сказано. Нужно будет у моего адвоката проконсультироваться, вы не возражаете? — невозмутимо спросил Всеволод у Гурова, доставая из кармана шорт сотовый.

— Вы заранее обзавелись адвокатом? — усмехнулся Лев.

— И уже давно. В наше время полицейского и прочего беспредела он нужен каждому человеку точно так же, как свой зубной врач, — невозмутимо парировал тот. — Так мне ему звонить?

— Оденьтесь, пожалуйста, мы вас подождем, — вынужден был сказать Гуров.

Лазарев ушел, а Лев и Степан переглянулись — на легкую победу Гурову рассчитывать не приходилось. Когда Всеволод вернулся уже одетый, Григорий встревожился и растерянно залепетал:

— Сева, что происходит? Кто эти люди? Что им от тебя надо?

— Все нормально, Гриша, все будет в порядке, вот увидишь, — успокоил его Всеволод. — Я просто уйду ненадолго, а потом вернусь.

— А вот это вряд ли! — насмешливо бросил Степан, начиная потихоньку действовать Лазареву на нервы.

— Странно, что у вас хоть к кому-то такое теплое и заботливое отношение, — добавил свои «три гроша» Гуров.

— А на свете вообще много странного, — невозмутимо пожал плечами Всеволод.

Они пошли к выходу с турбазы, а Григорий шел следом и все спрашивал:

— Сева! Ты правда вернешься? Ты меня не бросишь?

— Конечно, Гриша! Конечно! — успокаивал его Всеволод. Когда они сели в машину, Григорий не выдержал и заплакал.

— Зачем вы его обнадежили? Вы же понимаете, что не вернетесь уже никогда, — сказал Гуров.

— Не будьте столь уверены, господин полковник, — спокойно ответил Лазарев.

За всю дорогу в управление никто из них не произнес ни слова. И вот они уже сидели друг против друга в комнате для допросов: Лев и Всеволод, который был непробиваемо спокоен.

— Всеволод Александрович, вы отдаете себе отчет в том, что вы сделали? — начал Гуров. — По вашей вине погибли люди, в том числе и дети. И вам придется за это ответить.

— Господин полковник! Как-то раз, бродя по Интернету, я нашел форум, на котором ваши подопечные очень живо вас обсуждали.

— Такой есть? — искренне удивился Лев.

— Есть! — кивнул Лазарев. — Там о вас отзывались исключительно в превосходных степенях, особо подчеркивая то, что вы всегда держите свое слово. Так вот, если вы дадите мне слово офицера, что наш разговор не будет фиксироваться видео- и аудиоаппаратурой, нам имеет смысл поговорить. Если же нет, то я буду просто молчать и не скажу ни слова без своего адвоката, а он лучший в своем деле. Что ответите?

Да уж! Нечасто Гурову приходилось сталкиваться с людьми, имеющими такое самообладание. Он подумал и громко сказал:

— Я даю вам слово офицера, что наша беседа не будет фиксироваться видео- и аудиоаппаратурой. — Приказав: — Выключите запись! — снова обратился к Лазареву: — Я слушаю вас.

— Если уж мы заговорили об ответственности, то давайте начнем по порядку. Я написал кандидатскую диссертацию, которая тянула на докторскую. Но ВАК ее зарубил, и знаете почему? Дед выяснил это совершенно точно. Потому что какой-то светлой голове там, — показал он пальцем на потолок, — а они там у нас все исключительно светлые, показалось, что слишком много кандидатов наук в России развелось. Этот деятель ответил за свою дурость?

— К сожалению, мы не выбираем руководителей министерств и ведомств, — заметил Гуров.

— Да! Но мы выбираем тех, кто их назначает! Я тогда поехал к своему научному руководителю, профессору Шаповалову. То ли он не знал о поступившем в ВАК распоряжении, то ли знал, но мне не сказал, чтобы хорошенько поживиться за счет моих бабушки с дедушкой, но начал во всем обвинять меня. Он говорил и говорил, перечисляя все мои недочеты, и тогда я, чтобы остановить этот поток красноречия, взял за горлышко графин и шарахнул им по столу, на котором лежало стекло. Разбилось и то, и другое. Осколок попал Шаповалову в щеку, потекла кровь. Он визжал как поросенок. На кафедре меня необыкновенно «любили», — язвительно добавил Всеволод. — Кто же любит тех, кто умнее их?

— Очень знакомо, — согласился с ним Лев.

— Да и мое благосостояние было у них как бельмо на глазу, — продолжал тот. — Одна ассистентка стала вызывать «Скорую», хотя лично я необходимости в ней не видел, и милицию. С первым я еще мог согласиться, но не со вторым. Я бросился к ней, чтобы нажать на рычаги, она рванула от меня, телефон упал на пол и разбился. В результате меня забрали в милицию, как хулигана и дебошира, оскорбившего почтенного ученого. Кстати, вы знаете, что стало потом с моей диссертацией? Шаповалов немного видоизменил ее, выпустил под своей фамилией монографию и стал благодаря ей членом-корреспондентом Академии наук. Скажите, он ответил за этот плагиат?

— Мне кажется, что не настолько это редкая ситуация в научном мире.

— Конечно же, зубная боль — это чепуха, когда зубы болят у другого, — хмыкнул Лазарев и продолжил: — Дед, естественно, вмешался, и я попал в неврологическое отделение больницы с нервным срывом, а это был действительно он. Но там врач-недоучка, хотя и кандидат медицинских наук, а по совместительству сын заместителя воронежского губернатора по фамилии Пелишенко, поставил мне диагноз «шизофрения». А у меня ее нет! Я выяснил это совершенно точно! Скажите, он ответил за то, что своим ошибочным диагнозом сломал мне жизнь?

— Причиненное другим людям зло всегда бумерангом возвращается обратно, — заметил Гуров.

— Я понял, о чем вы, и до этого дойдем. Итак, через месяц я вышел из больницы с этим ошибочным диагнозом, пришел домой и обнаружил, что жены и Игоря там нет, хотя дед ее предупредил, когда меня выпишут. Все ее вещи были на месте, а в холодильнике — свежее молоко, так что я обиделся, но не волновался. Но вот когда она не пришла ночевать, я забеспокоился — время было лихое, мало ли что могло случиться? Я обзвонил всех, но ее нигде не было. Наконец я позвонил в общежитие Екатерине, и она заявила мне, что Даша у них, что она ушла от меня навсегда, забрав сына, потому что у нее появился другой, настоящий мужчина, а не псих. Поскольку почти все вещи жены и сына были на месте — а так от мужа не уходят, я решил, что Даша на меня просто обиделась, а Екатерина наговорила мне все это со зла — у меня с ней всегда были плохие отношения. Но кое-какие сомнения она во мне зародила, и я пошел к соседке, которая давно меня знала. Она открытым текстом поведала, что, пока меня не было, к Даше почти ежедневно приходил какой-то самец-красавец. Это было больно, но не смертельно. Мне было плевать на Дашу, но Игоря я ей отдавать не хотел.

— Вы совсем ее не любили? — удивился Лев.

— Нет! Я женился на ней только потому, что она была красива — мне захотелось иметь умных в меня и красивых в нее детей. Это была единственная причина, потому что любить ее было не за что — ветер в голове. Она училась на вечернем отделении филфака и работала даже не библиотекарем, а просто книги из хранилища поднимала. Она тоже меня совершенно не любила — внешность у меня сами видите какая. Но! Мне прочили большое будущее, у меня была квартира,

166

машина и деньги. И ее привлекло именно это. Родив Игоря, она тут же бросила учиться, и началось! Шубки, тряпки, золото, бриллианты и все в этом духе, тем более что бабушка с дедушкой для нее ничего не жалели — она же им правнука родила!

— Вы могли просто подать на развод. Зачем же было ее убивать?

— А вы дальше послушайте! Ручаюсь, будет интересно. На следующий день я совершил единственную, но самую страшную ошибку в своей жизни — пошел в общежитие один! Мне следовало бы взять с собой хотя бы шофера деда, но кто же тогда мог предположить, что они задумали. А по-хорошему, мне вообще не следовало туда ходить. Но мне хотелось посмотреть Даше в глаза и спросить: «За что?», а еще предупредить, что Игоря я у нее отсужу — это было без вариантов. Я поднялся на этаж, постучал в их дверь — Катя с Леней в это время должны были быть на работе. Она мне открыла, я вошел, и тут на меня посыпались такие выражения, которые не всякий грузчик решится произнести. Я тогда еще принимал транквилизаторы, поэтому был непробиваемо спокоен и просто ждал, пока она выговорится, а Игорек стоял и испуганно смотрел, не понимая, за что мама так кричит на папу. Поняв, что ей меня из себя не вывести, она заявила, что выходила замуж за будущего академика, а я оказался бездарью, не способной даже кандидатскую написать, и влепила мне пощечину. Игорек вскрикнул. И тут... — Тут Лазарев замолчал, глядя в сторону, а потом тихо попросил: — Говорят, в помещении это запрещено, но я бы хотел покурить.

— Запрещено, но если вы без этого не можете, то курите, — согласился Лев.

Всеволод достал сигареты, закурил, вздохнул и продолжил:

— Как только он вскрикнул, в комнату влетели Екатерина с Леонидом — видимо, под дверью этого момента ждали. Екатерина обхватила меня сзади за предплечья, и я даже пошевелиться не мог — звание мастера спорта по спортивной гимнастике просто так не дают, да и реакция у меня была из-за транквилизаторов замедленная. А Леонид... У меня эта картина до сих пор перед глазами стоит... У него на руку был надет полиэтиленовый пакет, и он держал обычный кухонный нож. Им-то он и стал бить Дашу. Он убил ее с первого удара. Она только успела шепнуть «За что?», и глаза у нее широко распахнулись от удивления. Остальные удары он наносил уже для большей достоверности — муж-шизофреник убил свою жену. Это произошло буквально мгновенно, потом Леонид вложил мне в руку нож и выбежал, а Екатерина толкнула меня на труп Даши и начала орать во весь голос: «Убил! Убил! Игорек! Смотри, что твой папа с твоей мамой сделал! Он ее убил! Он ее зарезал!» Насмерть перепуганный Игорек кричал так, что уши закладывало. Я поднялся весь в крови Даши, тут набежали соседи и вызвали милицию. Я пытался объяснить, как было дело, но кто же поверит шизофренику? Меня признали невменяемым и отправили в «психушку». Мне поверили только дед и бабушка — уж они-то знали, что я на такое не способен.

— А теперь вы хотите, чтобы я в это поверил? — усмехнулся Лев.

— А вы проверьте на полиграфе и меня, и их, — предложил Всеволод. — Может быть, у вас еще какие-то способы для этого имеются.

— Но зачем им это было надо?

— Вы просто не знаете, как Катя ненавидела Дашу. Ее отец был пожарным и погиб, когда ей было девять. Мать недолго горевала и нашла себе мужика. Родилась Даша, только мужик куда-то быстренько свалил, и ребенок свалился на Катю. Ей хотелось играть и веселиться, а тут у нее такая обуза на руках. Она потому и уехала подальше от дома после школы. Поступила здесь на филологический, причем на дневное — спортивные успехи помогли. На почве спорта она и с Леонидом познакомилась — он в военном училище физическую подготовку преподавал. То, что он не может иметь детей, ее не остановило — она Дашей по горло сыта была. Жили они в общежитии, а тут им на голову Даша свалилась — мать ее им спихнула. Она себе очередного мужика завела, зачем ей молодая и красивая дочь рядом? Даша у них за шкафом жила. Потом она вышла за меня замуж, и тут к ненависти Екатерины добавилась еще и самая черная зависть: почему все Дашке, а не ей? У той муж — будущее светило науки, дом — полная чаша, а у нее комната в общежитии и муж-неудачник, который выше капитана подняться не смог. Вы не представляете себе, как она его презирает. Вот она все это и подстроила. Я уверен, что и того самца она к дурочке Дашке подвела, а потом все разыграла как по нотам.

— Хотите сказать, что они все это сделали, чтобы убрать вас с дороги на пути к деньгам ваших дедушки и бабушки? — спросил Гуров, и Всеволод кивнул. — А если бы вы тогда к Раковым не пошли? Просто подали бы на развод, а потом Игоря у Даши отсудили?

— Екатерина получила бы глубокое моральное удовлетворение от того, что Даша всего лишилась: если у меня нет, то пусть и у тебя не будет.

— Но как ваши родные могли их после такого в дом пустить? — удивился Лев.

— Выхода другого не было. Игорю было девять, когда у меня в «психушке» началось крупозное воспаление легких, шансов выжить — минимум. Конечно, дед доставал самые современные лекарства, но вот доходили ли они до меня, не знаю. Гриша возле меня сутками сидел, можно сказать, добротой своей, любовью и заботой выходил. Вот тогда они с Раковыми и связались — все-таки они Игорю не чужие, детей своих нет, и все в этом духе. Ну а Екатерина с Леонидом использовали эту ситуацию в свою пользу на сто процентов: они так настроили Игоря против меня, что он меня возненавидел и стал бояться до жути. Когда я из «психушки» выписался и к родным пришел, он с таким криком от меня убежал, словно за ним волки гнались. Так что больше я к ним не приходил и с родными на нейтральной территории встречался. Кстати, и дарственные бабушка с дедушкой на Игоря написали тогда же, когда я практически умирал. Только ему об этом, естественно, не сказали. Завещание можно было оспорить — есть кое-какие родственники, которые с удовольствием наложили бы на все свою лапу, пока он маленький, вот и подстраховались.

— Как дарственные?! — воскликнул Лев. — Вы это точно знаете?

— Абсолютно! Когда я выздоровел, они мне сами об этом сказали, а потом я их прочитал — я же знаю, где дед держал все документы. Кстати, там есть пункт о том, что в случае смерти Игоря, независимо от наличия у него наследников любой степени родства, все движимое и недвижимое имущество отходит Никольскому храму, где его крестили. Я сходил туда, поинтересовался, и оказалось, что у них копия дарственной есть. Подстраховались мои родные, потому что связываться с попами — себе дороже. Продать или подарить кому-то что-то Игорь не вправе, он может жить только на проценты от капитала. И Екатерина тоже о дарственных знает, но не о содержании! Мне звонил нотариус — он давно знает нашу семью, и сказал, что она к нему после смерти деда приходила, принесла все документы, подтверждающие ее родство с Игорем — не с пустыми руками, заметьте, приехала! — и интересовалась содержанием завещаний. Он ей ответил только, что это не завещания, а дарственные на имя Игоря, и больше ничего.

— Так вот почему они не торопились вступать в права наследства, они и так знали, что все принадлежит Игорю, — задумчиво проговорил Гуров. — Но вас-то родные почему так обделили? Можно сказать, на судьбу бомжа обрекли. Хотя у вас же джип «Мицубиси», значит...

— Значит! Поверьте, что мой банковский счет не пуст и бедствовать мне не придется. После того как я вышел из «психушки», дед с бабушкой мне туда кое-что положили. И не только туда.

— Зачем же вы работали сторожем на автостоянке? — удивился Лев.

— Лежать на диване и пялиться в телевизор — не мое призвание. Устроиться на нормальную работу человеку, вышедшему из «психушки», невозможно. А это все-таки хоть какое-то общение с людьми — старые знакомые ведь от меня отвернулись.

— Я согласен, что с вами поступили и несправедливо, и жестоко, но зачем вы превратили жизнь Игоря в ад?

— Кто вам сказал? — удивился Всеволод. — Я не общался с ним много лет, до смерти деда. Я потому и выставил Екатерину из дома, что надеялся как-то с ним поладить, но не лез напролом, а постепенно, мягко.

— Так мягко, что избили его, он лежал на полу и плакал, а вы стояли над ним и смеялись, — напомнил Лев.

— Господин полковник! Если бы на нем была хоть одна царапина, хоть один синяк, я бы уже сидел! — усмехнулся Лазарев. — Неужели вы думаете, что Екатерина, а именно она глава семьи, упустила бы такой шанс убрать меня с дороги? Когда я посмотрел его дневник, то пришел в ужас! Боже мой! Не осилить элементарный курс школьной программы! Тройки по всем предметам, до единого! Я просто стукнул этим дневником по столу. И я не смеялся, я рыдал! Женясь на Даше, я надеялся на одно, а получилось наоборот: внешность у ребенка — моя, а мозги — ее, точнее, их отсутствие. То, что он потом сбежал из дома, еще раз говорит о его замешанной на страхе ненависти ко мне — Екатерина постаралась. Конечно же, я подал заявление в полицию о его пропаже и даже указал адрес, где он может находиться — он же у деда с бабушкой был. Но Екатерина обросла в Дедовске крепкими связями, так что это ничего не дало. И тогда я поехал туда сам, на машине.

— Скажите, а как вы смогли пересдать на права со своим диагнозом? За деньги?

— Выйдя из «психушки», я поехал в Москву, прошел полное обследование в институте Сербского и получил официальное заключение о том, что шизофрении у меня нет и никогда не было. Хоть на что-то оно сгодилось.

— А почему только 15 января?

— Я за Игоря не волновался — знал, где он. А мне нужно было поговорить с его учителями и школьным психологом. Вот и пришлось ждать окончания каникул. И я пришел в ужас. Игорь до одиннадцатого класса доучился только благодаря деньгам бабушки с дедушкой. Я считал его избалованным и ленивым, но действительность оказалась намного страшнее. У него диагноз «психический инфантилизм», и Екатерина об этом знает, мне сказали, что она была в школе. Господин полковник, как я понимаю, вы видели Игоря и разговаривали с ним. Скажите, он производит впечатление восемнадцатилетнего парня?

171

— Вы правы, он даже не подросток, — вынужден был согласиться Лев.

— А тут еще Екатерина и Леонид всячески нагнетают обстановку, держат его в состоянии постоянного стресса и страха, он все время балансирует на грани истерики. Если так будет продолжаться, то вскоре суд признает его недееспособным, и Екатерина оформит над ним опеку. А вот этого бабушка с дедушкой не предусмотрели, потому что в то время инфантилизм Игоря еще не был заметен, и они думали, что он вырастет нормальным человеком.

— Итак, вы пришли к Раковым, Екатерина и Федор вас выгнали, но вы остались в городе и стали работать в металлоремонтной мастерской.

— Где?! — удивился Лазарев. — Зачем мне это было надо? Я пошел в полицию к некоему Васютину и все ему объяснил. А он посоветовал мне валить из города, пока он меня обратно в «психушку» не посадил. Это вам ни о чем не говорит?

— Минутку! Екатерина сказала, что она вас там видела, а потом Федор пошел туда, чтобы хорошенько напугать вас, и вы оставили их в покое.

— Господин полковник! — поморщился Всеволод. — Федор — любовник Екатерины, которым она вертит точно так же, как и мужем. Вы думаете, Леонид по своей воле из-за баранки не вылезает? Он ей просто дома мешает. В Воронеже у нее был один подельник — Леонид, а теперь уже два. Это Васютин со мной еще хорошо обошелся, а ведь мог бы подсунуть наркотики и посадить ни за что! В России это легко делается! Естественно, после этого я из Дедовска уехал, но обосновался неподалеку, снял квартиру и стал за ними следить.

— Вы прослушивали ее сотовый, — понял Гуров. — Так вы узнали, что Игорь в больнице, и пошли к нему туда, но зачем вы забрали его одежду?

— Чтобы привести ее в порядок — мне же сказали, что он только через неделю оттуда выйдет.

— Но Леонид увез его оттуда раньше. Однако вы уже знали, под какой фамилией он живет. Через базу налоговой инспекции вы выяснили, где он работает...

— И тут же перебрался в Москву, — подтвердил Всеволод. — Снял там квартиру и выяснил, где он живет.

— Почему же вы его не забрали и не увезли в Воронеж? — удивился Лев. — Ведь именно за этим вы приехали в Москву.

— В силу некоторых обстоятельств у меня возник другой план, — кратко ответил тот.

— И я даже знаю какой! — язвительно произнес Гуров. — 10 мая вы встретили Игоря возле офиса. Выяснили у него насчет ключа, который нашли в его рабочей одежде, и, пообещав навсегда оставить его и Раковых в покое, попросили украсть любой билет на обзорную экскурсию, иначе Леонид разобьется на машине. Кстати, вы действительно можете это сделать?

— Конечно, нет, — спокойно ответил Всеволод.

— Итак, 12 мая он украл билет, отдал его вам в супермаркете, где вы заставили его переложить железяки, среди которых были и сотовые телефоны, из одного пакета в другой. А потом началось самое интересное. Вы сделали взрывчатку и взрывные устройства, детонаторами к которым послужили именно те самые сотовые телефоны, на которых остались фрагменты отпечатков пальцев Игоря, а потом устроились каким-то рабочим на строительство развлекательного центра. Когда светильники были повешены, вы выбрали удобный момент и в павильоне, на балке, в местах крепления четырех светильников к ней, установили взрывные устройства. Через неделю в пятницу вы их активизировали, и в субботу, в разгар праздника, три светильника упали, а один остался, чтобы эксперты получили отпечатки пальцев Игоря. Тут всплыл ключ от очистных, который он якобы утопил. Следом билет, который пропал. И все подозрения пали на него. В этом и заключался ваш изуверский план! Вы представляете себе, что было бы с ним, если бы он попал в СИЗО? И после этого вы хотите, чтобы я поверил в вашу любовь к сыну?

— Я это даже комментировать не буду, а просто спрошу: у вас есть хоть какие-нибудь доказательства моего участия во всем этом?

— Представьте себе, есть! Билет, который отдал вам Игорь, был за тот самый столик, на который упал светильник, убив всех сидевших за ним! А получил этот билет Александр Павлович Беляев, которого вы считаете своим отцом! И его сын с семьей не попал на этот праздник чисто случайно! За этот столик сели совершенно посторонние люди, так что вам не удалось ему отомстить — вы ведь его ненавидите, не так ли? Вы хотели убить одним выстрелом двух зайцев, а промахнулись по обоим.

— А теперь можно я отвечу? Если я такой злопамятный человек, то почему не отомстил Шаповалову, Пелишенко и Раковым? Они все живы и здоровы. К тому же я давно знаю, что Беляев мне не отец. Скажу больше, я знаю, кто мой настоящий отец, на которого я похож не только внешне. Мать его очень сильно любила, потому и забеременела, потому и сроки аборта пропустила — все надеялась, что он на ней женится. Его отец занимал настолько высокое положение, что ее родители не смогли бы на него надавить — сами бы пострадали. В настоящее время мой отец, который пошел по стопам своего отца, является одним из руководителей некоей силовой структуры и давно забыл о моей маме и обо мне. С Беляевым тогда обошлись очень некрасиво, тут я согласен. Но что я мог изменить? Прийти к нему и сказать: «Простите меня!» Но не я же его тогда шантажировал? Не я заставил платить на себя алименты? Я бросил ему в почтовый ящик этот билет для собственного душевного успокоения, вроде бы извинился. Теперь по поводу Игоря. Любой вменяемый оперативник с первого же взгляда поймет, что хромой мальчишка, круглый троечник с явными психическими отклонениями не смог бы ни сделать взрывные устройства, ни так все организовать. И что он сделает? Назначит психиатрическую экспертизу, которая выявит его диагноз. Но для этого его заберут у Раковых, и тогда я, как отец, смогу оформить над ним опеку и забрать в Воронеж.

— Чем бы вы ни руководствовались, теперь вам придется отвечать по всей строгости закона за то, что убили столько ни в чем не повинных людей, — сказал Лев.

— Как? — невозмутимо поинтересовался Лазарев. — Я в то время находился на турбазе в Воронеже, чему есть масса свидетелей. Или вы думаете, что я силой мысли мог бы активизировать, как вы выразились, взрывные устройства? Кроме того. Вы читали заключения о причинах смерти этих людей? — Чувствуя подвох, Гуров промолчал. — Значит, не читали. Напрасно! Все они произошли от проникающих ранений, нанесенных только, — выделил он, — осколками стекла от разрушившейся крыши!

— А светильники? Один из них упал на тот столик, за которым должна была сидеть семья сына Беляева, и убил людей. А второй, упав возле печи, вызвал смещение центра тяжести здания. Из-за этого оно осело на один угол, произошел перекос конструкции крыши, стекла на ней полопались, отсюда и осколки, убившие людей. А вы мне говорите, что ни в чем не виноваты!

Тут Гуров увидел, что Лазарев смотрит на него, как на идиота, и едва сдерживает смех.

— Господин полковник! Я верю, что вы хорошо учились в школе, но ваши знания точных дисциплин этим и ограничиваются. Я не знаю, какой эксперт пришел к такому выводу, но он такой же недоучка, как Пелишенко, который поставил мне диагноз. Поверьте, не стоит еще раз кому-нибудь повторять этот бред. Не дай бог, люди подумают, что вы сами пришли к такому выводу. Ну зачем вам такой позор?

— То есть вы себя виновным не признаете?

— Конечно, нет!

— Всеволод Александрович, открою вам страшную тайну. Во время той трагедии в Центре очень сильно пострадали родные самого главного в России уголовника, и теперь он жаждет мести. А попасть к нему в руки я даже своему лютому врагу не пожелал бы.

— И кто же этот ужасный человек? Если уж вы открыли мне одну тайну, то идите до конца.

— Анатолий Андреевич Кабанов по кличке Зубр. Как бы я ни старался сохранить ваше задержание в секрете, он все равно об этом узнает — увы, уши у уголовников есть везде. Если вы чистосердечно признаетесь в том, что совершили, вас ждет суровое наказание, но это все-таки жизнь. Если я не смогу доказать вашу вину, то вы выйдете на свободу, где не проживете и минуты, и смерть ваша легкой не будет. Подумайте об этом.

— Господин полковник, вынужден с сожалением констатировать, что на форуме люди были излишне доброжелательны и снисходительны в описании ваших человеческих и профессиональных достоинств, — совершенно спокойно ответил Всеволод. — А по поводу всего остального я вам скажу только одно: «Учите матчасть». То есть изучайте документацию. И тогда вы поймете, что я не имею к смерти этих людей никакого отношения.

— И все-таки подумайте над моими словами. Время для этого у вас будет. Вас сегодня этапируют в Москву по месту совершения преступления, и там мы продолжим нашу беседу, но уже под протокол.

— На каком основании? — поинтересовался Всеволод.

— Я имею право задержать вас на сорок восемь часов без предъявления обвинения, и я этим правом воспользуюсь, — заявил Гуров.

Он вышел из комнаты и увидел в коридоре Степана.

— Каков наглец! — не сдержался Лев. — Невозмутим, как айсберг!

— Зря вы с ним так, — покачал головой Савельев. — А насчет экспертизы проекта и самого строения я уже в Москву позвонил. Пусть другую группу экспертов пригласят — уж больно Лазарев уверенно говорил о том, что прежние выводы — бред. А он не дурак!

Гуров и сам понимал, что поддался эмоциям и сделал ошибку, но самообладание Лазарева вывело его из себя.

— Ты лучше насчет самолета договорись — поездом нам Лазарева не довезти, — буркнул он. — Меня в Москве, естественно, отследили, уже знают, куда мы вылетели, и местные уголовники с нас глаз не спускают. И своих бойцов у Раковых забери — нечего им там прохлаждаться. Нам надо подозреваемого здесь живым до аэропорта довезти, да и в Москве автозак с усиленной охраной нужно будет к трапу подогнать, а то ведь отобьют его у нас.

— У моих не отобьют! — уверенно заявил Савельев. — И насчет транспорта я уже договорился — военным вертоле-

176

том полетим, в Москве на военном аэродроме сядем, и хрен нас кто-нибудь выследит.

— Ты еще с Лефортово договорись, — добавил Лев. — Лазарев ни в одном ИВС или СИЗО пяти минут не проживет, а там есть надежда, что, глядишь, хоть до суда дотянет.

— Надеетесь доказать его вину? — спросил Степан.

— Извернусь, но докажу! Меня еще никто так мордой по столу не возил, и прощать ему такое я не собираюсь! — твердо произнес Гуров. — Пусть даже все остальные смерти произошли не по его вине, но за четыре он ответит!

— А что мы с Раковыми делать будем? Знаете, я склонен верить Всеволоду. Зачем ему было все это выдумывать? Сказал бы, что убил жену в состоянии аффекта, и все.

— Давай смотреть на вещи реально, — предложил Лев. — Предположим, мы докажем, что Катя и Леонид — убийцы Даши, и они получат срок. Всеволод сядет — костьми лягу, но так и будет. Что дальше? Совершенно не приспособленный к жизни Игорь останется один-одинешенек. Да еще с бешеными деньгами! Его такое будущее ждет, что врагу не пожелаю!

— Значит, ради блага Игоря мы закрываем глаза на то, что Раковы убийцы, я вас правильно понял? — уточнил Степан.

— Не передергивай! То, что они убийцы, надо еще доказать! Где мы сейчас улики и свидетелей найдем? Да и кто этим будет заниматься? Мы? Так я не знаю, что нас в Москве ждет, вдруг очередной аврал. Местные? Им своих «висяков» мало? А так, по крайней мере, Игорь будет сыт, обихожен, ну, и так далее.

— Интересные у вас принципы, нужно будет взять на вооружение вашу систему двойных стандартов, — пробормотал Савельев.

Сборы были недолгими — только вещи в гостинице в сумки покидать, а потом в машину и на военный аэродром.

Все время полета Лазарев сидел расслабленный, с закрытыми глазами и ни на что не отвлекался. В Москве он совершенно спокойно сел с парнями Степана в обычную машину, которую подогнали прямо к вертолету, и она уехала. Савельев и Гуров остались стоять на бетоне, и Лев простонал:

— Господи! Как же я сегодня буду спать! Какая тяжесть с моей души упала! Отдохну как следует, мысли в порядок приведу, а завтра с новыми силами уже под протокол допрошу Лазарева. Я из него всю душу выну, но докажу, что это он все не только спланировал, но и осуществил!

— Отдыхайте, конечно. Вон ваша машина. — Степан кивнул на стоявшие неподалеку задрипанные «Жигули». — А мне еще отчитываться надо.

Дома Тамара встретила Льва гневным взглядом:

— Гуров! А ведь ты действительно идиот! Ты каким местом думал? Ты же не того взял! Куда вы его хоть дели-то, а то вылетели на военном вертолете, и здесь вас встретить не смогли.

— Не лезь в дела следствия! — огрызнулся обалдевший Гуров. — Куда надо, туда и отвезли!

— Ничего! Сами найдем! Все ИВС и СИЗО уже предупреждены! — уверенно сказала она. — А ты, Гуров, молись на все углы! Молись! Если с головы Лазаря хоть один волос упадет, Зубр тебе этого не простит!

С трудом переварив услышанное, Лев растерянно спросил:

— Тома! Он что, из ваших?

— А вот теперь я тебе скажу: не лезь! — отрезала она. — Иди сам себе накладывай!

Она развернулась, ушла в зал, где села в кресло, включила телевизор и больше не обращала на Гурова внимания. Когда он вышел из кухни, она, не поворачиваясь, сказала:

— Джип твоей жены нашли, вон, под окном стоит! Побили его немного эти уроды, так наши его выправили, даже следа не осталось.

— Спасибо, — ответил озадаченный всем происходящим Гуров. — А с моей чего?

— Подумаем! — сварливо ответила она.

Понедельник—четверг. Дни с шестого по девятый

Утром Гуров, позавтракав под испепеляющим взглядом Тамары, отправился на джипе жены в СИЗО «Лефортово». Предъявив удостоверение, он прошел и очень удивился, когда его почему-то отправили к начальнику оперчасти.

178

— Не понял! — возмутился Лев, войдя в кабинет. — Что не так? Распоряжение не прошло?

— Прошло, — тусклым голосом ответил подполковник. — Только нету больше твоего Лазарева.

— Его что, куда-то перевели? — Гуров сразу подумал, что уголовники уже и здесь пустили корни, как в других СИЗО.

— Не шуми, — устало ответил тот. — Он сам перевелся. Сразу на тот свет. У него в каблуке ботинка яд был. Что за хрень — непонятно. Картина отравления ни на что не похожа. Его в какую-то лабораторию кромсать повезли, чтобы понять, чем он траванулся. Вот такие дела, Гуров.

Едва подполковник начал говорить, у Льва, который много чего в жизни и на службе повидал, подкосились ноги, и он, нащупав стул, рухнул на него.

— На, водички попей. — Подполковник протянул ему стакан, который Гуров взял дрожащей рукой и, обливая себе рубашку, действительно отпил немного. — Вижу, тебе тоже несладко, а вот у меня от этого чирей во всю задницу! Мне теперь отписываться и отписываться! Начальству крайний нужен! А ходить за ним далеко не надо — вот он я!

Лев с трудом поднялся и, забыв попрощаться, вышел. Мысль о том, чтобы поехать к Александрову, ему и в голову не пришла — тот уже наверняка обо всем знал. А вот Гуров не знал, как будет ему в глаза смотреть. Такого сокрушительного провала в его жизни еще не было! Счастье великое, что записи того разговора в Воронеже в природе не существует. Выйдя из СИЗО, он сел в джип, но понял, что ехать куда-нибудь не в состоянии. Опершись локтями о руль, положил голову на стиснутые кулаки и судорожно пытался придумать, что же теперь делать, но в голове не было ни проблеска мысли. Наверное, он сидел так довольно долго, потому что дверца открылась, и уже знакомый ему коренастый мужчина спросил:

— Чего стряслось?

— Лазарев ночью отравился, — кратко ответил Лев — а чего скрывать? Все равно ведь узнают.

Мужчина ему ничего не ответил и ушел. Гуров посидел еще немного и поехал домой — куда же еще ему было деваться? Тамара уже собрала свою сумку и теперь ждала только его. Увидев Гурова, она молча достала смартфон, набрала номер и протянула ему. Конечно же, это был Зубр, и он был настолько взбешен, что не говорил, а рычал:

— Гуров, ты не представляешь, какого ты человека угробил. Ты его дерьма не стоишь! У тебя пять дней осталось. Не найдешь преступника — сам за Лазарем уйдешь. Я ему жизнью обязан, а долги свои всегда плачу честно! Знай я раньше, что у него есть враги, они бы часа не прожили! Помни! Он никогда не ошибался! Если он тебе сказал, чтобы ты документы читал, так читай! А то скачешь, как молодой козел! Хотя ты козел и есть! Только старый! — И Зубр отключился.

Лев вернул смартфон Тамаре и устало сказал:

— Значит, нас все-таки записали. Тома! Ну, хоть ты мне объясни, какая может быть связь между Зубром и Лазаревым? Они же из параллельных миров!

— Ладно! — подумав, согласилась она. — Пересеклись они один раз, в «психушке», в 2002-м. Только тогда в Воронеже кое с кем схлестнулся не по-детски, но сил своих не рассчитал. Взяли его, а он стал под дурака косить, вот его в «психушку» на экспертизу и отправили. Только нашли его там и заказали. Два раза убить пытались: в первый раз сорвалось, во второй — серьезно подкололи, ну а в третий точно достали бы. А Лазарь ему побег устроил. Все по секундам рассчитал, до последнего миллиметра вымерил! Не верил Толька, что из этого что-то выйдет, а Лазарь тогда ему сказал: «Я никогда не ошибаюсь!» И действительно ушел оттуда Толька так легко и просто, словно и не было там ни охраны, ни решеток. У Тольки характер тяжелый, но долги свои он всегда платит. Когда он в силу вошел, человечка к Лазарю прислал — какая, мол, помощь нужна? А тот отказался, сказал, что ему ничего не надо, но тот ему на всякий случай Толькин номер телефона оставил. И позвонил по нему Лазарь только один раз, в мае. И попросил, чтобы, если его сын, Игорь Всеволодович Лазарев, в ИВС или СИЗО попадет, с ним там по-доброму обошлись. И Толька, конечно, тут же команду дал. Вот такие дела, Гуров! Ошиблись мы в тебе! Мы тебя за умного держали, а ты оказался настоящим дураком, не понял, какой человек перед тобой сидит. Дерьмо из тебя фонтаном поперло! Все! Пошла я. Пять дней ты уж сам без меня перекантуешься, а потом, может, тебе уже и не придется о своей поджелудочной думать — нечем будет! Если что выяснишь, звони!

Оставив ему номер своего телефона, она ушла, а Лев стоял, смотрел на закрывшуюся за ней дверь и действительно чувствовал себя последним дураком. Но времени, чтобы посыпать голову пеплом, не было! Все потом! Пять дней он потратил впустую, значит, оставшиеся надо было использовать с толком. Первым делом он позвонил Савельеву, который, естественно, уже знал о смерти Всеволода.

— Степа! Еще ничего не кончилось! Кто-то в Воронеже записал мой разговор с Лазаревым, и Зубр уже в курсе. Более того, он Всеволоду жизнью обязан и теперь рвет и мечет. Он настолько ему верил, что посоветовал мне читать документы и за оставшиеся пять дней найти настоящего преступника, а то я вслед за Лазаревым уйду. Ну, уголовников я никогда не боялся, а то цветы бы выращивал, но вот эта убежденность Зубра, а он не дурак, меня напрягает. Я должен быть уверен, что Лазарев действительно был преступником, потому что иначе я довел до самоубийства невиновного человека, и мне остается только застрелиться, потому что жить с этим я не смогу. Степа, мне нужна абсолютно вся документация, которая у вас есть по этому делу. Вся! И, если можно, попроси, чтобы Мария пока оставалась там, где сейчас — как бы ее рикошетом не задело.

— Лев Иванович, как только я освобожусь, приеду к вам домой, и мы все обсудим. А по поводу Марии сделаю все, что смогу.

Потом Гуров позвонил Крячко, тот мигом приехал, и Лев рассказал ему все, что они со Степаном узнали в субботу и воскресенье, и о разговоре с Зубром тоже, а закончив, спросил, где вся документация.

— Поскольку все считают, что преступника ты единолично вычислил и задержал, а тот взял и суициднулся — нам об этом утром сообщили, — дело приказано закрыть за смертью подозреваемого. Рабочая группа распущена. Бумаги все, естественно, еще на месте — их же подшивать надо, правда, их количество за время твоего отсутствия резко увеличилось. Злые теперь на тебя все, как черти, — ты их заставил ерундой заниматься, а сам, чтобы никто у тебя лавровый венок не увел, тихой сапой преступника схватил.

Видя подавленное состояние друга, Крячко пытался, как обычно, хохмить, только плохо у него это получалось.

— Стас, я не понимаю, почему Лазарев отравился, — задумчиво сказал Лев. — Зубра же ему бояться было нечего. Чего он испугался?

— Того, что ты его посадишь, а неволи он уже досыта нахлебался, причем, видимо, совершенно незаслуженно. Он же не в безвоздушном пространстве жил и видел, какой беспредел полиция творит.

— Не стыкуется! — покачал головой Гуров. — Всеволод все это затеял, чтобы сына под психиатрическую экспертизу подвести и опеку над ним оформить, чтобы Раковы и близко к нему не могли подойти. И тут вдруг самоубийство! Он даже не пытался как-то сопротивляться. Чтобы выжить в «психушке» и остаться нормальным человеком, надо быть настоящим мужиком, а тут он вдруг взял и так легко сдался.

— Лева, не в обиду тебе будет сказано, но ты уже много лет считаешь свое мнение единственно верным. Тебя переубедить невозможно. Если уж ты во что-то упрешься, то тебя тягачом не сдвинешь, — грустно заметил Стас. — Ты вспомни свой с ним разговор. Я уверен, что ты там свой характер вовсю проявил. Вот и понял он, что закатаешь ты его по полной, несмотря ни на что, — а это ведь пожизненное, и решил, что лучше уж он сам, пока такая возможность есть — в колонии-то ее уже не будет.

— Стас, ты прав! Характер у меня дерьмовый! Но что выросло, то выросло. Давай лучше думать, что делать. Мне надо работать как проклятому, документы не просто читать, а анализировать! Здесь я это делать не могу — после Тамары надо и замки в двери поменять, и на «жучки» квартиру проверить, а у меня на это нет ни времени, ни сил — все потом.

— Петровка тоже отпадает — во-первых, ты там с голоду помрешь, а во-вторых, пусть после истории с Шатровым шум поутихнет — сам знаешь, как нас там все любят. Остается проситься на постой к Степану. Причем нам обоим, чтобы я тебе и помогал, и готовил — если тебе под нос тарелку не сунуть и не ткнуть в нее носом, как котенка, то ты сам и не вспомнишь о том, что надо есть.

— С Петром надо посоветоваться, — заметил Гуров.

— Обещал в обед приехать, — сказал Стас. — Пойду гляну, что в холодильнике осталось. Все голодные приедут, и их покормить надо, да и самим поесть.

Крячко ушел на кухню, а Гуров остался в гостиной и начал размышлять, где же он мог так страшно ошибиться.

К приезду Петра, а потом Степана некоторое подобие обеда было готово, но они не столько ели, сколько обсуждали дело. Степан сразу согласился пустить к себе Льва и Стаса и даже пообещал, что сам с ними поселится, чтобы дело шло быстрее. Крячко попробовал заикнуться о том, что тогда Лика может им готовить, но Савельев отмахнулся — она слишком занята. Надолго откладывать не стали, и «великое переселение народов» состоялось сразу после обеда, как только посуду помыли.

Не успел Гуров устроиться на новом месте, как Крячко привез ему всю документацию и отправился домой за вещами, следом Степан привез еще одну кипу, и гора получилась впечатляющая. Но Льва это не пугало, ему нужно было занять свою голову работой, чтобы не думать о том, что по его вине мог умереть невиновный человек...

Дни слились в один, время суток никто не различал, спали тогда, когда сил не оставалось уже совсем, а проснувшись, снова принимались за документы. В стопу совершенно бесполезных бумаги откладывали только после того, как их просмотрели все трое и все пришли к выводу, что они не нужны. По несколько раз в день приезжал Орлов, смотрел документы, давал советы и возвращался на службу. Гуров работал без отдыха и продыха, прерываясь только на короткий сон и еду. Крячко, которому Степан тихонько сказал, что если Лев выяснит, что из-за его ошибки погиб человек, то застрелится, потому что жить с этим не сможет, бдил за другом изо всех сил. Кстати, Орлову Стас об этом тоже сказал, и тот забрал из их сейфа и положил в свой кобуры с пистолетами — так спокойнее будет.

Все решилось в один день, в четверг! Степану утром позвонили с работы и велели приехать, а Лев со Стасом работали с документами, когда Гуров взял в руки протокол допроса одной официантки, пострадавшей от осколков в павильоне. Он начал читать его и почувствовал, что ему стало нечем дышать, а сердце забилось где-то в горле. С огромным трудом он взял себя в руки, дочитал и обессиленно откинулся на спинку кресла. Встревоженный Крячко подскочил к нему, взял листок, прочитал сам, и ему стало страшно за друга.

— Стас, я убийца, — тихо проговорил Гуров. — Лазарев погиб из-за меня. Наташа... Ну, жена Зубренка... Она сказала, что за самым крайним столиком во втором ряду справа от них, то есть за шестнадцатым, сначала никого не было, а потом туда села какая-то семья. А когда она в следующий раз туда посмотрела, то там уже была другая семья. Да не другая семья была за шестнадцатым столиком, а та же самая! Это просто другой столик стал крайним! Вот! — Он показал на листок в руках Крячко. — Эта официантка показала, что какой-то мужчина взял и перенес свой столик из последнего ряда поближе к сцене и поставил его во втором ряду, чтобы его детям было лучше видно. И они оказались прямо под светильником. А официанток и администратора заранее предупредили, чтобы они ни в коем случае не спорили с гостями, вот она и не решилась сказать тому мужчине, что по технике безопасности столики под светильниками ставить запрещено. Оказывается, ни один светильник над столиками не висел! Только по периметру! Если бы тот мужчина со своей семьей остался на месте, светильник упал бы на пол и просто разбился, как и два других! Я идиот! Чугунов же мне русским языком сказал, что три светильника упали очень быстро, один за другим и почти одновременно! Никакая паника не успела бы подняться!

Крячко, который обычно косноязычием не отличался, сейчас не знал, что сказать. Он просто сел на подлокотник и обнял друга за плечи. Некоторое время они молчали, а потом Гуров отстранился и спросил:

— Где у нас программа работы Центра на субботу? Есть у меня одна мысль, и если все совпадет, то я такой кретин, какого на свете еще не было.

— Да в бесполезных она, — подсказал Стас.

— А ее на столе надо было держать перед глазами, как основной документ. — Гуров полез ее искать и, найдя, начал что-то с чем-то сверять, а потом сказал: — Когда найду на том свете Лазарева, на колени перед ним встану и буду прощение вымаливать. — Он то ли заплакал, то ли засмеялся. — Смотри! Вот у нас точное время падения первого светильника — один из тех, кто там был, снял на телефон, как он ту семью накрыл и убил, а уцелев в том аду, потом еще и в Интернет фото выложил — сволочь! Ну, ничего святого у людей не осталось! А вот у нас программа. Если бы все шло четко по ней, то в павильоне в это время вообще никого не должно было быть. Видимо, представители власти не стали там задерживаться и ушли раньше. Вот все по времени и сместилось: первая группа экскурсантов раньше на территорию прошла, раньше и в павильон попала. Может, потому и мест свободных было столько, что некоторые к точно назначенному времени приехали, когда поезда уже ушли. А теперь скажи мне, Стас, я смогу с этим жить?

— Я думаю, что тебе с этим нужно сейчас напиться! Да так, чтобы наутро голова трещала, и никакие дурные мысли в ней не водились! — резко ответил Крячко. — Я тут в баре у Степки ром видел. Дерьмо, конечно, но крепости соответствующей.

— Пьяный проспится, дурак — никогда, — ответил на это Лев. — Да и Степана надо дождаться — ясно же, что его по этому же вопросу вызвали.

К счастью, Степана долго ждать не пришлось. Он приехал, сходу оценил ситуацию и взглядом спросил у Стаса, что произошло. Тот вытащил его в соседнюю комнату и все рассказал. Вернувшись обратно к безучастно сидевшему Гурову, Савельев начал:

— Докладываю. После проверки всех расчетов новой группой экспертов первоначальные выводы предыдущих специалистов были признаны ошибочными. Перекос здания произошел исключительно из-за неправильного расчета... — Он запнулся. — Короче! Я в этом не специалист, вот у меня ксерокопия их заключения, и желающие могут ознакомиться сами, а я уж своими словами. В общем, нельзя было печь в угол ставить, нельзя было здание ставить только на три опоры. Но даже в том случае, если бы здание осело на один угол, ничего страшного не произошло бы, люди, как шары, туда перекатились бы, и дело ограничилось синяками и ссадинами, потому что не настолько большой был угол наклона, чтобы они там все в кровавое месиво превратились. Все дело в крыше! Это надежность ее конструкции не была должным образом просчитана — проектировщики хотели как покрасивее, а надо было как понадежнее! А уж уболтать заказчиков и убедить их в том, что все будет замечательно, это они мастера! Эту проектную мастерскую сейчас проверяют, сплошь сопляки зеленые с непомерными амбициями, а опыта — ноль! Зато гонору выше крыши! Они все такие, блин, прогрессивные, с новым видением и идеями. Вот и довыделывались! Ничего, теперь ответят.

— Только жизни человеческие этим уже не вернуть, — тихо сказал Лев. — В том числе и Лазарева. Он из-за меня...

— Лев Иванович! Прекратите! — заорал на него Савельев. — Да включите же вы мозги! Не из-за вас, а из-за себя! У нас был такой цейтнот, что дышать некогда было! С утра до ночи носились как угорелые! И каждый день новые вводные! Не одно, так другое! Да вы гордиться должны тем, что в такие короткие сроки распутали, казалось бы, неразрешимое дело, когда вам со всех сторон палки в колеса вставляли! Равного вам сыщика в России сейчас нет! Или вы думаете, что Олег Михайлович вам за ваши красивые глаза доверяет? Мне Станислав Васильевич все сказал, так что я в курсе! Скажите, почему Лазарев не мог вам рассказать все тогда, в Воронеже? И про то, почему светильник в принципе не мог упасть на столик! И про расписание! Чего он выеживался? Чего он из себя строил? Объяснил бы, что к чему! Он сказал, что выводы экспертов — бред, значит, он свои сделал после той трагедии. Если уж он заключения о смертях читал и знал, что их причиной были осколки стекла с крыши, то и в компьютерную базу проектного бюро нос сунул! Так что все исходные данные у него имелись! И уж его расчеты, я уверен, были точные. Чего он ваньку валял? Почему вам их не отдал? Дело быстрее бы пошло! И потом! Зубра он не боялся, а со своими деньгами и с его помощью нашел бы такого адвоката, который еще на стадии предварительного расследования все обвинения вместе со следаками в мелкую пыль стер бы! Даже если бы он в СИЗО попал, то перед ним воры на цырлах ходили бы! Значит, была у него своя собственная причина уйти из жизни, о которой вы просто не знаете! И нечего себя винить! Вы ни в чем не виноваты! Это было его решение! — Проооравшись, Степан немного успокоился и сказал: — Мне разрешили отдать ксерокопию заключения через Тамару Зубру — мир и покой в столице дороже. Но я это завтра сделаю — созвонюсь с ней и отдам. А сейчас предлагаю дружно напиться на радостях.

— Я — за, и пошел готовить закуску, — тут же отозвался Крячко.

— Я тоже не против, — поддержал их Гуров. — Орлова бы еще пригласить.

— Согласен! — отозвался Степан.

После того как Степан наорал на него, Льву стало немного легче. «А парень не так уж не прав, — подумал он. — Мог бы Лазарев мне сразу все открытым текстом выложить, тем более что мы не под протокол разговаривали». Но мысль о том, что человек, вся вина которого заключалась в том, что он любил своего сына и боролся за него, мертв именно после того, как он, Гуров, привез его в Москву и поместил в СИЗО, отравляла ему жизнь.

Орлов приехал, когда стол в кухне-столовой был уже накрыт. Много спиртного, самая разнообразная закуска, причем такая, что Гурову была как нож острый.

— Лев Иванович! Ваша таблетка! — напомнил Степан.

Он взял с тумбочки флакон с лекарством, выкинул на блюдце одну таблетку и со стаканом воды протянул Гурову. Лев принял лекарство, потом все сели за стол, выпили по первой, стали закусывать, и тут Гуров почувствовал, что его неудержимо клонит в сон. Его подхватили, отвели в гостиную, уложили на диван, укрыв пледом, а сами вернулись обратно.

— Твоя работа? — прямо спросил Орлов.

— Моя, — не стал отказываться Савельев. — Гуров теперь до утра проспит — ему надо. Он столько времени на пределе человеческих сил жил и работал, что сорваться может в любую минуту. А теперь давайте решать, что с ним делать — ему нужен длительный отпуск, причем без всяких раздражителей.

Орлов предложил Ессентуки, с их водой, ваннами и грязями, на что Стас возразил, что Леву там бабы замучают — они на него, как мухи на варенье, летят. Степан предложил Сибирь, Новоленск. Будет Гуров жить на заимке и гулять по тайге, где сейчас необыкновенная красота. Орлов с ним не согласился — красота красотой, а случись что со здоровьем, к медведю на прием бежать? Тогда Крячко предложил свою дачу, как он называл свой дом в деревне, где Гуров уже один раз отлеживался после очень трудного дела. Минералку и продукты туда завезти несложно, участковый Трофимыч за ним присмотрит и, в случае чего, просемафорит, а ехать туда не так уж далеко. Место Льву привычное, лес и речка имеются, так что есть где погулять и порыбачить. Стас гарантировал, что его жена, несмотря на помидоры и огурцы, туда не сунется, а Марию, которая, конечно же, начнет рыпаться, они с Орловым как-нибудь укротят.

Подумав, согласились все. Лева будет отдыхать, а Степан тем временем подготовит дело для передачи в Следственный комитет, который дальше будет заниматься проектным бюро. Крячко тут же написал заявление на отпуск от имени Льва — почерки и подписи друг друга они давно освоили, Петр тут же наложил визу и пообещал завтра же отдать в приказ. Они дружно выпили за удачное решение этой проблемы, потом за окончание такого муторного дела, потом за здоровье всех по отдельности, а Гуров спал сном младенца и даже не предполагал, что его участь уже решена. Вечером Орлов поехал домой — ему проще, он генерал, у него транспорт персональный, а Стас и Степан легли спать.

Пятница. День десятый. И потом

Утром Гуров проснулся вялым и обессиленным. Он столько дней работал на износ, недосыпая и недоедая, что полноценно отдохнуть всего за одну ночь было нереально. Он лежал и смотрел, как Стас и Степан почти бесшумно уже заканчивали складывать бумаги в большой картонный ящик, и, положив туда последнюю стопку, заклеили его скотчем.

— Да не таитесь вы, как мыши за печкой! Я уже не сплю, — не выдержав, произнес он.

— С добрым утром, Лев Иванович! — улыбнулся ему Савельев. — И поздравляю вас с окончанием этого невероятно сложного дела, а то вы вчера до этого момента за столом не досидели. Сейчас отвезу эту коробку в Следственный комитет, потом загляну к Тамаре и отдам ксерокопию заключения — я ей по телефону все уже объяснил, и она ждет только бумаги, чтобы передать их по назначению. Так что осадное положение снято! Станислав Васильевич, не забудьте дверь запереть, а за ключами я к вам потом заеду.

Подхватив коробку, Степан вышел из комнаты, а Лев, вздохнув, сказал:

— Как хорошо, что все наконец закончилось. Сейчас съезжу домой, приведу себя в порядок, и на Петровку!

— Зачем? Ты с сегодняшнего дня отдыхаешь, — сообщил ему Крячко.

— Отгулы? — удивился Лев. — И на сколько же дней Петр расщедрился?

— На весь твой отпуск полностью, — выразительно произнес Стас. — Я вчера от твоего имени заявление написал, он визу поставил, и сегодня будет приказ. И я даже знаю, где ты его будешь проводить — у меня на даче.

— Без меня меня женили! И с чего это вдруг? — возмутился Гуров.

— Лева, ты на грани, — серьезно сказал Крячко, подойдя и присев на край дивана. — Степан молодой, он все это перенес легче, я практически в стороне был, Петра и краем не задело, а весь удар ты принял на себя. Ты себя со стороны не видишь, а от тебя кожа и кости остались. Так себя сжигать живьем нельзя, но по-другому работать ты не умеешь. Тебе нужен полноценный отдых без всяких раздражителей вроде твоей дражайшей супруги. Поэтому сейчас ты позавтракаешь, мы поедем к тебе, ты соберешься, и я отвезу тебя на дачу. С этой минуты ты созерцатель, и не более. И не волнуйся, моя жена там не появится, так что никто тебе мешать не будет. Ну а Марии мы все объясним.

Вообще-то идея с дачей Гурову понравилась, и сопротивлялся он исключительно потому, что его мнения никто не спросил, все решили за него. И то, что отдых ему требуется, он тоже понимал, потому что это дело даже не вымотало его, а выжало досуха. Побурчав насчет того, что друзья у него тираны и деспоты, он милостиво согласился отдохнуть.

Сборы были недолгими, джип Марии он оставил во дворе на обычном месте, минералку загрузили в багажник машины Стаса, сумки бросили на заднее сиденье, и вскоре друзья уже ехали на дачу. Крячко помог Гурову там устроиться, одновременно потихоньку выключив звук на его сотовом, чтобы Мария не успела позвонить, пока он в город не вернется и не поговорит с ней, проинструктировал Трофимыча и поехал обратно.

А в Москве к этому времени Мария уже вернулась домой. Обойдя его, она тут же поняла, что там была другая женщина, и бросилась звонить мужу, но он не отвечал. Тогда она позвонила сначала Петру, потом Стасу, и оба чуть ли не слово в слово пообещали ей, что приедут и все объяснят. В ожидании их Мария просмотрела вещи мужа и увидела, что некоторых нет. Если бы не следы пребывания женщины в доме, она решила бы, что он в командировке или в больнице, а так, что ей оставалось думать? Ушел к другой!

Ничего ей не сказав! Не предупредив! Не оставив даже записки! И она будет вынуждена узнать все от его друзей! Она представила себе, как они будут злорадствовать, глядя на ее унижение, и только что не взвыла в голос!

Короче, к приезду Орлова и Крячко она только что дверные косяки не грызла от ярости, так что встреча была жаркой.

Ответ она получила адекватный, причем на два голоса, а поскольку у Петра и Стаса определенный словарный запас был куда богаче, она мигом перешла на литературный русский:

— Здесь была женщина. Я хочу знать, кто она, и, поскольку я все еще жена Гурова, имею на это право. А еще я хочу знать, где Лева, и тоже имею на это право.

— Здесь была Тома Шах-и-Мат. Это кличка. Она была у Левы помощницей по хозяйству. Ей за шестьдесят, формы сверхрубенсовские, за плечами четыре ходки за разбой, — ответил ей Крячко.

— Он пустил в наш дом уголовницу? — взвилась Мария и бросилась в спальню к своей шкатулке с украшениями.

— Маша, таких бриллиантов, как у нее, у тебя нет и никогда не будет, — бросил ей вслед Орлов.

Успокоенная Мария вернулась в гостиную, держа шкатулку в руках — все было на месте.

— А теперь слушай нас и запоминай, — начал Орлов. — У Левы было очень трудное и ответственное дело, от которого зависели судьбы очень многих людей, и завершить его нужно было срочно. Лева смог это сделать, но сейчас у него нервное и физическое истощение, и он отдыхает в одиночестве в тихом, спокойном месте. Где — не важно, но женщин там нет, можешь не беспокоиться. Мы настоятельно просим тебя отложить все твои истерики и скандалы до лучших времен. Если он сам тебе позвонит — одно дело, но вот если ты начнешь ему названивать и трепать нервы, потому что у тебя вечно от ревности крышу сносит, то я даю тебе слово офицера, что просто придушу тебя, чтобы ты ему жизнь не портила.

— Маша! Я выражусь короче: Лева доведен до края, ему нужно отдохнуть и расслабиться, а то ты ведь можешь и вдовой остаться, — просто сказал Стас. — Если Леве из-за тебя станет хуже, то не думай, что я позволю Петру одному тебя убить, я тоже хочу получить удовольствие.

И больше, чем слова, ее убедил их тон, спокойный и решительный, и она смирилась.

Орлов и Крячко поехали по домам, но если Петра ждал спокойный вечер в кругу семьи, то Стаса — крупнейший скандал, потому что его жена не мыслила своей жизни без дачи и рвалась туда, и Гуров с его проблемами волновал ее в самую последнюю очередь — ее ждал любимый огород. И удержать ее дома Стас смог только одним — он пригрозил, что спалит дачу дотла.

Гуров, правда, позвонил жене в тот же вечер, поинтересовался, как у нее дела, как она отдохнула, сказал, что живет у Стаса на даче. И голос у него был такой усталый и измученный, что она действительно решила отложить выяснение отношений на потом — с Орловым и Крячко шутки плохи, она это на собственном опыте знала. Гуров еще несколько раз ей звонил, и Мария, хоть и извелась от ревности и беспокойства, ни разу не попыталась напроситься в гости, а он сам не звал. Через несколько дней она нашла в почтовом ящике среди кучи рекламных листовок ключи от машины мужа и очень удивилась. Выйдя на улицу, удивилась еще больше — машина выглядела так, словно была только что из салона. Когда Гуров в очередной раз ей позвонил, она ему об этом сказала, а он, в свою очередь, позвонил Тамаре и спросил, сколько и кому он должен за ремонт, но та кратко послала его к черту.

А не звал Лев жену в гости потому, что он отдыхал. Регулярно пил минералку, покупал у соседей свежие продукты, а остальное — в магазине. Бродил по лесу, неспешно, без всякой цели, наблюдал за белками, сидя на пеньке, слушал птиц, сидел с удочкой на берегу реки, забывая насадить червяка, — его успокаивал сам процесс, часами лежал в саду на старом диване, глядя в небо на проплывавшие облака. Он ничего не понимал в садово-огородном деле, но уж то, что все нужно поливать, знал, чем каждый день и занимался. Мысль о том, что это он виновен в самоубийстве Лазарева, посещала его все реже и реже — гневная отповедь Савельева сделала свое дело. Но вот мысли о несчастном великовозрастном ребенке, оставшемся наедине с убийцами своей матери, не давали ему покоя, и он решил обязательно поинтересоваться его судьбой, а если надо, то и вмешаться.

Гуров провел в деревне весь свой немалый отпуск, а когда подошло время возвращаться в Москву, позвонил Крячко и попросил его забрать. Стас приехал не один, а с женой, которая, окинув Льва испепеляющим взглядом, первым делом бросилась в огород, откуда тут же раздались ее гневные вопли и стенания. Потом она вернулась к ним, с ненавистью бросила мужу только одно слово: «Сжигай!» — и скрылась в доме. Лев недоуменно посмотрел на Крячко, но тот махнул рукой, показывая, что ерунда, мол, сами разберемся. Глядя на друга, Стас радовался его цветущему, свежему виду и думал, а надолго ли? Опять где-то что-то рванет, и бросится Лев в очередной раз кого-то спасать и что-то раскрывать.

Занеся вместе с Гуровым его вещи в квартиру, где их с подозрительно радушным выражением лица встретила Мария, Стас ответил ей веселой широкой улыбкой и дружелюбно поинтересовался:

— Маша! А ты помнишь, о чем мы с тобой в прошлый раз говорили?

Мария мысленно прикусила язык и решила, что ничего, она свое еще возьмет! И тогда кое-кому кое-что отольется! Но так же хорошо она понимала, что мечтать не вредно, а на самом деле у нее против этой троицы нет ни одного шанса.

Поудивлявшись на роскошный вид своей старой машины, Гуров приехал на ней на работу, где его теперь сопровождали уже не недоброжелательные, а опасливые взгляды коллег — история с низвержением Шатрова еще долго будет гулять по коридорам Петровки. С вопросами к нему никто приставать не рискнул, а вот у Крячко многие интересовались, когда это Лев машину поменял. А Стас на это отвечал, что Гурову просто старую в правительственном гараже так качественно отремонтировали.

Первое, что сделал Лев, это позвонил в Воронежское областное управление и попросил узнать, как поживает Игорь Всеволодович Лазарев, его тетя Екатерина Петровна Ракова и ее муж Леонид Викторович Раков. Ему пообещали выяснить и перезвонить. И перезвонили! Но сказали такое, что Гуров тут же, закрыв глаза, обмяк на стуле: Игорь полтора месяца назад выписался с постоянного места регистрации, а все принадлежащее ему имущество было продано. «Это то, чего так боялся Всеволод: что Раковы оформят над Игорем опеку и приберут все к рукам. И где теперь искать мальчишку?» А вот следующая информация заставила Льва даже вздрогнуть: в начале июня на городской свалке были найдены трупы мужа и жены Раковых, причем там были еще два трупа: членкора Академии наук Шаповалова и доктора медицинских наук профессора Пелишенко. Все со следами жесточайших пыток. Гуров ни секунды не сомневался, чьих рук это дело. Да-а-а, кровавую тризну справил по своему спасителю Зубр! Но куда делся Игорь? Неужели Зубр забрал его к себе? Зачем? Он же последние дни доживает. Подумав, Лев решил подключить к поискам мальчишки Степана — у него возможностей больше. Позвонив ему, назначил встречу в обед в летнем кафе.

Савельев приехал вовремя и, с нескрываемым удовольствием оглядев Гурова, одобрительно сказал:

— Ну, вот, Лев Иванович! Теперь вы стали на человека похожи! А до отпуска могли в любом ужастике призрака играть! И никакие бы комбинированные съемки не потребовались.

— Балбес! — вздохнул Гуров и перешел к делу: — Степа, я сегодня звонил в Воронеж и узнал, что Раковых больше нет в живых, как и других врагов Лазарева — Зубр отомстил за него даже после его смерти. Но не это главное — Игорь исчез, а все его имущество распродано. Я пока не знаю, как это могло произойти, может быть, Раковы успели оформить опеку над Игорем и все быстро распродать, а уже потом их убили. Это я позже выясню. А ты узнай у Тамары, не Зубр ли забрал мальчика к себе, потому что со мной она теперь вряд ли захочет говорить. Если Игорь у него, надо парня как-то оттуда забрать — не место ему там. Есть же, наверное, какие-то специальные заведения для таких, как он, потому что один он пропадет.

— Лев Иванович, Зубр умер. Сейчас идет борьба за престол, — хмуро проговорил Савельев. — А вы что, решили вмешаться в эту историю?

— Да, Степа, я чувствую себя ответственным за этого мальчика. Как знать, если бы не я, у Всеволода, может быть, все получилось бы. А сейчас Игорь, не исключено, что и в психиатрической больнице, куда его Раковы упекли. Если ты согласен мне помочь, пробей все, что можно, по своим каналам, а я займусь официальными запросами.

— Подождите с запросами. Давайте для начала я попробую сам его найти по нашим базам и в любом случае, есть он там или нет, позвоню вам.

Гуров вернулся на Петровку. Первый день после отпуска никогда не бывает запланированным, вот и Лев не знал, чем себя занять. Ближе к вечеру ему позвонил Савельев и попросил после работы заехать на его городскую квартиру — он кое-что нашел.

И вот Лев уже сидел в привычном кресле, Степан вставлял в процессор флешку, а в качестве монитора выступал большой плазменный телевизор. Пошло изображение.

Лежаки возле бассейна, растительность явно южная, утро, потому что солнце еще неяркое, появляется мужчина в плавках, который с бортика прыгает в бассейн, пересекает его по длине два раза, подплывает к бортику, подтягивается, вылезает, и становится видно его лицо. Когда Гуров увидел, кто этот мужчина, у него дыхание перехватило — это был Всеволод Лазарев. Он вытерся полотенцем и хотел лечь на один из лежаков, когда вдруг раздался крик:

— Папа! Папочка! А можно мы с Гришей и дядей Сережей на рыбалку пойдем? И Фунтика с собой возьмем?

В кадре появляются большой, добрый и радостный Григорий Шкварок с удочками, счастливо улыбающийся Игорь со щенком на руках и серьезный мужчина в шортах, явно охранник или телохранитель.

— Конечно, можно, только ты и сам в воду не лезь, и Фунтика не пускай, она утром еще холодная, — говорит ему Всеволод, а потом мужчине: — Сергей, проследи, пожалуйста.

— Конечно, Всеволод Александрович, — кивает тот.

Эти трое уходят, а Лазарев ложится на стоящий в тени чего-то лежак и устраивается поудобнее. Тут сбоку появляется часть темной юбки и белого передника, и раздается женский голос:

— Всеволод Александрович, что вам принести? Сок или компот?

— Просто воду без газа, Оля.

Через минуту на низкий столик возле лежака кто-то кладет салфетку, а на нее ставит пластиковую бутылку воды и стакан. Лазарев лежит, но если тело расслаблено, то по лицу этого не скажешь — он явно о чем-то думает.

Степан прокрутил изображение вперед, и вот уже день в разгаре, а Лазарев лежит по-прежнему в той же позе. Вдруг раздается радостный крик:

— Папа! Смотри, сколько мы всего поймали! — и в кадре появляется радостный Игорь с нанизанными на что-то довольно крупными рыбами.

— Тихо, Игорек! Папа работает! — тут же просит его женский голос, и мальчик, замерев, на цыпочках уходит.

Степан опять прокрутил изображение, и теперь в кадре уже вечер, стол в беседке под низко висящей лампой, на нем жареная рыба, хлеб, овощи, фрукты, зелень, сок — одним словом, обычный южный стол. За ним Всеволод, Игорь, Григорий и Сергей. На перилах беседки сидит и умывается котенок.

— Папа, а Фунтик рыбью голову гонял-гонял и в бассейн уронил, — говорит Игорь.

— А доставать ее, конечно, мне, — вздыхает Сергей.

— Не надо, Сережа, я сам нырну! — с готовностью предлагает Григорий.

Игорь прижимается к отцу, который обнимает его рукой за плечи, и обиженно спрашивает:

— Папа, а почему тебя комары не едят, а меня едят?

— Потому что ты у меня самый вкусный на свете! — Всеволод целует сына в макушку.

Савельев выключил запись. Гуров некоторое время сидел молча, а потом напряженным голосом произнес:

— Степан, ты понимаешь, что я тебя сейчас убью? Ты что, не мог мне раньше сказать? Ведь если бы я убедился в том, что он из-за меня покончил жизнь самоубийством, то застрелился бы.

— Да кто вам дал бы! А сказать я действительно не мог — вы — офицер и сами понимаете, что такое приказ. И сейчас бы вы ничего не узнали, но я понял, что вы с вашей настойчивостью можете все дело загубить — вы же значение слова «нет» не понимаете и всегда прете напролом. Я доложил, и мне разрешили вам кое-что показать, но вы, естественно, ничего не видели.

— Но зачем было затеваться с самоубийством? — возмутился Лев.

— А как иначе можно было дело закрыть? Только за смертью подозреваемого, — объяснил Степан. — И документы, что я тогда в коробке увез, поштучно проанализировали, и в Следственный комитет попало только то, что никак к Лазареву привести не могло. Когда в Центре все это случилось, туда сразу же выехали наши эксперты. Как только эти взрывные устройства попали к ним в руки, они от восторга дар речи потеряли, и мы тут же все фотографии и описание из дела изъяли. Разглашать ничего нельзя было, поэтому на совещании была озвучена более-менее правдоподобная версия произошедшего. Потом была создана рабочая группа из разных ведомств. Вы не думали, почему вас туда включили, если всем давно известно, что вы работаете только с Крячко или вообще один? Или кому-то заноза в заднице потребовалась?

— Как сказал Орлов: «меня там хотели».

— Правильно сказал. Вас туда включили специально, потому что знали, что вы обязательно пойдете своим путем, а вы до сих пор никогда не ошибались, и Олег Михайлович в вас верит. А потом я к вам присоединюсь, и это ни у кого не вызовет подозрений. А тут еще и Плюшкин со своей дурью нам подыграл. Нам нужен был человек, который изобрел это взрывное устройство. И мы с вашей помощью его нашли! Вы знаете, что Лазарев изобрел для этой своей затеи? Этой вещи аналогов в мире нет! Это новое слово в науке! Он же подрыв из Воронежа произвел! Причем изобрел шутя! Походя! Не напрягаясь! Да если бы не та история с Шаповаловым, он уже академиком был бы. Вы знаете, какую работу он сейчас ведет? К нему генералы из Москвы на консультацию прилетают. А тогда пришли к нему в Лефортово люди, поговорили, объяснили, сделали предложение. Он подумал и согласился, но выставил несколько условий.

197

— Даже так? — невесело усмехнулся Гуров. — И что же это были за условия? Игорь, Григорий, а еще?..

— А он себе цену знает! И мы ничего плохого в этом не увидели! Григория я лично к нему первым привез, прямо на следующий день после того, как сам Лазарев там поселился. Господи, как Гриша радовался! Сначала плакал от счастья — все никак поверить не мог. А потом схватил Всеволода в охапку, в воздух поднял и смеялся как ребенок. Да и сам Лазарев при всей своей невозмутимости чуть не прослезился. С Игорем пришлось сложнее — там и психиатры, и гипноз, и Лика возле него месяц провела, но результат вы видели. А еще Лазарев захотел с отцом встретиться.

— Да-а-а? — с интересом протянул Гуров. — И как прошла эта встреча?

— Всеволод дал ему две пощечины и объяснил, за что: одну — за мать, которая сошла с ума от горя после того, как этот мерзавец ее бросил, а вторую — за себя! И все! На том встреча и закончилась. Кстати, они действительно очень похожи. Ну а остальное по мелочам: квартиры, гаражи, машины, дачу продать, деньги со всех счетов на его счет перевести, мебель, картины и все прочее из дома его бабушки с дедушкой в его новый дом перевезти... Словом, ерунда.

— Но почему он тогда, в Воронеже, не рассказал мне о светильниках, расписании и всем остальном? Какого черта он выламывался? — возмутился Лев.

— Я вам дам копию записи того разговора, посмотрите на себя со стороны и все поймете. Вы так и не поняли, что перед вами не шизофреник, который сломается, и давили на него. А Всеволод настоящий мужик! Он в вас разочаровался, о чем и сказал напрямую.

— Ты тоже записывал?!

— Что значит «тоже»? У меня был приказ, — объяснил Степан. — Из местных вас никто не писал, а у Лазарева в телефоне был передатчик, который он включил, когда доставал его из шорт на турбазе, вот Зубр все и слышал от начала до конца. А ведь я вам предлагал сначала документы посмотреть, а уже потом с ним разговаривать, но вы отмахнулись. А я ночью все почитал и узнал, что он одновременно с Зубром в «психушке» лежал и подозревался в пособничестве его побегу. Всеволод о вас через Интернет узнал и подумал, что вы ему помочь сможете, он вам, как на исповеди, свою душу выворачивал, а вы? Вы изначально, не имея никаких доказательств его вины, были против него настроены. Вы почему-то сразу решили, что Екатерина во всем безоговорочно права, и дословно ее цитировали. Несмотря на это, Всеволод все-таки пытался наладить с вами контакт. Не вы с ним, а он с вами. У меня нет вашего жизненного и профессионального опыта, и образование юридическое у меня заочное, но я очень хорошо помню выражение «Audiatur et altera pars» — «Да будет выслушана и другая сторона»! А вы ее слушать не захотели! И он это понял! Чего же ему распинаться перед вами?

Гуров почувствовал, что у него от стыда заполыхали уши — такого у него с юности не было! Чтобы хоть как-то оправдать свой промах, Лев уцепился за последний аргумент:

— А он сына в Москве бросил и в Воронеж уехал!

— О, господи! — простонал Степан. — Ну, слушайте! После того как Васютин, не тем будь помянут...

— Как? И он тоже? — удивился Лев.

— Да! Как и Федор! Зубр не поскупился. Короче, Всеволод уехал из Дедовска. Но аппаратура у него такая, какой и у нас нет. Точнее, до него не было. Делать ему было нечего, работал сутки через трое, вот и изобретал. Он все телефонные разговоры Екатерины не только прослушивал, но и записывал. А она, посчитав, что он испугался и уехал навсегда, решила избавиться от Игоря — он был ближе, а потом и до Всеволода добраться. Они с Федором разыграли спектакль с якобы металлоремонтом, чтобы под видом заботы об Игоре отправить его на стройку, где Федор устроил бы ему несчастный случай со смертельным исходом — это же он отправил его красить ту трубу. Он же его аккуратно и толкнул в спину, чтобы тот упал вниз, только мальчишка выжил — крики другие люди услышали и вытащили его. А Екатерина на Федора потом орала, что ему ничего поручить нельзя, и поехала в больницу. А Всеволод из этого разговора понял, где Игорь находится и под каким именем, но фамилии он не знал, они ее не называли.

Тогда он позвонил Екатерине и сказал, что у него есть записи всех ее телефонных разговоров с Федором, и если с Игорем что-то случится, то они оба сядут, и надолго. Екатерина быстро поменяла номера своего и Игоря телефонов и отправила мальчишку в Москву. Она хорошо понимала, что Лазарев сына обязательно найдет, так что Федору оставалось только следить за Игорем и ждать, когда это произойдет, чтобы убрать Всеволода. Лазарев нашел сына еще в апреле и квартиру в Москве снял. В тот день он ждал его на другой стороне улицы напротив офиса, там-то его Федор ножом и ударил. Только у Лазарева во внутреннем кармане куртки был планшет собственного изготовления, нож и соскользнул, но бок ему здорово располосовал. Вы у него шрам видели?

— Нет, я только на лицо смотрел, — пробормотал Гуров.

— Так мне и на начало перемотать недолго, — предложил Савельев.

— Не надо, я тебе и так верю, — опустив глаза, ответил Лев.

— Народу на улице было много, так что добить его Федор не мог: одно дело — походя ударить, и совсем другое — на виду у всех убивать. Федор скрылся, а кто-то из прохожих, увидев кровь, «Скорую» вызвал. Так что Лазарев потом в больнице лежал, а покушение это камерой наружного наблюдения одного из магазинов зафиксировано. И имеется эта запись не только в полиции, но и у Лазарева — ему в любую компьютерную сеть залезть, как к себе в карман. Только Всеволод полицейским не сказал, что это Федор был — побоялся, что эта троица с Игорем что-нибудь сделает. Вернулся он из больницы в арендованную квартиру и понял, что пора переходить к решительным действиям, то есть подводить Игоря под психиатрическую экспертизу. Влез в компьютерную сеть «Тридевятого царства», все, что ему нужно было, узнал, сделал взрывчатку, собрал взрывные устройства, а потом к Игорю пошел. Узнал, что за ключ, и тогда у него сложился окончательный план. 12-го числа он получил билет, бросил его в почтовый ящик Беляева, дома присобачил сотовые с отпечатками Игоря к взрывному устройству, исключительно для привлечения внимания к нему, и рано-рано утром 13-го приехал к Центру.

— Значит, он там все-таки был! — торжествующе воскликнул Гуров.

— Конечно, был! Но только один раз, тогда. Он джип свой в стороне оставил, замаскировал, а сам пришел дворником на работу устраиваться. Охрана посмотрела на него — мужичонка на вид безобидный и, хотя начальство еще не приехало, пропустила на территорию. Он там все обошел, все камеры видеонаблюдения вычислил, выяснил, что дверь в павильон на ночь не запирается, место для ночлега выбрал — там грот с хрустальным гробом есть, и затерялся — территория-то большая. Ночью он по «мертвым» зонам до павильона добрался, внутрь вошел, два стола рядом поставил, на них третий и не спеша все заложил, а потом отправился спать. Утром уже новая смена охраны, ничего не подозревая, выпустила его. Сел он в свой джип и в Воронеж поехал, а по дороге на электронную почту Екатерины — ему вычислить ее ничего не стоило — отправил запись того, как Федор на него покушался. Да с припиской, что дело полицией еще не закрыто, и если с Игорем что-то случится, то он имя Федора назовет, а тому в этом случае, как уже имеющему судимость, большой срок светит. Он потому и поехал на турбазу, чтобы люди вокруг были — вдруг Федор за ним в Воронеж отправится? В пятницу Всеволод уничтожил компьютерную сеть фирмы, а в субботу, в точном соответствии с расписанием, подал сигнал. И в том, что сотрудники Центра отклонились от расписания, его вины нет.

— Кто же тогда Игоря сбил? — спросил Лев. — Крышка люка в очистных незакрытая? Сапоги вымытые?

— Мы проверили алиби Леонида, Екатерины и Федора — они Игоря сбить не могли, а посвящать кого-то постороннего в свои дела вряд ли стали бы, так что это кто-то другой его нечаянно сбил и, испугавшись, уехал. С крышкой от люка — обычная халатность, а сапоги брал садовник — ему надо было что-то сделать в болоте, где Царевна-лягушка должна была сидеть. Как видите, все объясняется очень просто.

Некоторое время они молчали, не глядя друг на друга, и первым не выдержал Степан:

— Кстати, вас к ордену «За заслуги перед Отечеством» представили. Один раз вы от него отказались и попросили

Орлова им наградить, но теперь уже не отвертитесь. Будете носить как миленький!

— Не буду! — буркнул Гуров.

— Значит, на подушечке перед гробом понесут, когда вы в следующий раз застрелитесь, — невозмутимо сказал Савельев.

Лев резко повернулся к нему, но, встретив невинный взгляд Степана, невольно рассмеялся.

— Паразит! — только и смог сказать он.

После отдыха в деревне Гуров полюбил гулять на природе. За город он, конечно, не выезжал, а вот все парки Москвы обошел, выбирая тот, который ему больше придется по душе. Вот и в это воскресенье он приехал на Воронцовские пруды и медленно брел по аллее, когда его кто-то позвал. Повернувшись, он увидел Тому Шах-и-Мат, сидевшую на скамейке, а недалеко от нее в траве с мячом играла маленькая девочка. Лев подошел к ней и иронично спросил:

— Ты же со мной вроде даже говорить больше не хотела?

— Сядь! — поморщилась она и снова стала следить за девочкой. — И не порть мне настроение — видишь, с внучкой гуляю. — Они немного помолчали, и Тамара спросила: — Слышал, что Толька умер? — Гуров кивнул. — Как он хотел успеть хоть одним глазом на внука посмотреть, да не получилось!

— Тома, ну, теперь-то ты можешь мне правду сказать. Николай Чугунов ведь к Зубру никакого отношения не имел. Это Наталья его дочь, я прав?

— С чего это ты взял? — удивилась она. Действительно удивилась.

— Так Николай сам проговорился, когда сказал, что его потерянную ногу никакими деньгами не окупишь. И потом, он там как пешка валялся, коньяк пил и телевизор смотрел, а вокруг Натальи все барыню танцевали: и охрана у палаты, и кровать из дома привезли, и няня детей там была, — объяснил он.

— Постарел ты, Гуров! Совсем уже мышей не ловишь! — усмехнулась она. — Это Глеб Толькин сын, но, как ты понимаешь, они это от всех скрывали. А Наталья — женщина Глеба, и дочки у нее от него. Они ее с девочками от греха подальше на расстоянии держали, а когда Толька понял, что умрет скоро, захотел хоть под конец с внучками повозиться. Вот он Чугунова и нанял, чтобы тот его женатого племянника изображал — долг на нем висел большой, его и отрабатывал. А тут Наталья мальчишкой забеременела! Счастливый Толька был — словами не описать! Да потеряла она тогда ребенка.

— Теперь я понимаю, почему Зубр так взбесился, — покивал Гуров.

— А ты бы на его месте не взбесился? — хмыкнула Тома.

— Ну, и где они сейчас? — поинтересовался Лев.

— Да уж не здесь. Только им заранее и дом за границей купил, и деньги туда подогнал, и документы новые сделал. А Чугунову и долг простили, и хорошо заплатили, только не в коня корм — спился он.

— Жалко его — он же Наталье и девочкам жизнь спас.

— А ему сразу сказано было, что, если с ними что-нибудь случится, ему не жить. Так что он не их, он себя спасал, — объяснила Тома.

Все время этого короткого разговора она не сводила глаз с внучки, только иногда мельком посматривала на Гурова, и он, поняв, что здесь лишний, поднялся:

— Пойду я, не буду тебе мешать, бабушка Тамара! — И тихонько рассмеялся.

— Ничего ты в жизни не понимаешь! — рассердилась она. — Дети и внуки — это же такое счастье, дороже которого ничего на свете нет!

Лев повернулся и пошел по аллее, а ее последние слова все продолжали звучать у него в ушах. «Как же это несправедливо, — думал он. — На ней, на Зубре, на Кинг-Конге пробы ставить некуда, а их старость кто-то согрел. А кто согреет нашу с Марией старость?» Настроение совсем испортилось, и он быстрыми шагами пошел к стоянке, чтобы поскорее вернуться домой, к жене. Если уж так сложилось, что им с Марией вдвоем век доживать, то они сами согреют старость друг друга. И она у них обязательно будет счастливой!

А фирма «Тридевятое царство» смогла выправиться, и Центр заработал. Павильон, конечно, снесли, и на его месте построили маленькую и красивую, словно из сказки, часовенку. Но там есть только поминальный стол и канун, потому что во здравие там свечи не ставят. И колокол там есть, но звонить он будет только один раз в году — в последнюю субботу мая. И его ударов будет столько, сколько человек погибло в той страшной трагедии. Но уже сейчас туда идут и идут родственники погибших, потому что у ангелов, изображениями которых расписана внутри часовенка, их лица.

Светлая им память!

Уголовный шкаф

РОМАН

Глава 1

Над строительной площадкой в подмосковном Горчакове повисла неприятная, гнетущая тишина. Не работали экскаваторы, замер на месте бульдозер, замолчал компрессор. Рабочие сидели кучками на складированных сваях, на лавке возле вагончика и курили уже по пятой сигарете.

Комиссия приехала через два часа. Прораб, Олег Иванович Борисов, крупный мужчина с густыми темными волосами, сидел на лавке возле вагончика и смотрел пустым взглядом в сторону трех старых домов, которые должны были снести на этой неделе и продлить строительную площадку. За двадцать два года работы в строительстве у Борисова бывало всякое, включая и несчастные случаи, но чтобы вот так.

Состав комиссии был впечатляющим: заместитель генерального директора, заместитель директора по персоналу, начальник юридического отдела. Борисов посмотрел в сторону прибывших, покачал головой и стал смотреть в другую сторону. Представители администрации медленно покидали микроавтобус, о чем-то переговаривались и постоянно осматривались по сторонам. Как будто намеревались тут же, с ходу найти еще массу недостатков в работе прораба, возможно и вопиющих нарушений.

Гибель рабочего на производстве — это происшествие, которому оправданий, как правило, не находится. Даже если погибший был разгильдяем, алкоголиком или еще имел какие-то личные недостатки, то все равно виноват руководитель, который эти недостатки не учел, который поставил

207

этого человека на это рабочее место, не проконтролировал и так далее, и тому подобное. Иными словами, куда ты сам-то глядел?

— Эх, Олег Иванович, — заместитель генерального вздохнул и сокрушенно покачал головой, — куда ты сам-то глядел. Жалко парня, мог из него и толк выйти.

— Что, не довезли? — поинтересовалась дородная тетка — заместитель директора по персоналу. — Эх, Борисов, как же ты так-то? Умер ведь парень, прямо в машине.

— Да что вы из меня жилы тянете теперь! — взорвался прораб и вскочил на ноги.

Он заметался возле вагончика, как тигр в клетке, не зная, куда деться от всего этого кошмара, потом сник и снова опустился на лавку. Метаться можно до бесконечности, а поправить уже ничего нельзя. Сейчас начнут опрашивать всех рабочих, мастеров. Кто, как, когда. И какого черта вдруг рубильник оказался закрытым деревянным щитом? И почему оголенные провода лежали просто так возле составленного у стены инструмента? Борисов и сам не мог ответить на этот вопрос. Такого просто не могло быть, но такое произошло. Мистика какая-то. Или, что скорее, кто-то захотел его подставить. Если подумать, то можно предположить, кто из рабочих, затаив обиду на строгого прораба, мог такое подстроить. Но ведь человек же погиб из-за этого!

И уж совсем уныло стало на душе Борисова, когда на площадку приехала молоденькая светловолосая следователь с погонами лейтенанта. И от того, что она такая молоденькая, свеженькая и совсем не похожая на следователя, и от того, что она так старательно делала строгое лицо, хмурила бровки и распоряжалась, становилось совсем муторно.

— Скажите, Олег Иванович, — строгим голосом спрашивала следователь, — кто велел закрыть электрический рубильник деревянным щитом?

— Никто не велел, — сдерживая раздражение, ответил прораб. — Кто же мог велеть, если это вообще запрещено. Рубильник должен быть свободен от любых посторонних предметов и оборудования. К нему должен быть свободным доступ. И всегда иметься наготове табличка «Не включать, работают люди».

— Тогда почему же он оказался закрытым? И в результате погиб человек.

Вопрос девушка задала таким тоном, как будто ответ был очевиден, задавать этот идиотский вопрос она была вынуждена, но это ей так неприятно. Ведь все очевидно. И Борисов снова сорвался. Он не кричал, не бегал по вагончику, в котором его допрашивала эта инфантильная следователь. Он скрипнул зубами и жестко, рублеными фразами стал говорить этой молоденькой, смазливой, неопытной ни в профессии, ни в жизни девушке.

— Это несчастный случай, а не чей-то преступный приказ! — рубил воздух словами Борисов. — Есть инструкция, ее все знают. И то, что произошло, — это не умысел. Погибший не был министром или генеральным директором, его незачем убивать умышленно, понимаете. Он был обычным работягой! Это несчастный случай. Это вообще мистика, если хотите. Мне вон одного прорицателя хватает!

— Какого прорицателя? — ухватилась за эти слова следователь.

— Я вам скажу, только вы не смотрите на меня как на больного, — угрюмо отозвался прораб, глядя в стол. — Старик тут ходит из местных. В рабочее время ходит и не дальше охраны у ворот. Сторожа его знают. Он все вещает, что место это проклятое, что трогать тут ничего нельзя. Сносить нельзя, а то беда будет.

— Так-так! — быстро начала писать на своем листке следователь.

Выражение ее лица сделалось таким, как будто она наконец ухватила удачу за хвост и все расследование теперь сведется к простой формальности. Только записать, арестовать, и дело закончено. Борисов смотрел на девушку, понимая, что сболтнул лишнее, но молчать теперь было нельзя и он стал рассказывать дальше.

— А по ночам сторожей здесь пугает привидение. Это вы тоже запишите. И допросите их, они вам расскажут. А еще на стене в одной из квартир дома, который мы снесли два дня назад, надпись появилась. Кровью! И ее видели десятки людей. Рабочие специально бегали смотреть в обеденный перерыв.

— Так-так, фамилии, пожалуйста. Кто видел эту надпись?

— Твою мать! — шепотом ругнулся Борисов и снова обреченно опустил голову.

Мария озабоченно крутила головой и не замечала, что молодой рыжеволосый таксист поглядывает на нее с загадочной улыбкой.

— Вон там, мне кажется, направо. — Мария протянула руку.

— Да, знаю я, знаю, где этот ваш «Раритет» находится. — Водитель заулыбался, разогнав по лицу все свои задорные веснушки. — Место известное!

— Да? — удивилась Мария. — Что, такой известный магазин?

— А то! — снова расплылся в довольной улыбке водитель, сворачивая на перекрестке. — У них там стабильно раз в квартал в начале первого месяца обновление. Я туда столько экспертов перевозил, сколько их и в Москве не живет.

— Ну ладно, — успокоилась Мария и снова посмотрела на часы.

Подруга была обидчивой, когда дело касалось ее увлечений и непонимания этих увлечений окружающими. Особенно близкими подругами.

— А я вас знаю! — заявил наконец водитель. — Вы Мария Строева! Актриса!

— Ну... да. — Мария вежливо улыбнулась. Она стала уже несколько уставать от своей популярности.

— Я с девушкой в субботу ходил на ваш спектакль. — Водитель оторвал одну руку от руля и смущенно поскреб пальцем в рыжей шевелюре. — Я вот все хочу узнать. А как вы вот в роли свои вживаетесь?

— Иногда очень крепко вживаемся, — вздохнула Мария.

— Нет, я не о том. Вот вы играете чувства на сцене, или вы настолько погружаетесь в образ, что на самом деле эти чувства как будто испытываете?

210

— О-о, молодой человек, — засмеялась Мария, — тут вам за пять минут и не объяснить всех тонкостей нашего ремесла. Вы лучше откройте Интернет да поищите все о системе Станиславского. А заодно и о системе Михаила Чехова, если заинтересует. Знаете, в жизни даже может помочь. Да еще при вашей работе, когда приходится ежедневно с большим количеством незнакомых людей общаться.

— Да? — Водитель сделал серьезное и даже какое-то озабоченное лицо. — А что это за системы? Тренироваться надо?

— Вы, — Мария поискала на панели машины табличку с именем и фамилией водителя, — Володя, главное, почитайте, а там сами поймете. И остановите мне машину вон возле той дамы в красном!

Дамой в красном была давняя подруга Марии Виола Палеева. Они играли в одном театре уже много лет, и Виола по рождению была не Виолой, а Валентиной. И по мужу, бросившему ее шесть лет назад, она была Кузнецовой. Но по мнению самой Виолы, для актрисы просто неприлично иметь такое имя. Что такое Валентина Кузнецова? Это намек на крестьянское происхождение или непрекращающуюся череду неудач в жизни. Это может означать только комнату в старой хрущевке (не важно, что в Москве их уже не осталось), неустроенность в личной жизни и полное отсутствие внимания достойных мужчин.

А сочетание Виола Палеева, как значилось во всех афишах и программках, по мнению подруги, возносило ее автоматически на уровень нимф, воздушных созданий, личностей духовных, душевных, творческих и «не от мира сего». Не может быть «от мира сего» Виола Палеева! Она же не какая-то там Валентина Кузнецова. И одевалась Виола так же вызывающе. Хотя, надо было отдать должное, она имела вкус и выглядела стильно всегда, даже когда выезжала с компаниями на пикники. Стиль — вот главное в жизни, говорила Виола не раз Марии и гордо вздергивала головку с острым носиком, пухлыми губками и томными глазками. Ее рука поправляла струящиеся волосы, и все вокруг должны были вздыхать и замирать от восторга.

— Маша! — вспыхнула карими глазами Виола, увидев выходящую из такси подругу. — Ты снова опаздываешь! Как можно в наше время?

— Ну, прости, прости. — Мария церемонно приложилась щечкой к щеке подруги, потом ко второй. — Ты же знаешь, что пробки повсюду. Ну, показывай свое сокровище.

Мария к подруге относилась снисходительно. Она скорее забавляла ее своими манерами и своим стилем жизни. Хотя и в глубине души Виола была женщиной доброй, и подругой она была верной тому, кто дружил с ней искренне.

Виола подхватила Марию под руку и буквально потащила к магазину, непрерывно щебеча и воркуя.

— Ты не представляешь, Мари, что это за чудо. Он стоял в запасниках филиала Пушкинского музея, стоял очень много лет. Я даже не представляю, почему! Это такое чудо! Ты же знаешь, как у нас чиновники могут испортить любую хорошую идею, если им дать волю. Филиал новый, его только-только передали под крыло Пушкинскому, потому что он территориально теперь вошел в границы Москвы. Ты же знаешь, что у нас недавно снова расширили эти границы... Скоро Москва станет шире Московской области! Классная шутка, да? Это мой Вадик откуда-то принес.

Мария слушала и улыбалась болтовне подруги. Виола умела скакать с темы на тему в разговоре и снова возвращаться к изначальной в нужный момент. Она как будто наслаждалась лирическими отступлениями в разговоре. Она вообще жила так, как будто наслаждалась жизнью. Редкое и удивительное качество.

Обширные недра антикварного магазина приняли в себя подруг, окутав их атмосферой старины, благоговейной тишины и запахами старых гобеленов, мебели, тусклого блеска позолоты и начищенной бронзы. Даже Виола стала говорить чуть тише. Правда, она не упускала возможности осмотреть себя в зеркалах, подбирая животик и расправляя при ходьбе плечики. Мужчина у окна, рассматривавший со своей дамой бюро XIX века, чуть не свернул шею, глядя вслед красному костюмчику Виолы с глубоким вырезом впереди и высоким разрезом сзади, открывавшим ее пухлые бедра.

— Мадам? — Худощавый парень в больших очках с бейджиком продавца магазина, видимо, знал Виолу прекрасно и давно усвоил стиль общения с ней. — Ваш шкаф ждет вас. Я бы сказал, что он скучал!

— Ой, Володя, — Виола грациозно взмахнула кистью, — вы скажете тоже. Ну, проводите же нас к нашему сокровищу!

Мария улыбнулась этому маленькому театрализованному представлению. Что делать, Виола любила и умела устраивать вокруг себя вот такие маленькие спектакли с собой в центре. Она шла за подругой и продавцом Володей среди старинной мебели и предметов интерьера, расставленных на столах, тумбах и просто на полу, если им не было предназначено висеть под потолком.

Шкаф обнаружился в самом дальнем углу торгового зала, возле двери, ведущей в служебное помещение. Сооружение в трех уровнях из темного дерева выглядело солидно и несколько тяжеловато. Но, глядя на плавные изгибы формы, сложный рисунок резьбы, обилие архитектурных элементов, в памяти сразу всплывало знакомое когда-то слово «барокко». Шкаф впечатлял. Он был монументален. Он вполне мог вписаться в современный интерьер, стилизованный под европейское барокко. Интересно, подумала Мария, а ведь Виола ни словом не обмолвилась, что собирается делать в квартире ремонт. Не в ее вкусе ставить такие шкафы на фоне флизелиновых обоев и дверей типа «канадка». Темнит что-то подруга! Тем более что этот шкаф, если она не врет и если он и правда из запасником музея, стоить должен как вся ее квартира.

— Вот ваше сокровище, — ловко выхватив из бокового кармана пиджака тонкие хлопчатобумажные перчатки, заявил продавец. — Вы помните наши правила? Пока это экспонат, прикасаться к нему можно только в перчатках.

— Ах, — элегантно взмахнула ручкой Виола, — мне не терпится привезти его домой и трогать там сколько хочется. А здесь...

— А сколько он стоит? — перебила подругу Мария и решительно взяла из руки продавца перчатки. — Если это и правда восемнадцатый век, то стоить он должен очень много.

— Прошу вас, — повел рукой Владимир, приглашая обойти шкаф и взглянуть на него с другого бока. — Во-первых, это конец восемнадцатого века. А во-вторых, увы, изделие попорчено. Взгляните. Не самое видное место, но все же. Говорят, что если гниль в дереве завелась, то остановить ее разлагающее действие уже невозможно. Санации не помогают.

Мария увидела, что верхняя часть правого блока и задней части в самом деле испорчены. Видимо, не одну неделю, а может, и месяц вода капала на эту часть шкафа. Вода, видимо, грязная. Лаковое покрытие потемнело, на стыках деталей появились темные пятна. Было очевидно, что разложение древесины пошло уже вглубь. Странно, что в музее изделие восемнадцатого века хранилось в таких условиях. Хотя если Виола говорит, что шкаф попал в филиал из вновь зачисленного в структуру районного музея, то все возможно.

— Вот смотри, Маша. — Виола гордо взирала на шкаф блестевшими от восторга глазами. — Это чудо встанет в гостиной. Сейчас один мой хороший знакомый дизайнер прикидывает интерьеры под этот шкаф. А Вадик сказал, что он все эти пятна починит легко. Хочешь посмотреть его внутри?

Мария, уже успев надеть на одну руку перчатку, провела по поверхности дверки рукой. Потом потянула за ручку. Дверца открылась без скрипа, и в лицо пахнуло специфическим запахом. Мария мысленно назвала его запахом веков, потому что это было первое, что пришло ей в голову. Сколько поколений владели этим чудом мебельной архитектуры, сколько всего разного тут хранилось за эти столетия. И все оставляло свой запах, все впитывалось внутренними стенками. Но большей частью шкаф, видимо, сохранил запах натуральной пропитки, которой была обработана древесина. Никакой химии, все только настоящее, природное.

— Да, красиво и надежно делали тогда, — с улыбкой отметила Мария. — Действительно на века!

— Произведение искусства, — подал голос продавец Володя, напомнив о своем присутствии. — Так когда вы его будете оплачивать и забирать? Мы, видите ли, не можем держать приобретенный или просто отложенный товар достаточно долго. По закону...

— Уймись, Вова! — вдруг сменила интонации Виола, перейдя на вульгарный тон. Она двумя пальцами вытянула из клача пластиковую банковскую карточку. — Оплачивать будем прямо сейчас!

Лев Иванович Гуров уселся за столом для совещаний на свое привычное место у окна. Ежедневные планерки у генерала Орлова были привычными. Порядок рассмотрения вопросов, заслушивания отчетов и докладов, постановка задач — все это не менялось с годами. Старый друг Петр Николаевич Орлов любил во всем порядок, методичность. И стиль проведения ежедневных утренних совещаний оставался прежним. Менялся только сам генерал Орлов, не щадили годы старого товарища.

Да и что говорить об Орлове. И сам Гуров, и давний напарник и друг Станислав Крячко тоже уже не мальчики. Сколько за эти годы молодых офицеров выросло в стенах Главка уголовного розыска на глазах матерых сыщиков Гурова и Крячко. Напарники сработались так, что понимали друг друга с полуслова. А иногда по одному взгляду. И когда они работали, то не задумывались о том, насколько сблизили их жизнь и служба. Понимали они это, когда обстоятельства их разлучали. Как сейчас вот. И сразу чего-то не хватает, сразу какой-то дискомфорт, ощущение неуютности.

Гуров покосился на пустой стул Крячко. Этот взгляд не укрылся от генерала Орлова.

— Ты, Лев Иванович, не страдай и вздохами молодых сотрудников не расслабляй. Твой напарник убыл на заслуженный отдых в отпуск, ты сам через неделю отправишься уплотнять телом песок юных пляжей. А пока ты здесь, я хотел тебя попросить взять на контроль одно дело. Прошу внимания, товарищи офицеры!

Выросший было в кабинете гул голосов присутствующих офицеров, взявшихся обсуждать летний отпуск, мгновенно стих. Орлов недовольно обвел взглядом подчиненных и нацепил на нос очки.

— Прошу всех собраться. Что вы в самом деле, как школьники в преддверии летних каникул, все в окна таращитесь.

Итак! По имеющимся на сегодняшний день сведениям, в Москве на «черном рынке» появились ювелирные изделия, имеющие историческую и культурную ценность. Предположительно изготовленные в восемнадцатом веке.

— Когда? — не удержался от возгласа Гуров. — Прошу прощения, Петр Николаевич, но просто такого рода сведения не из пальца высасывают. Что, есть серьезные основания полагать, что изделия действительно такой древности?

— Я понимаю, Лев Иванович. — Орлов снял с носа очки, отложил их в сторону и потер переносицу. — К сожалению, утверждение всего лишь голословное. Так утверждала некая личность, пытавшаяся продать эти изделия. Возможно, что это чистейшая ложь, а возможно, и нет. Дело в том, что предлагали изделия людям, которые кое-что понимают в драгоценностях.

— Ну да, — согласился Гуров. — Человек знал, на кого выходить с предложением, он знал, где их искать, он понимал, что обращается к людям, которые все-таки эксперты в этих вопросах. И он понимал, что его легко уличат во лжи. Или полагал, что сможет убедить посредников.

— Ну, вот ты на все вопросы сам и ответил, — улыбнулся Орлов. — Мне тоже показалось с самого начала, что основания для беспокойства есть. Займись, Лев Иванович, этим делом. Я передам тебе все имеющиеся материалы. Там, кстати, есть и описания двух изделий, которые пытались продать.

Вернувшись в кабинет после планерки, Лев Иванович уселся на свой любимый диван, бросив бумаги на журнальный столик, и заложил руки за голову. Итак, прежде чем знакомиться с материалами, неплохо было бы понять, почувствовать, проанализировать первичную информацию. Как правило, первое впечатление оказывается верным. Это в том случае, если у тебя за плечами огромный опыт оперативно-разыскной работы. Опыт есть. Впечатление есть.

Мнение генерала Орлова тоже многое значит и вес имеет. Петр не вчера пришел в розыск. Когда капитан Гуров познакомился с подполковником Орловым? Давно, еще в советские времена, еще во время работы в МУРе. Петр ас, матерый сыскарь! Его интуиция никогда не подводит. И третье, драгоценности, имеющие такую ценность, буквально историческую, не каждый день появляются на «черном рынке». Тоже плюс к тому, что дело важное. Минус один — в ориентировках напрочь отсутствуют сведения о похищенных драгоценностях такого возраста. Это серьезная коллекция, по Главку обязательно прошло бы. А Гуров такого не помнил.

Итак, сведения... Гуров взял в руки листы бумаги. Ага, оперативная информация. Гуров усмехнулся. Естественно. Только вот спрашивать, а конкретно от кого или откуда получена информация, в уголовном розыске не принято. Даже лучшими друзьями не принято. Агентурная работа и все ее тонкости и правила — это святое. Если Петр промолчал об источнике или о ситуации, которая дала такую информацию, значит, эти сведения ничего не решают.

А вот это интересно. Описание внешности продавца. И никаких воровских кличек. Представился Геннадием. Имя явно вымышленное, как полагает источник. Еще бы знать, почему он такие выводы сделал. Ну, ему виднее. А источник, видимо, в ювелирном деле кое-что понимает. Интересно, а он сам почему Петра не проконсультировал по драгоценностям? Ага, Гуров сам себе кивнул. Ясно. Квалификация источника невелика в этом деле. Знает, как определить пробу и состав золота, подлинность камня, но не более. А рисунок ничего! Приличный.

Гуров отвел руку и посмотрел на карандашный рисунок двух изделий — серьги и колье. Серьги, если они были сделаны из золота, выглядели тяжелыми. Такие серьги женщина весь день не проносит. Выдержать три или четыре часа на балу или во время официального приема — это, наверное, предел возможности и терпения. Замок, подвеска, удерживающая три плетеных золотых нити, ниже планка, на которой удерживаются еще четыре нити. И на каждой из восьми нитей, включая основную, по нескольку камней. Каких, агент не написал.

Колье тоже впечатляло своей массивностью, но в то же время и художественной сложностью. Если рисовавший вот это не наврал. Нет, чувствовалось, что это не фантазия дилетанта. Сетка из плетеных тяжелых золотых нитей с камнями. И все это великолепие связано в полукружие, которое должно было обрамлять обнаженную шею дамы и спускаться на грудь. Да, на аристократически белой груди это смотрелось бы.

Да, нужна консультация хорошего ювелира, знающего историю ювелирного дела. Узнаем, откуда растут ноги этих украшений, выйдем на след похитителей. А с чего мы взяли, что они похищены? А если законный владелец пытается их продать? А если нет, сам себе ответил сыщик. А почему на «черном рынке»? Это же прямая дорога за границу. Нельзя, это уже национальное достояние. Ладно, будем разбираться.

Эх, отпуск, отпуск! И Маша его так ждет. Гуров вспомнил, как Мария поругалась в театре с руководством, выбивая для себя отпуск. Они уже два года не отдыхали вместе! И мечта провести хоть пару недель в бездумье и складкой неге среди пальм, горячего песка и под лучами южного солнца завораживала, манила и околдовывала. Гуров решительно отогнал расслабляющие видения и встал с дивана.

Ехать в Горчаково Гурову не хотелось. Но не хотелось терять и целые сутки. Эксперт, признанный знаток ювелирного искусства, историк Марк Борисович Гафанович, еще вчера уехал в Горчаково по приглашению местного краеведческого музея. Экспозиция музея пополнилась новыми уникальными фотографиями, сделанными в 1904 году на Дворянском собрании. На приписке, сделанной вручную на обратной стороне картона, значилось, что жених некой девицы Дубовицкой преподнес ей на помолвку купленные в Санкт-Петербурге драгоценности, изготовленные известным в Европе русским ювелиром... А вот дальше буквы стерлись. Работникам музея очень хотелось по нескольким оставшимся буквам и по внешнему виду изделий, красовавшихся на шее девицы с маленьким ротиком и очень большими выпученными глазами, установить имя того русского ювелира, что так прославился на рубеже прошлых веков не только в России, но и в Европе.

Гафановича Гуров нашел в кабинете директора музея. Старый эксперт сидел, обложившись лупами простыми и лупами с подсветками, и разглядывал старинные фотографии, делая изредка пометки в блокноте. Больше в кабинете никого не было. Директор музея предупредил московского полковника, что историк терпеть не может, когда ему мешают во время работы. Он предпочитает тишину и уединение. И если ему помешать, то можно услышать в свой адрес много нелестного. Гуров только улыбнулся в ответ. С Гафановичем он уже сталкивался дважды. В последний раз это было пару лет назад, когда старого эксперта он привлекал для консультации по одному из дел, связанных с хищением ювелирных изделий.

— Разрешите? — Гуров открыл дверь и замер на пороге.

Старик нисколько не изменился. Те же маленькие круглые глаза с собранной вокруг них в складки коричневой от старости кожей. Те же непослушные седые волосы, торчавшие вихрами на затылке. Та же капризно оттопыренная нижняя губа. Кажется, и тот же серый засаленный костюм, в котором Гафанович ходил два года назад.

— Что вам? — не отрываясь от работы и не поднимая головы, проворчал Гафанович.

— Полковник Гуров из Министерства внутренних дел, — представился сыщик. — Вот специально приехал к вам за советом, Марк Борисович.

Гуров знал слабости и особенности характера старика. И говорил он сейчас, специально подбирая слова, чтобы эксперт смилостивился и снизошел. Снизошел с удовольствием от выраженного в его адрес уважения и признания.

— Как, как вы сказали? — Эксперт вытащил из глаза ювелирную лупу и пошевелил бровями, вглядываясь в гостя. — Гуров? А! Господин полковник! Ну, как же, как же. Помню.

Ювелир отложил в сторону снимок и поднялся из-за стола довольно энергично для своего возраста. Был он невысок, сухощав и очень подвижен. Величественно и несколько комично вытягивая перед собой руку для пожатия, Гафанович пошел навстречу сыщику.

— Помнится, вы еще были женаты в те годы на очаровательной актрисе. Позвольте, как же ее звали? Ах да! Мария! Мария Строева! Весьма очаровательная женщина, красавица и большая умница!

— Ее и сейчас так зовут, — улыбнулся Гуров. — И она по-прежнему моя жена. А как здоровье вашей супруги Маргариты Гедеоновны?

— Теперь я понимаю, почему вы полковник, — рассмеялся эксперт и погрозил пальцем. — Вы умеете находить темы для разговора. Ну как я могу выпроводить вас за дверь, если вы спрашиваете о здоровье жены. Спросить еврея о здоровье близких — это значит завести долгий, теплый и доверительный разговор. После таких разговоров люди не становятся врагами и не посылают друг друга на... все четыре стороны!

— Марк Борисович! — Гуров засмеялся и приложил руку к сердцу. — Исключительно из уважения к вашей замечательной супруге.

— Хорошо, хорошо! — примирительно поднял руки Гафанович. — Я понимаю, что вы пришли по важному делу. По неважным делам посылают лейтенантов. Так чем могу помочь?

В семь часов вечера Гуров сидел в гостиничном номере в удобном кресле под абажуром роскошного торшера. Старый эксперт, деловито рассматривал рисунки двух ювелирных изделий, которые ему привез сыщик

— Ну, что я могу вам сказать, Лев Иванович, — пробормотал эксперт. — Вы, как я понимаю, сами этих украшений не видели. А рисунок сделал человек, который рисовать умеет, но ювелиром не является. Так?

— Совершенно точно! — согласился Гуров. — Но что-то вы можете сказать об этих изделиях? Хотя бы по рисункам.

— Что-то определенное сказать довольно трудно, уважаемый сыщик. Я могу совершенно точно сказать, что эти красивые вещи изготовлены были не ранее второй половины восемнадцатого века. Но это вам мало что даст. Потому что это может быть и век девятнадцатый, и двадцатый. Я имею в виду то, что изделия могут оказаться вполне сносной попыткой скопировать нечто из старинных экземпляров. Некоторые сегодня грешат такими работами.

— А почему именно вторая половина восемнадцатого?

— Видите ли, Лев Иванович, именно во второй половине восемнадцатого века появилось такое понятие в ювелирном деле, как ювелирный гарнитур. Обратите внимание, что и колье и серьги изготовлены в едином стиле, с однотипным креплением, распределением узора. Я могу смело предположить, что где-то имеются еще и кольца. А может, и диадема. На рубеже восемнадцатого и девятнадцатого веков ювелиры отказались от штамповки массовых изделий. Это был всплеск индивидуальности каждого изделия. А в вашем экземпляре индивидуальности очень много. Я бы сказал, что создавали эти творения для конкретной женщины.

— Уже любопытно, — кивнул Гуров. — А можете вы предположить, для какой женщины были изготовлены эти украшения? Хотя бы возраст, социальная принадлежность?

— Ну, это очень сложно, хотя изделия и не рядовые, — задумчиво произнес эксперт. — Можно посмотреть по каталогам именных коллекций и фамильных драгоценностей. Не скажу, что это просто, учитывая, что Бархатная книга[1] довольно толста и насчитывает сотни дворянских родов. А с дополнениями она учитывает и боковые колена. А ведь есть еще дворянские роды, которые не попали в Бархатную книгу. Не знаю, не знаю. Вы что, расследуете преступление столетней давности? Или эти изделия были украдены из чьей-то коллекции? Было бы любопытно узнать, из чьей?

— Нам самим, Марк Борисович, любопытно узнать это. Честно признаюсь, что не таю от вас сейчас ни толики информации. Эти драгоценности всплыли на «черном рынке». Есть основания полагать, что они старинные и имеют художественную ценность. Допустить их исчезновение, особенно за пределы страны, мы не можем. Вот и пытаемся понять, откуда они могли появиться, если это не подделка.

— Знаете, Лев Иванович. — Эксперт снова заговорил серьезно. — Если это и подделка, то гениальная. Очень качественная. Эти изделия имеют весьма характерные признаки именно конца восемнадцатого века. Я не ошибаюсь и не умничаю, как вам только что показалось. Да, да! Не спорьте. Это промелькнуло на вашем лице, полковник.

---

[1] Бархатная книга — родословная книга наиболее знатных царских, боярских и дворянских фамилий России. Составлена в 1687 году. Впоследствии неоднократно дополнялась.

— И чем же конец восемнадцатого так характерен? — улыбнулся Гуров наблюдательности старика.

— Много чем характерен. Например тем, что ювелиры начали использовать опалесцирующую эмаль. Это особенная эмаль, отличающаяся от обычных эмалей особыми декоративными свойствами. Она в зависимости от угла падения света может казаться то прозрачной, то иметь слегка приглушенный тон. И очень часто она становится похожей по густоте окраски и яркости бликов на благородный опал. Отсюда и возникло это название.

Гафанович говорил тоном лектора, говорил с упоением. Наверное, так он говорит на лекциях, подумал Гуров. Где-то старик вроде даже преподает.

— Здесь мы ничего не увидим, но если вам попадутся другие изделия из этой коллекции, то мы сможем увидеть интересный эффект. Опалесцирующий эффект достигается путем так называемого глушения, то есть ввода в состав эмали различных окислов.

— Сейчас эти способы уже не используются?

— Ну почему же. В последнее время все чаще стали использовать эти технологии при изготовлении ювелирных украшений. Но ведь вы понимаете, что отличить опалесцирующую эмаль восемнадцатого века так же легко от современной, как и, скажем, мушкет от автомата Калашникова. Или современные джинсы от штанов пехотного солдата 1812 года. Современные изделия — это прежде всего матовые и блестящие металлы — золото зеленого, желтого и красного оттенка, серебро и натуральные камни, например, аметист, рубин, аквамарин, жемчуг, бирюза, агат, халцедон. И конечно, бриллианты. А если говорить о стилях той эпохи, то мастера творили в стилях, которые мы сейчас называем ар-деко и модерн. Они часто использовали женские и фантазийные фигуры, стилизованные цветы, листья, виноградную лозу, птиц, змей и насекомых. И все это в красивой огранке. И использовали не только методы литья и штамповки, но и метод гильошированной гравюры[1].

---

[1] Гильо́ш (от *фр.* Guilloché — узор из волнистых линий) — орнамент в виде густой сети волнистых фигурных линий, переплетающихся между собой и со строгой симметрией.

— Значит, — Гуров вздохнул, — мы даже пока не знаем, настоящие ли это ювелирные украшения, изготовленные в восемнадцатом веке, или это современная подделка, стилизованная под старину.

— Получается так, — развел руками Гафанович. — Вы мне рисуночки-то оставьте, я подумаю, пороюсь, может, что полезное для вас и найду. А что же, по вашей линии никаких заявлений, краж, ограблений не было, где бы вот такие серьги и колье фигурировали?

Гуров отрицательно покачал головой. Эксперт только развел руками.

Глава 2

Когда у тебя важное оперативное дело, когда ты расследуешь такого рода преступление, то нужно быть крайне осмотрительным и осторожным. Нет заявлений, нет вообще хоть в каком-то виде зафиксированного преступления, где фигурировали бы те украшения, о которых сказал Орлов и рисунок которых он передал Гурову. Но сам факт, что где-то в полукриминальном мире бродят ювелирные украшения, имеющие не только огромную рыночную стоимость, но и культурно-историческую ценность государственного уровня, заставляет думать, что преступление все же имело место.

Во-первых, размышлял Гуров, поднимаясь по ступеням лестницы и игнорируя лифт. Всему в этом мире свое место. Бизнесменам — виски, высокооплачиваемым работникам — коньяк, алкашам и бомжам — дешевый портвейн. То же и с украшениями. Если колье и серьги настоящие, то им место в музее, в коллекции финансового воротилы или нефтяного магната, но никак не в руках дешевых перекупщиков, воров и аферистов. Там ходят вещи попроще, подешевле. Там аукционов не проводят.

Значит? Значит, это или афера с подделкой, или преступление, связанное с грабежом, кражей. Нет там больше вариантов. А два перечисленных в любом случае все сводят к уголовщине. Как ни крути, а заниматься этим уголовному розыску. Гуров остановился на площадке седьмого этажа и прислушался. Лифт содрогнулся где-то на девятом этаже и, лязгая блоками, пошел вниз. Тишина. Интересная тишина в старых домах, она какая-то особенная, патриархальная. Как будто дом сберег ее еще со спокойных и счастливых шестидесятых. А этот дом строился наверняка не позже.

Подойдя к нужной двери, сыщик замер на месте. Тонкая щель неплотно прикрытой входной двери и приглушенный еле заметный свет за ней. Если бы не этот свет в квартире, Гуров бы и не понял, что дверь закрыта неплотно. Черт! Только этого не хватало. Рука машинально скользнула под пиджак, пальцы сомкнулись на рукояти пистолета. Звонить или не звонить в управление? Лучше всего звонить, потому что потом, если там внутри все выйдет из-под контроля, звонить будет некогда. Да и возможности такой может не представиться.

Но и звонить, когда ты ничего не видишь и даже не предполагаешь... Как-то непрофессионально. Поднимешь на ноги дежурную часть, окажется, что хозяин просто забыл закрыть дверь. Нет уж, Лев Иванович, сказал сам себе Гуров. Это твоя работа, тебе ее и делать. И нечего перекладывать все на плечи коллег. Если ты такой опасливый, иди на пенсию, иди в вахтеры или сразу тащи с собой на такие вот выезды с десяток омоновцев. Мысль развеселила, и сыщик осторожно стволом пистолета начал открывать дверь.

Сначала щель, потом дверь открылась на треть. Гуров весь превратился в слух, чуть поморщившись от запахов, которыми пахнуло из квартиры. Грязь, что-то протухло, запах недавней пьянки. И тишина. Свет горел где-то в комнате, но от двери входа в комнату Гуров не видел. Коридор поворачивал направо. И сразу за поворотом был вход в комнату, двери в санузел и на кухню. Дурацкая планировка!

За долгие годы работы по одной специальности человек вольно или невольно приобретает многие профессиональные навыки. У сыщиков, особенно опытных, обычно вырабатывается ощущение беды, присутствие смерти. Когда ты не один год, даже не одно десятилетие выезжаешь на места преступлений, когда ты выезжаешь по сигналам граждан, по сообщениям в дежурную часть проверять квартиры, подвалы, заброшенные строительные площадки, где, по мнению звонивших, происходит или произошло что-то страшное, криминальное, то рано или поздно научишься сразу понимать, ощущать ситуацию.

И Гуров, входя в квартиру, уже понимал, что тут нет трупа, тут не произошло убийства или ограбления, что он не увидит выпотрошенных шкафов и разбросанных вещей. Тут было что-то другое. Не очень страшное.

Мягко и неслышно ступая по старому растрескавшемуся линолеуму, сыщик добрался наконец до поворота коридора. Дверь в санузел плотно закрыта, но слышно, как в унитазе журчит вода из подтекающего бачка. На кухне тишина гробовая, а вот из комнаты раздался знакомый звук. Что это? Так во сне постанывает больной человек. И пьяный.

Гуров толкнул дверь гостиной и вошел, засовывая на ходу пистолет в кобуру. Выключатель был справа от двери. Щелчок, и комнату залил нездоровый свет пыльных лампочек пятирожковой люстры. Впрочем, горели в ней только четыре лампочки. Бардак имел место, но это не были следы проникновения посторонних людей в жилище. Это был застарелый, привычный бардак одиноко живущего мужчины. Да еще мужчины пьющего.

Хозяин квартиры Вадим Семенов спал поперек старой расшатанной тахты. На нем были майка, домашние трико с ужасно вытянутыми коленями и один носок на левой ноге. Правая ступня торчала над полом, красуясь траурными пятнами грязи возле щиколоток. Вадим Семенов, которого в блатной среде знали под кличкой Сеня, всегда был неопрятным человеком. И даже за те несколько лет, что он являлся агентом Гурова, сыщик не смог привить ему склонности к чистоте и поддержанию квартиры в порядке. Впрочем, здесь Гуров почти не появлялся. Незачем наводить дружков Сени на мысль о связи его с уголовным розыском. Увы, Гурова слишком хорошо знали в лицо в уголовном мире.

Сегодня Гуров пришел сюда поздно ночью сам, а не вызвал агента на встречу в другое место по причине острой нехватки времени. И вот картина недавно завершившейся по-

225

пойки. Дружки ушли, что хорошо, а хозяин лыка не вяжет, что в условиях цейтнота совсем плохо.

— Вадик! — Гуров потряс хозяина квартиры за плечо, но ответом ему было только невнятное мычание. — Вадик! Свинья ты ненасытная!

Трясти агента было бесполезно. Гуров отправился на кухню. Перерыв все шкафы, он нашел наконец то что искал. Пузырек с нашатырным спиртом. Выбрав на полке бокал объемом примерно 100 миллилитров, Гуров налил в него воды, а затем добавил десять капель нашатыря.... По кухне распространился едкий запах, перебивавший вонь от грязи. Вернувшись в комнату, сыщик поднял Семенова за плечи, усадил, а затем, надавив пальцами на щеки и не давая пьяному закрыть рот, стал вливать в рот раствор нашатырного спирта. Семенов закашлялся, стал пускать пузыри, но стараниями Гурова значительная часть раствора все же влилась в его желудок. Теперь главное успеть!

Подхватив Семенова под мышки, Гуров потащил его в санузел. Поставив на колени перед ванной, он наклонил пьяному голову, и в этот момент желудок Семенова судорожно сжался от спазмов, вызванных раствором нашатыря. Гуров, морщаясь, держал голову своего агента над ванной минут пять, потом, когда тот стал приходить в себя и сам ухватился за края ванны, он отпустил его и ушел на кухню готовить горячий, крепкий, сладкий чай.

Через час Семенов с мокрыми волосами и с полотенцем на шее угрюмо сидел напротив Гурова на кухне и глотал, обжигаясь, горячий чай. Его еще мутило, желудок еще подергивался внутри, но горячий напиток делал свое дело, снимая спазмы.

— Понимаете, пацаны приходили, — оправдывался Семенов. — У кента одного день рождения, а его баба из дома выгнала. Вот он с пацанами и пришел ко мне. Посидели немного...

— Немного? — осведомился Гуров. — Ты же как бревно был!

— А я быстро пьянею, — оправдывался агент. — Мне двести грамм, и я в отключку. Организм такой. А вы чего пришли-то? Дело какое срочное?

— Дело, Вадик! И очень срочное! — вздохнул Гуров, размышляя, может, все-таки отмыть одну чашку да налить чаю себе. Но в доме, кроме стирального порошка, никаких моющих средств не было, и он решил воздержаться. — Меня интересуют ювелирные изделия, Вадик.

— Так с рыжьем я давно дела не имел, — начал было агент, но Гуров его перебил.

— Не о тебе речь, Вадик! Кто-то в ваших кругах недавно пытался...

— Лев Иваныч! — решительно отставил чашку Семенов и прижал руки к груди. — Да какие они теперь «мои», эти круги-то? Я ж завязал по полной. Как мне жизнь тогда спасли, я поклялся, что ни-ни!

— Ладно, завел опять свою шарманку, — поморщился Гуров. — Напряги свои проспиртованные мозги! Можешь или тебя еще промыть?

— Не-не! — энергично замотал головой Семенов. — Я в порядке... немного мутит, а так все в норме. Соображалка соображает.

— Тогда напряги свою соображалку, — устало посоветовал сыщик. — Среди блатных кто-то ищет покупателя на ювелирные изделия. Изделия по описанию дорогие, возможно, что имеют историческую ценность. Изготовлены они были, возможно, лет триста назад.

— Сколько? — опешил Семенов, не донеся кружку до рта.

— Да-да, — кивнул Гуров, — возможно, что и триста. Поэтому ищут покупателя старины, а то давно бы как золотой лом сдали. По весу. Вот посмотри, я тебе рисунки сейчас покажу. Постарайся запомнить и не пропустить, если увидишь или услышишь о чем-то подобном.

Гуров вытащил из кармана пиджака сложенные вчетверо листы бумаги с ксерокопиями рисунков. Семенов поставил чашку на стол и принялся с самым серьезным видом изучать рисунки. Он хотел было положить листки на стол, но Гуров забрал их из рук агента и снова спрятал в карман.

— Не нужно, чтобы они у тебя валялись. Не дай бог кто увидит из твоих собутыльников. Ну, напрягись, кто может интересоваться такими вещами, кто может их притащить и попытаться сбыть? У кого есть интерес в этой области? Учти, что дело денежное, это не просто цацки, это не обычное рыжье. Это может стоить очень дорого. За такие деньги маму родную продают, чтобы потом всю жизнь как сыр в масле кататься. Хотя... обычно свидетелей и посредников за такие бабки убивают. Так что не впадай в искушение, Сеня, нагреть руки, если столкнешься с этими изделиями.

— Да я... — Семенов почесал в затылке. — Я понимаю, что дело не по мне. Да и какой из меня посредник. Я ж зарекся с этими делами якшаться. Кто, спрашиваете? Не знаю даже. При мне никто разговоров про это не заводил. И не показывал такого. Все же знают, что я... так, мелочовкой всю жизнь занимался.

— Шевели, шевели мозгами, Вадик, — мягко настаивал Гуров. — Не обязательно видеть эти штуки, ты мог косвенно понять, что люди такими делами занимаются. Например, среди ваших блатных появился какой-нибудь человек, который отличается от них. Поведением, одеждой, еще чем-нибудь.

— Ну, видел я Куска с одним типом, — пробормотал без особого энтузиазма Семенов и пожал плечами. — Явно не из блатных. Хотя теперь хрен разберешь. Воры семьи заводят, бизнес имеют. Не коронованные, конечно, но все же. Законы воровские перестали соблюдаться. Сейчас авторитеты из других выходят. Другие времена.

— Ты мне лекций не читай, Вадик. Расскажи про того типа, с которым ты видел... кого? Куском ты его назвал? Кто это?

— Кусок? Борька Кушнарев. Мы с ним в одном дворе росли. Не то чтобы дружили, но знались. Потом сели по малолетке почти одновременно, на пересылке столкнулись. Потом я его потерял. Носило его где-то. Теперь снова здесь осел. Вроде сидел опять. Так, здороваемся при встрече.

— Мелочь?

— Мелочь, — согласился Семенов. — Не шестерка, конечно, но он всегда под кем-то ходил, под авторитетами.

— Ладно, понял насчет твоего Куска. Наведу справки, посмотрю на него аккуратненько со стороны. Теперь расскажи, с кем ты его видел.

— Ну, короче, не из блатных. Это точно.

— Почему? — быстро спросил Гуров. — Наколок нет? Интонации голоса, мимика, жестикуляция не те? Жаргонных слов не употребляет?

— Во, точно! — обрадовался Семенов и даже чуть подскочил на стуле. — Без блатных словечек он разговаривает. Я сначала не понял, что ухо режет, а потом понял. Да и весь он какой-то... несидевший!

— А наколки есть?

— На руках... в смысле, что на кистях, не видел, а выше... Так я его не раздевал!

— Ладно, ладно, — махнул рукой сыщик. — Как он выглядит, опиши его.

— Да как? Как глиста!

— Оп! — Гуров с веселым удивлением уставился на своего агента. — Вот с этого момента поподробнее. Это как же? Я, знаешь ли, в жизни как-то ни одной глисты не видел. Просвети!

— Ну, как червяк, что ли. Когда червяка на крючок сажают, он так крутится. И этот какой-то вертлявый, суетной. И мелкий он какой-то. Смуглый, волосы темные.

— Кусок его никак не называл? Может, обращался как-то или...

— Точно! — обрадовался вдруг Семенов. — Точно! Называл! Копыто!

— Копыто?

— Ага, Копыто! При мне он его два раза так назвал. Один раз шутку какую-то отпустил, типа там что-то «ты копыто на меня не топай». Я думал, что это шутка какая-то или анекдот. А потом он его второй раз назвал, уже когда обращался. Как-то там... «ты, Копыто, запомни».

— А о чем они говорили, что обсуждали?

— Вот не могу сказать, Лев Иваныч! — развел руками Семенов. — Честно! Что-то бубнили они. А о чем? Не прислушивался. Я ж не знал, что вам интересно будет.

Гуров еще с полчаса пытался наводящими вопросами вытащить из памяти агента информацию, которая там, возможно, была. Но больше ничего полезного он от Семенова за эту ночь так и не узнал.

Сергей Голубев принял стройку в пятницу. Высокий, сутулый, с хмурым лицом, он выглядел постоянно недовольным. Но те рабочие и мастера, кто знал Голубева по работе, относились к нему тепло и с уважением. Сергей вырос в этой строительной организации из простых подсобных рабочих до прораба за восемь лет, успев окончить строительный факультет. Парень он был дотошный, все виды работ знал собственными руками, а не в теории. Да и начальником он был справедливым, хотя и строгим.

В понедельник Голубев приехал на свою площадку в Горчакове поздно. Припарковав свою «Ниву» возле прорабского вагончика, он недовольно посмотрел на неподвижно замерший экскаватор. 12-метровая «рука» с ковшом уныло уперлась в землю, нетронутый фасад старой двухэтажной постройки ехидно щерился облупившейся штукатуркой и сгнившим наполовину кирпичом под скатом крыши.

Работа откровенно стояла, хотя демонтаж именно этой старой купеческой двухэтажки должен был начаться в субботу после обеда. Так значилось в графике проведения работ. Голубев поморщился и поежился плечами. Чувствовал он себя неуютно, потому что и его вины в этом не было и в то же время он обязан отвечать за все происходящее на площадке. А он и в пятницу, и в субботу, и даже вечера, в воскресенье, сдавал другой участок, откуда его перевели сюда. И руководство знало об этом, но спросят с него все равно полноценно!

— Михалыч! — позвал Голубев мастера, который торчал за спиной рабочего, возившегося с компрессорной станцией.

— А, Сергей Владимирович! — Мастер выбросил окурок и поспешил к прорабу. — Наконец-то. А у нас компрессор барахлит с самого утра. Измучились — пять минут работаем, полчаса стоим. Списывать его надо, что мы с ним...

— Михалыч! — Голубев остановил мастера на полуслове и многозначительно показал пальцем на простаивающий экскаватор. — Это что? И почему дом еще не завалили? В два часа «КамАЗы» начнут приходить, хлам с площадки вывозить, а у тебя конь не валялся.

— Сергей, там... хреновина такая, — уже тише заговорил мастер и виновато отвел глаза. — Там кровь на стене.

230

— Что? — Голубев опешил и остановился как вкопанный. — Какая еще кровь?

— Ну помнишь, рассказывали, что у нас с прошлым домом было, когда Борисова сняли? Надписи всякие. Опять началось. И сторожа ночью пугали. Корнеев побежал в контору заявление писать на увольнение. Староват я, говорит, с хулиганами бодаться. Боится, что подопрут дверь и подожгут.

— Полицию вызвать надо было!

— Провод телефонный перерезали. Да и не хулиганы это... наверное.

— Черт! — Голубев чуть не выругался покрепче, хотя сам не особенно любил, когда матерятся по делу и без дела. — Что за надпись, показывай! Надпись вам мешает работу начать. К объяснительной о срыве графика я надписи ваши буду прикладывать? Завалили стену, и нет ваших надписей. И не узнает никто, что она была.

Торопливо шагая с мастером к крайнему дому, Голубев понял, что он слишком много говорит и откровенно суетится. То ли предчувствие нехорошее, то ли уставать стал от такой нервной работы. Рано уставать. Люди всю жизнь на стройке работают, а он всего восемь лет. Хотя работать руками — это одно, а руководить работами — это совсем другое.

На ходу Голубев махнул рукой экскаваторщику, курившему с другими рабочими у края нового котлована, и сурово потыкал пальцами в сторону его простаивающего механизма. Подъезд старого дома встретил их с мастером запахом сырости, грязи и мышей. Когда-то, как рассказывал кто-то из старых рабочих, это были первые большие дома в Горчакове, обычном подмосковном селе. Строил их кто-то из местных купцов и сдавал комнаты внаем.

Хмурый Голубев поднялся на второй этаж и сразу уперся взглядом в зловещего вида надпись, сделанную чем-то красным, удивительно похожим на настоящую кровь. С потеками.

Коснешься ты — и смерть коснется тебя!
Чувствуешь ее ледяную костлявую руку???

Голубева невольно передернуло от этих слов. Почему-то его особенно впечатлили сразу три вопросительных знака в конце фразы. Прораб нахмурился еще больше и стал смотреть по сторонам, чтобы сбросить неприятный и давящий на психику эффект. Да, зря он так на ребят своих взъелся. Действительно эффект есть. Кто же хулиганит тут так? Сатанисты какие-нибудь.

Надо было оставаться на высоте и своим поведением, своей реакцией восстановить позитивный настрой на площадке. Это Голубев понимал, знал из теории управления и собственного опыта. Он заставил себя подойти к стене с надписью. Черт, а ведь это и в самом деле кровь. Вид настоящей крови Сергей Голубев запомнил на всю жизнь после прошлогоднего случая, когда на одной из площадок при нем сильно поранился рабочий и потерял много крови. Парня спасли, но в памяти осталось кровавое пятно на стене, куда его отбросило, когда лопнул стальной трос подъемника, стегнувший рабочего как хлыстом.

Голубев взял себя в руки и с видимым хладнокровием потрогал пальцем жирный потек под словом «смерть». Кровь... нет сомнений.

— Сторожей наших гнать надо в три шеи или наказывать! — раздался голос мастера из крайней комнаты

Голубев насторожился. Еще, что ли, неприятность какая? Он повернулся и решительно вошел в комнату. Двери на петлях не было, облезлые обои и обнажившаяся дранка на потолке представляли собой унылое зрелище. Мастер стоял и пинал ногой бруски от разобранного паркета. Вскрыт был большой участок пола, а сам паркет валялся разбросанный по всей комнате. Такое ощущение, что его поддевали ломиком или гвоздодером и тут же бросали. Зачем? Старый, рассохшийся, истертый на рабочей поверхности. Он абсолютно уже непригоден для повторного использования. Можно срезать верхний слой с раковинами фрезой, но тогда брус станет почти вдвое тоньше. Толку от него никакого, полотно не будет держать жесткость и станет коробиться.

— Кому-то заняться было нечем? — проворчал Голубев, тоже пнув один из брусков ногой.

232

— Да, кто-то взломал на дрова, — уверенно заявил мастер. — Он же дубовый, горит хорошо, много жару. Это из местных кто-то для печки или камина. А сторожа проворонили. Пьют, козлы, не следят.

— Отравишься, — с сомнением сказал Голубев, поднимая один из брусков. — Ты погляди, сколько на нем мастики, аж пропитался весь. И сколько слоев лака накладывали... лет двадцать, наверное.

— А на хрена ж тогда? — задумчиво произнес мастер.

— Вот и я о том, — бросив брусок, проворчал Голубев. — Давай поднимать народ! И так все сроки уже сорвали...

Вечером, когда последние рабочие, переодевшись, потянулись через въездные ворота к автобусной остановке да к своим машинам, Голубев вошел в сторожку. Сторож в старом ватнике мел полы, ворча себе под нос.

— Здорово, Андреич! Ты чего тут гундосишь? — спросил Голубев с порога.

— Мусорят, мусорят, а нам потом тут спать, — не оборачиваясь, ответил старик, кряхтя и выметая какие-то объедки из-под стола.

— Вот и хреново, что спать, а надо бы за территорией следить. Опять по домам лазили местные! Паркет собрали с полов.

— А он тебе нужен, что ли? — угрюмо отреагировал на замечание сторож, выпрямляясь и вытирая лоб рукой. — Старья этого жалко?

— Да век бы его не видеть! — повысил голос прораб. — Посторонние на площадке ходят по ночам, как у себя дома. Полы вскрывают, а этот шум тут никак мимо ушей не пропустишь, если не спишь. На стенах всякое пишут. Чуть ли не дети сюда ходят, подростки. А если случится что в темноте, несчастный случай? Мало нам своего ЧП! Борисов вон под следствием!

— А я давно говорю, что участкового сюда надо привести! Пусть тут полиция разбирается. Я что, пойду их за рукав выводить? А они меня по башке кирпичом.

— У тебя телефон вон лежит! — постучал костяшками пальцев по столу Голубев.

— А что я скажу в него? Что у меня привидение на стройке по ночам бродит. Пришлите мне, мол, психушку?

— Чево-о? — Голубев с недоумением уставился на сторожа.

— А тово, — как-то сразу сник старик, поняв, что сболтнул лишнего.

— Какие еще привидения? — строго спросил прораб. — Ну-ка, рассказывай, Николай Андреич!

Это всегда действовало как надо. Старые рабочие любили уважение к себе. Особенно уважение молодых прорабов, начальников участков. Назови его по имени-отчеству, отдай дань его опыту, профессионализму. И он, задрав нос от гордости, горы свернет. Ну, в данном случае ответит искренностью и расскажет, что у них тут по ночам творится. Мать ее в душу...

И выяснилось, когда они оба закурили, сели за накрытый чистой газетой стол, что вот уже которую ночь снова стало появляться оно. Черт знает что, но выглядит неприятно. Хотя как оно выглядит, и сказать-то нельзя. То как человек в белом, то вроде как из тумана неясная фигура. И всегда с шумом. Оно вроде как привидению положено неслышно летать, а это все норовит инструмент уронить, бочку перевернуть. То ли знак какой подает, то ли просто охраняет место. Есть такое мнение в народе, что привидения появляются там, где останки неупокоенные. Может, и тут в этих старых домах чьи-то кости лежат.

— А предсказатель, тот того... — Сторож неопределенно повертел в воздухе ладонью с желтыми прокуренными пальцами.

— Какой еще предсказатель? — нахмурился Голубев. — Это еще что за хрень?

— Ну, Сема! Мы ж тогда с Михалычем рассказывали. А-а... — сторож хлопнул себя ладонью по лбу. — Так это еще при Борисове было дело.

— Ну, понял, понял, — нетерпеливо перебил прораб. — Что за Сема?

— Шкет один ходил тут все по вечерам. Рабочие уйдут, смеркаться начнет, он и приходит. Интересно с ним болтать было. Только ты, Сергей Владимирович, не подумай, мы без спиртного. За жизнь с ним. Так вот он и рассказывал, что, мол, места эти проклятые, что тут нечисто и жилье строить нельзя. Тут и при старых хозяевах в этих домах как бы нечисть всякая водилась. Порча там, пожар, болезни всякие. Он и говорил, что сначала знаки всякие появляются, как предупреждение. Надписи кровавые, а потом могут и смерти...

— Чево-о-о? — Голубев поперхнулся дымом. — Он про надписи говорил? А говорил, когда они уже появились или до того?

— Ну... точно сказать не могу, — задумался старик. — Наверное, все-таки до... Я помню, что удивились тогда, когда еще при Борисове в предыдущем доме появилась надпись. И сразу про Сему вспомнили, про его предсказания.

Гуров вошел в квартиру Гафановича и сразу с неудовольствием повел носом. Старый эксперт был человеком внешне опрятным, но в квартире у него чувствовался какой-то застарелый и не очень приятный запах. Определиться с ощущениями Гуров сразу не смог. Кажется, и не грязью, и не старческий запах. Может, химикаты какие-нибудь. Может, Марк Борисович дома занимается реставрацией.

— Вы вот сюда проходите, товарищ полковник. — Гафанович, запахивая плотнее домашнюю длинную кофту, увлек сыщика в недра большой гостиной.

Кажется, старик был поклонником старых интерьеров первой половины прошлого века. Тяжелые бархатные занавеси окаймляли дверные проемы. На окнах шторы были с кистями. И стулья в гостиной были как на подбор, еще советского производства. Гуров хорошо их помнил по отцовской квартире. Впрочем, проходя к креслу, Гуров бросил взгляд в приоткрытую дверь кабинета. Стол и удобное современное офисное кресло эксперт для работы, видимо, предпочитал.

— Прошу, вас, товарищ полковник, вот в кресло.

— Что-то вы, Марк Борисович, — заметил Гуров, удобно усаживаясь, — обращаетесь ко мне все время по-разному. То господин полковник, то товарищ полковник. Вы уж определитесь, а то я чувствую какое-то ваше напряжение. Если честно, то я предпочитаю господина полковника.

— Ох, — засмеялся Гафанович и махнул рукой, — не судите меня строго, это я в зависимости от настроения. Когда я сосредоточен, когда я в делах, то и обращение к людям у меня, как правило, суховатое. А в домашней обстановке...

— Тогда валяйте, зовите меня просто Лев Иванович, — разрешил с улыбкой Гуров. — Раз обстановка домашняя. Так, расскажите мне, что вы там нового разузнали по своим каналам про эти драгоценности?

— Извольте, извольте, — потер от удовольствия руки историк и стал смотреть на гостя как-то даже свысока, несмотря на то что был на голову ниже Гурова. — Так вот, уважаемый Лев Иванович, в 1907 году в Санкт-Петербурге изданы два тома «Описи серебра двора Его Императорского Величества». А автором сего замечательного труда явился некто вам неизвестный хранитель драгоценностей Императорского Эрмитажа Арминий Евгеньевич Фёлькерзам. И в этом его замечательном труде содержатся сведения о царских коллекциях Петербурга. В том числе Зимнего, Аничкова и Гатчинского дворцов. В основном это столовое серебро, а также некоторые ювелирные предметы из числа вещей, принадлежавших царевичу Петру Петровичу.

— И каким образом это все меня должно заинтересовать? — спросил Гуров, все же заинтригованный таким началом. — Так глубоко лежат корни тех драгоценностей, за которыми я гоняюсь по всему уголовному миру Москвы?

— Нет, — с довольным видом ответил Гафанович, радуясь, что смог произвести такое впечатление на полковника из самого МВД. — Ваши драгоценности несколько ниже по дворянской иерархии, но тоже замечательны по своей истории. Я ведь почему обратился к памяти господина Фёлькерзама. Ему принадлежат первые сводные справочные труды в области ювелирных изделий. Он тем самым вывел изучение ювелирных произведений на новый уровень.

— Это все, — кивнул Гуров, но историк перебил его властным движением сухонькой руки и продолжил свой рассказ:

— В том же 1907 году им был издан «Алфавитный указатель золотых и серебряных дел мастеров, ювелиров, граверов и проч. 1714—1814», а позже, в 1911 году, и указатель. Я, как это у вас принято говорить, привожу в доказательства улики! И пытаюсь убедить вас, что этому источнику можно верить почти безоговорочно. Арминий Евгеньевич фон Фёлькерзам — известнейший и авторитетнейший генеалог, искусствовед, коллекционер, художник, хранитель галереи драгоценностей Императорского Эрмитажа, а впоследствии и один из его директоров.

— Вы нашли у него доказательства принадлежности интересующих меня ювелирных изделий? — терпеливо спросил Гуров.

— Так точно! — радостно ответил историк. — Судя по описанию, ваши драгоценности из пропавшей еще в девятнадцатом веке коллекции купчихи Брыкаловой. А ей они достались от ее бабушки — крепостной актрисы Анастасии Александровой. Часть коллекции была куплена или подарена Александровой, а часть изготовлена на заказ. Вот так-то, дорогой мой Лев Иванович! Историческая наука, так сказать, на службе не только общества в целом, но и полицейского департамента в частности!

— И что же, в этих книгах есть и фотографии?

— Ну, вы много хотите, — рассмеялся историк. — Это уже современные методы создания каталогов.

— Хорошо, только описания, — кивнул Гуров. — Вы мне их предоставите?

— Я уже отправил вам час назад на вашу электронную почту сканированные листы.

— Спасибо, я посмотрю и потом, может быть, попрошу каких-то уточнений, — поблагодарил Гуров. — А еще, Марк Борисович, вы имеете представление о том, как и по какой причине были в девятнадцатом веке быть утеряны драгоценности этой самой купчихи?

— Брыкаловой. Вы знаете, Лев Иванович, темная какая-то там история. Прямых показаний в материалах нет. Если я попытаюсь передать вам смысл, то получится следующее. В преклонных годах Брыкалова сильно болела, много денег потратила на лекарей, возможно, что часть ее состояния отошла в неизвестные нам руки. Например, не сохранились дарственные или нотариально заверенные завещания. Мало ли.

Когда Гуров вошел в кабинет генерала Орлова, там бушевала гроза. Лев Иванович вот уже несколько дней не появлялся на планерках в Главке и несколько выпал из общего потока информации. Петр Николаевич глянул на вошедшего Гурова и выпроводил двух офицеров, попавших под раздачу за какие-то недостатки в своей работе. Обычно, отчитывая наедине подчиненных, Орлов старается сделать так, чтобы суть инцидента не выходила за двери кабинета. Только если уж проступок или нерадивость не коснулись коллег или в целом работы управления. Сейчас он не удержался.

— Заходи, Лев Иванович! Вот времена наступили. — Орлов приобнял старого друга за плечо и провел к угловому дивану у окна. — И в наше время опера пили. Все понимаю: и нагрузка, и неприятности, и напряжение нервное. Но эти! В ночном клубе козырять удостоверениями Главка уголовного розыска перед девками, в то время когда ГУВД проводит рейд по наркоте. Уволю к чертовой матери!

— Да, мы были другими, — улыбнулся Гурова и выразительно посмотрел в глаза Орлову.

Это была старая игра. Разворчавшийся генерал, погружающийся все больше и больше в административную деятельность, начинал использовать частенько избитые штампы в своих сетованиях. И Гуров ловил его на этом. Вот и сейчас Орлов поднял глаза на старого друга, некоторое время смотрел на него, потом рассмеялся.

— Ладно, ладно. Все, согласен, ворчу, как старик! Во все времена так говорят. — Потерев затылок своей крупной головы, Орлов перешел на серьезный тон. — Давай, что у тебя по ювелирным изделиям.

— Ну что. — Гуров вытащил из папки листы бумаги с распечатанными на них на цветном принтере изображениями и текстом. — Удалось немного определиться с возможной принадлежностью украшений. Есть основания полагать, что последней хозяйкой была некая купчиха Брыкалова. В Подмосковье у нее имелось льняное производство, пилорама и несколько скотных дворов. После ее смерти след драгоценностей потерялся. Зато мне удалось получить описание некоторых изделий. Наиболее значимых. Это описания из одного старого справочника, куда они попали в свое время, а это фотографии похожих изделий. Тут вот узловые моменты выделены, которые могут пригодиться при опознании. Особенности способов крепления камней, витье цепочки, замки. Ну и другие мелочи.

— Это ты приготовил для распространения?

— Да, необходимо передать в районные отделы полпорции, в линейные отделы на транспорте, таможенникам. Не исключено, что они начнут уплывать от нас за границу. Стоят они, если не врет Гафанович, целое состояние. Тут и каратность, и историческая ценность раритетов. Письмо за твоей подписью я подготовил. Оно у секретаря.

— Хорошо, я посмотрю, — кивнул Орлов. — Еще что?

— Еще по нашим уголовникам. Борис Кушнарев по кличке Кусок, который каким-то образом связан с разыскиваемыми нами украшениями, замечен в тесной связи с еще двумя уголовниками. Это некто Самарин Игорь по кличке Самурай и Армен Хандулян по кличке Ходуля. Что их объединяет, пока не ясно, мы ведем наблюдение оперативными силами.

— А что тебя смущает в их отношениях? — откинулся Орлов на спинку кресла. — Поясни.

— Не смущает, а заставляет сделать определенные выводы. И Ходуля, и Самурай, и Кусок никогда не отбывали наказания в одной и той же колонии. Я проверял по личным делам. По срокам они тоже не совпадают, так что на пересылке не могли встретиться и покорешиться. Это два. И третье, они живут в разных районах и не в пределах прямых маршрутов транспорта. Случайность знакомства сводится к минимуму, хотя и возможна. Они не мажоры и по ночным клубам не шарахаются.

Орлов поморщился и посмотрел на Гурова с иронией.

— Удивляюсь я тебе, Лев Иванович. Интеллигентный че-

239

ловек, а как начнешь иногда переходить на жаргон или сеять их словечками, то и смех, и грех.

— Извини, увлекаюсь, — усмехнулся Гуров и снова стал серьезным. — Так вот. Исходя из изложенного и в условиях ограниченного времени наблюдения за этой троицей, я могу сделать вывод, что их объединяет какое-то общее дело. Дело криминальное. Ведь ни один из них нигде не работает. И с учетом того, что Кусок засветился возле старинных ювелирных изделий, которые ему не по статусу и которые в его среде просто так появиться не могут, я делаю вывод, что это группа. ОПГ. План по разработке и разобщению завтра представит оперативник из МУРа.

— Хорошо, убедил, — одобрительно улыбнулся Орлов. — Кто такой этот Копыто, ты установил?

— Нет. Пока не установил. Есть основания полагать, что эта личность есть криминальный эксперт по драгоценностям, связанный с различными аферами и контрабандой. Не исключено, что его хорошо знают, но под другой личиной в нормальном экспертном сообществе. В любом случае разрабатывать обе эти среды нужно параллельно. Попробую отследить возможный путь драгоценностей из дома этой Брыкаловой. Но думаю, что это у меня не особенно получится. У историков не получилось, а уж у меня-то со моими историческими познаниями и подавно.

— Значит, хочешь еще и историческую загадку исчезновения коллекции Брыкаловой найти? — с сомнением покачал головой генерал.

— Видишь ли, Петр. — Гуров задумчиво почесал бровь. — Я думаю, что достаточно будет для начала понять, криминальным ли путем утекли цацки у старой купчихи. Если она просто спустила их через ломбард или ювелиров, то это нормально. Коллекция разобщена и разошлась законным путем по разным рукам. А вот если она исчезла, если возникнут подозрения, что коллекция похищена, украдена, спрятана, черт бы ее побрал, тогда криминальный след с тех времен просто всплыл во временах наших. И надо иметь представление, каким образом он всплыл.

— Ну в принципе я с тобой согласен.

240

Глава 3

Гуров помог надеть жене плащ и снял с вешалки свою летнюю куртку. Маша выглядела чуть виноватой, но храбро кинулась в атаку.

— Ну не смотри ты на меня так, — потребовала она от мужа. — Она же, в конце концов, моя подруга. А если все делать только так, как хочется самой себе, и иногда не идти на поводу у подруг, то скоро станешь одинокой, занудливой старой актриской, которая ни с кем не общается, не имеет подруг, а имеет сварливый характер.

Гуров улыбнулся, глядя на Марию с терпеливым ожиданием.

— Ты так на меня смотришь, как будто я уже стала сварливой и занудливой... — начала было Маша, сделав мгновенно большие глаза.

Лев Иванович сгреб ее в охапку, прижал к груди и прижался лицом к волосам.

— Какая ни есть, а моя! — тихо сказал он ей в ухо. — Ну дождь, ну неохота, ну терпеть я эту твою Виолу не могу. Но я же иду из-за тебя. И ты, моя дорогая актриса, сейчас, по-моему, уговариваешь не меня, а саму себя. Решили, значит, поехали!

В этот момент телефон Гурова пропиликал, сообщая о том, что пришло СМС-сообщение. Достав телефон, Лев Иванович прочитал сообщение и многозначительно потряс телефоном.

— Черный «Опель», номер 373. Так что пошли, такси подано.

В машине Марию понесло на кулинарную тему. Она положила голову на плечо Гурова и, глядя в окно, рассказывала о том, какой у них будет стол 10 ноября — на День сотрудников органов внутренних дел. Его частенько и Гуров, и Крячко, и Орлов именовали в своем кругу Днем милиции и первый тост поднимали всегда именно такой. Сейчас, в разгар лета, до ноября было еще далеко, и Гуров понимал так, что Марии надоели их театральные склоки и сплетни. А ей в гостях у Виолы еще предстоит в них окунуться.

Дверь открыл высокий крупный парень в возрасте чуть меньше тридцати лет. Это был сын Виолы Вадик.

— Ой, здравствуйте, Мария, — расплылся Вадим. — Лев Иванович! Заходите, я сейчас маму позову.

Звать Виолу не пришлось. Она заявилась в роскошном шелковом халате и с трубкой телефона возле уха. Сведя брови к переносице, она призывно махнула рукой и снова удалилась, с кем-то с жаром споря по поводу какой-то концепции. Вадим многозначительно развел руками и позвал всех в гостиную.

Шкаф стоял у свободной стены слева от окна, куда на него не попадут прямые солнечные лучи. Величественный, сложной мебельной архитектуры, с колоннами и виньетками мягкого светло-коричневого цвета, он создавал иллюзию старого почтенного гостя, явившегося и занявшего почетное место для обозрения всех присутствующих. Именно он обозревал, а не его обозревали люди, это превосходство чувствовалось.

— Хорош, правда? — Маша обернулась к мужу. — Красавец.

— Да, солидная конструкция, — поддержал ее Лев Иванович. — Я представляю, насколько серьезные дизайнерские изменения придется вносить в интерьер квартиры. Этому монстру...

Гуров поперхнулся, потому что Мария чувствительно двинула его локтем под ребро и мягко улыбнулась Вадиму.

— Вадик, он совершенен! Твоя мама просто молодец, что решилась на эту покупку.

— Вот и я об этом все время говорю, — защебетала появившаяся в комнате Виола. — Это называется прикоснуться к вечности, это как приобщение к величайшей тайне мироздания, как к уснувшему дыханию гения. Красота — она вечна, и, приобщившись к ней, ты эту вечность ощутишь, пропустишь через свое Я!

— А вечность-то, — тихо хмыкнул Гуров, — с грязными потеками бытия.

— Да, а что это? — тут же громко стала интересоваться Мария, подойдя к шкафу с правого бока.

Стараясь соблюдать внешние приличия и поддерживать темы, которые поднимает его жена, Гуров последовал за ней осматривать новый шкаф. То, что он увидел, разочаровало его. Собственно, не только шкаф, оказавшийся с такими дефектами, но и сама Виола, купившая его. Верхняя часть боковой стенки шкафа потемнела. Отчетливо были видны потеки какой-то жидкости. Лак в этих местах потемнел, стал шелушиться, местами дерево обнажилось и тоже стало темнеть.

— Ой, вы не смотрите на это, — подлетела Виола и любовно погладила свое приобретение. — Понимаете, я его потому и смогла дешево купить, что он чуть испорчен. Вон Машка видела, я ей показывала еще в комиссионке. Но это же мелочи, согласитесь? Это все можно очистить и снова покрасить. Или что там с ними делают.

— Боюсь, то, что с ними в таких случаях делают, называется реставрацией, — вставил Гуров.

— Да фиг с ними, — немножко натянуто улыбнулась Виола. — Пусть так называется. Главное ведь, что можно... почистить... покрасить...

— Да, тут проблема, — сказал подошедший Вадик и потрогал ногтем поврежденный участок. — Вы маму не слушайте, это она сама себя успокаивает. Я сейчас ищу реставраторов мебели, кто бы мог взяться за это. Оказалось, что все не так просто. Нужно знать породу древесины, желательно ее возраст. Нужно знать тип лака, технологию нанесения, тип грунтовки. И все нужно потом подбирать по аналогии. И учитывать современные факторы. Влажность древесины была в момент изготовления одна. Сейчас она другая, условия для сушки нужно соблюсти, учесть влажность все той же древесины....

Гуров с интересом посмотрел на парня. Кажется, он уже злится на мать, что она притащила домой не шкаф, а сплошную большую проблему. И кажется, он уже изучил этот вопрос. Парень с серьезным подходом к решению текущих задач.

— А ты, я смотрю, неплохо разбираешься в вопросах реставрации мебели, — Гуров похлопал Вадика по плечу. — Не думал приобрести вторую специальность?

— Да, она как бы и не очень вторая, — пожал плечами Вадим. — Я же вообще-то мебельщик. У меня свой цех по производству корпусной мебели на заказ. Делаем по стандарту и немного дизайнерской из массива или ДСП. У меня и сушка есть, и покрасочная камера.

— Ну, значит, ты в теме, — засмеялась Мария, отходя на пару шагов назад и любуясь шкафом. — Виола, а твой дизайнер уже какие-то наметки по новому интерьеру сделал?

— Ой, Маш, он мне эскизы вчера переслал! Идем.

Гуров проводил жену взглядом и решил, что беседа с сыном хозяйки на тему дорогого приобретения — причина вполне уважительная, чтобы не идти следом за дамами и не слушать вздохов и восторгов Виолы.

— И со многими реставраторами ты уже познакомился? — спросил Гуров Вадима.

— А их и не так много, Лев Иванович. Я и в музей даже ездил, откуда его в комиссионку сдавали как испорченный экспонат. И так узнавал по знакомым.

— В Пушкинский? — рассеянно спросил Гуров, борясь с зевотой.

— Нет, это новый филиал их. Аж за МКАД.

— А-а! — понимающе ответил Гуров.

Мужчина был одет очень неприметно. Темные брюки неопределенного покроя, темные ботинки, больше похожие и фасоном, и мягкостью на кроссовки. Черная куртка застегнута под самое горло. Он поднимался по лестнице неторопливо, размеренным шагом, опустив лицо с видом задумавшегося человека. Когда на следующем этаже остановился лифт, мужчина наклонился и перевязал шнурок на одном из ботинок.

Возле квартиры он остановился и долго вертел в руках ключи. То ли прислушивался, то ли думал о чем-то о своем. В тишине ночного подъезда ключ неслышно повернулся в одном замке, потом во втором. Дверь приоткрылась, и мужчина исчез в квартире. Дверь за собой он закрыл не сразу, постояв несколько секунд и прислушиваясь к звукам в подъезде. Потом дверь закрылась.

Вадим подвез мать к подъезду дома, остановился и, не выключая двигателя машины, сказал:

— Ну, давай, мам, я приеду поздно. Ты ложись, не буду тебя будить.

— Вадик. — Виола, с недовольным видом посмотрела на сына и покачала головой. — Как я не люблю эти ваши ночные мероприятия! Неужели все-таки нельзя все провести днем, вечером, я не знаю...

— Мам, а у вас в театре все эти капустники да посиделки за столом после премьер, они в какое время происходят?

— Вадим! — возмутилась Виола. — Мы взрослые, самостоятельные люди! И потом, это давняя театральная традиция. Не мы ее придумали и не нам ее ломать.

— Мама, мне уже двадцать восемь. — Вадик наклонился и поцеловал мать в щеку. — Я уже очень самостоятельный, я предприниматель, у меня есть наемные работники, производство, которое я организовал сам. И у нас тоже есть традиции. Мам! Перестань, ну что ты за меня так волнуешься? Я когда-нибудь не приходил домой ночевать? Меня пьяного приносили друзья?

— Ох, не понимаете вы матерей, — привычно заговорила Виола. — Вот когда у тебя будут свои, ты вспомнишь слова матери.

— Мам! — притворно застонал Вадим.

— Ладно, езжай. Но учти, что спать я буду плохо.

Виола подставила сыну щеку для поцелуя, поправила прическу, поглядевшись в зеркало на внутренней стороне противосолнечного козырька, и, улыбнувшись, вышла из машины. Вадим помахал матери вслед и положил руку на рукоятку переключения скоростей. Но тут у него зазвонил мобильный телефон.

— Ленка, привет! Чего вы там?

— Ой, Вадик, выручай, — раздался в трубке звонкий девичий голос. — Лешка с Татьяной в «Метро» застряли. У них пятьсот рублей не хватило. Ты же все равно к нам мимо поедешь? Заскочи! Все равно быстрее будет.

— А где я их там искать буду? У меня Танькиного телефона нет. Она как симку поменяла, так и не дала мне новый номер. А этого ее Лешку нового я не знаю.

— Сейчас, Вадичка! — радостно затараторила девушка. — Я сейчас ее номер найду и перезвоню тебе. Подожди.

Вадим вздохнул и откинулся на спинку сиденья. Татьяна ему нравилась давно. У них даже кое-что начиналось, но тут появился этот красавец Леша. Хлыщ! И главное, в компанию их он влился как-то сразу. Как уж проскользнул. Мысли о красивой Татьяне были грустными, и Вадик их решительно отогнал. А вот на то, что ему позвонила именно Ленка, а не кто-то еще, могло означать, что он ей нравится. Почему сейчас Ленка позвонила? Она с Татьяной даже не подруга. И назвала она его Вадичкой!

Размышления были приятными. Вадик решил, что стоит на Ленку обратить самое серьезное внимание, потому что ножки у нее были просто обалденные. Мысли о ножках заставили еще шире улыбнуться самому себе, и, когда зазвонил телефон, Вадик схватил его и тут же выпалил:

— Да, Леночка!

— Так, только мать высадил из машины, и все? — раздался в трубке голос Виолы. — Уже Леночка какая-то?

— Мам... — растерялся Вадик, — ты... чего?

— Вадим, я не найду ключи от квартиры! Всю сумочку перерыла. Может, я их тебе отдала? Ты вообще где?

— Мам, я у подъезда стою, жду звонка. Сейчас я поднимусь.

Выключив двигатель, Вадим вышел из машины и с сожалением посмотрел на телефон в своей руке. Кажется, Лена позвонит теперь в самый неподходящий момент, когда мама будет рядом и легкий флирт и нежные интонации в голосе придется оставить. А намек на свой интерес к девушке ей лучше выразить сейчас, чтобы к его приезду она уже начала думать о нем и о том, что между ними может быть. А теперь, если Лена позвонит, когда рядом будет мать, придется ограничиться обыденным тоном.

Взбежав на свой этаж и на ходу доставая из борсетки ключи от квартиры, Вадик мысленно просил Лену пока не звонить. Еще несколько минут подождать. Мать ждала его у двери квартиры с таким видом, как будто все произошедшее было его шуткой. Пришлось клясться и божиться. Потом открывать дверь своим ключом, заходить в квартиру и на тумбочке в прихожей перетряхивать перед матерью свою борсетку. Ее ключей у него не было.

— Ладно, ладно, — махнула рукой Виола. — Езжай уж. Значит, я их в гримерке оставила.

Мужчина в черном в этот момент замер, стоя буквально на одной ноге в гостиной возле старинного шкафа. Он напряженно вслушивался в разговор женщины и ее сына в прихожей. Там горел свет. И светлая дорожка виднелась в проходе между аркой гостиной, дверями санузла. Мужчина, мягко ступая, подошел к арке и замер за стеной. Кажется, парень собирается уходить. И его долго не будет. И женщина останется одна.

От волнения неизвестный ощутил сильное сердцебиение. Тыльной стороной ладони он вытер пот на лбу. Рука скользнула неслышно в карман куртки и вытащила нож с выкидным лезвием на пружине. Придерживая лезвие, чтобы не было щелчка, мужчина раскрыл нож. Осторожно выглянув из-за стены и убедившись, что его из прихожей от двери не видно, он сделал два тихих шага и оказался у двери в ванную.

Виола закрыла входную дверь за сыном и, напевая еле слышно модный мотивчик, сбросила с плеч плащ, повесила на плечики, сняла туфли и с наслаждением надела домашние тапочки. Поправив перед зеркалом волосы, она, продолжая напевать, прошла на кухню, щелкнула выключателем, и под потолком загорелся розоватый светильник, заливая кафель и стеклянный фартук над плитой и рабочей поверхностью ласковым, вкусным светом, который так нравился Виоле.

Щелкнув выключателем чайника, женщина направилась в комнату переодеваться. Но, выйдя из кухни, она замерла на месте. Холодная рука страха сжала все внутри, сделав ноги ватными, а сердцебиение редким... чуть ли не через раз. Дверь ванной была открыта! Всего две минуты назад Виола проходила из прихожей на кухню мимо этой двери. Она точно помнила, что дверь была закрыта. У Виолы в доме всегда был полный порядок, и такого безобразия, как неплотно прикрытые двери или неаккуратно зашторенные окна, у нее

247

просто не могло быть. В принципе! А тут дверь, открытая сантиметров на тридцать. Сами они никогда не открывались, все двери устанавливались мастерами строго по уровню, исключительно вертикально.

Шум в прихожей и щелчки замка, которые она услышала, вывели Виолу из состояния тихого страха и ввергли в дикую панику. Бросившись на кухню, женщина рванула на себя выдвижной ящик, схватила два больших ножа для разделки мяса и рыбы и забилась в угол между окном и холодильником. Никогда еще стены этой квартиры и лестничная площадка не слышали такого истошного визга. Виола продолжала визжать, вдавливаясь в узкое пространство даже тогда, когда неизвестный, распахнув входную дверь, выбежал из квартиры...

Участковый уполномоченный старший лейтенант Саша Бойцов старался держаться солидно. Он чувствовал себя уже опытным сотрудником. Прошло полтора года с тех пор, как он, окончив юридический институт МВД, пришел работать в свой отдел полиции. И долго Сашка чувствовал себя младшеньким. И поначалу лейтенантские погоны, о которых он так долго мечтал, вдохновляли его, заставляли то и дело косить глазом на свое плечо. Но вот прошел год, и Сашка почувствовал, что ему как-то немножко стыдно оставаться лейтенантом. Как-то это мелко, как зеленый юнец.

И вот Сашке присвоили очередное специальное звание. Фактически с тремя звездочками он вышел из дома сегодня всего в четвертый раз. И все время ловил себя на том, что снова, как и после окончания института, ему все хочется скосить глаза на плечо, на новенький погон. Тем более что теперь он старший лейтенант. А старшие, как известно, они и в Африке старшие. Это уже не юнец, это уже признанное продвижение по службе, хотя и первое, самое маленькое. Но каждый встречный, если он не дурак, понимает, что раз присвоили человеку очередное звание, значит, достоин, значит, работает хорошо.

Допрашивая Валентину Кузнецову, Бойцов мысленно был очень благодарен ее сыну Вадиму, который старательно успокаивал мать и помогал ей сосредоточиться.

— Еще раз, Валентина, — требовал Бойцов, с трудом привыкая к тому, что актрис принято называть только по имени, — попробуйте вспомнить, что в этом человеке было примечательного. Чем-то он вам запомнился?

— Господи, — женщина дрожащей рукой достала из пачки сигарету, — я же вам говорю, что я и разглядеть ничего не успела. Он весь черный какой-то. Выскочил и убежал.

— Так это был мужчина? — прищурился участковый.

— Да-а! — удивленно подтвердила женщина, не понимая, почему этот старший лейтенант так заострил внимание на половой принадлежности преступника.

— Вот видите, — улыбнулся Бойцов. — Так не бывает, что человек ничего вообще не заметил. Просто вы не можете сами вытащить из памяти нужной информации. Вот, к примеру, вы со спины и в состоянии испуга все же поняли, что человек был мужчиной. Ведь ваше подсознание по каким-то признакам это определило. Так и с остальным разберемся. Как вы поняли, что это был мужчина?

Виола потерла средним пальцем переносицу и задумалась.

— В брюках был, поэтому и решила.

— Вот, — кивнул участковый, — а еще?

— Походка, наверное, движения какие-то мужские. Прическа мужская. Короткая. Знаете, это, кажется, называется «под расческу».

— А возраст?

— Ну, вы слишком многого от меня хотите, — покачала головой женщина. — Не старик — это точно. Не мальчишка.

— А у вас точно ничего не пропало? Вы можете сказать, где он рылся, что-то не на месте, где-то дверки шкафа открыты были.

— Нет, уверяю вас, что ничего не тронуто.

— У мамы всегда в квартире был железный порядок, — поддакнул Вадим. — Боже упаси, чтобы не по ее. Она бы заметила, если бы чужой, да еще мужчина, куда-то пытался залезть.

— Хорошо, — кивнул Бойцов, — с этим пока закончим. Я вам дам время подумать и разобраться. Может, все же что-то пропало. Теперь давайте вернемся к вопросу ключей.

— Да, вы знаете, — тут же заговорила Виола, — я в театре их не нашла. И никто не находил, ни в гримерке, ни где-нибудь еще. Или вы... — женщина вдруг сделала страшное лицо, — или вы подозреваете, что это кто-то из театра? Нашли мои ключи и решили влезть?

— Нет, пока мы никого не подозреваем, — солидно заметил Бойцов. — Но будем отрабатывать все версии. Главное, что ключи злоумышленник оставил в двери. И теперь вы можете быть уверены, что к вам никто снова не вломится.

— А если они дубликаты изготовят, если они слепки сделали? — резонно возразил Вадим.

Виола тут же с испугом обернулась на сына, а Бойцов быстро постучал себя кулаком по лбу, демонстрируя сыну хозяйки неуместность такого заявления вслух, когда мать и так почти в истерике.

Вадим Кузнецов немного приврал мужу Марии Строевой, заявив, что он и в Пушкинском музее консультировался по поводу реставрации шкафа. Ему почему-то показалось стыдным в глазах важного полковника из аппарата МВД признаться, что он толком ни с кем из специалистов не встречался. Мебельщик называется!

На самом деле Валим только искал подходы к музею и работающим там специалистам. И сегодня, наконец, через пятые руки ему устроили встречу с неким Павлом Андреевичем Курочкиным, работающим с экспонатами в запасниках и тесно связанным, как ему сказали, с реставраторами и другими экспертами от искусства и исторической науки.

Худощавый невзрачный мужчина в очках встретил Вадима на вахте, выслушал представление и ссылку на лицо, спротежировавшее его на эту встречу, потом кивнул головой и повел молодого человека коридорами и лестницами в подвал. И только когда они оказались в большой и сильно захламленной комнате с несколькими пустыми столами, Курочкин спросил:

— Ну, что у вас? Вы хотите, чтобы музей купил у вас какой-то раритет?

— Н-нет. — Вадим замялся, не зная, как начать разговор. — Видите ли, мне нужна ваша консультация или помощь даже. Мне сказали, что вы тесно контактируете с мастерами.

— Какими мастерами? — Курочкин насторожился. — У вас ювелирные изделия? Или изделия из области украшения интерьера.

— Да, ближе. Мне бы хотелось проконсультироваться с вами по поводу возможности отреставрировать старинную мебель. У нас ведь кто-то же занимается этим профессионально?

— Профессионально всегда кто-то чем-то занимается, хоть собак стрижет, хоть блох ловит. Если есть спрос, то обязательно появятся и те, кто станет предлагать. У нас в городе есть мастерская «Гильдия мастеров» — она появилась несколько лет назад при мебельном комбинате.

— С этими я общался, — перебил Курочкина Вадим. — Я их нашел по рекламе. У них расценки от 300 долларов за работу, не считая материалов и средств. А это еще вдвое от цены работы.

— Ну, милый мой, а вы что хотите? То ведь работа не только очень тонкая, кропотливая, но еще и требующая глубоких знаний, технологий. Тогда попробуйте обратиться в мастерскую Ганьшина. Я, правда, не знаю.

— Ганьшин занимается только мягкой мебелью, — вздохнул Вадим. — По большей части у них идет перетяжка мебели, а у меня нужен ремонт попорченной древесины. Мне бы частного мастера, чтобы без накруток на содержание мастерской.

— Ну хорошо, — подумал Курочкин и взял лист бумаги. — Я вам напишу сейчас пару-тройку телефонов хороших мастеров, которые могут вам помочь.

Вадим сдержался, чтобы облегченно не выдохнуть. Он очень беспокоился, что этот Курочкин испугается и не станет ему помогать, просто выпроводит, и все. А он даже телефоны пишет.

— У вас что за мебель, какой эпохи? — быстро продолжая писать, спросил Курочкин.

— Шкаф. Я не уверен, его мама купила в комиссионном магазине. Кажется, восемнадцатый век. У него от протечек воды попортилась верхняя часть боковины. Он из музея... — Вадим вдруг осекся, уставившись в лицо Курочкина, которое начало странно бледнеть.

— Шкаф? — с переходом голоса на фальцет переспросил Курочкин, откашлялся и заговорил уже нормальным голосом: — Ах, шкаф. Ну, как же... его купила ваша мама. Нет, молодой человек, я так вам телефоны дать не могу. Могут ведь обидеться мастера. А вдруг вы из органов, там с налоговой имеете дела. А тут так их могу подставить. Знаете что, давайте вы мне свой номер телефона, а я уж передам кому надо, и с вами свяжутся, если у кого возникнет интерес. Да и времени у них маловато. Я знаю, что многие заказы уже идут на следующий год.

Вадим поднялся со стула и медленно пятился под напором Курочкина, который сунул бумагу с телефонами себе во внутренний карман и шел на гостя, то и дело вытирая потное лицо платком. Почему Курочкин передумал, что он за ахинею стал нести вдруг ни с того ни с сего. Вадим решил, что ученый неожиданно тронулся умом и не пора ли позвать кого-нибудь на помощь. Наконец он стукнулся спиной о дверь, распахнул ее и, вежливо прощаясь, выскользнул в коридор.

Когда Виола возвращалась домой из театра, на нее опять напал вчерашний страх. А если снова, а если это маньяк, а если и в самом деле все так, как сказал Вадим, а если этот маньяк сделал дубликаты ключей? Мыслей было много, они вились в голове, путались, сталкивались. И чем ближе женщина подходила к подъезду, чем выше она поднималась по лестнице, тем ближе ее состояние было к панике. Грохот на лестничной площадке ее доконал. На негнущихся ногах Виола подошла к стене и увидела, что дверь их квартиры распахнута настежь, что спины двух крепких парней виднеются из-за двери. И эти спины находятся в странном движении. Что они там делают?

И тут парни попятились, что-то громко стукнуло по полу, и в коридор из квартиры полез ее любимый недавно купленный старинный шкаф. Он выползал сантиметр за сантиметром, парни громко командовали друг другу «правее», «толкай», «стой», «опусти»... Побледневшая Виола стала пятиться, когда услышала быстрые и даже знакомые шаги снизу на лестнице. Перепрыгивая через две ступеньки, к ней приближался сын.

— Вадим, — одними побледневшими губами шевельнула женщина и показала пальцем в сторону квартиры.

— Нормально, мам, это мои ребята! — махнул рукой сын. — Я шкаф забираю к себе в цех. Сам начну его реставрировать Ты не представляешь, какие цены все ломят. Шкаф столько не стоит, сколько просят за ремонт.

Виола оперлась о перила и облегченно положила руку на то место, где у нее снова ровно и надежно забилось сердце.

— Сынок, предупреждать же надо, — покачала она головой, но Вадим уже взбежал по лестнице на площадку перед их квартирой и начал энергично руководить грузчиками. Судя по его репликам, машина уже ждала у подъезда.

Звонку Марии в рабочее время Гуров удивился. Обычно Мария не звонила ему днем. Даже когда он бывал в командировках или когда она уезжала на гастроли, они оговаривали время, когда созвонятся, поболтают. А уж в Москве она всегда старалась не тревожить «своего полковника» на работе. Хотя иногда звонить ей приходилось, но на это всегда были серьезные причины.

— Да, Маша!

— Извини, что я звоню, — голос жены прозвучал заметно взволнованным. — Ты можешь сейчас говорить?

— Да. Что случилось?

— У нас все нормально, — сразу же оговорилась Мария. — У Виолы, подруги моей, помнишь, мы ездили к ней шкаф смотреть?

— Помню.

— К ней в квартиру залезали воры. Она пришла, а вор в квартире. Как они разминулись, непонятно, но он убежал, а она в предынфарктном состоянии. В переносном смысле, конечно.

— Ну, это бывает еще, к сожалению, — проворчал Гуров, понимая, что жене неудобно просить его помочь по своей линии, на что-то или кого-то надавив сверху, потому что где-то или кто-то спускает дело на тормозах. И она знала, как к этому относился Лев Иванович. И она все же позвонила. Значит, что-то там... не так.

— А что полиция? Она вызывала?

— Да, только там, понимаешь, ничего не пропало.

— Не успели украсть?

— Трудно сказать. И открыли входную дверь ее собственным ключом, который у нее пропал при странных обстоятельствах, и не пропало ничего. С точки зрения территориально отдела полиции, конечно, не преступление, но все же. А женщина в панике. Она же боится теперь дома ночевать.

— Глупости какие, — проворчал Гуров. — Посягательство на чужую собственность налицо. Как это не преступление? Да, подожди... Адрес я ее помню, какой отдел должен заниматься, я уточню. Она ведь не Виола? Как ее по паспорту зовут?

— Валентина Кузнецова.

— Хорошо, Маша, я уточню и проконтролирую, чтобы этим делом занялись серьезно. Как положено по закону.

— Спасибо тебе, дорогой, — вяло отозвалась Мария.

— Ладно! Я съезжу сам!

— Какой ты у меня хороший, — в голосе жены появились мурлыкающие интонации. — Я тебя обожаю!

— Ладно, — Лев Иванович невольно расплылся в улыбке, — считай, что я купился.

Выяснив, к какому отделу полиции относится дом, в котором жила Виола, Гуров из своего кабинета позвонил дежурному. Тот принял к сведению, разыскал Бойцова и велел срочно звонить в МВД полковнику Гурову. Вся цепочка снова замкнулась на кабинет Гурова через двадцать минут.

— Товарищ полковник, старший лейтенант Бойцов! — бойко представился участковый.

— Бойцов, вы выезжали по заявлению гражданки Кузнецовой... — Гуров назвал адрес Виолы.

— Так точно, товарищ полковник, — отрапортовал в трубку участковый. Гуров поморщился.

— Так, лейтенант! Переключайся давай на рабочий лад. Меня зовут Лев Иванович. Так и обращайся. И без поросячьего энтузиазма. Так ты выезжал к ней?

— Так... — начал было Бойцов, но вовремя спохватился: — Да, я выезжал, Лев Иванович.

— Давай коротко, что там произошло.

— Гражданка Кузнецова потеряла ключи от квартиры. Где и когда, не помнит. Ключами воспользовался неизвестный и проник в квартиру Кузнецовой позавчера в половине двенадцатого ночи. Хозяйка вернулась, а вор сумел выскочить из квартиры и скрыться. В ключах, которые он оставил в квартире, хозяйка опознала свои собственные. Видимо, их у нее выкрали. И видимо, вор знал ее адрес. Отсюда я делаю вывод...

— Подожди с выводами! — остановил участкового Гуров. — Оперативно-следственная группа выезжала?

— Н-нет... Мне позвонил мой шеф, и я утром к Кузнецовой зашел.

— Ясно, — недовольно проворчал Гуров, — а она вместе с сыном за это время затоптала все следы, может, еще и полы помыла, мебель протерла. — Так, лейтенант. Садись и пиши рапорт по этому делу. Кто, когда и как тебя отправил по заявлению гражданки Кузнецовой, что ты предпринял. Выезжаю к вам в отдел. А оттуда вместе с тобой отправимся на эту квартиру. Понял? Выполняй.

Бойцов Гурову понравился. Было совершенно очевидно, что, несмотря на три звездочки на его погоне и более года стажа работы в отделе, опыта у парня было маловато. Но он не старался показаться лучше, опытнее и умнее, чем он есть. Это радовало. Сыщик хорошо знал, что такие учатся быстрее, лучше впитывают опыт старших товарищей. И если вовремя осадить парня и не дать ему изъясняться языком протокола, он вполне образно и толково описывает ситуацию и само преступление.

Вадим привез мать к подъезду их дома почти одновременно с приездом Гурова и Бойцова.

— Спасибо вам, Лев Иванович, что вы... — начала было Виола, но Гуров сразу постарался прекратить бессмысленные словоизлияния.

— Давайте поднимемся к вам и там обо всем поговорим, — предложил он.

Дверь открывал Вадим, прокомментировав, что замки теперь в двери новые, что обошлось это ого-го во сколько, но спокойствие матери для него дороже. В квартиру Гуров вошел первым, отстранив даже Бойцова. Все замерли в прихожей, глядя на полковника, внимательно осматривающегося и двигающегося вдоль стены.

— Мы вчера полы помыли, — немного виноватым голосом сказал сзади Вадим. — Шкаф выносили и намусорили.

— Шкаф? — переспросил Гуров, наступая уже без осторожности.

— Да, я его в мастерскую отвез. Сам займусь реставрацией.

— Жалко. Хотелось его осмотреть на месте, но теперь уже его залапали руками грузчики. Так ведь?

— Ну... наверное. — Вадим переглянулся с Бойцовым. — А вы думаете, что вор приходил за шкафом?

— А кто его знает, зачем он приходил, — пробормотал Гуров, присаживаясь на корточки и рассматривая царапины на ламинате. — Зачем-то же приходил. Это вопрос первый. А второй, почему ничего не взял. Эта царапина тут была раньше?

— Вадик! — возмутилась Виола и смело подошла к Гурову. — Я просила тебя бережно относиться к дому. Это твои гиппопотамы поцарапали, когда шкаф тащили!

— Точно? — Гуров обернулся и посмотрел на Вадима. Тот пожал плечами с виноватым видом и не ответил.

— Лев Иванович, позвольте? — подал голос участковый.

— Да, слушаю.

— Вы вот два вопроса подняли. Я хотел бы высказать свое мнение.

— Валяй, — разрешил Гуров, проходя в гостиную.

— Вы сказали, что вполне очевидно, зачем приходил вор.

— Я сказал? — Гуров обернулся и насмешливо посмотрел на Бойцова.

— А... нет, вы сказали, что это один из вопросов, но вы произнесли так, что можно было понять...

— Ну-ну, — поощрил Гуров молодого человека и двинулся дальше по гостиной, осматриваясь по сторонам.

— Так вот, преступник вполне мог лишь предполагать, что в квартире есть ценные вещи или деньги. Гражданка Кузнецова одевается очень... интересно, по ее внешнему виду вполне можно понять, что она дама состоятельная.

— Ну спасибо, — фыркнула Виола.

— А тут ключи, — продолжил Бойцов. — Не важно пока, как они попали в руки преступника, но факт, что у него были основания сюда войти.

— Как раз это очень важно, Саша, — мягко ответил Гуров. — Случайно найденные ключи — это одно. Взять со стола ключи, где их могла оставить актриса, — это чуть-чуть другое. А вот целенаправленно вытащить ключи из ее кармана или сумочки — это уже планирование преступления. И все же...

Гуров присел у стены, где еще вчера стоял старинный шкаф. Он стал к чему-то присматриваться, обходя определенное место с разных сторон. Потом достал носовой платок и провел им по полу. Осмотрев ткань, Гуров свернул ее и провел платком по другому месту. Поднявшись на ноги, сыщик подошел к хозяевам квартиры.

— Здесь, я так понимаю, полы после выноса шкафа не мыли?

— Лев Иванович! — тут же вспыхнула Виола. — Я не могу каждый день вылизывать квартиру. Я ведь занята в театре в трех спектаклях. И заметьте, не на второстепенных ролях. Вы спросите Машу...

— Валюша. — Гуров улыбнулся и взял женщину за локоть. — Вы чего это? В ноги вам поклониться, что полы не мыли здесь. Кстати, у вас удивительно чисто. И я, обратите внимание, пыль искал долго и очень старался. Но я же сыщик, и я ее нашел.

Гуров засмеялся и посмотрел на мужчин. Вадим и Бойцов тоже заулыбались в ответ на обезоруживающую улыбку полковника. Но Гуров уже стал серьезным и поманил обоих к

257

тому месту, где стоял шкаф. Оба, повинуясь, опустились на корточки рядом с Гуровым.

— Если присмотреться... вот отсюда, — сыщик показал направление, — то виден след от шкафа. Вполне различимый прямоугольник. А вот тут к нему, как на уроке школьной геометрии, присоединен треугольник. Кто чуть-чуть отодвигал шкаф? Ты, Вадим?

— Я? — Сын Виолы уставился на Гурова, не понимая, потом посмотрел снова на следы на полу. — Нет, как его поставили грузчики, так никто и не двигал. И только вчера, когда выносили. Но мои парни его наклоняли, и монтажки подводили. Они его по полу не двигали, ламинат жалели. А потом на резиновых колесиках катили. Вот следы... вот еще. Они мягкие, ламинат не продавливают.

— Это значит, — тихим шепотом важно сказал Бойцов, — что шкаф двигал преступник.

— Да бред какой-то! — беспомощно глядя на полицейских, заговорил Вадим. — Он что, украсть его хотел? В одиночку вынести? Или вы думаете, что он за шкафом что-то искал? Сейф в стене, заначку в старом ботинке?

Гуров тут же посмотрел внимательно на стену перед собой.

— Ну, про сейф я, кстати, не подумал, — сказал он серьезно. — Ладно, с этим все понятно. Теперь пойдем поговорим с твоей мамой, Вадик. Начнем с первого вопроса. Как и где она могла потерять ключи от квартиры?

Глава 4

Саша Бойцов и Вадик Кузнецов вышли из музея в приподнятом настроении. И если молодой участковый был доволен тем, что, на его взгляд, ниточка загадочных происшествий, связанных со шкафом, разматывается вполне удачно, то у Вадима были иные мотивы быть в хорошем настроении.

— Честно говоря, я просто рад, что на месте сегодня не было этого типа — Курочкина, — говорил Вадим, успевая посматривать по сторонам.

— Это который тебя по специалистам консультировал? — не отрываясь от блокнота, в котором он делал пометки, спросил Бойцов. — А что это ты с ним так? Встречаться не хочешь.

— Да он странный какой-то. Сначала мне телефоны мастеров писал, к кому он рекомендовал обратиться по поводу реставрации шкафа. А потом вдруг засуетился, испугался чего-то. Стал плести мне про то, что вдруг я с налоговой инспекцией знаюсь, с полицией, что на этих мастеров могут органы наехать. Так и не дал телефоны. Сказал, что мне сами позвонят, кто согласится на эту работу.

— Глупо как-то, — с удивлением посмотрел на Вадима Бойцов. — А теперь получилось, что ты и правда полицейского привел. Ладно, не заморачивайся. Тебе с ним что, детей крестить. Ты его и не увидишь больше. По крайней мере, мы теперь знаем, что шкаф они получили из Горчакова. Адрес у нас есть.

— Слушай, а давай я с тобой махну, — загорелся Вадим. — Точнее, я тебя свожу туда на машине. Шкаф-то мой, мне самому интересно, что за ним тянется. Если Гуров прав, что преступник из-за шкафа к нам вломился, то я даже не знаю, что и предположить. Он правда так считает?

— Ну, не знаю. — Бойцов пожевал губу. — Наверное, он просто назвал одну из гипотез. Он аналитик, он всегда пытается выбрать все реальные гипотезы, даже если и подтверждения пока нет. Думаю, что он просто по привычке ее назвал. Ну зачем взломщику тяжеленный шкаф? Перепродать его?

В Горчакове в паспортном столе Бойцов произвел впечатление. Светловолосый высокий крепыш с погонами старшего лейтенанта. Уверенный взгляд, важный голос. Девушка паспортистка смотрела на него во все глаза из-за деревянной стойки и лишь кивала головой. Она шустро перебирала пальчиками карточки в деревянном ящике «алфавитки», шевеля губами, как школьница во время контрольной работы.

— Хо... Хо... Хол... вот, Холин. Холин Иван Николаевич, 1935 года рождения.

— Ну, ну! — поторопил Бойцов. — И куда он выбыл?

— Он... — Девушка пробежала по карточке глазами и потом беспомощно посмотрела на старшего лейтенанта. — Он умер.

— То есть как это умер? — машинально спросил Сашка и тут же понял, что от разочарования, что ниточка оборвалась, сморозил глупость.

— Я не знаю. — Девушка хотела улыбнуться, но, видимо, посчитала, что это неуместно, и только поморщилась. — Тут так написано и ссылка на свидетельство о смерти. Может, по старости. Все-таки лет ему было восемьдесят.

Из здания местного ЗАГСа Бойцов вышел с копией свидетельства о смерти гражданина Холина и уселся на лавку рядом с Вадимом, который ждал его, дымя третьей по счету от нечего делать сигаретой.

— Ну что? — спросил он участкового.

— Похоже, что умер он и правда своей смертью, — ответил Бойцов.

— Сдал шкаф в музей и спокойно умер. Или ты думаешь, что его убрали?

— Ты не представляешь, Вадик, во что мы увязли с тобой, — вздохнул Бойцов и оперся подбородком о кулаки.

— А во что мы увязли?

— По-хорошему, нам положено найти всех родственников, соседей этого старика и опросить их на предмет здоровья и смерти его самого, а также по поводу его шкафа, его ценности и возможного интереса к нему третьих лиц. А у меня ни времени, ни полномочий для этого!

Старенькая «Ауди» Вадима пристроилась возле въездных ворот на территорию строительства. Сашка Бойцов вышел, деловито осмотрел припаркованные легковушки и покачал головой.

— Вот это да! — Бойцов сдвинул фуражку на затылок и посмотрел на забор, строительную площадку за ним и два оставшихся дома. Один из которых, возможно, и был тем домом, в котором недавно жил и умер старик Холин. — Приплыли!

— Дома, похоже, расселили, — уныло добавил Вадим.

— Расселили. Я подозреваю, что их тут было больше. Может, и дома Холина уже нет.

— И что будем делать? — Вадим посмотрел на своего нового друга.

— Не знаю, — медленно, почти по слогам, произнес Сашка. — Пойдем хоть глянем, где жил старик. Может, его дом еще остался.

— А что нам это даст?

— Представления не имею, — угрюмо отозвался Бойцов. — Может, что и даст. А может, и ничего. Просто, понимаешь, правило такое есть у нас. Раз уж приехал, посмотри все сам. А мы с тобой не очень удачное время для приезда выбрали.

— Это почему? — запирая машину, спросил Вадим.

— Посмотри на машины. Отечественные, иномарки, но старенькие, хотя и крепкие. Ни одной более или менее дорогой машины. Или статусной. Значит, начальства на площадке нет. Одни работяги, а нам надо поговорить с лицом ответственным.

— Ну да, — подумав, кивнул Вадим.

Когда Бойцов и Вадим вошли на территорию площадки, их сразу увидел стоявший с рабочими Голубев. Полицейская форма и широкие плечи второго незнакомца навели на мысль, что это уже или полиция с прокуратурой, или что похуже. Например, следователь, уголовный розыск... может, вообще ФСБ. Черт бы побрал это место, заколдованное оно, что ли.

Голубев взял за рукав мастера и шепнул ему на ухо:

— Иди встреть вон того в форме. Скажи, что никого из начальства больше на стройке нет. Представься. Выясни, какого хрена им тут надо. Если производственными вопросами начнут интересоваться, про несчастные случаи расспрашивать, пусть бумагу предъявят. Это вообще-то частная территория.

— Как это частная? — не понял мастер.

— Ну, в том смысле, что территория закрыта для посещения посторонними, что мы акционерное общество, а не государственная структура. Так что пусть с нашим главным офисом решают и с представителем вышестоящего начальства приезжают. Понял. Но не хами. Если вежливо себя вести будут, много требовать не будут, то и ты с ними «вась-вась». Давай, потом расскажешь.

Вадим увидел, как от вагончика из группы рабочих вышел молодой мужчина лет сорока, загорелый, в чистой спецовке с яркой желтой эмблемой строительной компании над нагрудным карманом.

— Начальство, — толкнул он локтем участкового.

— Здорово, мужики, вам кого? — без тени волнения в голосе сразу спросил мужчина в спецовке, бегло осмотрев обоих визитеров.

— Кто из начальства на объекте? — деловым тоном спросил Бойцов, но тут же наткнулся на холодные, с тенью иронии глаза мужчины.

— А вам зачем? — спросил, он не двигаясь с места и даже не делая намека на то, что приглашает пройти.

— Простите, вы кто здесь по должности? — попытался найти компромисс несколько обескураженный таким приемом Бойцов.

— Мастер, — коротко ответил мужчина, продолжая стоять и выжидательно смотреть на гостей.

— Видите ли, — тщательно скрывая, что начал злиться, заговорил Бойцов, — нас интересует дом номер двенадцать из числа подлежащих сносу или снесенных. Здесь жил один гражданин, который нас очень интересует.

— Вы хотите осмотреть дом?

— А его еще не снесли? — с надеждой в голосе спросил Бойцов.

— Вон, — мужчина повернулся и кивнул головой на два оставшихся дома, — двенадцатый и четырнадцатый остались. А что вас там интересует?

— Ну, хотя бы посмотреть квартиру, в которой он жил...

— Да пожалуйста. — Мастер пожал плечами и первым двинулся к крайнему дому. — Только там смотреть нечего. От квартир одни стены остались.

— Ну, это не важно... — неопределенно ответил Бойцов.

Дальше все трое шли молча мимо рабочих, нагружавших в ковш «бобкета» стальной пруток для сварки каркаса железобетонного фундамента. От группы рабочих отделился невысокий мужичок с красными глазами, наводившими на мысль о вчерашней пьянке. Рабочий махнул рукой мастеру, догнал его и пошел рядом, стараясь говорить тихо.

— А это кто такие? Они не по поводу тех надписей на стене?

— А тебе чего? — буркнул было мастер и вдруг остановился и схватил рабочего за плечо. — А ты сбил штукатурку с надписью, как я тебе вчера велел?

— Блин, я вот чего и говорю... набрался я вчера... не успел...

— Урод, — зло сказал сквозь зубы мастер и посмотрел на спины старшего лейтенанта и его спутника, скрывшиеся в подъезде пустого дома. — Я тебя пришибу, сука! Ты всех подставил, алкаш!

Мастер замахнулся, но не ударил. Быстрым шагом он бросился догонять гостей. Взбежав на второй этаж, он увидел ту картину, которую и ожидал увидеть. Полицейский и парень в гражданском стояли и любовались на надпись, сделанную кровью, которую еще вчера рассматривали они с прорабом.

Коснешься ты, и смерть коснется тебя!
Чувствуешь ее ледяную костлявую руку???

— А это что за хрень? — Бойцов обернулся на догнавшего их мастера. — Ваши, что ли, развлекаются? У вас тут секта сатанистов?

— А... Это давно тут... — Мастер равнодушно пожал плечами. — Нам-то какое дело, кто что написал.. или гвоздиком нацарапал? Наше дело сносить и строить. Так что вам в квартирах надо?

Бойцов усмехнулся, покачал головой и пошел направо по коридору. Судя по помятой жестяной облезлой табличке на третьей от лестнице двери, это была как раз квартира Холина. Одна из немногих дверей, сохранившихся в доме потому, что была разбита и разломана. Остатки обоев на стенах, с потолка свисала почерневшая дранка, паркет на полу разбит и разбросан.

— Вот, — вздохнул Бойцов. — Тут он жил в то время, когда у него был этот шкаф и откуда он его продал музею... за гроши, кстати.

— Задорого они бы не купили, — вставил Вадим. — Задорого они нам его сбагрили.

— Не покупали бы, — хрустя паркетом, Бойцов прошелся по комнате, осматривая стены, выглянув в окно.

— Да это все мать. Втемяшилось ей.

— Скажите, — Бойцов повернулся к мастеру, стоявшему в дверном проеме, — а в доме были какие-то вещи, мебель, когда вы приступили к демонтажу?

— Откуда же я знаю, — пожал плечами мужчина. — Дома расселили еще до того, как мы приступили к демонтажу. Они были пустыми, в них кто только не лазил. И трубы спиливали, и батареи поснимали. Вон, ни окон, ни дверей. А когда нам передали, то мы огородили территорию и стали сносить. А что там внутри?

— Интересно, — не слушая их, сказал Вадим. — А я и забыл, что в таких домах перекрытия деревянные. Представляете, сколько лет этим доскам? Дореволюционные еще. Вон паркет сняли, но паркет явно современный, а доски кто-то ковырять пытался. Сухие, наверное, как порох.

Голубев облегченно вздохнул, когда мастер рассказал, что полиция приходила неизвестно зачем и ничего особенного не спрашивала и никуда не лезла.

— Ну, что-то им все же надо было? Чего же они приехали?

— Я не знаю, может... — Мастер помялся. — Чины небольшие, может, хотели чем-то поживиться. Знаешь же, как на дачах те, кто победнее, делают теплицы из оконных рам, двери с блоками забирают из старых домов, трубы режут на столбы. Кто их знает. А может, какую лепнину под потолком или на печках ищут красивую и старинную.

— Значит, надписью они не очень заинтересовались?

— Посмеялись и пошли дальше, — кивнул мастер. — А Жорку я сегодня прибью. Урод, вчера велел сбить штукатурку в том месте, чтобы надпись не маячила.

— Гони его в шею! — зло сплюнул Голубев. — Я сейчас служебку на него накатаю за пьянки и нарушение трудовой дисциплины. И ты напиши. С таким рвением он натворит нам тут дел. И так эта площадка у всех уже тошноту с икотой вызывает. Нам только несчастных случаев не хватает.

Мастер кивнул и ушел. Голубев постоял немного и вернулся в свой прорабский вагончик заниматься отчетами и материалами. Иногда он посматривал в окно, все еще ожидая новых подвохов, новых визитеров. Площадка и ему уже начала казаться какой-то мистической. Лезет же в голову такая чертовщина. Надписи, привидения, проклятья...

А на следующий день в половине девятого утра рабочий Георгий Липатов, будучи в состоянии страшного похмелья, свалился в двухметровую траншею вместе со сломавшимся переходным мостиком. Голубев, услышав крики, прибежал и, растолкав рабочих, увидел, как двое монтажников на руках по траншее несут известного пьяницу Жорку. Тот выл и охал, держась за бок, а из порезов на руке и ноге обильно сочилась кровь.

Через тридцать пять минут приехала «Скорая», констатировав глубокие порезы мягких тканей и возможный перелом ребер. Остальное должен был показать рентген. Злой, как сатана, Голубев еще минут пятнадцать ходил и орал на рабочих по каждому поводу и без повода. Рабочие косились и перешептывались. Чтобы прораб орал без дела, такого еще не было с Голубевым. Потом он все же взял себя в руки и отправился звонить начальству о несчастном случае и последствиях.

Через полтора часа приехала комиссия из отдела охраны труда и службы главного инженера. В тягостном молчании все потянулись к котловану и выходившей в него траншее для трубопровода и кабельных каналов. Сломанный мосток рабочие подняли наверх в присутствии комиссии и положили на открытой площадке. Инженер из ПТО присел на корточки и постучал брошенным электродом по бруску, на который настилались доски мостка.

— Слушай, Голубев. — Инженер повернулся и посмотрел на прораба подозрительно. — А брус-то подпилен, поэтому он и сломался.

— Как подпилен? — опешил Голубев и присел рядом.

Пропил на две трети толщины направляющего бруса был хорошо виден. Именно по этому пропилу он и треснул, когда на него ступила нога человека.

— Что за хрень творится на этой площадке? — вдруг взорвался начальник отдела охраны труда, наливаясь кровью и тряся двойным подбородком. — Тут когда-нибудь кто-нибудь будет за что-нибудь отвечать? Бардак! Никакого руководства! Прорабы как с луны свалились. Никто ни должностных инструкций не знает, ни за работами не следит, ни за подчиненными! Я этого терпеть больше не намерен... Чтобы еще меня уволили! Голубев, быстро в машину и к главному инженеру со мной. Раздолбайство! Третий несчастный случай за месяц! Вас всех, что ли, под следствие сажать!

Обе двери в кабинет генерала Орлова были распахнуты. Гуров прислушался, осмотрел пустую приемную и глянул на часы на стене. Без пяти минут двенадцать. Все больше в полночь встречаемся, мысленно усмехнулся сыщик. С мрачными силами боремся и сами по ночам совещаемся.

— Что ты там встал? — раздался из кабинета голос Орлова. — Заходи.

— У тебя стены изнутри прозрачные? — усмехнулся Гуров, входя в кабинет.

— У меня слух хороший, — не поворачиваясь, ответил Орлов, стоя лицом к открытому окну. — И память. Мы же договаривались, что ты после одиннадцати придешь.

— Извини, что задержался, — развел руками Гуров. — Все-таки Москва. Пробки.

— Люблю ночной воздух, — неожиданно сказал Орлов. — Хоть и город, мегаполис, бетон, асфальт, камень, а все равно ночью воздух другой. Или это самовнушение, попытка релаксировать.

Гуров промолчал, стоя у стола. Стареет друг. Теряет тему, на ночные запахи тянет.

— Ну, что у тебя там? — Орлов решительно повернулся и бодрым шагом прошел к своему рабочему столу. — Ты садись, садись. Набегался за день, так хоть посиди у генерала в кабинете. Ну?

— Ну что, коллекция предположительно старинная. Конец восемнадцатого века. Стоимость ее ого-го! Если она вся в руках одного человека и если верить описаниям одного грамотного человека, который составлял его больше ста лет назад, то среди драгоценностей Брыкаловой есть очень крупные камни и очень высокохудожественные изделия московских, петербургских, французских и итальянских мастеров восемнадцатого века. Эксперты говорят, что вся коллекция, как ее описали в справочнике, сейчас должна стоить больше десяти миллионов рублей.

— А кто она? Ты мне рассказывал, что актриса?

— Да, изначально эти изделия принадлежали крепостной актрисе Александровой. Потом по наследству перешли к потомкам. Точнее, ко второй жене купца Брыкалова. И уже во время владения Брыкаловой коллекция исчезла.

— Ни хрена у нас крепостные жили, да? — усмехнулся Орлов.

— Ну, из крепостных у нас вышло много толковых людей. Были и предприниматели, и актрисы. Зачастую делами дворян занимались управляющие из крепостных. Честно говоря, это нам в школе преподавали, что крепостное право — это рабство. За убийство крепостного барин мог и на каторгу загреметь, между прочим. Это была своего рода приписка к населенному пункту, к владельцу земли. Да, их продавали, покупали, но...

— Да помню я, помню, — махнул Орлов. — Давай дальше. Значит, у нас по Москве гуляют изделия, предположительно из коллекции купчихи Брыкаловой?

— Предположительно да. Полная уверенность будет только тогда, когда нам в руки попадет хоть одно моломальски стоящее изделие. Тогда можно сверить с описанием. А сейчас мнения экспертов даже немного разнятся. Мы же им для опознания не можем ничего предъявить, кроме того, что нам нарисовал агент, который далек от ювелирных дел.

— И что, дело глухо?

— Нет, знаешь, Петр, есть один примечательный момент. Изделия пытаются сбыть очень осторожно. Это факт. Значит, тот, кто этим занимается, понимает его баснословную ценность. Он специалист, а не просто уголовник, который в колониях провел времени больше, чем на воле.

— Может, кто-то из солидных воров?

— Нет. Солидный вор в законе — он со связями. Он потому и на свободе, что у него такие связи, которые даже мы преодолеваем с трудом. Он бы нашел выход за границу в два счета. Он сам бы вышел на иностранных перекупщиков и коллекционеров.

— Тогда кто? — Орлов с интересом посмотрел на Гурова.

— Люди, которые понимают в ювелирном искусстве, вообще в искусстве, но ничего не смыслят в бизнесе и криминальных делах.

— Но ведь с изделиями наши агенты засекли как раз уголовников?

— Да! — кивнул Гуров. — Уголовников, но только мелких. Эти интеллигентные люди не смогли выйти на серьезных людей из криминала. Они их просто не знают. Они где-то как-то связались через каких-то знакомых хоть с кем-то, кто имеет хоть какое-то отношение к уголовному миру. И их наняли. А те сами суются, как слепые котята. Им и хочется, и колется. Они давно бы послали своих нанимателей куда подальше и смылись бы с образцами, которые им давали для предъявления потенциальным покупателям.

— Но они знают, — догадался Орлов, — что драгоценностей много, и не хотят терять такой кусок. Они будут крутиться возле этих твоих «интеллигентных» людей, пока или не помогут им продать изделия, или не смогут украсть их все, и потом только скрыться.

— Примерно так, — согласился Гуров. — Поэтому больше внимания я уделяю теперь не уголовному миру, хотя и ему тоже. Могут случайно на наших продавцов выйти и серьезные воры. Больше я теперь занят разбрасыванием сети в среде официальных ювелиров, оценщиков, перекупщиков. Они люди искусства, они не до такой степени криминализованы и мою сеть не сразу заметят. А к ним наши продавцы рано или поздно обратятся.

268

— Надо взять под самое серьезное наблюдение все легальные и нелегальные каналы вывоза за границу. Сейчас они соваться и рисковать не будут. Но как только нащупают канал, то могут всю группу изделий одним махом «слить».

— Да, подготовил письма за подписью заместителя министра. — Гуров раскрыл папку и выложил перед Орловым несколько бланков министерства с текстом. — Эти по нашим управлениям: транспортникам и другим. Это в таможенный комитет, это погранцам...

— ...возможна попытка вывоза крупной партии ювелирных изделий, имеющих историко-культурную ценность... — Орлов надвинул очки и пробежал по тексту. — Хорошо, оставь, я посмотрю и утром передам через приемную с сопроводительным письмом. А что с уголовниками? Как их там? Кусок, Ходуля, Самурай?

— Пока ничем себя не проявляют. Наружку мы за ними не пускали, но понемногу своими людьми обставляем. Не хочется торопиться.

— Это точно, — согласился Орлов. — Только засветимся с заявкой на наружное наблюдение, как сразу с нас начнут требовать «гнать дело». А окажется туфтой, замучаешься отписываться. Нет, правильно, не спеши. Давай пока своими силами. Этот твой Кусок мог вообще найти изделие, вытащить из кармана в трамвае у кого-то.

— Он не карманник, — тут же возразил Гуров.

— Я помню, — поморщился Орлов щепетильности Гурова к мелочам. — Я образно выражаюсь. Установили, кто такой Копыто?

— Пока нет. По базам МВД среди кличек есть несколько человек. Но кто-то сидит, кто-то проживает далеко от Москвы, кто-то уже умер.

— Запросы разослал?

— Еще позавчера. Ответы начали приходить. Пока все уголовники с кличкой Копыто находятся по местам регистрации, в течение последней недели не отлучались и не выезжали. Подтверждения по умершим тоже начали приходить. Там пока все чисто.

— Может, это и не кличка, — задумчиво сказал Орлов.

269

— Я думал, — вздохнул Гуров. — Фамилия такая существует. Я нашел две, но в Украине. В Москве, ты не поверишь, по адресному не значится. Знаешь, что я думаю, Петр Николаевич. Это не кличка и не фамилия. Фамилия у него имеет корень «копыт» или «копыто». Какой-нибудь Копытин, Копытовский. А уголовники его на свой манер прозвали Копытом. Наивно, но в принципе тоже вариант. Я на всякий случай агентуру перенацелил, а проверять всю Москву на предмет возможных вариантов фамилии у нас ни сил, ни времени не хватит.

— Ладно, ты сам не упускай из виду такой вариант. Ну а как у тебя дома, Лев Иванович? Давно я Марию не видел. И ты на премьеры не приглашаешь, да и так не собирались мы давно с тобой, со Станиславом.

— Да нормально все. Маша все успевает. И в театре играть, и с подружками нянчиться.

— Это та, как ее, Виола Палеева. — Орлов засмеялся. — Которая старинный шкаф купила и носится с ним как с писаной торбой.

— Да, только у нее проблемы начались по всем фронтам. Шкаф с дефектом, никто не берется реставрировать, в квартиру вор забрался. Хорошо, что ничего не взял. Не успел. Она же его и вспугнула, а могла и на нож нарваться.

— Ну, у них, творческих, свои причуды. Ладно, давай домой, привет Марии...

Олег Маркин и Сеня Лукин сдружились уже по работе в мебельном цехе. Цех был небольшой, и трудились в нем всего с десяток постоянных работников, включая и уборщицу тетю Нину. Хозяина цеха Вадима Кузнецова ребята знали, что называется, через вторые руки, и о мебельном деле и не помышляли. Один работал в автосервисе на мелких простых работах, второй подсобником на стройке. И оба случайно попали в цех к Вадику. Потянуло парней на теплое помещение, да и про Вадика Кузнецова говорили, что он парень толковый, сам любит работать руками, не жлоб и дело у него развивается. Оба уже почти год работали на раскрое и сборке сборно-щитовой мебели. Работа несложная. По выкройкам обрезать, рассверлить, вставить закладные. Заказов немного, но и не мало. Мебель простая, но недорогая. Брали и на дачи, и в семьи, что победнее.

Сегодня парни прибежали в цех пораньше и в хорошем настроении. Надо было передвинуть с утра какой-то старинный рыдван, который Вадик приволок из дома. То ли мамаша его купила и по дороге его попортили, то ли ей порченый продали. Короче, Вадик завелся шкаф привести в порядок и привез его в цех. И за сегодня и завтра Олегу с Сенькой надо закончить два выгодных заказа. Не очень сложных, но в каждом заказанном наборе было много различных мелких изделий. Пуфики, тумбочки, кухонные табуреты. И все это должно быть в собранном виде. И подо все нужно место. Олег выпросил у соседа специальные приспособления для перемещения тяжелой мебели по квартире, и теперь они с Сенькой горели желанием сдвинуть «гору», как они шутили, и завтра получить за работу хорошие деньги. Оба заказчика брали мебель за наличку и сразу.

Сенька, как обычно любивший подурачиться, уронил ключи возле двери, и парни долго толкались, пока не надоело и они не открыли наконец железную дверь, потом в тамбуре вторую массивную, деревянную.

— Сеньк, а я че подумал, — включая рубильником свет в цеху, сказал Олег. — Мы с тобой вчера прикидывали расстановку комплектов. А если нам всю мелочь ставить пока в сушилку? Она пустая, древесину Вадик привезет только в конце недели и...

Маркин осекся на полуслове и остановился как вкопанный на пути в бытовку. Сеня Лукин шел следом и ткнулся от неожиданности в спину своего друга. И только теперь увидел, что в дальнем углу, где стоял большой старинный шкаф Вадика, на полу лежал человек. Да и сам тяжелый шкаф был повернут боком, хотя позавчера его ставили вплотную к стене.

— Етическая сила в тропическом лесе, — прошептал Олег и осторожно стал подходить к телу.

— Эт че за хрень такая? — так же тихо спросил Лукин и тоже стал подходить к распростертому на полу человеку.

А человек лежал на животе, вытянув одну руку вперед вдоль головы, вторая беспомощно лежала вдоль тела. Под телом расплывалось темное пятно. Олег положил инструмент, приблизился к человеку и осторожно потолкал его в плечо. Человек не реагировал, тогда молодой человек взял его руку за запястье.

— Слушай, нет пульса, — дрогнувшим голосом сказал он другу. — А где-то еще на шее проверяют, не знаешь?

— А хрен его знает, — ответил Лукин и стал озираться по сторонам. — Слушай, а как он сюда попал?

Гуров приехал в мебельный цех Вадима Кузнецова через тридцать минут после приезда следственно-оперативной группы. Жена позвонила, когда он входил в кабинет Орлова на утреннюю планерку. Зная Марию, Лев Иванович насторожился, с извиняющимся видом приложил руку к груди и показал Орлову на телефон.

Маша взволнованно стала извиняться, что снова звонит мужу в рабочее время, да тем более по поводу все той же Виолы, на которую несчастья сыплются как из ведра. Лев Иванович понял, что звонит Мария ему не по пустяковому вопросу.

— Что случилось?

— Виола, точнее Вадим, ее сын. У него в мастерской труп.

— С рабочим несчастье?

— Нет, в том-то и дело, что совсем посторонний человек влез через окно. Разрезав решетку или еще чего-то. И его там убили. Я боюсь, что Вадима арестуют.

— Адрес знаешь?

— Да, я записала...

Выслушав адрес, Гуров подошел к Орлову, благо планерка еще не начиналась, и, взяв его за локоть, стал быстро объяснять ситуацию. Петр смотрел на старого друга внимательно, хмуря брови. Потом сказал:

— Ладно, съезди. Мария у тебя умная женщина и не паникерша. Раз она звонит тебе, значит, дело плохо. Значит, он привез шкаф домой, и к ним в квартиру влезли. Он отвез шкаф в мастерскую — и теперь влезли в мастерскую?

Гуров посмотрел на Орлова с недоумением, потом одобрительно покивал головой.

— Знаешь, до меня такая связь явлений еще не дошла. Там шкаф — там влезли, здесь снова шкаф — влезли и труп. Я этого шкафа начинаю побаиваться. Мы с ним до третьей мировой войны не доживем?

— Вот и езжай, предотвращай, — махнул Орлов. — Отзвонись оттуда, когда немного прояснится.

Первым, кого Лев Иванович увидел у входа в мастерскую, был старший лейтенант Бойцов. Увидев сыщика, Сашка козырнул не без лихости и деловито пожал руку Гурову, жалея, что его в этот момент не видит его начальство.

— И ты здесь, Бойцов? — спросил сыщик. — А ты каким боком?

— Мой участок. И квартира — мой, и этот дом — тоже мой.

— Тогда колись, что тут случилось. Давай твой взгляд, а со следователем и экспертами я потом поговорю.

— Дело такое, Лев Иванович. Меня дежурный отправил прямо из участкового пункта. Пока группа не приехала. Фактически я первый, кто все увидел. Все меры к сохранности следов преступления я принял, как учили. Всех свидетелей — это двое рабочих — посадил пока в бытовке.

— Это понятно, это не главное. Еще бы с таким простым делом не справился, этому на первом курсе учат и в школе подготовки младшего и среднего начальствующего состава. Ты суть давай.

— Значит, так. — Бойцов стал смотреть себе под ноги и хмурить лоб, стараясь вспомнить все. Точнее, не забыть ничего важного и не упасть в глазах полковника из МВД. — Двое рабочих, их имена записаны и установлены по паспортам. пришли в примерно в 8.30 утра в цех, отперли ключами две двери и вошли. Включив большое освещение, они увидели в дальнем углу тело мужчины. При осмотре поняли, что человек мертв. Позвонили «02». Все.

— Не врут? Твое мнение.

— Смысл? — не понял Сашка и удивленно посмотрел на полковника.

— Разный смысл. Ночью вместе приходили, например, девчонок тискать. Подрались, убили. Утром разыграли спектакль с обнаружением тела. Еще? У меня, Сашок, фантазия

273

буйная, она на богатом опыте зиждется. Я тебе пару десятков версий сейчас наброшу на тему, почему им есть смысл врать.

— Мне показалось, что не врут.

— Твое мнение, зачем неизвестный влез в цех?

— Не успел понять. Меня сразу отправили за понятыми, а потом поставили перед дверью, чтобы я никого не пускал. И не выпускал без приказа.

— Идеи есть?

— Эти пацаны... рабочие говорили, что шкаф кто-то ночью отодвинул от стены. Они вчера еще утром видели, что он стоял плотно прижатым к стене. Может, преступники искали что-нибудь. Влезть могли в надежде, что в кассе остались на ночь какие-то деньги. Может, компьютер надеялись украсть и продать. Ручной инструмент тоже можно реализовать и пропить. Или если они наркоманы, то на дозу заработать.

— Уже свежее, — похвалил Гуров. — Ладно, держи крепость, я пошел беседовать со следователем.

— Лев Иванович, — остановил Гурова Бойцов. — Они Вадима Кузнецова, кажется, подозревают.

— Разберемся, — усмехнулся Гуров. — Не вибрируй, старший лейтенант.

Следователем оказалась молодая пухлая женщина с очень недобрыми глазами. Гурову даже показалось, что вся ее ненависть направлена исключительно на мужчин. Однако, увидев удостоверение полковника из Главка МВД, следователь подобралась и стала рассказывать сухо, но детально. Первая часть ее рассказа была сыщику знакома, но вот вторая часть, которая касалась осмотра места преступления, заставила Гурова удивленно вскинуть брови.

Мужчина в возрасте 25—30 лет с характерными этническими признаками народов Кавказа умер от проникающих, предположительно ножевых ранений в область грудной клетки и верхней части брюшины. Большая потеря крови. Смерть наступила по косвенным признакам в период от часа до трех ночи. Но самым примечательным оказалось то, что на полу вокруг шкафа, среди плохо выметенных от опилок полов удалось найти несколько искусно выделанных пустотелых бусин. Предположительно из серебра, и

274

три жемчужины с креплением для удержания в бусах или иных украшениях. При осмотре шкафа, который отодвинули от стены, видимо, преступники, нашли следы взлома задней стенки. И пустой тайник, устроенный между задней стенкой шкафа и ложной стенкой внутри. Размер тайника — 40 сантиметров в ширину и 60 сантиметров в высоту. И глубиной 20 сантиметров.

— Николай Николаевич! — следователь позвала худощавого мужчину в очках, странным образом умещавшихся на самом кончике носа. — Можно вас? Это полковник Гуров из МВД. А Николай Николаевич наш криминалист.

— Можно мне задать вам несколько вопросов? — спросил Гуров.

— Если уже могу, то отвечу, — кивнул эксперт.

— Вы тайник уже обследовали?

— Нет еще. Только собирался приступить. Тут, как вы понимаете, было много работы со следами на полу, с осмотром тела. Нашли явно рассыпавшиеся странные бусы. Точнее, отдельные составные части. Я таких еще не видел. Посмотрите.

Эксперт протянул Гуров прозрачный пакетик с собранными бусинами. Внутри у сыщика похолодело. В описаниях драгоценностей Брыкаловой были такие сложные бусы. По крайней мере, что-то очень похожее. Это потом нашли, и славно!

— Пойдемте вместе посмотрим тайник, — предложил Гуров.

Эксперт кивнул и двинулся к шкафу, доставая из чехла увеличительное стекло и маленький пальчиковый светодиодный фонарик. Гуров встал за его спиной и стал наблюдать. Ниша выглядела внушительно. Сюда можно кейс поставить. Ларец с драгоценностями не поместится — глубина маловата, но мешочек, сверток, несколько свертков, положенных один на другой, вполне могли уместиться. В принципе тут можно было спрятать очень большое количество ювелирных изделий. Наверное, в определенной жесткой упаковке можно было спрятать и ценные бумаги, денежные купюры. В восемнадцатом-девятнадцатом веках они как раз отличались большим форматом.

— Тут что-то хранилось... Определенно, — заявил наконец эксперт и протянул Гурову раскрытый пластиковый пакетик.

Пинцетом взял с края древесины еле заметную нитку тканевого волокна, потом еще. Сыщик пытался рассмотреть, что такого интересного выудил эксперт. Ладно, терпение! Экспертиза покажет.

— А вот это интересно! — откровенно обрадовался эксперт.

— Что там? — не удержался Гуров, волнуясь от нетерпения, как молодой лейтенант.

— Кажется, это след крови, — ответил Николай Николаевич. — Дайте-ка мне там в чемоданчике еще один пакетик. Я сейчас сделаю соскок. Очень мне кажется, что кровь свежая, что она не из прошлого века.

Наконец эксперт закончил осмотр ниши и выпрямился. Гуров показал на края древесины задней стенки вокруг прямоугольного отверстия тайника.

— Посмотрите, как был заделан стык между крышкой тайника, — сказал он.

— Да, действительно. — Эксперт снова стал рассматривать древесину. — Это что-то типа шпатлевки по дереву, которой забили шов, зачистили. Мореное дерево, а как точно подобран цвет. Удивительно. Мне кажется, что это современное средство. Точнее скажу после проведенных анализов. Знаете, мне кажется, что тайник вскрывали неоднократно после его закладки, и причем совсем недавно.

— Я тоже думаю, что ваши анализы покажут, что это современная шпатлевка. Увы, драгоценности из этого тайника периодически появлялись в уголовной среде. Кто-то ищет канал сбыта для них. Давайте посмотрим изнутри, — предложил Гуров. — Может, доступ к тайнику все же предусматривался изнутри.

— Вряд ли, — покачал головой эксперт. — Тогда о наличии тайника стало бы понятно любому наблюдательному человеку. Разница в глубине.

Еще с полчаса Гуров с экспертом осматривали шкаф в поисках других тайников или сюрпризов. По-видимому, найденный тайник все же был единственным. Закончив осмотр, Гуров велел оперативнику из местного отдела полиции подготовить дактилокарты на убитого, его посмертное фото, отсканировать и переслать в Главк уголовного розыска по электронной почте. Затем он позвонил Орлову и попросил дать распоряжение отправить письмо-запрос в следственное управление с просьбой предоставить в распоряжение полковника Гурова вещественные доказательства — найденные части бус.

— Так, а что вы собираетесь делать с Вадимом Кузнецовым? — Гуров снова подошел к следователю.

— Кузнецов на данный момент главный подозреваемый, вы же понимаете, товарищ полковник. Шкаф принадлежит семье Кузнецова, он привез его в свой мебельный цех. Я абсолютно не уверена, что он не знал о драгоценностях в тайнике. Более того, возможно, что шкаф по сговору и был куплен именно потому, что кто-то узнал о кладе. И убитый мог быть как сообщником, так и свидетелем, которого убрали. Кажется, это очевидно. Я вынуждена задержать Кузнецова.

— Ладно, воля ваша, — кивнул Гуров и подошел к Вадиму.

Сын Виолы выглядел подавленным и даже немного шокированным. Он поднял на полковника глаза, хотел что-то сказать, но потом снова опустил их.

— Значит, так, Вадик. — Гуров положил парню руку на плечо. — Ситуация хреновая, но ты не переживай. Серьезно тебя никто, кроме следователя, да и то на первых порах, виновным не считает. Но таков закон, и ее не поймет начальство, если она тебя сейчас не задержит. Слишком логичны ее умозаключения.

— Я их слышал, — покорно кивнул Вадик.

— Тем более. Мне нужно время, чтобы доказать твою невиновность и непричастность. Обещаю тебе, что в СИЗО ты не попадешь. День, два, максимум три в изоляторе временного содержания, а потом я тебя вытащу.

— Дурацкий шкаф, — уныло пробормотал Вадик. — Я так и знал, что добром это не кончится. Как он только матери на глаза попался! Век бы его не видеть.

— Ну ладно, ладно! Разберемся и со шкафом. Интересный он у тебя.

Глава 5

Предъявив на входе удостоверение сотруднику охраны, Гуров сказал, что его должны были ждать. И тут же подошел молодой человек в современном костюме с узкими брюками, укороченным пиджаком.

— Вы из МВД, Лев Иванович Гуров? — спросил он, с интересом рассматривая сыщика.

— Да. Вы меня встречаете?

— Конечно, — улыбнулся молодой человек и показал рукой в сторону лифтов. — Пойдемте. Без провожатого вы тут заблудитесь. Неугомонный Гафанович вчера поднял на ноги всех, кого мог. Для вас собрали целый научный консилиум в археографической лаборатории.

— Простите. — Гуров со спины разглядывал молодого человека. — А вы ученый?

— Я-то? Аспирант, а что?

— Да нет, — пожал Гуров плечами. Он этого парня назвал бы, встреть его случайно на улице, типичным мажором. Ан нет. Аспирант!

Гафанович бросился пожимать руку Гурову, когда тот только вошел в большую комнату, куда явно в спешном порядке занесли стулья, столы и какие-то приборы.

— Коллеги, коллеги. — Бодрым голосом историк привлек внимание к себе десятка молодых и не очень молодых мужчин и женщин. — Прошу вашего внимания! Представляю нашего гостя из МВД. Зовут его Лев Иванович Гуров.

Присутствующие примолкли, с интересом глядя на гостя и начиная рассаживаться полукругом на стульях. Гафанович, завладев вниманием коллег, обратился к Гурову, потирая с явным удовольствием свои сухие руки.

— Не будем отвлекаться, мы вчера все очень мало спали, готовясь к сегодняшней работе. Для вас, Лев Иванович, я собрал здесь специалистов по нужным нам отраслям, которые смогут, так сказать, оперативно, — Гафанович засмеялся, довольный своей шуткой, — разобраться с вашими артефактами. Здесь ученые с кафедры истории, кафедры искусствоведения, специалисты по история европейского ювелирного искусства, сотрудники данной лаборатории. Мы на данный момент оснащены приборной и аналитической базой, так что можем приступать. Прошу вас, предъявите нам ваши сокровища.

Гуров подошел к столу, вытащил из кармана пиджака маленький пакетик и высыпал из него в лабораторную кювету содержимое. Еще двое ученых подошли к столу с пинцетами. Образцы разнесли по столам к увеличительным приборам. Гуров усмехнулся, глядя на окружающих его людей, которые с увлечением бросились изучать раритеты, принесенные им, и совсем забыли о госте. Он уселся в углу в уютное кресло и сложил руки на груди.

Спор в стенах лаборатории разгорался. Сыщик и предположить не мог, что столько нюансов, мелких деталей, технологических тонкостей отличают ювелирные изделия, мастеров, целые эпохи. Один из помятых полых серебряных шариков разогнули под микроскопом. Надо же... внутри, на поверхности тонкого листа серебра ученые разглядели следы инструментов, которыми пользовались во Флоренции во второй половине XVIII века. И тут же возник спор о том, что один из русских ювелиров в конце XVIII века привез эту технологию раскатки серебряного листа в Россию и успешно применял на родине.

Гуров посматривал на часы, вздыхал, но терпел. Он не имел права оставлять вещественные доказательства посторонним людям, даже экспертам. Увы, следственные органы не видели особого смысла в том, кому принадлежали эти ювелирные изделия в древности, когда и кем они были изготовлены. Их интересовало лишь убийство неизвестного парня ночью в мебельном цехе. Драгоценности интересовали лишь уголовный розыск в связи с довольно длинной цепочкой событий, в которую вплелась и эта смерть. Но это оперативная информация, и следствию она не поможет.

Через два часа Гафанович заявил, что им «все ясно», что сомнения отсеялись. Но только еще через час наконец в лаборатории воцарилась более или менее внятная тишина. Еще затихали споры, еще не опустились на столы опадающими осенними листьями последние доводы, а Марк Борисович

279

уже начал излагать резюме сегодняшнего консилиума. Сегодня он был на редкость благодушен, не язвил, не отвечал скупыми фразами. Сегодня он был «в своей тарелке».

— Ну, что же, уважаемый Лев Иванович, — по привычке потирая свои сухонькие руки, начал Гафанович. — Мы, пожалуй, уверены, что предоставленные вами артефакты относятся к той самой коллекции, которую мы условно будем называть утерянной коллекцией Брыкаловой. Мы очень рады констатировать, что вы ее, скорее всего, отыскали.

— Вы можете привести доказательства? — спросил сыщик, чтобы остановить пространный поток информации и сократить потери времени.

— Да, мы составим подробный отчет, а пока, так сказать, в устной форме. Технология изготовления отдельных элементов изделия, условно называемого нами «бусы», относится к середине и второй половине восемнадцатого века. Место изготовления назвать уже труднее, потому что к концу восемнадцатого века технология, изобретенная в Италии, стала доступна мастерам остальной Европы и России. Но не так широко. То же касается и серебряных полых шариков. Они, если следовать описанию в каталоге, являются частью другого ожерелья. По серебряному сплаву, по составу припоя мы все же склонны утверждать, что изделие итальянское.

— Мне бы хотелось идентифицировать его с коллекцией Брыкаловой, — напомнил Гуров.

— Да, конечно, — кивнул историк. — Мы сравнили имеющиеся описания коллекции Брыкаловой с вашими образцами. Совпадают детали. Совпадают особенности ювелирной техники итальянских мастеров восемнадцатого века. В основном можно считать, что мы согласны предположить, что вы нашли коллекцию Брыкаловой.

— Предположить? — Гуров улыбнулся снисходительной улыбкой.

— Лев Иванович, — развел историк руками. — Вы не принесли нам ни одного целого произведения ювелирного искусства, а лишь обломки. И что касается обломков, мы вам полностью подтвердили. А вот когда вы принесете хотя бы одно целое украшение, тогда мы вам скажем совершенно точно. Мы вас уверяем, что стоимость этой коллекции, если вы именно ее нашли, колоссальная. Это историко-художественная ценность, и она должна быть возвращена государству. И ни в коем случае не уйти за границу, в частные коллекции.

— Ну, об этом мы позаботимся, — пообещал Гуров, ссыпая вещественные доказательства в пакетик. — Благодарю всех! Очень рад, что все было проделано быстро и на высоком научном уровне. Теперь нам будет проще работать, потому что у нас есть описание коллекции, и мы не пропустим нужных украшений мимо себя. Еще раз спасибо от имени МВД.

Павла Андреевича Курочкина Гуров знал по фотографии и описанию. Поэтому, когда научный сотрудник вошел в свой кабинет, сыщик сразу понял, кто перед ним.

— Простите. — Курочкин уставился на мужчину, который развалился в единственном кресле его кабинета. — Вы к кому?

— К вам, Павел Андреевич, к вам, — глядя Курочкину в глаза, медленно произнес Гуров и с видимым сожалением поднялся из кресла. — Поговорить бы надо. Знаете, я так устал за сегодня. Весь день на ногах. Может, присядем? Сидя как-то удобнее говорить, слушать и понимать друг друга. Правда ведь?

Гуров специально говорил много и туманно. Он наблюдал за реакцией научного сотрудника, он видел, что тот встревожен появлением незнакомца в своем кабинете. Курочкин в явном замешательстве и не знает, как реагировать. Ну, мысленно торопил его сыщик, давай, выдай себя вопросом!

Справляясь на вахте о том, где найти Павла Андреевича Курочкина, Гуров не строил никаких особых планов допроса или чего-то в этом роде. Он шел просто расспросить о том, откуда и когда попал в хранилище музея шкаф, который потом через комиссионку купила Виола. И в пустом кабинете он остался ждать научного сотрудника лишь потому, чтобы не бегать по коридорам и подвалам.

А потом Гуров увидел этот взгляд. Обнаружив в своем кабинете солидного мужчину, в хорошем костюме, со свободными манерами, да еще вальяжно устроившегося в кресле,

Курочкин вздрогнул и забегал глазами. Что он там напридумывал себе, увидев Гурова, было неизвестно. Но он испугался. Это было очевидно для наблюдательного человека. Гуров заинтересовался.

— Что вы хотели? — наконец спросил строгим казенным голосом Курочкин, подходя к своему столу, но не опускаясь в кресло.

Гуров подошел, медленно вытащил из кармана удостоверение и развернул его перед лицом научного сотрудника.

— Как-то вы плохо выглядите, Павел Андреевич, — сказал сыщик. — Не выспались? Бывает. И слова мои вот запамятовали. Я же сразу сказал, что поговорить с вами хотел. Так мы сядем?

Курочкин спохватился и стал суетливо усаживаться в рабочем кресле, хмурясь и все время напряженно и бесцельно переставляя все на своем столе.

— Так я вас слушаю, товарищ... простите, я не запомнил...

— Полковник, — с удовольствием напомнил сыщик, — полковник Гуров. Из Главного управления уголовного розыска МВД России. Если вам несложно, то называйте меня Лев Иванович.

Курочкин машинально кивнул и принял непринужденную позу хозяина кабинета.

— Так вот, Павел Андреевич. У вас часто распродаются старинные вещи из фондов музея?

— Ну, как вам сказать. Такое бывает, естественно. Поступления в фонды музея происходят почти непрерывно. Хоть какая-то мелкая монета, хоть книга, документ, имеющий историческую ценность. И конечно, зачастую приходится принимать решение, поскольку помещения не резиновые. Но это касается только экспонатов, имеющих невысокую историческую или художественную ценность. Например, когда появляется два или более одинаковых экспонатов, то неизбежно...

— А как вы реализуете свои экспонаты? — изучая переносицу собеседника, поинтересовался Гуров.

— Через... — Курочкин замялся, — через ювелирные магазины, через аукционы, иногда проводим конкурс... но это для организаций.

— Комиссионные магазины, — поддакнул Гуров.

— Комиссионные, — согласился научный сотрудник и вдруг уставился на гостя. — Подождите, через какие комиссионные магазины?

— Ну, если мебель продаете, картины, — подсказал Гуров.

— А-а... ну тогда да. Тогда и через комиссионные. А что вас конкретно интересует? Вы же не просто из полиции, вы из самого министерства. Что-то случилось?

— Да, шкафчик один интересует, который недавно продали из ваших фондов через салон-магазин «Раритет». Вот этот. — Гуров раскрыл свою папку и вытащил из бокового кармашка несколько фотографий злополучного шкафа Виолы, снятого в различных ракурсах.

— А-а. — Курочкин в странном волнении потрогал пальцами свой лоб, потер их, явно не отдавая себе отчета, что лоб у него стал влажным. Он просто смотрел на фотографии и молчал, о чем-то лихорадочно думая. — Да, конечно... Это наш шкаф. Вон, видите у него сбоку, на одной из стенок в верхней части темные пятна. Он был испорчен у нас в подвале, когда случилась протечка горячей воды. Аналогичная мебель у нас в запасниках имелась, большого ущерба мы для историко-культурного наследия не понесли бы, и руководством было принято решение реализовать шкаф. К тому же стоимость реставрации превысила бы стоимость самого шкафа.

— Ну понятно, — кивнул Гуров, всячески демонстрируя лицом, что ответ его полностью удовлетворил.

Курочкин смотрел на гостя и ждал, что тот задаст еще какие-то вопросы, но гость смотрел на него с доброжелательной улыбкой и молчал. Курочкин не выдержал первым и спросил:

— А собственно, почему вас все это интересует? Что-то украли?

— Ну, украли или нет, я пока вам сказать не могу, — пожал плечами Гуров. — Сам не знаю. Вы мне вот лучше скажите, Павел Андреевич, откуда вы этот шкаф получили. И как давно.

— Ну, — даже как-то обрадовался Курочкин, — этого я вам точно сказать не могу. Я тогда здесь еще не работал.

Когда я пришел полтора года назад, он уже стоял здесь у нас. Да и решение о его реализации, когда обнаружилось, что он испорчен, принималось без меня. Я тогда был в командировке в Санкт-Петербурге, на конференции. Я вообще не в курсе.

— Да, да, да, — покивал Гуров головой и решительно встал на ноги. — Ну, не буду вас больше отвлекать, Павел Андреевич! Чего я, в самом деле. Всего вам доброго!

Сыщик вежливо улыбнулся и вышел в коридор, плотно прикрыв за собой дверь. А ведь этот человек что-то знает про шкаф, думал Гуров, идя к выходу неторопливо, погруженный в свои мысли. Да, проверить легко, где он был в то время, когда шкаф приобретался, когда его продавали. Нет пока возможности проверить, знал ли Курочкин о тайнике. Но он же заволновался, это было хорошо видно.

Гуров прибавил шагу и решительно свернул в административную часть музея. В приемной на него из-за груды папок подняла голову довольно миловидная девушка, но уж с очень строгим взглядом. Гуров сразу заулыбался задорной мальчишеской улыбкой и принялся весь буквально излучать добродушие и приветливость.

— Здравствуйте, милая, — проворковал сыщик. — Подскажите, пожалуйста, гостю, кого из руководства я могу сейчас увидеть. Мне просто до зарезу нужен ваш директор или кто-то из его заместителей. Очень обяжете и очень выручите!

— Я вам не милая, — поджала губы девушка и тут же покраснела. — И вы должны понимать, что люди могут быть заняты. И что нужно согласовывать визиты.

— Я бы согласовал, обязательно согласовал, — пообещал Гуров и вздохнул от того, что сейчас придется вот этой миленькой девушке показывать страшное удостоверение, где мрачнеют слова «полковник», «уголовного розыска». Очень не к месту в этом царстве науки, романтики изучения былых веков и симпатичных девушек такие слова и такие удостоверения. Но Гуров вспомнил тело на полу мебельного цеха в луже крови и стал серьезным.

— Поверьте, — он поднес к лицу секретарши удостоверение в раскрытом виде, — у меня просто нет другого выхода.

Я извинюсь, но сейчас дело не терпит. Ну, кто у вас в данный момент доступнее?

— Владимир Сергеевич, — заволновалась девушка, — заместитель директора по науке. Больше никого. Только Владимир Сергеевич сейчас ведет семинар с аспирантами. Занятия закончатся минут через сорок.

Сорок минут Гурова не устраивали категорически. Вокруг шкафа начинали твориться такие страшные вещи, что предсказать дальнейшие события сыщик просто боялся. Всегда неприятно, когда что-то в жизни или в твоих делах, в твоей работе перестает зависеть от тебя, от твоих поступков, твоей воли. Когда ситуация выходит из-под твоего контроля. И сейчас полковник Гуров как раз и чувствовал, что ситуация неумолимо выходит из-под его контроля. Что он начинает отставать от развития событий на шаг. Хуже будет, если он начнет отставать на два шага, на три. Надо принимать решения, быстро принимать. И нужно очень много информации, причем второстепенной, не определяющей, а характеризующей ситуацию, людей. Нужна информация для анализа, для построения моделей поведенческого характера. Черт, а времени нет совсем!

Дверь за спиной распахнулась как раз в тот момент, когда сыщик открыл рот, чтобы настоятельно потребовать проводить его в то помещение, где заместитель директора по науке проводил свой семинар. Гуров обернулся. В приемную со стопкой листков в руках вошел высокий, плотный, начинающий полнеть мужчина лет шестидесяти, с обширной лысиной на темени.

— Галочка, кофейку сделай, радость моя, — попросил мужчина, мимоходом кивнув незнакомому мужчине возле стола секретарши.

— Хорошо, Владимир Сергеевич. — Девушка поднялась и торопливо сказала, пока Егоров не скрылся в кабинете: — Владимир Сергеевич, а это к вам.

— Ко мне? — Егоров повернулся на пороге кабинета и с нескрываемой досадой взглянул на Гурова.

— Прошу простить. — Сыщик подошел вплотную к Егорову и показал удостоверение. — У меня к вам очень важный разговор, Владимир Сергеевич. И очень срочный.

— Ах, как все не вовремя, — покачал головой, хмуря брови, Егоров. — Контора у вас, конечно, авторитетная, вы ерундой не занимаетесь, да и у меня там два десятка гавриков, которые...

— Зайдемте к вам на секундочку, — предложил Гуров, увлекая Егорова в его же кабинет. И только закрыв дверь, он продолжил: — Видите ли, у вас там два десятка живых ребят, которые в лучшем случае опоздают на свидание, может, купить молока коту или пообедают на полтора часа позже. А у меня труп. Такого же молодого парня. И что за ним еще, я просто боюсь думать. Вы правы, мы пустяками не занимаемся. Да и не пришел бы к вам с пустяком полковник. Согласны?

Егоров со вздохом прошел к своему столу, уселся боком в кресло, снял трубку внутреннего телефона.

— Галочка, душа моя... давай уж сразу два кофе. И... объяви, пожалуйста, моим оболтусам, что на сегодня все. Следующее занятие по расписанию.

Положив трубку, Егоров вопрошающе посмотрел на гостя.

— Я вынужден обратиться к вам с просьбой, Владимир Сергеевич, — начал Гуров. — Все, о чем мы с вами сейчас будем разговаривать, все, что вы от меня узнаете, до поры до времени должно оставаться тайной. Разглашение ее может иметь самые печальные последствия, вплоть до новых смертей.

— Вы возьмете с меня какую-то подписку? — вскинул брови ученый.

— Я думаю, что в этом нет необходимости, — без улыбки ответил сыщик. — Вы же не мальчик, вы все понимаете, и я думаю, что будет достаточно просто моей просьбы на этот счет.

Егоров молча кивнул. Дверь открылась, и в кабинет с маленьким подносом вошла секретарша. Она поставила его на край стола Егорова, и тот сразу отпустил девушку одним жестом руки.

— Слушаю вас, — пододвигая гостю чашку, сказал он.

— Вы, наверное, помните вот этот старинный шкаф. — Гуров достал из папки фотографии и протянул Егорову. — Он простоял некоторое время в ваших запасниках и не так давно был реализован через торговую сеть как частично пришедший в негодность.

— А-а, да, — кивнул ученый, рассматривая фотографии. — Я принимал участие в осмотре вместе со специалистами по реставрации. Это действительно было нерационально. А что? С ним связано что-то нехорошее?

— Боюсь вас шокировать, Владимир Сергеевич, но в этом шкафу был обнаружен тайник.

— Ну! Шокировать историка, музейного работника особенностями старинной мебели — это не оригинально. Многие мастера в те времена следовали подобной моде — устраивать тайники. Для документов, для драгоценностей, иногда для ядов. В вашей находке мало уникального. Жаль, что мы не знали о ней, было бы интересно.

— О ней знали другие люди. Тайник не был пустым.

— Ого! — в глазах ученого появился нездоровый профессиональный блеск. — Вы это серьезно? Хотя, простите, какие тут могут быть шутки. И что за драгоценности вы нашли в тайнике?

— Именно драгоценности.

И Гуров подробно, насколько он сам запомнил и понял, пересказал процесс изучения учеными МГУ остатков драгоценностей и о выводах, которые специалисты сделали. Рассказал он и о том, как сын покупательницы попытался найти специалистов по ремонту старинного шкафа, как отчаялся и взялся за дело сам, пытаясь разобраться в современных технологиях, будучи по профессии мебельщиком. И о том, как в квартиру хозяйки проникал общеизвестный с абсолютно на тот момент неизвестными полиции целями. И как нашли однажды утром возле шкафа тело убитого молодого человека. И вскрытый тайник. И остатки рассыпавшихся бус и одного колье.

— Да, неприятно это все, — кивнул головой Егоров. — Века проходят, а низменные качества части населения Земли так и не исчезают в процессе развития. Вот вам и диалектика. Ну, что же. Я так понимаю, что вам нужна история этого шкафа, чтобы понять, кто и каким образом узнал о тайнике.

— Причем история современная, — вставил Гуров.

— Разумеется, — пробормотал Егоров, набирая на телефоне номер. — Это кто? Ах да, Юлия Владимировна, простите... да, я. Юлия Владимировна, будьте добры, принесите мне документы на один экспонат. Я сейчас не помню его номер. Помните, мы принимали решение продать его. На него еще горячая вода текла больше недели. Попорчена одна стена фасада, верхняя полка. И мы решили тогда, что реставрация... да-да, он самый! Вы всю папочку и принесите. Только проверьте, там документы на месте по приходу. Откуда он к нам поступил, накладные все, акты... да-да! Ну, жду вас, голубушка!

Через несколько минут в кабинет быстрым шагом вошла маленькая женщина в очках с толстыми стеклами. С интересом посмотрев на гостя, она подала Егорову папку и хотела пуститься в пояснения. И даже попыталась усесться в свободное кресло. Но ученый вежливо, но настойчиво выпроводил женщину. Раскрыв папку, он начал листать подшитые листы самых разных размеров и самого разного качества бумаги.

— Так, ну с поступлением все понятно, — заговорил Егоров. — В позапрошлом году он к нам приехал из нового филиала. Это... это Горчаково. Знаете? На северо-западе за МКАД. Когда расширяли административные границы Москвы...

— Да, я знаю, — кивнул немного ошарашенный Гуров. — Это рядом с Зеленоградом. По Ленинградке. Примерно между Луневом и Поярковом.

— Да? — удивился Егоров. — У вас профессиональная память. Вы все окрестности Москвы так знаете?

— Ну... там справа от шоссе есть дачное хозяйство МВД. А вообще-то я не так давно был в этом Горчакове. Собственно, в вашем филиале я и был, но совершенно по другому поводу. Я тогда об этом шкафе еще и слыхом не слыхивал.

— Занятно, — покачал головой Егоров. — А Москва-то, оказывается, очень маленький город.

— Или большая деревня, — улыбнулся Гуров и кивком головы в сторону папки на столе Егорова попытался вернуть его в деловое русло. — Так что там дальше? В филиал шкаф когда попал и откуда?

— В филиал, а тогда он был просто историко-краеведческим музеем районного значения, шкаф попал от частного лица. Думаю, эта информация вас больше всего интересует. Куплен он был почти полтора года назад у некоего гражданина Холина. Куплено дешево, за чисто символическую сумму в три тысячи рублей. Проживал гражданин в Горчакове, собственно, и шкафчик наш тоже находился в этом поселке. Адресочек есть, копия паспорта прилагается. У нас с этим в музейном деле строго. Что касается хоть дарителей, хоть меценатов, хоть тех, кто пытается на этом деле нажиться. Вот полюбуйтесь. — Егоров пододвинул папку Гурову.

Сыщик бегло стал пробегать глазами страницы, листая их одну за другой. Егоров снова взял трубку и попросил зайти секретаршу. Когда девушка появилась в кабинете, он кивнул на Гурова.

— Галочка, сейчас наш гость назовет вам номера страниц и перечень документов из этой папки. Вы снимете для него копии на ксероксе. Вам, Лев Иванович, сопроводительное письмо какое-то нужно будет?

— Нет... по крайней мере, не сейчас. Возможно, что потом мы от вас и запросим официальным порядком что-то, но сейчас только копии...

Через двадцать минут Гуров быстрым шагом прошел по коридору музея, нашел туалет и вошел внутрь. Убедившись, что ни в одной из кабинок нет людей. Он запер дверь на задвижку и вытащил телефон. Теперь было совершенно понятно, что с Курочкиным нужно спешить.

— Петр Николаевич, это срочно, — заговорил Гуров в трубку, прикрывая ее рукой. — Необходимо задержать научного сотрудника музея... да-да, я здесь! Его зовут Курочкин Павел Андреевич. Он явно в теме, я просто боюсь, что мой приход его напугал и он может наделать глупостей. С ним нужно срочно поработать. Пока он еще «теплый».

Отключившись, Гуров быстро подошел к двери и отодвинул задвижку. И тут он услышал быстрые шаги в самом конце коридора. Сыщик увидел лишь мелькнувшую сутулую фигуру и развевающийся, как на вешалке, пиджак на плечах Курочкина. Черт! Гуров выскочил в коридор и тут же перешел на спокойный шаг человека, идущего по музейным коридорам по делу. Навстречу вышли три женщины с какими-то папками и большими альбомами в картонных чехлах с тесемками.

Посторонившись, Гуров пропустил женщин и снова прибавил шагу. Он лихорадочно вспоминал планировку музея. Если Курочкин решил сбежать, то главное не дать ему покинуть здание. А сколько здесь выходов? Три... Черт, кажется, четыре! И Гуров побежал, стараясь не топать ногами.

Коридор шел прямо, в конце виднелась лестница. Гуров прибавил шагу и тут же проскочил поворот. Темный и не очень заметный. И краем уха он успел услышать, что в коридорчике раздавался какой-то шум. Развернувшись, Гуров нырнул в коридор и сразу наткнулся на рабочих, укладывавших на тележку коробки с кафельной плиткой. За их спинами виднелась простая железная дверь.

— Здесь кто-нибудь сейчас проходил? — рявкнул Гуров мужикам.

Опешившие от такого напора рабочие отпрянули, замотали головами и активно начали пожимать плечами. Один из рабочих сказал, что ключ только у завхоза, а она уже ушла. И что плитку привезли еще утром, а теперь... Гуров не стал дослушивать и бросился снова к лестнице. Он понял, что сглупил. Не учел, что каждый вход музея или заперт, или там пост охраны. Здание охранял один из местных ЧОПов.

Выбежав к главному входу и доставая на бегу из кармана служебное удостоверение, Гуров схватил за рукав старшего из охранников, сунул под нос свою красную книжку и потребовал:

— Курочкин выходил? Научный сотрудник Павел Андреевич Курочкин. Высокий такой, худощавый...

— Да нет... чего вы... Да знаю я его! — Охранник выдирал руку из пальцев незнакомого полковника и отрицательно мотал головой. — Не выходил он сегодня.

— Быстро на рацию. — Гуров ткнул охранника в прибор на груди. — Всем постам на всех входах. Срочно отозваться, выходил ли Курочкин. Давай, давай!

Охранник нахмурился, но, очевидно, понял, что происходит нечто совсем не шуточное. Он снял рацию и стал вызывать посты. Их оказалось еще два. Оба поста ответили, что Курочкин сегодня не выходил.

— Не, Владимир Иваныч! — слышался голос охранника с одного из постов. — Да он тут и не ходит. У нас только экскурсоводы шастают да заказчики. Экскурсбюро...

— Нет, — отзывался второй пост. — У нас вообще никто сегодня не ходит. У нас полдня дверь на замке...

Гуров кивнул, скрипнул зубами и повернулся к выходу, прикидывая периметр здания и как организовать подмогу, которую сейчас придется вызывать. Курочкина надо брать. Сейчас, обязательно.

— ...Иваныч, у меня тут датчик на размыкание сработал. Я гляну. А на посту Санек останется.

Гуров замер на месте, чуть ли не с поднятой для продолжения шага ногой. Старший охранник посмотрел на замершего полковника и поспешно стал спрашивать:

— Какой датчик? Докладывай внятно!

— В туалете первого этажа... Датчик на окне...

Гуров в два шага оказался возле старшего охранника, схватил его за рукав и подтащил к стене, где висела схема эвакуации. Он ткнул в план первого этажа пальцем.

— Где этот чертов туалет?

— Вот здесь, у западного крыла, — показал антенной рации охранник.

Гуров быстро сориентировался. Минута, не больше минуты, даже со скидкой на нерасторопность облени́вшейся без происшествий охраны. Через коридор долго. Со стороны западного крыла сквер, там до проезжей части... он пойдет в одном из двух направлений, к улицам, где можно поймать машину!

Чуть не сбив уборщицу в дверях, Гуров проскочил между двумя молодыми женщинами, только что вошедшими в здание музея, и оказался на улице. Окно это как раз то, что нужно. Курочкин вполне мог знать про запертую дверь третьего входа, он мог догадываться, что охрану предупредит полиция и его не выпустят. Про окно он

291

правильно сообразил и не стал даже близко подходить к постам охраны.

Вот и угол здания. Черт, сколько народу! Гуров решительно запрыгнул на цоколь здания и ухватился за водосточную трубу. Направо... налево? Вон он! Курочкин семенил уже возле низкого ограждения сквера вдоль лавочек, где сидели с мороженым и путеводителями туристы да местная молодежь. Курочкин оглянулся, видимо, ничего подозрительного ему в глаза не бросилось, и он заметно успокоился и пошел обычным шагом, стараясь не выделяться среди других прохожих.

Гуров уже знал, как он будет догонять Курочкина. Вдоль стены декоративного кустарника, который рос параллельно той дорожке сквера, по которой шел Курочкин. Кустарник ниже человеческого роста, и задуманное может получиться. Если просто бежать за подозреваемым по дорожке, то он быстро поймет, что это за ним. Испугается.

Спрыгнув со стены, сыщик побежал, срезая угол, к тому месту, где заканчивался декоративный странник и где Курочкин должен был выйти к проезжей части. Учитывая рост самого Курочкина и то, что Гуров тоже не был коротышкой, а вполне приметным мужчиной, бежать ему пришлось чуть ли не на полусогнутых ногах. Это вызывало нездоровый интерес у окружающих и даже всплеск положительных эмоций, но Гурову было сейчас на реакцию бездельников глубоко плевать.

Еще немного... быстрее! Черт, Курочкин уже посматривает на дорогу. Еще немного — он сделает шаг и поднимет руку. И тогда дело нескольких секунд, тогда может сразу остановиться любой левак или свободное такси. Гуров побежал. Курочкин сейчас больше смотрел на дорогу, чем назад и тем более направо, за кустарник. Гуров поднажал. Вот и кончаются кусты... Только бы не обернулся, только бы не обернулся!

Курочкин обернулся. Гурову оставалось преодолеть всего каких-то шесть или семь метров, но он не успел. Напряженный взгляд подозреваемого встретился с взглядом сыщика. Доля секунды была у Гурова, чтобы бросить свое тело вперед, пытаясь сократить расстояние до минимума, прежде чем Курочкин осознает свое положение и не пустится бежать. Три метра сыщик преодолел одним мощным рывком, и тут Курочкин метнулся прямо на проезжую часть. Сердце Гурова остановилось и сжалось в ожидании визга резины, истошного вопля автомобильного сигнала и глухого удара человеческого тела о капот, а потом падение на асфальт... и все.

Выскочивший на дорогу человек не побежал дальше, а заметался на краю проезжей части, а потом бросился назад. Это спасло ему жизнь, потому что черная «Ауди», решив проскочить пробку по выделенной полосе пассажирского транспорта, нарушила правила и свернула вправо. Визг резины, крики людей, сигнал машины и... свисток инспектора ДПС. Ах ты родной, подумал Гуров с нежностью и теплотой об инспекторе, переходя на спокойный шаг. Крепкий молодой человек с погонами старшего лейтенанта мгновенно появился рядом с упавшим на асфальт Курочкиным. Водитель «Ауди» уже стоял рядом и, активно жестикулируя, объяснял, что он даже не коснулся пешехода, хотя тот и выскочил как ненормальный на проезжую часть. Курочкин скользил каблуками ботинок по асфальту и все никак не мог встать.

Гуров подошел, взял Курочкина под локоть и поднял его на ноги. Потом привычным движением сыщик сунул подозреваемому руку под пиджак и крепко ухватился за край брюк вместе с брючным ремнем. С таким захватом, знакомым многим полицейским, еще ни одному задержанному не удавалось сбежать. Не вырваться.

— Что же вы так, Павел Андреевич? — осведомился Гуров с нехорошей усмешкой. — Жить вам надоело, что ли? У вас впереди очень интересная, хотя и однообразная жизнь.

Инспектор ДПС не понял сути разговор нарушителя и подошедшего к нему незнакомого человека в костюме. Но это не мешало ему выполнить свои обязанности и принять меры к административному наказанию Курочкина. Гуров вытащил удостоверение и показал инспектору.

— Этого к вам в машину, — кивнул Гуров на Курочкина. — Вы же, кажется, должны составить протокол на него за грубое нарушение, которое привело к созданию аварийной ситуации на дороге?

Когда Курочкина отвели и усадили на заднее сиденье патрульного белого «Форда», Гуров показал на водителя-нарушителя из «Ауди».

— Этого отпустите. Не до него сейчас.

— Хорошо, — кивнул старший лейтенант и показал глазами на Курочкина. — А этот кто?

— Этого вы сейчас отвезете в следственное управление. Следователь оформит на него задержание.

— За что вы меня задержали? — наконец пришел в себя Курочкин, услышавший последние слова Гурова.

— Спокойно. — Сыщик наклонился к двери. — Вы, гражданин Курочкин, задерживаетесь в соответствии со статьей 91 Уголовно-процессуального кодекса Российской Федерации как лицо, подозреваемое в совершении преступления и совершившее попытку скрыться от сотрудника органов внутренних дел.

— Я возражаю... — начал было Курочкин, отчаянно бледнея и потея.

— А вот об этом мы с вами поговорим очень подробно, гражданин Курочки, — пообещал Гуров. — Вы даже не подозреваете, как много нам с вами предстоит обсудить, как много вам предстоит рассказать нам интересных и важных вещей. Вы даже не представляете, насколько именно сейчас ваша дальнейшая судьба находится именно в ваших собственных руках. Вот об этом вы и думайте, пока вас везут. И очень надейтесь, чтобы полковник Гуров захотел вам помочь устроить вашу дальнейшую судьбу. А не пустил бы ее по накатанной дорожке через пересыльную тюрьму на этап в вагоне с решетками вместо перегородок с урками, головорезами, педофилами, ворами и насильниками.

Захлопнув дверь, Гуров махнул инспекторам, чтобы они уезжали. Отряхнув брюки и пиджак, которые он испачкал, вися на водосточной трубе, он достал телефон и позвонил Орлову.

— Все, Петр! Извини, но Курочкина мне пришлось брать самому. Он, поганец, все же попытался сбежать. Еле поймал. Его сейчас к следователю везет наряд ДПС. Помогли мне ребята на дороге. Следователь в курсе, ты связался с их управлением? Ну и хорошо. Я скоро буду у тебя с докладом.

Выпив полный стакан минеральной воды, Гуров вытащил салфетку на столике у окна и промокнул лоб. Генерал Орлов с усмешкой смотрел на него, сидя напротив в кресле.

— Стареешь, Гуров. Потеть начал.

— Вспотеешь тут! — буркнул Лев Иванович. — Аж кондрашка чуть не хватила, когда понял, что он из музея решил сбежать. А там выходов как в муравейнике. Ладно, обошлось и хорошо.

— Хорошо, что у тебя в МГУ прояснилось?

— В МГУ полный порядок. Этот Гафанович оказался разворотливым мужиком и хорошим организатором. Он меньше чем за сутки организовал полное научное обеспечение. Главное то, что найденные части украшений, скорее всего, принадлежат именно той самой утерянной коллекции купчихи Брыкаловой, а до нее актрисе Анастасии Александровой. Там есть ряд особенностей, которые еще в старинном описании отмечались. Частично они и идентифицировали наши находки. Я успел заскочить к экспертам и принес копии заключений по следам и образцам с места преступления в мебельном цехе.

— Молодцы, подсуетились, — похвалил Орлов криминалистов. — Ну, и что там?

— Там все интересно. Эксперты сначала сделали вывод, что доступа в тайник из внутренних объемов шкафа не было. Но потом резонно подумали, что драгоценности в тайник попали не в момент создания шкафа как такового. Очень сомнительно. Но задняя стенка была вскрыта уже в наши дни. По разным признакам от месяца до двух назад. До этого задняя стенка была целая.

— Значит, тайник открывался изнутри?

— Да, нашли они хитрые пазы, с помощью которых перемещались панели и доступ в тайник открывался изнутри. Но те, кто взламывал шкаф, не были специалистами, они не разобрались. Вопрос в другом. А как они вообще узнали о сокровищах, если не могли попасть в тайник, даже не могли предполагать, что он есть.

— Они могли догадаться, что внутри что-то есть, когда кто-то кантовал шкаф, — предложил Орлов. — Услышали глухой стук, когда сверток, или что там было, свалился набок, съехал на другую сторону тайника.

— Может, и так, — согласился Гуров. — И в связи с этим у меня возникла одна мысль. Смотри, что получается. Тайник нашли и вскрыли люди, не имеющие представления о мебели прошлых веков, способах устройства тайников и тому подобных вещах. Они почувствовали, что внутри что-то есть, и добрались до этого. Глупо. Но если это просто кража, то вполне тривиально.

— Ты имеешь в виду, Лев Иванович, зачем было снова все класть назад в тайник?

— Точно! — обрадовался Гуров тому, что старый друг и коллега понял его с полуслова. — А потом появилась умная голова, которая сообразила, что все золото продать быстро не получится. Что его надо где-то хранить. А в тайнике все это хозяйство будет лежать под надежной музейной охраной. И никому и в голову не придет искать золото там. И они вытаскивали понемногу и пытались продать, искали покупателей, экспертов. А заделали швы в распиленных досках вот этим...

Гуров протянул Орлову лист с результатами экспертизы.

— Шпатлевка по дереву, немецкая фирма OSMO? — Орлов посмотрел на Гурова. — И что ты этим хочешь сказать?

— Это профессиональная шпатлевка, Петр Николаевич. Цветная. Она позволяет подбирать цвет под конкретный вид древесины. Я видел остатки на задней стенке в утро после убийства. Подобрана идеально. Шва в местах распила совсем не видно. Человек, посоветовавший эту шпатлевку, знал толк в вопросах ремонта или реставрации мебели или тесно контактировал с мастерами. И этот человек приглядывал за шкафом, пока другие искали покупателя на драгоценности.

— Курочкин? — поднял брови Орлов.

— В купе с его испугом во время моего визита я считаю его вину косвенно доказанной его косвенным признанием. Вопрос, кто остальные?

— Ну, одного мы точно знаем, — усмехнулся Орлов.

— Да, знаем, — согласился Гуров и достал из папки еще один лист бумаги. — Точнее, поздновато мы с ним познакомились. Личность убитого в мебельном цеху, которого нашли возле шкафа, установлена. Это некий Армен Хондулян. Судимый, пальчики в картотеке на него есть, кличка Ходуля. Ничего примечательного на него после отсидки в полиции по месту жительства нет.

— Что, совсем ничего?

— За исключением одной мелочи. В группу его основных контактов входят Кусок и Самурай. То бишь Кушнарев и Самарин.

— Тот самый Кушнарев, который контактировал с неизвестным нам Копытом. С тем Копытом, который пытался продать или найти покупателя на драгоценности?

— Да, круг замкнулся, — кивнул Гуров. — Только нам от этого пока не легче. У нас нет ни начала ниточки, нет и конца. Оборвали они нам ее.

— Так. — Орлов начал говорить, пристукивая костяшками пальцев по крышке стола. — Неизвестный по кличке Копыто получил из шкафа, который стоял в музее, от неизвестного лица ювелирное изделие восемнадцатого века. Так? Он вошел в контакт с Кушнаревым, и чем закончился контакт, нам неизвестно. Позапрошлой ночью шкаф вскрыли неизвестные люди и похитили все драгоценности. Так? Один из них то ли в результате ссоры, то ли по другой причине был убит. Это Хондулян. Место нахождения коллекции неизвестно! Личность убийцы неизвестна! Личность человека, инициировавшего сбыт драгоценностей на «черном рынке», нам неизвестна! Хреново, Лев Иванович...

— Ну, не совсем, — бодро ответил Гуров. — Не надо так сгущать. Конечно, в твоей интерпретации все выглядит очень мрачно, но у нас есть Курочкин, мы вообще без труда за сутки выясним, кто же курировал шкаф в музее, кто с ним контактировал. К кому приходили посторонние в кабинет. Это раз. То есть начало ниточки у нас будет — это сто процентов. Второе! У нас есть контакты убитого Ходули. Я уже послал ребят и этого участкового Бойцова задержать и доставить сюда Кушнарева и Самарина. Я уверен, что до чего-то они договорились, раз убит их третий дружок Хондулян. Значит, они в теме. Значит, у них есть выход на кого-то серьезного...

Гуров не договорил. Он виновато глянул на шефа, вытащил телефон и приложил к уху.

— Да!.. Вы уверены?.. А еще где?.. М-да. Хорошо... Оставьте наблюдение и можете возвращаться...

— Что? — спросил Орлов, когда Гуров опустил трубку.

— Вот теперь хреново, — покачал головой сыщик. — Кушнарев и Самарин исчезли еще вчера утром. Ни дома, никто из знакомых о них ничего не знают. Да-а... теперь плохо. Тут предвидеть было нельзя. Я сразу послал людей, как только установили личность Хондуляна и его связь с Кушнаревым и Самариным. Видимо, они были в курсе, что Ходуля убит, видимо, они были замешаны или конкретно виновны. И скрылись сразу же... утром.

— Так, опять мы отстали от преступников на шаг, — вздохнул Орлов. — Как они хотя бы проникли в мебельный цех той ночью?

— Перекусили дужку замка на внутренней стороне оконной распашной решетки. Потом самым элементарным образом измазали стекло медом. Где они его взяли, мы скоро установим. Потом облепили стекло бумагой и выдавили внутрь почти без звука. Чтобы пустой оконный проем не бросался в глаза, они степлером закрепили на нем полиэтилен. Когда выбирались наружу, полиэтилен просто сорвали.

— А может, не было в тайнике никаких сокровищ? — вдруг спросил Орлов. — Может, там пусто было, может, нас мистифицирует кто-то?

— Были. Эксперты нашли следы волокон на краях стенок тайника. Это лен, следы льняной ткани, которая зацеплялась несколько раз за край древесины. Волокна почти рассыпались, но видно, что они были из плотного плетения. То есть это был льняной мешочек. Или льняное полотно, в которое драгоценности были завернуты.

— Почему лен? — спросил Орлов. — Не самая прочная ткань. В те времена уже были ткани и поплотнее, попрочнее. Сукно, например.

— Лен — ткань мягкая, не повредит тонким изделиям.

298

Глава 6

Всю вторую половину дня и почти половину ночи Гуров провел между двумя районами, в которых жили Кушнарев и Самарин. Три группы оперативников из МУРа работали под его руководством по адресам обоих пропавших парней. Они обходили адрес за адресом, обстоятельно выясняли, кто и когда в последний раз видел пропавшего, с кем видел, каков его круг общения, приносил ли он домой какие-либо вещи, пропадал ли ночами. Список вопросов, который интересовал оперативников, был велик.

Гуров оставил при себе старшего лейтенанта Бойцова, с которым обходил все бомжатники в этих районах. По специфике своей работы участковый быстро находил общий язык с коллегами, и те давали адреса, характеристики мест, где обитали местные пьяницы и бродяжки. К вечеру, когда последовал один из последних докладов, Гуров как раз шел за Бойцовым, который уверенно вел его к заброшенным кирпичным гаражам, где летом ночевали бомжи, по сведениям коллег, и выслушивал последний доклад по телефону.

— Так. — Гуров остановился, подумал и уселся на оказавшуюся поблизости парковую скамейку. — Ну-ка, Сашка, присядь. Давай покумекаем.

— О чем, Лев Иванович?

— О наших делах, Саша, о наших делах, — задумчиво глядя, как участковый садится рядом на лавку, сказал Гуров. — Смотри, что получается. Кушнарев и Самарин в ночь убийства, скорее всего, убили Хондуляна в цехе у твоего друга Кузнецова, поэтому домой не возвращаются. Они вернулись лишь утром, когда было светло. Я даже не останавливаюсь на том вранье, которым они кормили близких насчет того, где они были ночью и чем занимались.

— Ну?

— Они оба вернулись каждый к себе домой и потом быстро ушли. Больше их никто не видел. Документов дома нет, возможно, они прихватили деньги, еще что-то. Однозначно оба намерены скрываться. Это о чем говорит? Что они виновны в смерти Ходули.

— А вдруг нет? Ведь это домыслы, Лев Иванович. Никаких указаний у нас нет на то, что они ночью были именно с Ходулей возле шкафа. Ни следов, ни отпечатков.

— Ну, ну! — поощрил Гуров молодого помощника. — Еще что думаешь по этому поводу?

— Я согласен с вами, что смерть Ходули и возможный факт изъятия драгоценностей из тайника явились причиной поспешного бегства Кушнарева и Самарина. Но не факт, что именно они убийцы или виновники смерти парня. Может, убил кто-то другой, а им приказал смываться, потому что они неизбежно попадут в наши сети, мы неизбежно вычислим их отношения как связи.

— Так, хорошо. Еще!

— Драгоценности изъяли по двум возможным причинам. Либо они нашли покупателя на всю коллекцию, либо они сделали это потому, что у них там появился труп. И они теперь будут спешить с реализацией или залягут на дно.

— А по поводу трупа что ты думаешь?

— А что о нем думать? Поссорились, например.

— С чего это им ссориться, когда на дело пришли, когда дело сделано? Большой куш каждого ждет. Или, по крайней мере, одинаковый куш.

— Да. — Бойцов замялся. — Действительно, как-то глупо для их главного, чтобы он прямо там начал разборки устраивать. Там ночью, наоборот, любой дурак будет вести себя прилично и обещания раздавать. Если только... Они не решили убрать одного претендента, чтобы увеличить за его счет свои доли. Хотя это можно было сделать и раньше. Не светиться возле шкафа. Скорее всего, убийство действительно спонтанное. Не знаю, что и думать, Лев Иванович.

— Вот, — кивнул Гуров, — хорошее слово произнес. Убийства или старательно готовят, или убивают потому, что так сложились обстоятельства. Неожиданно. Готовить убийство там, в этом мебельном цехе, никто не мог. Зачем оставлять полиции такие следы, убить Ходулю могли совершенно спокойно в любом месте. Значит, там что-то произошло. Драка, дележка, спор о долях? Вряд ли, тут я с тобой согласен. Значит, инициатором чего-то был не умный главарь этой банды,

300

а кто? Глупый или глупые рядовые члены. И кто-то там просто защищался по необходимости. Иной причины я не вижу.

— И что нам это дает, Лев Иванович?

— Это, Саша, дает нам понимание, что группа сложна по своей структуре. В ней есть главарь бандитов, который держит руку на пульсе и занят тем, чтобы найти покупателей на рыжье. В ней есть некто, кто является консультантом по вопросам ювелирной или исторической ценности. Есть в ней человек или несколько людей, которые, собственно, и нашли эти драгоценности, нашли тайник. И сейчас, когда пролилась кровь, я думаю, всю ситуацию в свои руки взял именно опытный уголовник, а не интеллигентный эксперт-ювелир.

— Значит, ищем матерого уголовника?

— Проблематично, Сашка, мы о нем ничегошеньки не знаем. Да и уголовников в мире много, а экспертов мало. Будем искать эксперта, эксперт нас может вывести на Самурая и Куска. А уж через них и на их главного авторитетного вора. И давай-ка не терять время на бомжей, это мы поручим МУРу и местным участковым. А сами мы поедем в изолятор временного содержания.

— Хорошо с вами, — не удержался и с завистью произнес Бойцов. — Кого надо, того и можете в приказном порядке подключить к работе.

— Ничего, Сашка. — Гуров встал с лавки и похлопал участкового по плечу. — Ты уже старший лейтенант. Опомниться не успеешь, как станешь полковником и тоже сможешь всех подключать, ничего не делать и только карандашиком помахивать над отчетами, составленными другими.

— Да-а! — Бойцов засмеялся. — Вы вон не больно-то сидите за отчетами с карандашиком. Вторая ночь пошла, как вместе с нами без сна и отдыха.

— Это да, — притворно закряхтел Гуров.

Вадима Кузнецова привели по распоряжению Гурова в кабинет, который ему предоставили в МУРе. Вадик выглядел уныло, он не подавленно. Это сыщику понравилось. Значит, у парня есть характер, значит, голова работает, и мозг не впал в прострацию. Увидев Гурова и Бойцова, Кузнецов слабо улыбнулся и смирно уселся на предложенный стул. Сашка протянул ему чашку с горячим чаем и поставил на стол тарелку с бутербродами. В кабинете хорошо запахло колбасой.

— Лопай, страдалец, — ткнул Кузнецова в плечо Сашка и уселся на соседний стул верхом и стал смотреть на Гурова.

— Ну, как ты тут? — спросил Лев Иванович.

— Я... нормально. А мама как?

— Мама тоже терпит. Я не стал ее привозить сюда, хотя она и очень просила. Скоро увидитесь дома. А сегодня она тут только мешала бы нам. Надо поговорить, Вадик. Мне нужен твой чистый и незамутненный материнской нежностью мозг.

— Допрашивать будете?

— Блеснул эрудицией, — улыбнулся Гуров. — Терминологию в камере освоил? Нет, это не допрос, никаких протоколов вести мы не будем. Мы поговорим с тобой по-деловому. Ты лопай, лопай! Лопай, а я буду спрашивать тебя. Скажи, ты, когда искал мастеров для реставрации материного шкафа, со многими специалистами в этой области познакомиться успел?

— Успел немного, — работая челюстями и аппетитно прихлебывая из чашки, ответил Вадим. — Настолько, чтобы понять, что дело это дорогое и мне по деньгам непосильное. Рвачи они там все. Ломят копейку за свои услуги.

— Ну, это нормально, — задумчиво ответил Гуров. — Работа дорогая, тонкая, зачастую составы для реставрационных работ они изобретают сами или делают самостоятельно, свои секреты есть. Да и риск очень большой для них — испортить бесценную вещь еще больше. Ну да ладно. Сашка записывать будет, а ты диктуй, с кем разговаривал, как их зовут, где мастерская или где встречались и какого рода мастера.

Вадим засунул в рот остатки бутерброда, старательно вытер руки салфеткой и сосредоточенно свел брови.

— Не, так не вспомню, — заявил он. — Мне Курочкин много кого называл, список даже заготовил, но потом не отдал. А тех, кого я сам нашел и с кем разговаривал, они у меня в ежедневнике записаны. Только он дома.

— Где? Мы посмотрим.

— Он лежит в сумке-визитке. А она в прихожке висит на вешалке. Мама знает. Там на страницах последней недели записаны названия фирм или фамилии. Я их еще жирно обводил ручкой. Или сюда привезите, я покажу.

— А Курочкина ты знаешь откуда?

— Мне один из мастеров посоветовал к нему обратиться. Они же все называли дикие суммы, а этот сказал, что у Курочкина связи большие, он посоветует, кто подешевле. Я позвонил, представился, что от этого мастера. И Курочкин со мной встретился.

— И список мастеров он тебе дал? — не удержался Бойцов от вопроса.

— Нет, он его написал, но в последний момент не отдал. Как будто или вспомнил что-то, или испугался. Главное, уже готов был протянуть листок, и раз его назад! Я аж опешил. И давай мне по ушам ездить всякой чушью. И из кабинета чуть ли не пузом выдавливать.

— Стоп, Вадик! — Гуров поднял руку. — Замри. В какой момент изменилось поведение Курочкина в разговоре? Напрягись. После чего? После каких слов?

— Ну, как вам сказать. — Вадим снова нахмурился и почесал в задумчивости щеку. — После каких слов? Дайте вспомнить... Значит, я спрашивал про реставраторов мебели... он называл, к кому можно обратиться... я отвечал, что именно к этим обращался, что дорого они просят или что не их профиль... например, Ганьшин работает только с мягкой мебелью... А! Вот!

— Ну? — поторопил парня Гуров.

— Он удивился, когда я сказал, что реставрировать мне надо шкаф.

— Удивился? Это было удивление?

— Нет, не совсем удивление. — Вадим снова задумался, вспоминая тот разговор. — Получилось так, как будто он не знал, какую именно мебель мне надо реставрировать. Может, думал, что стул какой-нибудь, кресло, тумбочку. А я сказал, что шкаф, да еще напомнил, что он у них там стоял, что из их фондов продавался. Да, точно! Тут он и... забеспокоился. Так

303

точнее, он забеспокоился и решил мне в последний момент не отдавать список реставраторов.

— Хорошо, молодец, — похвалил парня Гуров. — Теперь дальше вспоминай. Вы разговаривали только о мастерах-реставраторах старинной мебели или иных специалистах?

— Каких иных? — не понял Кузнецов.

— Ну, не знаю, — пожал плечами сыщик. — Специалистах по истории того периода, скажем, восемнадцатого века. Специалисты по истории культуры, одежды, посуды... мало ли еще чего.

— Вы про экспертов в ювелирном деле спрашиваете? — догадался Кузнецов.

— В том числе не было ли разговоров о других специалистах. Что тот или иной не подходит тебе как эксперт или реставратор, потому что не по этому делу. Вот Ганьшина ты какого-то назвал и сказал, что он реставрирует только мягкую мебель, обивку.

— У Курочкина больше никого не называли, — отрицательно покачал головой Вадим. — Вот Ганьшин, например, тот мне когда советовал, сказал несколько фамилий, к кому он не советовал обращаться, но я не запомнил. Если бы вы их назвали сейчас, то я вспомнил бы.

— А были среди тех, кого Ганьшин не рекомендовал, типичные посредники, которые берутся за все, кичатся тем, что могут организовать все...

— Ага, — улыбнулся Кузнецов, — говорил. Копытина называл. Говорит, с Копытом не связывайся. Прохиндей он еще тот.

— Копытин? Копыто?

— Ну да.

— А он просто его назвал в череде других фамилий или особенно выделил? И в связи с чем или с кем выделил?

— А, точно. Он посоветовал не обращаться к Копытину, если его предложит Курочкин. Это, говорит, прохиндей...

— Значит, он сказал, что Курочкин знаком с Копытиным?

— Ну-у... получается, что знаком, — кивнул Кузнецов. — Получается, что Курочкин мог предложить мне обратиться среди других и к Копытину.

— А он предлагал? — подал со своего стула голос Бойцов.

— Нет... точно не предлагал. Мне кажется, что Копытин и не реставратор вообще.

— Почему показалось?

— Не помню. Кто он по специальности... не прозвучало. Но мне так показалось. Не помню почему...

Гуров вытащил из своей папки копии документов, касающихся шкафа, которые он получил у заместителя директора музея, полистал их и спросил:

— А такую фамилию ты в разговоре с Курочкиным или в разговоре с другими не слышал? Холин Иван Николаевич?

— Холин? — странным голосом спросил Бойцов. — Какой Холин?

Гуров удивленно посмотрел на участкового. Потом на Кузнецова, который странно переглянулся с Бойцовым. Что за интермедия?

— Ну-ка, парни, — Гуров строго, но с интересом посмотрел на Кузнецова и Бойцова. — Давайте выкладывайте!

— Это какой Холин? — первым спросил Вадим. — Не который из Горчакова?

— Та-ак, — медленно протянул Гуров. — А я вижу, вас просто опасно оставлять одних без надзора. Шустрые вы ребятишки. Да, да! Тот самый Холин, бывший владелец этого твоего, Вадик, чертового шкафа, который и сдал его в местный филиал музея.

— А сам помер, — вздохнул Бойцов.

— А сам помер? Любопытно. А вы откуда знаете о Холине? О том, что он помер? — согласился Гуров. — Может, вы и причину его смерти знаете? Если честно, то я побаиваюсь вас про него уже спрашивать.

— Ну, давай ты рассказывай, — предложил Вадим, обернувшись к Бойцову.

— Ну, в общем, Лев Иванович, — откашлялся участковый, — мы ездили в это Горчаково.

— Зачем? — изумлению Гурова не было предела.

— Видите ли, мы после всех историй с ворами с Вадимом пообщались и поняли, что думаем одинаково. Мы решили идти от хозяина шкафа, а потом попытаться понять, что и кому нужно. И мы ездили в музей с ним. Курочкина на месте не было, поэтому он, наверное, и не знает, что мы искали владельца. Мы узнали, что шкаф из горчаковского филиала, поехали туда, установили, что Холин умер, я получил в местном ЗАГСе копию свидетельства о смерти. Кстати, он умер, э-э... естественной смертью. Никакого криминала за этим нет. Мы даже дом посмотрели, в котором он жил. Но эти старые дома под снос идут, и там никого из жильцов давно уже нет.

— Ну понятно, — кивнул Гуров, продолжая с интересом смотреть на парней. — А зачем вам соседи понадобились?

— Узнать хотели про шкаф, про то, как и зачем Холин его в музей сдал... просто пообщаться, узнать о старике побольше. Как жил, чем жил, какие родственники остались. Может, историю шкафа, как к нему он попал.

— Ну... — Гуров засмеялся и потряс головой, — молодцы!

— А разве мы размышляли неправильно? — нахмурился Бойцов.

— Правильно, все правильно. Я провел экспертизу драгоценностей, остатки которых нашли на полу возле шкафа, я получил все документы на сам шкаф. Вот в Горчаково я не успел еще съездить, завтра собирался. А вы, значит, успели. Ладно, завтра, Сашка, едешь со мной. Расскажешь на месте и покажешь дом, в котором жил Холин. Там и решим, как нам его соседей и родственников искать. А что, дом снесли, говоришь?

— Нет еще. Там сносят всю улицу этих старых домов. Осталось два. А следом строительство идет, там стройплощадка, нам пришлось на территорию заходить. С мастером этой организации вместе ходили квартиру Холина смотреть.

— Стройплощадка? В Горчакове?

— Да, а что?

— Нет, ничего. — Гуров опустил голову и задумчиво почесал бровь. — Стройплощадка в Горчакове, стройплощадка в Горчакове... Что-то на слуху такое... засело. То ли в сводках что-то читал, то ли еще откуда-то. Это словосочетание в голове. Ты сказал, и я вспомнил.

— В связи с новым строительством в подмосковном поселке? — предложил Кузнецов.

— С новым строительством? — Гуров какое-то время смотрел на Вадима, потом решительно сказал: — Вспомнил. Несчастные случаи на строительной площадке в Горчакове! Два несчастных случая с мистической окраской. Мистификаторы, или хулиганы, или преступники? То ли несчастные случаи, то ли убийства, замаскированные под несчастные случаи.

— Так это та самая строительная площадка и есть, — засмеялся Бойцов. — Вы бы видели кровавую надпись там на стене. Зловещую!

— Надпись? Что за надпись?

— «Коснешься ты, и смерть коснется тебя! Чувствуешь ее ледяную костлявую руку???» — процитировал Кузнецов. — Я точно запомнил. Думал, из стихов откуда-то, из классики. Потом в Интернете смотрел, но не нашел.

— И кровью, главное, написано, — подтвердил Бойцов. — Прямо на стене, по штукатурке. И как раз в том доме, где жил этот самый Холин.

Мастер ждал Гурова в опустевшей мастерской, расхаживая вокруг старинной тахты и разглядывая ее критическим взглядом. Высокие изогнутые ножки, мягкий изгиб подлокотников, асимметричная спинка — все говорило о старинном дворянском усадебном стиле девятнадцатого века. Судя по обрезкам ткани, валявшимся кое-где на полу вокруг, тахта пережила реставрацию.

— Здравствуйте. — Гуров вошел и остановился, глядя на единственного в помещении мужчину с собранными в хвост на затылке седоватыми волосами, скуластым лицом и меленькими глазами. Мужчина их все время щурил, как будто постоянно что-то оценивал или примеривался. — Мне нужен Ганьшин Олег Андреевич.

— А-а, это вы из полиции? — не сразу обернулся мужчина. — Это я Ганьшин Олег Андреевич.

— А моя фамилия Гуров, — представился сыщик.

— Вечер добрый, — пожимая гостю руку, кивнул Ганьшин. — Как вам, а? Кажется, мы попали в стиль сто процентов.

— Вы про диван? — спросил Гуров.

— Это тахта, дорогой полковник, или софа, если вам угодно. Мы ей обивку сменили и наполнение. Все истлело, но форму, кажется, удалось сохранить, и ткань сделана на заказ. Точно такая же, правда, выглядит более новой, но это неизбежно. Зато фактура, обратите внимание! Ее соткали не на современном оборудовании, а на аналоге девятнадцатого века. Вот что важно! И сразу другой эффект.

— Ткань на заказ? Вы заказывали несколько метров ткани специально для этого изделия?

— А у нас, у реставраторов, все штучное. Все индивидуальное и на заказ. Потому и дорого! А многие не понимают, думают, что мы цену набиваем. А вот эта ткань, знаете, во что обошлась? А работа дизайнера, а технолога? А бессонные ночи, а вдохновение?

— Я, собственно, примерно по этому поводу к вам и пришел, — напомнил Гуров с улыбкой.

— Ах да, простите, — смутился мастер. — Я все о своем, своим голова забита. Так я вас слушаю. Пойдемте в кабинет, там уютнее, чайку можно наладить.

— Пойдемте, но без чайку. Времени у меня мало, а расспросить вас нужно о многом.

Через несколько минут Ганьшин уже рассказывал о сложившейся системе в реставрационном деле. О лицензировании, об особом статусе тех мастеров, которые имеют право реставрировать изделия, обладающие высокой историко-художественной ценностью. О том, что в эту среду попасть очень сложно, потому что важно доверие историков, музейной администрации, экспертов.

О Вадиме Кузнецове он помнил. Приходил такой крупный и очень серьезный парень. Хороший парень, но ничего не смыслящий в реставрационном деле. Хотя, как показалось Ганьшину, парень имел отношение к производству современной мебели.

— Но это, знаете, — мастер покачал головой с усмешкой, — это как разница между маляром и художником портретистом. Когда маляр приходит в музей, смотрит на картину Рембрандта и хвалит ее словами, что красочка хорошо легла, ровненько, без потеков.

— Помнится, вы этому парню не советовали обращаться к Копытину.

— Ах ты... — Ганьшин покачал головой с досадой. — Вот так слухи ползут, а потом тебя начнут обвинять...

— Нет, вы не поняли, — перебил Гуров. — Это не слухи, это оперативная информация. Информация, очень важная для одного уголовного дела. Поэтому давайте не будем сокрушаться, а лучше расскажите мне про этого Копытина.

— Ну, раз так, раз все серьезно у вас, тогда расскажу. Прощай, моя репутация. Генка Копытин, конечно, не мастер, не реставратор и не художник. Он делец. Не знаю, уж в хорошем смысле этого слова или в плохом. Для многих из нас Копытины важны, они как профессиональные посредники плавают, лавируют между нами и заказчиками, сводят нас и получают свою маржу. Даже для меня иногда лишний заказ не помеха, а благо. И это при том, что мои работы стоят в плане нескольких музеев, что ко мне регулярно обращаются частные заказчики. А уж для менее именитых мастеров Копытины в любом виде очень важны. Вот они и жиреют на этой посреднической ниве.

— Ну, это понятно, — кивнул Гуров. — Если есть потребность в этой услуге, то обязательно найдутся люди, которые ее буду предлагать и развивать. Скажите, где я могу найти этого Копытина? С кем он часто общается, где бывает, может, вы примерно его адрес знаете?

— Ну-у, — Ганьшин почесал карандашом за ухом, — адреса я, конечно, не знаю. С кем общается? Ну, с серьезными мастерами вряд ли. Там ему делать нечего. Да и я его знаю, лишь потому, что в молодости были знакомы, даже как-то дружны. Но он тогда в общежитии жил. А с мастерскими попроще, таких у нас много, может, с ними и имеет дела.

— А с ювелирами он дела имел когда-нибудь?

— Не знаю, но думаю, почему бы и нет. Ему же все равно, на чем деньги зарабатывать. Я же говорю, что он профессиональный посредник. Стойте. — Ганьшин вдруг улыбнулся и с энтузиазмом ткнул карандашом в сторону Гурова, заставив того от неожиданности отшатнуться назад. — Знаю, у кого он бывает регулярно? В музее, в запасниках. Там ведь у них и своя мастерская реставраторов. Он и сотрудников многих знает хорошо и давно. Курочкина он прекрасно знает. Я видел несколько раз, как они здоровались да как сидел Копыто у него чаек распивал в кабинете.

— Копыто?

— А его так многие зовут, кто дела с ним имел. Копыто, он копыто и есть. Топчет землю, денежку зарабатывает. Что натопчет, то и покушает. К нему это прозвище еще с молодости прилипло.

— А кто он по образованию? Профессия у него какая-то была в молодости. Не всегда же он промышлял такими делами?

— Ну, вообще-то он историк, как и я. А работал он... В МГУ на факультете какое-то время работал, потом куда-то в какой-то музей перебрался. Потом... не помню, если честно, а наговаривать не хочется.

Оперативная машина подвезла Гурова и Бойцова к воротам строительной площадки. Сыщик, продолжая слушать рассказ молодого участкового об их поездке в Горчаково вместе с Кузнецовым, вошел через приоткрытые ворота и сразу остановился. Сашка впечатался ему в спину носом и тоже остановился. Возле крайнего дома, который, видимо, еще не успели снести, стоял полицейский микроавтобус.

— Смотрите. — Сашка кивнул на машину. — Что-то мне это совсем уже не нравится. Особенно после того, что вы рассказали.

— И мне не нравится, — ответил Гуров и зашагал к машине.

В прорабском вагончике и возле него на лавке двое старших лейтенантов опрашивали кого-то из работников строительной организации. Наверное, прораба, мастеров. Гуров прошел дальше, к подъезду пустующего дома, и увидел у входа прапорщика, видимо, имеющего целью никого не пускать внутрь, где наверняка работала группа. Вытащив удостоверение, Гуров раскрыл его и показал прапорщику.

— Что здесь произошло? — спросил сыщик, кивнув наверх.

— Труп утром нашли, — коротко ответил прапорщик.

— Это со мной. — Гуров кивнул на Бойцова и прошел в подъезд.

Голоса слышались на втором этаже, и сыщик направился сразу туда. Голоса слышались из четвертой от лестницы комнаты. Пожилой эксперт, в рубашке с закатанными по локоть рукавами, сидел на корточках и светил маленьким фонариком куда-то в отверстие в полу. Молодой лейтенант, видимо, его помощник, старательно записывал что-то, стоя и положив лист бумаги на папку.

Тело невысокого плечистого мужчины лежало на полу, на разбросанных брусках паркета лицом вниз. Одна рука была под грудью, вторая нелепо согнута. Локоть торчал вверх, ноги согнуты в коленях. Создавалась иллюзия, что человек полз куда-то и замер на месте. Лужа крови расплылась под грудью убитого. Ее количество сразу наводило на мысль о смертельном ранении.

Криминалист отнесся к появлению полковника из МВД спокойно. Видимо, большой опыт работы говорил ему, что интерес министерства приведет к тому, что докладывать наверх о результатах придется теперь часто, так что лучше уже сейчас начать создавать о себе благоприятное впечатление. Впрочем, Гуров сразу убедился, что Андрей Иванович, как представился криминалист, дело свое знал прекрасно.

— Смерть наступила, как можно судить по внешним признакам, температуре тела и окружающей среды, между двенадцатью часами ночи и тремя часами утра. Слишком уж высокая впитываемость покрытия пола. Трудно составить предварительное точное представление. Но в лаборатории я вам точно смогу определить.

— Причина смерти известна?

— Да, проникающее ранение в область грудной клетки. Мы его поворачивали на бок и предварительно смотрели. Наверняка два удара ножом в область сердца.

— Личные вещи, документы?

— Ничего. Обычно хоть монетка в кармане да заваляется. У этого чисто. Думаю, что все вытащил тот, кто убил. И не из ценности содержимого карманов, хотя частично и это возможно. Скорее всего, чтобы подольше оставить тело неопознанным. Отпечатки мы сняли и отправили в управление для сличения по базе.

— Видимо, он несудим, — внимательно поглядел на труп Гуров.

— Скорее всего, не сидел, это и мне показалось, — согласился эксперт. — Но правила обязывают. Следов на полу столько, что и гадать не стоит. Рабочие и просто посторонние, те, кто оконные и дверные блоки вынимал, тут наследили так и напылили до такой степени, что просто нечего искать.

— А это что такое? — Гуров кивнул в углубление в полу.

— Очень похоже на тайник, вы сами посмотрите, товарищ полковник. Перекрытия тут деревянные, еще дореволюционные, с засыпкой. Толщина от чистового потолка нижней квартиры до чистового паркетного пола второго этажа почти шестьдесят сантиметров. Взломан паркет, причем почти по всей комнате. Такое ощущение, что они не знали точно, где тайник.

— А вы уверены, что это тайник? — на всякий случай спросил Гуров.

— Посмотрите сами. — Эксперт пожал плечами и протянул сыщику фонарик.

Гуров присел на корточки. Да, пожалуй, Андрей Иванович был прав. Несущие балки перекрытия были подшиты снизу черновым потолком, на который был насыпан шлак, выполнявший функцию тепло- и звукоизоляции. Сверху шел черновой пол, на который уже клали выравнивающие лаги, дощатый настил и на него уже паркет. Весь этот слоеный пирог был нарушен лишь в одном месте. Короб из досок отгораживал засыпанные части перекрытия, и в этом защищенном пространстве, полном пыли, паутины и дохлых пауков, четко выделялся след чего-то прямоугольного, простоявшего здесь десятки, если не (страшно представляемое слово) сотню лет.

— Я так понимаю, что всю эту конструкцию собирали тут в то же время, что и все перекрытие, — сказал Гуров. — Больно уж древесина одинаковая. И вы полагаете, что они вскрывали паркет и простукивали весь пол?

— Полагаю, что так и есть, — согласился эксперт.

— А вы знаете, что еще в одной комнате так же вскрыт почти весь паркет? — вдруг сказал Бойцов, молча топтавшийся все это время за спиной Гурова.

— Да? И что? — Сыщик непонимающе посмотрел на участкового.

— Мы, когда сюда приходили в прошлый раз, проходили почти по всем комнатам. Паркет был вскрыт только во второй от лестницы комнате. В которой и жил тот самый Иван Николаевич Холин. А теперь вот и здесь.

— Ну-ка. — Гуров нахмурился и кивнул на вход. — Пройдись в темпе по всем комнатам. Точно, что паркет вскрыт только в двух комнатах?

Бойцов кивнул и с довольным видом выскочил в коридор. Эксперт, молча наблюдавший за полковником и его молодым помощником, спросил наконец:

— У вас есть какая-то информация или соображения на этот счет?

— Пока я не могу вам сказать ничего определенного. — Гуров отрицательно покачал головой, прислушиваясь к быстрым шагам Бойцова.

Наконец участковый появился в дверях. Он посмотрел на эксперта с помощником, потом на Гурова. Лев Иванович еле заметно кивнул.

— Точно, как я и сказал. Паркет вскрыт в той комнате, где жил Холин, и вот в этой. Кстати, в комнате Холина тоже в двух местах пытались вскрыть перекрытие. А еще со стены сбита штукатурка.

— Какая штукатурка?

— А напротив лестницы. В том месте, где как раз была надпись на стене. Ее сбили, а то бы вы, Лев Иванович, ее увидели сразу.

Выяснилось, что следователь уже допросил сторожа, дежурившего в эту ночь. Сторож никого не видел, на площадку никого не пропускал, и самовольно никто не проходил. Гуров отвел старика в сторону и уселся с ним на бетонных плитах.

— Слушайте, как вас зовут? — спросил сыщик.

— Макаров, — буркнул старик и стал смотреть на носки своих стоптанных рабочих ботинок.

— Ну а по имени и отчеству?

— Зовите Макаров, и все. Меня так все зовут. И следователю я все рассказал. Чего я вам-то добавлю?

— Ну, Макаров так Макаров, — согласился Гуров. — Я с вами хотел поговорить по другому делу. Понимаете, я не следователь, я из уголовного розыска. И то, что я у вас буду спрашивать, я не буду заставлять вас подписывать. Я даже не стану ничего писать. Я знаю, что люди, как минимум двое, зашли на территорию строительной площадки, вошли в крайний дом и довольно долго там занимались чем-то шумным. Вы не могли не слышать, но мне это и не важно. Важно, что вы их могли видеть.

— Никого я не видел, — отрезал старик. — Не было никого, а то бы я... у меня и телефон есть. В два счета полицию бы вызвал.

— Да, конечно. — Гуров понизил голос. — Я даже не буду спрашивать о том, какой у вас с ними был уговор. То ли они вам заплатили, то ли бутылку поставили, то ли они вам пригрозили. Мне не важно. Вы посмотрите на вот эти фотографии и покажите мне, кто из них приходил вчера.

Гуров вытащил из кармана пиджака несколько фотографий и незаметно положил между собой и сторожем на плиты. Он аккуратно и ловко разложил их прямо перед стариком, чтобы тому было удобнее смотреть на лица подозреваемых. Судя по тому, что Макаров не стал сразу отнекиваться и отказываться, Гуров понял, что не ошибся. И что его блеф сработал. Старик искоса посмотрел на фото, потом повернул голову и стал разглядывать. Гуров решил его приободрить:

— Просто ткните пальцем в тех, кого видели, а я потом соберу фотографии и уйду.

— Этот, — ткнул старик сморщенным пальцем в фотографию Игоря Самарина.

— А остальные? — удивился и одновременно обрадовался Гуров.

Сторож покачал головой и снова стал смотреть на свои ботинки. Гуров задал последний вопрос:

— Сколько их сюда вошло? Двое или трое?

— Трое, — тихо ответил старик.

— Спасибо, Макаров. — Гуров собрал фотографии и, прежде чем подняться и слезть с плиты, хлопнул старика по плечу.

Другого сторожа привезли через час. Гуров велел всем выметаться из прорабского вагончика, а Бойцову прикрыть дверь и никого не пускать. Сторож все время нервно скреб прокуренным пальцем щетину на сморщенной шее и бегал глазами. Чувствовал он себя явно неуютно.

— Зовут вас Николай Андреевич? — спросил Гуров.

— Точно так, — кивнул сторож с готовностью. — Мишин Николай Андреевич.

— Говорят, вы всю жизнь в этой организации на стройке проработали? — спросил Гуров, демонстрируя уважение.

— Ну, сколько их уж поменялось с советского-то времени, — солидно кивнул старик. — Начинал так еще с «Химтяжстроя». СМУ-7, треста № 1.

— А потом?

— А потом капитализм пришел. И началось. То один хозяин, то другой. Приватизация всякая произошла. Теперь уж и не знаю, кто у нас хозяин, а название так раз пять менялось. А я вот... сухой, как пенек, и никто меня отсюда и не выкорчевывает. Без нас как?

— Это да, — согласился сыщик. — Когда вся жизнь в одном коллективе, в одной организации, так ведь прикипаешь ты к ней, наверное, да?

Старик покивал головой и стал скорбно смотреть в окно на улицу. Гуров выдержал небольшую паузу, потом спросил:

— Николай Андреевич, а скажите, кто вас донимал тут в последние дни? Я имею в виду сторожей.

— Да пацаны, например. Замаялись гонять их. Медом намазано им...

— Не, я не про пацанов, — перебил Гуров. — Что за привидение у вас моталось по площадке, которое все сторожа видели?

— Ну, — старик сокрушенно покачал головой, — тут уж и не знаю, что сказать вам. Полиции про привидения рассказывать... Это уж не знаю как.

315

— Участковому рассказывали, который приезжал к вам?

— Пытался. Вот после этого и зарекся. Кабы «психушку» не вызвали с санитарами. Или не уволили за пьянку. То привидение, то «белочка»!

— Так это было привидение или человек, переодетый привидением?

— Ох, начальник. — Старик сделал попытку посмотреть полковнику в глаза, но снова опустил взгляд. Чувствовал он себя явно неловко. — Теперь уж и не знаю... Их как бы и не бывает, привидений-то... А то говорят, что и бывает. Даже на фотографиях они отпечатываются. Я уж и не знаю, как считать теперь.

— Тогда просто опишите привидение. Откуда взялось, как оно себя вело, куда делось?

— Если со стороны сторожки глядеть, — старик оглянулся назад, — то получается, что появлялось оно каждый раз из-за складированного кирпича. А потом перелетало влево и за лесами строительными скрывалось. И все.

— А дым был? Туман?

— Был, а как же! — обрадовался старик. — Сначала вроде как туман набежал, а потом оно в тумане в белом и полетело.

— Я посмотрю, Лев Иванович? — спросил разрешения улыбающийся Бойцов и вышел из вагончика.

— А лицо вы, Николай Андреевич, не разглядели у привидения? Может, кого-то напомнило вам?

— Какое там, — продолжал смущаться старик. — Лица не разглядеть было.

— А рост? Телосложение?

Мишин кряхтел, возился на стуле и пытался вспомнить. Гуров понимал, что беспокоит старика. Во-первых, когда серьезные люди начинают верить тебе, всегда как-то начинаешь чувствовать подвох. То ли ты прикоснулся к великой тайне и завтра проснешься знаменитым. То ли ты сейчас узнаешь, что за дверью стоят санитары. Или тебя просто поднимут на смех, заявив, что ты уже полчаса трешь уши полиции!

Дверь открылась, и вошел Бойцов, бережно неся в руках на обрывке газеты какой-то темный цилиндр толщиной с большой палец руки. Участковый осторожно положил газету

316

с цилиндром перед Гуровым, и сразу в нос ударил запах горелой пластмассы.

— Там, за кирпичами, и нашел, — пояснил Бойцов. — Я даже знал, что искать. Сами в детстве такими баловались. Это же классическая дымовушка. Старые детские куклы и некоторые пластмассовые расчески очень дымят, если их поджечь, а потом потушить. Их ломают на мелкие кусочки, закладывают в такой вот цилиндрик, который закрывается плотно. В крышке дырок наделать побольше. А потом поджечь пластмассу, задуть и быстро завинтить крышку. Дым будет через дырочки... вон видите? Будет бить не хуже, чем из дым-машины на эстрадной сцене. Чаще всего дым белого цвета получается.

— Белого цвета был, — нехотя признал сторож.

— Так, с этим ясно. — Гуров отодвинул в сторону газету с дымовушкой. — А теперь расскажите про прорицателя, который к вам ходил вечерами и пугал страшными карами, если тронуть эти дома.

— Был такой. — Старик смутился еще больше, понимая, что опять выглядит как дурак перед полицией. — Юродивый какой-то. Выпить приносил, сигареткой угощал запросто, это точно. А вот как он начинал всякие страсти рассказывать, тут и не уследишь. Начинает вроде издалека, про историю, про старые времена, а потом как-то на современность перейдет, и не заметишь. И сразу про Горчаково, про проклятия здешние. Что дома сносить в этом месте нельзя и строить нельзя. Мы слушать-то переставали, а он все твердит свое. Ну, думаем, как выпьет, его мозги и переклинивает. Жалели даже.

— А когда он перестал ходить?

— Да как убился у нас рабочий... Это еще при Борисове было, при прежнем прорабе.

— Лет ему сколько примерно, выглядит как?

— Лет ему... — Старик задумался. — Не скажу, что много, но иногда вроде и старым казался. Хотя по рассуждениям он дите-дитем! Было дело, гадали про то, сколько ему лет.

— Посмотрите, Николай Андреевич. — Гуров вытащил из кармана фотографии и стал раскладывать на столе перед сторожем. — Нет ли среди этих людей вашего прорицателя?

— Е...понская болячка! Да вот же он! — вдруг ткнул пальцем в фотографию Самарина старик. — Здесь молодой еще. А так он, точно он. Это что же? Как в театре, что ли? Грим какой-то?

Следующим в вагончик вошел прораб Голубев, но ничего особенно нового он не рассказал. Большей частью он пересказывал как раз то, что узнавал от рабочих и сторожей. Однако подпиленный мосток через траншею Гурова заинтересовал. Мостка того уже, правда, не было, нечего было посмотреть своими глазами.

— Ну, — Гуров встал и стал складывать в папку фотографии, блокнот с записями, — теперь у нас последнее на сегодня важное дело, Сашка.

— Какое?

— Допросить предыдущего прораба, Борисова. Началось все при нем, а о Борисове тут отзываются как о мужике крайне серьезном.

— Вы верите во все это, Лев Иванович?

Гуров остановился на пути к двери и повернулся к Бойцову. Лицо молодого помощника выражало азарт и что-то еще. Больше это было похоже не на обожание прославленного полковника и желание смотреть ему в рот, скорее, скепсис по поводу того, что прославленный полковник что-то не увидел или поддался на рассказы мистического содержания. Скепсис Гурову понравился!

— А во что в «это»? — спросил сыщик. — Ты сейчас спросил меня таким тоном, Сашка, как будто я увидел русалку и поверил в ее существование. И русалок, и водяных, и леших с кикиморами. В целях экономии времени отвечу сразу на все вопросы. Даже еще не заданные тобой. В проклятие не верю. В умышленную мистификацию, которая имела целью сорвать работы по демонтажу старых зданий, верю. В то, что несчастные случаи были в основном организованы кем-то из рабочих по заказу мистификатора, верю. Как верю и в тайник, в котором было нечто, что интересовало Самарина и его дружков. И вот этого человека, который сегодня там лежал в луже крови.

— Я, собственно, не об этом, — смутился Бойцов. — Вы верите в клады?

— Один, мы с тобой точно знаем, что был. Второй? Знаешь, убийство, почерк преступления налицо. Мотив? У нас дыра в полу размером с небольшой сундучок и возраст полов лет под сто, если не больше. Тебе ответить?

Глава 7

Гуров сидел в своем кабинете, разрываясь между мобильным телефоном и проводным на своем столе. Установить личность погибшего человека без документов в таком крупном мегаполисе, как Москва, дело сложное. Часто практически невозможное. Чудо, если человек был ранее судим или по какой-то другой причине отпечатки его пальцев оказались в картотеке МВД. А если нет?

Поиск ведется в том числе и по картотеке пропавших без вести ранее, и по данным свежих заявлений. Но если человек не пропадал и лишь одну ночь не ночевал дома, то он в систему розыска без вести пропавших гарантированно не попадет. Дальше все зависело от фантазии, опыта и разворотливости оперативника, ведущего это дело.

— Сегодня, — строго приказывал Гуров в трубку телефона, — сегодня вы должны закончить обход всего Горчакова. Это самое простое и самое вероятное, что он местный.

Через две минуты последовал доклад о том, что фотография неизвестного, убитого в заброшенном доме в Горчакове, получена. Все оперативники, на чьих территориях хоть косвенно или гипотетически появлялась группа Кушнарев — Хондулян — Самарин, начали работу с агентурой. Выяснению подлежало, не появлялся ли в их кругах данный человек. Если появлялся, то в связи с чем, с кем общался, какие сведения о нем имеются.

Параллельно в МУРе составлялся список лиц, которые могли знать погибшего в том случае, если он имел отношение к ювелирному делу, как коллекционер, перекупщик, оценщик. Гуров полагал, что под полом был спрятан, скорее всего, клад. Точнее, искали именно клад и могли взять с собой оценщика, эксперта. А что там нашли, неизвестно. Могли найти сундук со старыми бумажными деньгами. «Керенками», «катеньками» или что там еще было до советской власти. Вполне могли найти ничего не стоящие бумаги.

Мобильный телефон взорвался трезвоном и, вибрируя, пополз к краю стола. Гуров, отвлекшийся на чайник в углу кабинета, подбежал и схватил трубку. Звонил Бойцов.

— Да, Сашка! Что у тебя?

— Лев Иванович! Есть идея! — выпалил Бойцов.

— Ну, ну! Излагай.

— Мы тут в Горчакове, всего в квартале от строительной площадки нашли пустую машину припаркованную. А если этот человек, которого там на стройке убили, приехал сюда на машине? Почему мы решили, что они все вместе приехали на одной машине или на электричке?

— А мы так не решали, — улыбнулся Гуров. Сашка Бойцов ему определенно нравился. — Мы просто не дошли в своих размышлениях до этого вопроса. Молодец, вовремя сообразил.

— Так заниматься нам оставленными припаркованными машинами?

— Да, обязательно. И обязательно составь схему, где расположены припаркованные машины, хозяина которых вы не нашли и кого надо устанавливать. Я сейчас свяжусь с начальником отдела полиции и дам указание.

Через час на улице остановилась машина. Водитель вышел и попросил проходившего мимо мужчину подсказать, как лучше выехать на Волгоградское шоссе за город. Мужчина начал охотно объяснять, но водитель его прервал и, сославшись на то, что он не местный и плохо ориентируется в Москве, попросил показать на карте города, которая лежала на сиденье. Когда он подвел мужчину к машине и они склонились над картой, водитель вдруг достал мобильный телефон и сказал:

— Ответь! Тебе звонит один твой знакомый, которому нужна срочно твоя помощь.

Мужчина машинально взял трубку, удивленно уставился на водителя, который вдруг перестал быть вежливым и улыбчивым. Он медленно поднес к уху трубку и хриплым голосом отозвался:

— Да?

— Семенов? — раздался в трубке хорошо знакомый голос полковника Гурова. — Слушай, Вадик! Дело важное, дорог каждый час, у меня не было времени искать тебя самому. Сейчас тебе тот человек, который дал телефон, покажет фотографию. И ты скажи только, да или нет. Это тот самый Копыто, который общался с Кушнаревым, или нет.

— Хорошо, — неуверенно ответил Семенов и покосился на мужчину.

Прямо на карту, расстеленную на переднем сиденье, легли несколько фотографий с разных ракурсов. На них был снят человек, немного мелковатый по комплекции, черноволосый. Человек лежал на спине с закрытыми глазами. Не было видно ничего ниже его ключиц, но любому человеку было понятно, что на фотографии труп. Понял это и Семенов. Он побледнел, рука, державшая трубку телефона, задрожала.

— Ну что ты там! — раздался в трубке голос Гурова. — Давай быстрее!

— Да... Это Копыто, — голос Семенова предательски сел, и ему захотелось откашляться, прочистить горло. — А что с ним?

— Несчастный случай, — отозвался Гуров. — Но ты не переживай. Никто не узнает, что я тебя привлекал к опознанию. Мне важно знать, он это или нет.

— Его убили? — просквозили панические высокие нотки в голосе Семенова.

— Дурак! — рявкнул Гуров. — Сказал же, что несчастный случай. А нам опознать надо. Вот и хотели у тебя узнать, хоть в каких кругах его личность искать. Ну, все, спасибо! Дуй дальше по своим делам.

Семенов отдал трубку мужчине и задом попятился от машины. Потом, опустив голову, быстрым шагом засеменил по улице. Метров через двадцать он просто перешел на бег и скрылся за углом. Мужчина тут же приложил трубку к уху и доложил Гурову о странном поведении Семенова.

— Струсил, — пояснил Гуров. — Вы не переживайте, он никому не расскажет о гибели этого человека по кличке Копыто. Не в его интересах.

На компьютере мигал значок о получении письма по электронной почте. Гуров открыл ее и посмотрел. Шесть писем. Судя по адресу, отделение полиции Горчакова. Оказалось, что это данные на машины и их владельцев. Машины, оставленные без присмотра. Хозяина найти в соседних домах или учреждениях и фирмах не удалось. Потенциально они могли оказаться брошенными машинами погибшего человека.

Копыто! Гуров привычным движением почесал бровь и снова попытался подобрать в голове варианты фамилий с «копыто». Даже навскидку набирались десятки вариантов. Нет, так искать бесполезно, решил сыщик. А как? Неужели запрос в адресную службу все же придется делать? Все признают, что этот запрос родился исключительно от беспомощности. А я и так беспомощен сейчас. Четырнадцать машин, четырнадцать фамилий, которые определили по данным ГИБДД. И ни одной фамилии, даже отдаленно похожей на Копыто.

Снова зазвонил мобильник. Гуров не глядя нашарил аппарат и поднес к уху.

— Да?

— Лев Иванович, это Бойцов!

— Да. Что у тебя? — постным голосом спросил Гуров.

— Подарок.

— В смысле? — Гуров недоуменно нахмурился. — Не понял. Ты о чем, Сашка?

— О подарке, который мы вам приготовили. Сейчас вам данные отправляют, но я решил позвонить и обрадовать. Машина «Рено Колеос», номерной знак 234, зарегистрирована в МРЭО ГИБДД города Москвы на имя Копытина Геннадия Васильевича. Там по электронке вам придет и его фотография из МРЭО.

— Ты ее видел, Саша? Похож? Это он?

— Он, Лев Иванович, я уверен. Это наш жмурик из Горчакова.

— Саша! — голос Гурова стал строгим. — Если ты хочешь стать настоящим сыщиком, хорошим сыщиком, то никогда не опускайся до такого цинизма. Он не жмурик, он человек. Понимаешь? Каким он стал и почему он таким стал, не нам судить, мы всего из его жизни не знаем. Но он родился от матери, родился человеком, как и все. Просто у него судьба такая.

— Простите, Лев Иванович, — ответил в трубке голос Бойцова. — Я больше не буду. Вы правы, цинизм это. И попытка подражать старшим товарищам, только не тем, кому следует подражать в этих вопросах.

— Вот именно.

Через два часа Гурову позвонил один из оперативников МУРа, который ездил в мастерскую Ганьшина и предъявлял для опознания фотографию Копытина. Мастер уверенно признал в нем своего приятеля молодых лет Генку Копытина по прозвищу Копыто. Примерно в это же время наряд полиции уже стоял у двери квартиры Копытина на Большой Грузинской улице. Дверь на звонки не открывали. Соседка, вышедшая на шум, пояснила, что Геннадий живет один, никто в его квартире больше не проживает.

Гуров положил трубку и стал смотреть в окно. Вечерело. День заканчивался, сделано было много, очень много. Но в результате ниточка снова оборвалась. Прямо в руках. Удалось установить личность погибшего, получили представление о его нечистых и близких к криминалу делах, но снова уперлись в стену. Труп ничего не расскажет. Кому Копытин предлагал драгоценности, кому он их продал, если уже продал. С кем он проворачивал это дело. Кто в их бригаде был еще, кроме скрывшихся Кушнарева, Самарина и убитого Ходули. Убитого, кстати, точно так же, как был убит и Копытин. Два смертельных удара в грудь ножом. Завтра наверняка судмедэксперты предъявят подтверждение, что смертельные ранения нанесены предположительно одним и тем же орудием. Или очень похожим.

В следственном изоляторе Курочкин провел уже две ночи. Камера, рассчитанная на двенадцать человек, была заполнена полностью. Научному сотруднику молча указали на единственную свободную кровать на втором ярусе возле отгороженного невысокой стенкой унитаза. Здесь все сразу стало давить Курочкину на психику, как гнет! Мрачные неразговорчивые люди, источавшие негатив, который чувствовался почти физически. И вонь из унитаза, и вонь немытых тел. И постоянное совокупление трех здоровенных мужиков в наколках по ночам с молодым толстым парнем. Его тискали на кровати у окна, где он стонал и охал. А мужики хрипели и матерились, тяжело дыша.

И даже жаргон и терминология были мрачными, неприятными. Параша вместо унитаза, шконка. Вместо кровати и еще много всяких словечек, вместо нормального русского языка. Хорошо еще, что новичка сразу оставили в покое. Подошел только через час к нему один прыщавый с бегающими глазами и начал расспрашивать, откуда, за что попал.

Курочкин сначала бросился откровенно рассказывать все. Но потом он быстро опомнился и стал отвечать сухо, скупыми фразами. Прыщавый как будто понял, засмеялся, дохнув в лицо вонью гнилых зубов, и отошел к немолодому кавказцу, который целыми днями лежал на своей кровати у окна и что-то читал. Он молча махнул прыщавому рукой, и больше к Курочкину никто не подходил.

Хорошо это было или плохо, он еще не понял. Хорошо, что не общался с этими неприятными людьми, но к началу вторых суток Курочкину уже хотелось говорить, хотелось общения и понимания, хотелось выговориться. Хоть кому. Впору подойти к параше и выговориться перед ней. Он понимал, что рано или поздно его начнут водить на допросы к следователю и легче от этого не станет. Потому что начнет формироваться его вина перед законом, а значит, начнет формироваться и итоговая ответственность в виде энного количества лет в колонии. Следователя Курочкин боялся больше всего, больше уголовников, насиловавших каждую ночь втроем молодого парня.

Третья ночь в СИЗО была спокойной. Даже парня Лешку, которого тут называли Ляжкой, сегодня не трогали. Курочкин, который фактически не спал третьи сутки, начал понемногу проваливаться в сон. Сон был вязкий, какой-то липкий, как грязное белье. А еще он был тревожный. Курочкин просыпался часто, дергался, как от удара, и с мучительным стоном проваливался в этот сон. Сон ни о чем, сон, состоящий только из теней, мерзости, крови и грязи. И все это во сне липло к рукам, хватало за ноги, мешало идти. И никак от этого было не убежать на ногах, делавшихся почему-то ватными, непослушными.

Руку на своем лице Курочкин почувствовал, потому что его липкий сон опять выбросил в реальность душной, вонючей камеры. И он сразу ощутил липкую руку, мерзко пахнувшую копченой колбасой и какой-то дрянью. Рука зажимала Курочкину рот, а на кровать к нему на второй ярус лез какой-то человек.

Спросонок и с перепугу он решил, что к нему лезет один из тех похотливых мужиков в наколках. Курочкин решил, что его самого решили изнасиловать. Эта мысль была до такой степени мерзкой, что Курочкин взвился, сорвал с лица чужую руку и мгновенно оказался на противоположной части кровати, уронив подушку и одеяло на пол. Его худые волосатые колени тряслись, челюсти клацали от озноба. Из горла с трудом вырвался истошный, почти на грани фальцета крик.

Сразу стали подниматься головы на кроватях, сразу начали шевелиться тела, кто-то проворчал про «гомосятину», «козлятину» и про то, что не дают спать. А парень, которого Курочкин теперь разглядел в свете дежурной лампы, все еще лез к нему. И глаза у парня были нехорошими. В них был холод, маниакальная решимость и обреченность. Это Курочкин понял уже потом. А сейчас шевеление тел на кроватях дало ему сил и надежды. На то, что его слышат, а значит, и помогут. И он заорал. Заорал протяжно, безобразно, как орут в корпусах психиатрической лечебницы безнадежно больные, потерявшие последнюю связь с реальной жизнью.

Дальше все происходило как в тумане. Иногда Курочкину казалось, что все происходит не с ним, что он видит этот ужасный черно-белый фильм со стороны. Парень с бритым черепом все лез к нему наверх. Вот он ухватил Курочкина за щиколотку и рванул на себя. В его правой руке мелькнуло что-то тонкое, длинное и очень зловещее. Курочкин вырвал ногу и буквально перевалился на соседнюю кровать, чудом не рухнув в проход между кроватями. Он споткнулся о лежавшего там человека, получил удар пяткой в ребра, ухватился в момент падения за край матраца, и они вдвоем с соседом и вместе со всей его постелью сползли и рухнули вниз. Прямо на тумбочки жильцов нижнего яруса. Задев кого-то ногой по лицу и опрокинув табуретку и какую-то посуду. Грохота было столько, что на ноги повскакивала вся камера. Может, за исключением того кавказца, который даже не повернул головы на дикий шум.

Потом ворвались контролеры. Бритоголовый бросился было на Курочкина, но быстро понял, что ему своей жертвы не достать. Тогда парень отбежал к стене в углу, за перегородку возле параши, сипло заорал оттуда что-то про ментов позорных, волю и зону. А потом он сунул в рот что-то маленькое и, прежде чем к нему подбежали двое здоровенных контролеров, схватился за рот, горло и повалился на пол камеры.

Гуров приехал в следственный изолятор через полтора часа после событий в камере. Подследственных перевели в другие помещения, и сейчас камера пустовал, храня тот вид, который приобрела после ночных происшествий. Сброшенная постель с двух верхних полок, подушки и одеяла на полу с нижних ярусов, когда там вскакивали люди, не понимая, что происходит. В проходе перевернутые тумбочки, пластиковые бутылки, разлитая жидкость, видимо, минеральная вода.

Бритоголовый парень крепкого телосложения, но с какой-то несуразной фигурой лежал на спине возле параши. На мертвом лице еще сохранялось выражение предсмертных мук или страха. Судмедэксперт складывал в свой чемоданчик инструменты, когда в камеру вошел Гуров.

— Ну что, закончили?

— Закончил, товарищ полковник, — ответил не очень пожилой, но уже седоволосый эксперт.

— И что мы имеем?

Эксперт поднял с пола и положил на табуретку рядом с собой какой-то предмет. Гуров подошел и увидел, что это обычный гвоздь «двухсотка». Только его каким-то непостижимым образом умудрились тут заточить. Заточен он был так, что его острый конец напоминал больше шило. Очень плавный переход от общей толщины до иглоподобной на конце.

— Долго его готовили, — догадался Гуров. — Где-то во время хозяйственных работ о кирпичи затачивали. Месяца два работали.

— Да. Видимо, готовились не к этому убийству, а просто про запас держали. Явно заказное дело. Хотели вашего Курочкина убить. Классика — гвоздем в ухо, а потом кто там разбираться будет.

— Здесь вам не колония, здесь разбираться обязательно стали бы. Не на это расчет. Это смертник. Или проигрался в пух, или за какую-то провинность перешел в категорию быков, а потом палачей. Он отравился, я так понимаю?

— Потом скажем точнее, — кивнул эксперт, — но по некоторым признакам можно судить, что это цианистый калий.

— Запах горького миндаля?

— Да, улавливается сразу, как только я ему открыл рот. И осколки ампулы между зубами.

— Он все равно покончил бы с собой, — согласился Гуров, глядя на мертвеца. — Теперь концы в воду. Кто послал, почему ему хотели заткнуть рот.

— Я вам больше не нужен, товарищ полковник? — Эксперт встал с чемоданчиком в руке.

— Нет, спасибо. Заключение я прошу вас продублировать к нам на Житную.

— Слушаюсь, — кивнул эксперт и вышел из камеры.

Следом вошел один из контролеров со свежей царапиной на щеке. Наверное, один из тех, кто принимал участие в ликвидации конфликта.

— Товарищ полковник, Курочкин доставлен в комнату для допросов.

— Вы здесь были, когда все случилось? — спросил Гуров, кивнул в глубь камеры.

— Так точно. Фактически я первый и ворвался, когда тут все загрохотало и когда этот вопить начал.

— Что увидели? Нарисуйте мне быстро картинку.

Контролер вошел в камеру, осмотрелся, потом поднял лицо вверх и заговорил с монотонностью автомата:

— Врубили полное освещение, открыли дверь. Подали в соответствии с инструкцией команду отойти к стене. Дожидаться выполнения команды не стали, налицо была опасность жизни одного человека. Четыре человека в пространстве перед кроватями. Двое в первом проходе между кроватями от двери. Остальные шесть по кроватям, но не лежат, а сидят. Беспорядок, говорящий о произошедшей борьбе.

— Все? А этот? — Гуров кивнул на тело.

— Виноват. Этот выскочил и попытался прорваться к Курочкину, но мы были уже рядом. Он понял, что не сможет, отбежал к параше, что-то сунул в рот и склеил ласты.

— Что? — Гуров обернулся к контролеру. Тот смутился и поправился:

— И умер он. Отравился.

— Что-то из разговоров, выкриков было понятно о причине конфликта?

— Нет, все замолчали после нашего появления. Только вот этот орал у параши. Но это обычная уголовная хрень.

— Что в вашем понимании означает обычная уголовная хрень? — терпеливо спросил Гуров.

— Психовал он. На публику работал. Или сам себя распалял, чтобы не страшно было умирать. Короче, всем на психику давил. Мол, ментяры, волки позорные, легавые, всех порежем, вечная воля и все такое.

Гуров отправился допрашивать Курочкина с одной-единственной целью. Он хотел понять, а настолько научный сотрудник музея перепуган, чтобы начать давать показания. Или он все еще в ступоре? И снова не разожмет рта? Идя по коридору, сыщик обратил внимание на сутулую фигуру в тюремной робе, которая ширкала тряпкой на длинной швабре по полу. Надзирал за ним здоровенный охранник с дубинкой на поясе. Увидев Гурова, о котором он, видимо, знал, что тот полковник из МВД, охранник убрал изо рта спичку и встал прямо.

Но Гурова заинтересовал больше заключенный. Видимо, из тех, кто отбывал срок здесь в отряде хозяйственного обслуживания. Лицо было знакомое. Серое, все в глубоких оспинах и маленькие подленькие глазки. Гуров вспомнил его. Да, в прошлом, кажется, году они разрабатывали группу насильников. И случайно в Сети попал вот этот гаденький тип. Он не имел отношения ни к той преступной группе, ни к изнасилованиям. Точнее, его задержали при попытке изнасилования. Или грубого приставания к девушке.

Да, он был сильно обкурен тогда, вспомнил Гуров. Пристал к девушке на улице, распалился, потащил ее, она стала отбиваться, подоспели ребята из ППС, а в карманах этого урода было золотых украшений на полтора миллиона. С бирками салона-магазина. Судья просто пожалел этого дебила, который был в деле ограбления ювелирного магазина простой шестеркой. И попался он в то время, когда нес часть краденого в тайник. Он, конечно, всех сдал, но в колонию его не отправили. Там ему жить было от силы пару дней. На ремни порезали бы.

Гуров вошел в комнату допросов и знаком разрешил охраннику выйти. Худой, всклокоченный Курочкин в мятом спортивном костюме вздрогнул, но головы на вошедшего не поднял. Плохой признак, подумал сыщик. Когда ждут, когда хотят контакта, тогда ищут глаза следователя или оперативника. А тут чистая замкнутость. Ладно, время терпит.

— Здравствуйте, Павел Андреевич, — сказал Гуров, проходя к столу и усаживаясь на стул, привинченный к полу. — О здоровье и самочувствии спрашивать не буду. Все знаю и так. И приехал я по поводу этого ночного инцидента в камере.

— Ничего себе инцидент... — усмехнулся Курочкин и дернул нервно головой.

— Кто он? — резко спросил Гуров.

— Кто? — наигранно ухмыляясь, спросил Курочкин.

— Тот человек, который пытался вас ночью убить?

— А он пытался меня убить? — снова задал вопрос Курочкин, но тут же маска наигранности слетела с его лица. Он опустил голову, поднял руки и закрыл ими лицо. Руки у него дрожали, как у алкоголика.

Гуров ждал, когда закончится эта пляска мышц рук и лица Курочкина. Напуган, это очевидно. Но какая реакция на страх у его мозга? Кто-то от страха ищет выход, а кто-то замыкается, падает, так сказать, на дно окопа. И не поднять его оттуда.

— Человек, который кинулся на вас ночью, покончил жизнь самоубийством. Его кто-то обеспечил ядом, очень эффективным для таких случаев. Убивает мгновенно. И орудием убийства его тоже обеспечили. У него был с собой гвоздь длиной 20 сантиметров. Это строительный гвоздь, в СИЗО такими гвоздями ничего не прибивали, и здесь его не найти. Ему гвоздь передали. Уже готовый, очень хорошо заточенный, чтобы он через ухо легко входил в мозг.

Курочкина трясло, но он упрямо молчал. Трус или дурак, думал Гуров, разглядывая научного сотрудника. А может, он много знает, хорошо понимает ситуацию и его молчание — просто хороший расчет? Для расчетливого человека он слишком боится. И для труса он слишком хорошо осведомлен. Значит, если трус, то ничего не знает. Неужели мы с ним время тратим зря?

— Скажите мне, Павел Андреевич, в каких вы отношениях с Геннадием Васильевичем Копытиным?

Удивительно, но Курочкин даже не вздрогнул, не бросил быстрого взгляда на полковника. Он вообще никак не отреагировал на этот вопрос. Если бы Курочкин сразу сказал, что не знает ни о каком Копытине, Гуров почти бы ему поверил. Но Курочкин не спросил, а промолчал. Это был серьезный прокол с его стороны. Только сыщик с таким стажем, как у полковника Гурова, мог оценить это молчание по достоинству. Детектор лжи не дал бы лучшего результата!

— Бросьте, — усмехнулся Гуров. — Вы напрасно играете в молчанку. То, что Копытин бывал у вас в музее, и не только у вас, подтвердить могут многие. Половина сотрудников. И то, что он с вами в вашем кабинете не раз чаи распивал, тоже легко подтвердить.

Курочкин снова промолчал. Говорить ему или не говорить об убийстве Копытина, размышлял Гуров. Нет, решил он, этим фактом его к откровению сейчас не подтолкнуть. Его самого пытались убить, а уж впечатления от смерти другого явно не так ярки, как впечатления от своей, которой ты чудом избежал. Ладно, пусть пока помается здесь. Мы сейчас кое-что проверим и без него.

Подойдя к двери, Гуров открыл ее, позвал охранника и велел увести Курочкина. Когда они отдалились на приличное расстояние в конец коридора, Гуров окликнул охранника, топтавшегося рядом с осужденным, мывшим полы в коридоре.

— У вас в комнате для допросов грязища! — разыграл возмущение Гуров. — У меня сейчас еще один допрос, а у вас там свинарник. Пусть этот задохлик помоет там полы!

Охранник с готовностью закивал, что-то проворчал мужичку в тюремной робе, и тот, подхватив швабру и ведро, потрусил в сторону Гурова. Подойдя ближе, заключенный пару раз бросил взгляд на Гурова, вежливо произнес привычное и обязательное: «Здравствуйте, гражданин начальник» — и прошмыгнул в комнату. Гуров еще раз огляделся по сторонам и вошел следом. Дверь со стуком закрылась.

Заключенный испуганно обернулся. Да, этот тоже в страхе живет, подумал сыщик. Сами они вокруг себя и сами себе гадят, а потом боятся, потом живут в постоянном страхе. И ведь знают, что нельзя, знают, что нарушают закон, так нет, гадят и боятся возмездия. Не знал бы, что ученые уже докопались до пристрастия к преступлениям на хромосомном уровне, продолжал бы удивляться.

— Ну здравствуй, Свистун, — сказал Гуров, сложив руки на груди и уперевшись плечом в дверной косяк. — Как поживаешь?

— Здрасте, Лев Иваныч. — Уголовник подобострастно поклонился. — А я вас сразу узнал. Как вы по коридору еще шли.

— Ну, раз узнал, значит, понимаешь, зачем я тебя позвал.

— Ага! — обрадованно закивал уголовник. — Полы вот велели тут помыть.

— Помоешь потом, — кивнул сыщик. — Для конспирации. А пока расскажи мне, что за фокус сегодня ночью провернуть пытались в 36-й камере.

— Так там же, Лев Иванович, подследственные сидят, а я вроде как осужденный, мне с ними по внутреннему распорядку...

— Заткнись, Свистун, — поморщился Гуров. — Я тебя устал слушать еще в прошлом году. Кто это тебе такую точную кличку прилепил? Свистун, ты свистун и есть. Лучше бы я тебя тогда пристрелил при попытке к бегству.

— Че это вы, Лев Иваныч? — Свистун даже чуть присел на подогнувшихся ногах. — Зачем такое говорите?

— Я ведь могу и не говорить. Могу молча сдать тебя твоим подельникам. Думаешь, мы по доброте душевной тебя в колонию не отправили?

— Я это, — с готовностью заговорил Свистун, — про то дело могу сказать одно. Что маляву на него получили, на этого... Не знаю уж, как его зовут. И палача подсадили. Вы ж, Лев Иваныч, знаете, как такие делишки обделываются. Пришел парнишка с зоны, повязанный. Проходит месяц, два. Его находят братки, предъявляют, значит, по полной, а потом заданьице. Сесть в СИЗО и замочить того, на кого укажут. И себя, значит, чтобы ментам, простите, не сдать заказчика. Он мелочовку совершает, склонность к бегам демонстрирует, его хлоп следак и арестовывает...

— Знаю я все это, — оборвал словоохотливого уголовника Гуров. — От кого заказ, по какому делу?

— Этого даже смотрящий в камере не знает, — развел руками Свистун. — Как на духу, Лев Иваныч!

— А кто там в 36-й камере смотрит?

— Там этот... Ваха Большой!

— Вахтанг Горидзе?

Свистун пожал плечами, давая понять, что, кроме клички, он ничего не знает. Как его там зовут по паспорту, в воровской среде никому не интересно.

— Ладно, помой тут полы, чтобы вопросов к тебе не было.

Гуров вышел из комнаты и отправился искать местного оперативника. Контролеры сказали, что видели капитана Васильченко, когда он входил в медицинский блок. Старшего оперуполномоченного Гуров нашел за чаем в кабинете старшей медсестры, приятной молодой женщины в обтягивающем халатике с глубоким вырезом. Васильченко, уже знавший, кто такой Гуров, поспешно вскочил со стула.

— Пардон, мадам, — хмыкнул Гуров в сторону женщины и кивнул Васильченко, чтобы тот шел за ним.

— Слушаю, товарищ полковник, — откашлявшись, изрек капитан, когда они вышли в холл медицинской части.

— Нравится? — Гуров подмигнул и кивнул в сторону кабинета.

— Приятная женщина, — осклабился оперативник и тут же согнал с лица улыбку, увидев холодные глаза полковника.

— А работать здесь, погоны носить вам нравится? — уже иным тоном спросил Гуров. — В рабочее время, даже не в обеденный перерыв, устраиваете себе посиделки в дамском обществе. А должны землю носом рыть! У вас ЧП в камере. У вас в камеру попадают записки к подследственным. У вас в камеры передают заточки. У вас подследственный имел при себе ампулу с ядом. У вас подследственного пытались убить. Умышленно, по заказу.

— Я установлю, откуда в камеру попали...

— Вы хоть знаете, как проводится проверка передаваемых сюда посылок для подследственных:

— Так точно! — с каменным лицом исправного служаки ответил Васильченко. — В соответствии с приказом № 189 от 14.11.2005 г. «Об утверждении правил внутреннего распорядка следственных изоляторов уголовно-исполнительной системы». Хлебобулочные изделия разрезаются на части. Жидкие продукты переливаются в подменную посуду. Консервы вскрываются и перекладываются в пластиковые контейнеры. Рыба разрезается на части. Сыры, сало, колбасные и мясные изделия разрезаются на куски. Сыпучие продукты пересыпаются. Пачки сигарет и папирос вскрываются, сигареты и папиросы ломаются представителем администрации. Конфеты принимаются без оберток, разрезаются на части.

— Молодец, — похвалил Гуров презрительно. — Выучил. Еще бы неплохо следить за тем, что все это выполняется. Значит, так, капитан. Перетрясти всех обитателей 36-й. Хоть наизнанку выверни, но без нарушения закона. Мне нужно знать, от кого поступила малява с воли. Может знать Ваха Большой, который тоже сидит в 36-й. Кстати, он за какие грехи сюда попал?

— Не знаю... Я уточню, товарищ полковник!

333

— Уточни. Я тебе сегодня перешлю со своим помощником компру[1] на Ваху. Не ахти что, но прижать можно. Вытряси из этого смотрящего все. Он может знать, что за заказ, в связи с каким делом Курочкина хотели убить.

— Он может не знать, товарищ полковник, — вставил Васильченко. — В их среде тоже бытует поговорка, что меньше знаешь — крепче спишь. Как правило, в малявах в подобных случаях пишут только указание, кого конкретно убрать. Если присылают палача, то и информацию на палача. Ваха мог не знать сути претензий к Курочкину.

— Я это все и без тебя знаю, — поморщился Гуров. — Нам надо использовать все шансы.

Терпеливый и сосредоточенный Бойцов ждал Гурова в приемной Орлова. Сыщик заглянул, махнул рукой участковому и быстрым шагом пошел к своему кабинету. Бойцов догнал его и пошел рядом.

— Значит, так, Сашок! Сейчас я тебе дам одну папочку. И скажу, какие страницы отксерокопировать. Ксерокопии отвезешь старшему оперуполномоченному оперативного отдела СИЗО капитану Васильченко. Держись с ним уверенно. Я сказал, что ты мой помощник, так что ты для него представитель вышестоящего штаба, и не смотри на его капитанские погоны. Построже с ним.

— А что за папка?

— Полезная информация для Васильченко, с помощью которой можно придавить одного авторитета. В СИЗО сегодня ночью чуть не убили Курочкина.

— Опа! Вот это да!

— Да-да, Сашка. Все очень серьезно, раз кто-то пошел на такие меры. Очень близко мы подошли уже к этим ювелирным украшениям. И Курочкин где-то близко к ним.

— Значит, Курочкин точно обладает нужной нам информацией!

— Точно, но ты не кипятись, — отпирая дверь кабинета, сказал Гуров.

---

[1] Компра (*проф. сленг*) — компрометирующие материалы, информация.

— Вы допрашивали уже его?

— Только прощупал. Он напуган страшно. В ступоре. Нам нужны еще рычаги, чтобы надавить на него. И Курочкин сейчас не самое важное для нас. Важнее попробовать получить информацию о заказчике покушения на Курочкина. Вот ты и отвезешь рычаги для Васильченко. Что по списку прежних жильцов дома в Горчакове?

— За эти сутки мы нашли восемь человек, Лев Иванович.

— И какую информацию удалось получить о Холине?

— Увы. Жил один, почти никуда не ходил. Сидел во дворе на лавочке, ходил в магазин. И к нему никто не приходил. Как-то видели женщину, но потом оказалось, что она из Пенсионного фонда. Одна соседка по описанию ее узнала. Представитель Пенсионного фонда после Холина заходила и к ней.

— А самого Холина как описывают, характеристику какую-то ему дали?

— Дали. Ничего выдающегося или выпуклого. Ровный в общении, не склочник, со всеми вежлив, улыбчив, неразговорчив. Кстати, пьяным или выпившим его тоже никто не видел.

— А про шкаф что соседи знают?

— У него в квартире из известных нам соседей были только двое. Один электрик. Он ему выключатель менял, когда у Холина что-то там заискрило. И еще одна женщина. Она проходила мимо его квартиры, когда услышала там грохот. Дверь была не заперта, и она вошла. Холин тогда стекло в окне менял и уронил его, разбил. И палец порезал сильно. Соседка и кинулась с помощью.

— Они что про шкаф говорят?

— Оба, и женщина, и электрик, были у Холина в квартире впервые. И потом больше не заходили. Электрик говорит, что сразу, как только вошел, обратил внимание на этот здоровенный «сундук». И спросил у Холина про него. Что-то типа бабушкин или дедушкин шкаф в наследство достался.

— А Холин что ответил?

— Говорит, улыбнулся только, и все. А женщина, кстати, тоже обратила на шкаф внимание. Холин оттуда доставал бинт, йод. Та к шкафу отнеслась с прагматичной точки зрения. Она покачала головой и стала спрашивать, а как его сюда затащили-то. Вроде того, что и в дверь не должен был шкаф пройти по размерам, и лестница узковата. А он ей сказал, что шкаф достался ему от прежних жильцов.

— А кто-то видел, как шкаф выносили, кто-то знал эту историю с продажей шкафа местному музею?

— Эта же тетка видела, она там, похоже, была самая любопытная и по каждому чиху нос совала. Говорит, услышала шум и выбежала в общий коридор. А там мужики в спецовках шкаф катят на каких-то приспособах с колесиками. Она к Холину с расспросами. Мол, избавиться решил от такого здоровенного, мол, все равно бестолковый, а сейчас делают красивее и все такое прочее. А он только улыбался и кивал. Она до нашего визита и не знала, что шкаф в музей забрали и что он имеет историко-культурную ценность. Пыталась у нас узнать, а за сколько он шкаф продал. Дорого или нет.

— Понятно, молодцы, — кивнул Гуров. — Нужна нам теперь информация о всех жильцах, кто жил в этом доме раньше. Что-то мне кажется, что старик Холин представления не имел ни о тайнике, ни о содержимом. И еще неплохо бы найти ту специализированную контору по переездам, которую нанимал Холин. Раз грузчики были в спецовках, похоже, что это не частники, не шабашники. Соседка название не запомнила, может, у них на спецовках какие-то надписи были?

— На машине были надписи. Она видела. Как раз в магазин пошла, а машина задним бортом к подъезду стоит.

— Да говори же, не тяни! — засмеялся Гуров.

— Она не точно запомнила, я и так и эдак ей помогал, кое-что вспомнила. Перевозка, переселение, доставка... Это она хорошо запомнила, потому что ей там что-то с подружкой на дачу хотелось перевезти. Но баба она скупая, кроме желания, я так понял, дело не идет.

— А название транспортной конторы?

— Тут у нее полный провал, — широко улыбнулся Бойцов. — Но! Но она запомнила очень хорошо изображенную на боковой стенке фургона руку с поднятым большим пальцем. Вот так!

Сашка выставил палец и смотрел с торжеством на Гурова. Сыщик нахмурился и принялся лихорадочно вспоминать, потом повернулся к ноутбуку и открыл поисковик по городу. Сашка залез в свою папку, которую держал на коленях, и вытащил оттуда лист бумаги.

— Не ищите, Лев Иванович. Я уже нашел. Вот распечатка с их сайта.

Гуров взял листок. На нем была изображена машина с фургоном, на переднем плане счастливая пара — мужчина и женщина, обнимающиеся. На заднем плане крутые парни грузили в фургон диван, а рядом стояла девочка самого субтильного возраста и держала в руках горшок с цветком. И над всем этим счастьем красовалась надпись: *«Компания «Друг на колесах».*

— Ты с ними не связывался?

— Нет еще. Не успел, я решил сначала вам показать, выработать план действий.

— Поехали. — Гуров закрыл ноутбук и встал.

Компания «Друг на колесах» имела офис на территории старого завода, благополучно и неминуемо умершего в 90-е годы. Нашелся разворотливый человек, собравший территорию бывшего завода вместе со всеми зданиями и сооружениями, вместе с котельной и четырьмя электроподстанциями в единый живой коммерческий организм, и начал сдавать в аренду. Старые механосборочные цеха пошли под склады и производство. Административное здание превратилось в офисный центр.

Когда Гуров в сопровождении Бойцова поднялись на третий этаж и нашли нужную дверь, то, к своему удивлению, увидели всего лишь две смежные комнаты и четырех девушек с компьютерами и в наушниках с микрофонами. Больше это напоминало диспетчерскую или рабочую комнату справочного бюро. На месте оказался и директор, оказавшийся индивидуальным предпринимателем. И вся компания с броским названием и красивыми слоганами вдруг превратилась в ИП Масляков Николай Сергеевич, специализирующееся на грузовых перевозках.

— Так, значит, у вас в штате ни водителей, ни грузчиков? — после нескольких минут знакомства и объяснений предпринимателя спросил Гуров.

— А зачем? — засмеялся Масляков, крепкий невысокий парень с бритым черепом и веселыми глазами.

— Мне же нужно будет им гарантировать заработную плату, мне нужно будет содержать автотранспорт, начислять амортизацию, проводить технический осмотр, освидетельствование водителей, платить все отчисления с фонда заработной платы, обеспечивать социальный пакет. Оно мне надо? Я работаю с колес. У меня есть партнеры — владельцы грузовых автомашин, есть бригады грузчиков. Частные. Если есть заказ, то вон те девочки вызванивают водителей, находят свободного, те вызывают своих грузчиков. Они выполняют заказ, получают деньги, мне приносят разницу, мою маржу. И я обхожусь вот этим офисом вместо огромного гаража и огромного, извините, геморроя со всеми вытекающими из этого проблемами и совершенно дикими затратами, которые оставят меня без штанов.

— Ну-у, — Гуров покачал головой, — вам не откажешь в логике и смекалке. И разворотливости. Вы сумели создать систему, сорганизовать столько людей, вам, по большому счету, не подчиненных. Молодец. А вы можете восстановить особенности выполнения заказа, который проходил у вас два, три, четыре года назад?

Масляков снова засмеялся и отрицательно покачал головой.

— Я как руководитель вот этой структуры работаю всего десять месяцев. Какие там два-три года.

— Видите ли. — Гуров достал из папки распечатку с логотипом и рекламным объявлением компании, что принес Бойцов. — Видите ли, но вот этот знак с большим пальцем, выставленным вверх, узнали соседи того человека, который с помощью грузчиков и машины с таким знаком вывозил из квартиры старинный шкаф. Раритет восемнадцатого века.

— В музей, что ли? — улыбнулся с довольным видом Масляков. — Так это я был. Только я тогда работал сам, на своей машине. Один. И эту эмблему я уже тогда придумал. Она

338

всегда была у меня на машине, а сейчас на всех машинах моих частных партнеров. И грузчики у меня были. Не мои, но всегда помогали, когда нужна была погрузка-разгрузка. ИП у меня уже шесть лет существует. Только теперь с наемными работниками и более широким спектром.

— Вы? — удивился и в то же время обрадовался Гуров.

— Я помню этот шкаф. Гроб такой здоровенный. В Зеленограде, кажется.

— В Горчакове.

— Ну, может. Я помню, что где-то там. Парни тогда с ним намучились. Тяжеленный. А потом еще в музей затаскивали. Точно, в Горчакове. Я еще тогда от них впервые узнал, что границу Москвы снова расширили в некоторых местах за МКАД.

— Если вам так запомнился этот шкаф, то, может, вспомните и хозяина, старика этого.

— Старика? Какого старика? — Масляков нахмуривал лоб, и по его лысой голове пошли складки. — Нет, вроде не старик. Не помню старика. Я с парнем разговаривал. Он еще про шкаф мне рассказывал. Ну да! Парень заказ делал. Он позвонил и рассказал, что старый шкаф и тяжелый. А потом, когда грузцы мои тащили его, я все к парню с расспросами про шкаф приставал. Чудной он больно был.

— Шкаф чудной или парень? — спросил неожиданно Бойцов.

Предприниматель посмотрел на старшего лейтенант и задумался.

— Знаете, парень тоже был... того. Немного чудной. С судимостью, как мне показалось. Есть у них такие в манерах особенности, в разговорчиках. У меня еще мысль мелькнула, а не кража ли это. Может, мне у него паспорт спросить и прописку проверить. А потом решил, там в коридоре ведь люди были. Они бы увидели, что чужие из квартиры мебель выносят. Поинтересовались бы.

— Сможете помочь с составлением фоторобота?

— Вряд ли, — покачал головой Масляков. — Давно было. Я и лица толком не помню.

— А если на улице встретите, то узнаете?

— Не знаю. А что, все-таки украли тогда этот шкаф? Он и правда старинный такой? Вроде же в музей отвозили. Как бы нормально все было.

— Нет, со шкафом все по закону. Просто нам надо знать, что это был за парень. Попробуйте опознать его, если он есть на этих фотографиях.

И Гуров положил на стол перед Масляковым стопку разномастных фотографий на всю группу. Там были фотографии Хондуляна, Самарина, Кушнарева, Копытина, Курочкина и еще нескольких уголовников, кто мог иметь отношение к подобного рода преступлениям. Масляков, скривив губу, начал рассматривать фотографии и вдруг задержал в руке одну. Гуров напрягся, но молча продолжал ждать, что скажет предприниматель.

— Слушайте, а ведь, похоже, вот этот и выдавал себя за владельца шкафа, — заявил он и положил на стол фотографию Самарина.

— Самурай? — сдавленным голосом произнес за спиной Гурова Бойцов. — Ни хрена себе. А он-то каким боком тут?

Глава 8

Борис Кушнарев любил баб, наверное, больше, чем пиво. Пиво он пил всегда и в любых количествах. И в холод, и в дождь, а особенно в летнюю жару. И странное дело, от пива Кушнарев не толстел. Был он широк, плечист, имел мягкие красные губы, как лепешки, и был он неопрятен. И уж что совершенно непонятно, за что его любили бабы. То ли голос у него был завидущий, обволакивающий, то ли дури в нем было столько, что завораживал он женщин чисто животной похотью, то ли запах его нечистый, пропитанный сексуальными потребностями, их привлекал.

Без женщин Борька жить долго не мог, но признаваться в этом не любил. Надо отдать должное, что он вообще не любил трепаться о своих похождениях. А когда его расспрашивали, то только блаженно улыбался и жмурился, как кот на завалинке на весеннем солнце. Он всегда и везде умудрялся затащить в постель молоденькую дуреху, а то и зрелую одинокую женщину. И не только в кровать. Сколько раз видели его дружки, удовлетворяющего свои потребности с женщиной самого приличного вида за сарайчиком соседского дома со стороны пустырей. И даже они, кто отсидевший срок, кто просто выросший на улице в драках, пьянке и разврате, и те удивлялись, как он смог уговорить здесь и сейчас эту женщину в хорошем костюме, дорогих туфлях и с сумочкой тысяч за пять из бутика.

Борька крался, прячась за деревьями. Ему надо было обойти освещенный участок парка с церковью Дмитрия Солунского. Мало ли. Береженого бог бережет, особенно если ты в бегах, если вся столичная уголовка висит у тебя на плечах. И ладно бы только дело было в рыжье. Оно, конечно, кража, но ведь не из сейфа, не из кассы, не в квартире же хозяев к стене прижали и вытрясли все из домашнего сейфа. Шальные цацки, ничейные. А вот жмурики потянулись, и весь расклад изменился. По мокрому делу Борька идти не хотел. Но сейчас свалить от своих корешей было неправильно. Не по понятиям. Вот если бы решили все разбегаться, тогда еще...

Машина свернула на улицу 9 Мая, лизнув фарами по деревьям, и Кушнарев замер, пытаясь прижать свое рыхлое белое тело к стволу каштана. Нет, показалось. Осторожно двигаясь через парк, Борька дошел наконец до хорошо знакомой трехэтажки напротив салона красоты. Удобно Оксанка устроилась, в который уже раз подумал Борька по привычке. Живет напротив салона. Ей пара секунд сбегать через дорогу ноги там продепелировать, в солярии позагорать. Хотя это не она устроилась, Оксанка живет в этом доме со своего рождения, а салон в доме напротив открыли всего два года назад. Как раз когда Кушнарев с Оксанкой и познакомился на Дулевском озере. Ох, какая она была роскошная в открытом купальнике... очень открытом. Сочненькая, полненькая, выпуклая.

Борис остановился у крайних кустов и осмотрелся. Ночная улица, почти нет людей. Две женщины спешили куда-то, осыпая ночную улицу дробью каблучков, редкая машина проезжала по соседней улице, бросаясь тенями кустов по проезжей части. На втором этаже в угловой квартире света в окнах не было. Спит, подумал Кушнарев, и внизу живота у него сладко заныло в предвкушении. А если не дома?

341

Эта мысль облила его холодом ревности. А вдруг у мужика... или мужик у нее, совсем уж нелогично предположил Кушнарев. А что я хочу? Блин, три месяца не показывался, и на тебе! А куда? Без бабы уже загнусь скоро. А никого снимать нельзя... И так я за этот свой побег к Оксанке могу огрести по первое число. Только терпежу ведь нет!

Терпение у Бориса закончилось быстро. Никого на улицах, дом напротив с погашенными окнами, да и кому есть дело глядеть на глухие фасады. Кушнарев быстро прошел от деревьев к углу дома и еще раз оглянулся. Вход в подвальное помещение был забран не просто решетчатой дверью, а целым коробом из стального прутка. Это облегчало задачу. Вставив ногу между прутьями, Кушнарев стал подниматься вверх. Вот и козырек... теперь осторожнее, потому что железо старое и ржавое. Черт, и как ни старайся, а тихо не получается идти по железу. Кушнарев тихо выругался и замер у самой стены, держась за желтую газовую трубу.

Дальше все было просто. Упираясь ногами в стену, он по трубе поднялся до окна Оксаны. Прижавшись лицом к стеклу, Борис пытался рассмотреть, что там внутри. Крайнее окно — это спальня. Дальше гостиная и третье у самого подъезда — кухонное окно. Сейчас Борьку интересовала больше спальня, и он решился потихоньку постучать в стекло.

Прошло около минуты, но на осторожные стуки и поскрябывания Кушнарева никто внутри не реагировал. Ругаясь шепотом и проклиная себя, шлюху Оксанку и всю свою жизнь, которая загнала его в такой опасный момент к черту куда-то к чужому окну, когда сидеть надо в норе и бояться каждого шороха и каждой трели полицейской сирены.

И тут механизм створки пластикового окна не выдержал напора крупного тела Кушнарева. Приоткрытое в зимнем режиме окно вдруг с металлическим звуком распахнулось, и Борис ввалился в спальню...

Гуров выходил из кабинета генерала Орлова вместе с Бойцовым. Они около двух часов совещались по делам убийства Хондуляна и Копытина. Следователь никак не хотела объединять их в одно дело, и ее руководство поддерживало мнение следователя. Пока не стоило нажимать на следственное управление, потому что сыщикам в принципе на этом этапе было не важно, одно это дело или два. По оперативной информации, которой они располагали, все сходилось на том, что все смерти и попытка покушения на Курочкина в СИЗО — звенья одной зловещей цепи.

— Товарищ полковник, — раздалось в трубке. — Капитан Аверьянов, МУР...

— Я помню тебя, Сергей. Я слушаю.

— Я старший группы наблюдения по контакту Кушнарева — Оксаны Галкиной.

— Что там? Есть новости?

— Кушнарев появился, товарищ полковник. Поднялся по газовой трубе и влез к Галкиной в окно.

— Что в округе? — быстро спросил Гуров, зажал трубку рукой и кивнул Бойцову головой, указывая в сторону приемной. — Скажи, что срочно нужна машина!

— Тишина в округе. Он пришел со стороны церкви, немного постоял и полез в окно. Наверное, она его не ждала, потому что долго не открывала. Брать будем?

— Подожди, Сережа, — посоветовал Гуров, сбегая по лестнице, ведущей во двор здания министерства. — Мы ничего не знаем. А если у них там сбор для всей группы? Если они начнут сейчас там собираться все? Может, они «лежку» меняют, может, Кусок договорился с Галкиной об этом. Может, они там уже суток трое, а мы только вчера установили наблюдение. Может, Кушнарева посылали за чем-то, а вся группа отсиживается в квартире Галкиной. Нет, наблюдать, наблюдать и еще раз наблюдать. И ждать меня, я еду.

Гуров отключился, но телефон зазвонил сразу же. Теперь на экране высветился номер Орлова. Гуров ответил.

— Что там, Лев Иванович? — раздался в трубке сочный голос генерала. — Зачем тебе машина?

— Мы поставили наблюдение за квартирой любовницы Кушнарева. Его засекли только что влезающим в окно.

— Ну... — Орлов сделал паузу. — Ты даешь, Лев Иванович. Не послушал старого опытного друга, выставил все-таки наблюдение. И угадал!

— Это не угадывание, Петр, — поморщился Гуров. — Я же тебя пытался убедить. Не важно, что она его не видела два или три месяца. Его-то я просчитал. Не мог он просто так отказаться от нее, мог прийти, потому что он бабник, а столько времени сидеть и не рыпаться он не сможет. А Галкина для него баба надежная. Все логично!

— Ладно, это я не на тебя сетую, а на себя. Брать будете?

— Нет, — коротко ответил Гуров, выходя во двор.

— Правильно. Ждите хотя бы до утра. Может, они там уже все собрались. Мы же не знаем.

Гуров улыбнулся, потому что он только что это же самое говорил Бойцову.

— Или вот-вот начнут собираться на новой явке, — продолжал Орлов. — Его вообще лучше брать в стороне, когда он оттуда уйдет. Никто и знать не будет. Исчез и исчез в неизвестном месте. Дружки могут решить и так, что он ноги сделал. А нам на руку. Волноваться будут, глупостей наделают, ошибаться станут. У них главарь чувствуется с опытом. И без особых комплексов. Два трупа, и третий чуть не случился. Ты не забывай, Лев Иванович!

Гуров с Бойцовым поднялись на третий этаж здания, стоявшего через дорогу от дома, в котором жила Галкина. Аверьянов обернулся к вошедшим, оторвавшись от аппаратуры слежения на треноге.

— Здравия желаю, Лев Иванович!

— Здорово. — Гуров протянул руку капитану, кивнул молодому оперативнику в углу, который уплетал тушенку прямо из банки. — Что там?

— Он пришел вон оттуда, слева, через парк, — показал Аверьянов. — Поднимался так, как будто делал это не в первый раз. Сначала по прутьям решетки, потом по газовой трубе. Потом она ему, похоже, открыла, но стучался он минут пять или десять.

— Шума не было в квартире. Не видел?

— Вы имеете в виду, не испугалась ли Галкина ночного визита?

— Ладно она, — усмехнулся Гуров. — Мог испугаться, скажем, любовник в постели.

— Нет, все тихо. На некоторое время включился свет, потом горел ночник около часа. Недавно погас совсем. Спать, похоже, легли.

А в квартире Оксанки Галкиной никто спать и не думал. Когда женщина тихо взвизгнула и села на кровати, таращась на ввалившегося в окно человека, Кушнарев зашептал, весь переполненный волнением:

— Тихо, дура! Я это! Борька!

— Борька, дурак! — зажала рот женщина. — Ты чего? Откуда? Чего окна мне ломаешь?

— Соскучился, — жарко дохнул ей в лицо Кушнарев, подбегая к кровати на четвереньках и обнимая плечи Оксаны. — Вырваться не мог никак... весь как камень зачерствел... все хотел тебя!

— Кобель ты, Борька. — Оксана попыталась вырваться из рук молодого любовника, но Борька тянул ее к себе, хватал влажными губами за щеку, за ушко, что так заводило женщину всегда.

— Кобель, ага! — хрипел Борька от возбуждения и радости, что его баба была в постели одна, без любовника. И он продолжал валить Оксанку на кровать. — Еще какой! Хочешь узнать какой... хочешь, я тебе сейчас такой секс устрою. Ты мамочку будешь звать!

— Какой ты... — чуть было не сдалась женщина, но все же вырвалась из Борькиных рук и спустила ноги с кровати. — Иди в ванную. Грязный весь, псиной пропах... Водки хочешь?

Мысль о водке и горячей воде немного охладила сексуальный пыл Бориса. Шлепнув по попке Оксану, соскочившую с кровати, он поднялся на ноги и двинулся следом, снимая по дороге рубашку. На кухне женщина включила ночник, достала из холодильника початую бутылку водки, тарелочку с колбасной и сырной нарезкой. Все вместе это снова всколыхнуло чувство ревности у Кушнарева, но на этот раз в иной плоскости. Глядя на Оксану в тонкой маечке и такой же ткани шортиках, в которых она спала, на ее пухлые белые ножки, колыхающуюся под маечкой грудь с выделявшимися под тканью сосками, он снова ощутил накатывающее возбуждение. Теперь уже от иной картины. Он представил другого мужчину, ласкающего это нежное тело, он представил Оксану, выгибавшуюся и стонущую под другим, ее жадные губы, купающиеся в чужих губах.

Дожевывая закуску, он прошел в ванную, сбросил грязную одежду на стиральную машинку и залез под струи горячей воды. Возбуждение не отпускало, а только нарастало. В комнате его ждала долгожданная утеха, сладкая плоть. Он торопливо выдавил в руки гель и, шепча ругательства, стал намыливаться. Оксану это страшно возбуждало, когда во время секса он матерился, когда он называл ее сучкой и шлюхой. И сейчас он шептал эти слова для себя, распаляясь и дурея от страсти.

Оксана ждала его, лежа поверх одеяла все в той же спальной пижамке. Она потягивалась и выгибалась как кошка. Борька вышел, замотанный по пояс в полотенце, с мокрыми волосами. Оксана махнула рукой и промурлыкала:

— Сними его... я хочу видеть тебя всего... целиком, мое животное!

И полотенце полетело на пол, а одуревший от длительного воздержания и близости доступного женского тела Борька поспешно пробежал на четвереньках по кровати и свалился на Оксану. Женщина застонала в голос, когда Борькины жадные руки полезли ласкать ее изголодавшееся тело.

В пятом часу Кушнарев опомнился и подскочил на кровати. Задремавшая уставшая Оксана томным голосом спросила только:

— Чего ты? Опять, что ли, хочешь?

— Какое там! Время уже много. Мне по свету нельзя, мне надо сейчас бежать.

Он сорвался с кровати, запутавшись в одеяле и стащив его на пол. В ванной он снова натянул на себя грязное, поморщился и выскочил в прихожую. Оксана стояла уже там, кутаясь в большой платок.

— Все вы, мужики, одинаковые. Справил дело и бежать. Или на бок и храпеть.

— Нельзя мне, дура, — сидя на пуфике и натягивая носки, проворчал Борька. — Мне по свету нельзя.

— Я б тебе постирала завтра... — широко зевнула Оксана.

Борька молча вскочил, чмокнул женщину в щеку и привычно ущипнул за мягкое бедро. Говорить было не о чем, обещать скорую встречу он не мог, да и не уверен он был, что они скоро увидятся. Дальнейшая жизнь и так виделась как в тумане. Ввязался Кушнарев в чужую игру и теперь не знал, как из этой ситуации выбраться.

Сбежав по ступеням вниз, Борька открыл входную дверь и высунул нос на улицу. Ночь стала серой, бледной. Краски и контрастность потерялись, смазались, и вот-вот посветлеет небо. Даже сейчас слышно, что машин стало в этой части города больше. Борька вышел, отпустил дверь, чтобы доводчик на ней не издал стука, и поспешил снова в парк. Он торопился, шепотом матеря себя, что так запоздал. Ему до места добираться не меньше часа, а за это время станет светло, люди... как же он незаметно... Эх, оторвут мне башку сегодня, подумал со злостью Борька. И тут же услышал, как за спиной раздались торопливые шаги.

В пустом предутреннем парке, с напряженными нервами и услышать за спиной шаги — это было для Кушнарева слишком. Он оглянулся, как затравленный зверь, и тут же увидел мужчину высокого роста, в темной одежде, быстро его догонявшего и ловко подныривавшего под низкие ветки молодых осинок. Внутри у Кушнарева все похолодело. Необъяснимый страх заполнил его. Кто, почему? За что? Как-то сразу он понял, что этот человек хочет его убить. Слишком все складывалось в зловещую картинку.

И Борька побежал. Он рванул так, что сразу закололо в боку и перехватило дыхание в горле. Трусливая мыслишка трепетала внутри, что это ухажер Оксанки, который решил с ним разобраться и сейчас навешает по шее, чтобы перестал к ней ходить. Что все просто и очевидно. Но Борька так же трусливо понимал, что ухажер бы заорал на него: «Стой, пришибу, урод! Еще раз к моей бабе сунешься, и я тебя в землю вобью». Но этот бежал молча. И молча нагонял.

И тут впереди и справа сбоку метнулись еще темные тени. У Кушнарева подкосились ноги и остановилось сердце. Все! Конец! Он заметался из стороны в сторону, споткнулся о лавку, снова вскочил на ноги и ошалело прижался спиной к стволу старого каштана. Дышал Борька тяжело, с хрипом и какими-то всхлипываниями. Он готов был кусаться, царапаться, визжать и кидаться чем попало, до такой степени ему было страшно.

И тут случилось удивительное и непонятное для впавшего в ступор мозга Кушнарева. Преследовавший его человек увидел выбегавшего сбоку неизвестного парня и перебросил нож из правой руки в левую. Борька обомлел. Нож! Это же... смерть за ним бежала! В правой руке длинного появился пистолет с толстым набалдашником на стволе. Но парень вдруг резко выбросил вперед ногу, и пистолет отлетел в сторону. Снова мелькнул нож в правой руке убийцы. Лезвие со свистом разрезало воздух, и незнакомый парень отшатнулся назад, едва увернувшись от быстрого удара.

И тут появился второй коренастый. Он блокировал удар ноги киллера, перехватил ее в замок и опрокинул его лицом на землю. Еще миг, и эти двое, кем бы они ни были, прижали страшного длинного, но тот снова умудрился развернуться на земле и ударить коренастого ногой в живот. Рывок, и киллер снова на ногах.

Обезумевший от страха Борька увидел пистолет, валявшийся от него буквально в двух шагах. Тот самый, который выбил из рук убийцы первый нападавший. Борька с вытаращенными блуждающими глазами бросился к оружию. Дело нехитрое, сколько он повидал этих стволов-то! Предохранитель был снят. Кушнарев резко дернул затвор на себя, услышал, как со звоном вылетел патрон из патронника. Значит, в стволе был уже патрон? Плевать, там же полон магазин, наверное. И Борька выставил оружие, держа его двумя руками, навел ствол на длинного.

— Нет! — заорал кто-то совсем рядом. — Дурак! Не смей!

Выстрела Борька не слышал. Только дернулся в руке пистолет, лязгнул затвор, выбрасывая гильзу, пахнуло в лицо кислым запахом сгоревшего пороха. Орудие из его руки выбили почти мгновенно, а самого повалили на землю, заламывая руки за спину. Сил сопротивляться у Кушнарева уже не было. Не было даже воли к сопротивлению. Он так перетрусил, что на это ушли все его силы. В рот набилась трава, в суставах ломило, а чье-то колено больно вдавилось в его позвоночник. Но Борька умудрился вывернуть голову и посмотреть туда, где только что стоял страшный человек в темном и с ножом в руке. Человек лежал, и вверх как-то нелепо торчало его острое колено.

Понурые оперативники топтались на месте, а капитан Аверьянов выговаривал им за промашку. С трупа не спросишь, труп показаний не даст. Более того, за труп придется отвечать перед начальством. А потом еще и пахать втрое больше, потому что вместе с трупом всегда обрывается ниточка. И теперь придется снова рыть носом землю, чтобы найти новый конец этой ниточки. Но, как правило, те, кого ты разыскиваешь, этот конец уже утянули подальше. Они ведь тоже не дураки, не вчера родились и не первый день играют в эти игры с уголовным розыском.

Гуров распорядился, чтобы Кушнарева увезли к нему на Житную, и пошел в сторону дома, в котором жила Галкина. В окне на третьем этаже горел свет. Дверь открылась сразу, едва сыщик поднес палец к кнопке звонка. Молодая женщина, нервно кутаясь в большой платок, смотрела на гостя, ловила его взгляд напряженно. Даже ее пальцы, стискивающие края платка, побелели от напряжения. Женщина была босиком.

— Обуйтесь. — Гуров кивнул на ноги Галкиной.

— Что? — неровным голосом спросила Оксана.

— Обуйтесь, — повторил Гуров, — простудитесь.

— Что с Борькой? — Женщина нервно мотнула головой.

— Жив ваш Борька. Можно пройти-то? Нам бы поговорить, а то в следующий раз я вам его жизнь гарантировать не смогу. Вляпался Борька в большую беду.

— Да... конечно. — Женщина посторонилась, пропуская Гурова, закрыла за ним дверь и только потом спросила. Почти без всякого интереса. Наверное, знала ответ заранее, просто хотелось услышать от самого этого человека: — А вы кто?

— Полковник Гуров. — Сыщик вытащил удостоверение и протянул женщине, проходя дальше в комнату, заглянув в спальню и возвращаясь на кухню. — Прочитали?

— Да. — Женщина сложила удостоверение и вернула Гурову. — А что это значит — Главное управление уголовного розыска?

— Это, Оксана, значит, что мы руководим работой всех подразделений уголовного розыска в стране. Контролируем, помогаем. А еще мы участвуем в расследовании самых важных и особо опасных преступлений. Понятно вам, почему я к вам пришел?

— Борька вляпался в особо опасное преступление? — мгновенно побелевшими губами произнесла Оксана.

— Сядьте. — Гуров взял женщину за плечи и посадил на кухонный табурет. — Не будем же мы стоя разговаривать. Во что вляпался Борис, я хотел узнать у вас. Он вышел от вас, он ведь у вас был этой ночью?

— Д-да... — прошептала женщина без тени смущения, продолжая вглядываться в глаза гостя и ища в них ответы на свои вопросы.

— Почему он не вошел к вам в дверь, а полез в окно?

— А вы... Я не знаю.

— Мы следили за вашей квартирой, полагая, что Борис рано или поздно навестит вас. Простите, но работа такая. Так почему он полез в окно, он как-то объяснил это?

— Нет. — Оксана отрицательно замотала головой.

Гуров удивленно посмотрел на женщину, задумчиво почесал бровь, потом улыбнулся обезоруживающей теплой мужской улыбкой.

— Ну, я понимаю так, что он не был у вас очень давно, может, даже пару месяцев. А вы его, несмотря ни на что, любите. Такие уж вы, женщины, чудо-существа, что любите нас, оболмотов, не за что-то, а потому что любите. И он пришел, и вы забыли все на свете, да?

Оксана смотрела на Гурова во все глаза и кивала головой на каждую его фразу. Кивала с готовностью, надеясь, что этот добрый дяденька не принес ей плохих вестей.

— А вы хоть знаете, где он пропадал все это время, эти месяцы?

— Я не расспрашивала. Не успела. А потом он ушел. Торопился почему-то, так и не ответил, куда так спешит. Он сидел в тюрьме?

— Нет, он занимался нехорошим делом, связался с матерыми уголовниками. Одним словом, его искали мы и... эти нехорошие люди тоже. Сегодня вашему Борьке просто повезло, что наши люди оказались рядом. Его хотели убить.

— О господи. — Женщина закрыла руками лицо. — И за что я его, утырка такого, люблю? Ведь жду, жду! Неделями, месяцами жду. Появится, как ясно солнышко, нажрется, натрахается и снова исчезнет... простите.

— Я понимаю. — Гуров скрыл улыбку. — Не знаю, насколько мы его сможем исправить. Колония ведь еще никого, по большому счету, не исправила. Она калечит.

— А его опять посадят? Он же сидел уже... он рассказывал.

— Не знаю пока, Оксана. Разберемся. Я ведь тоже не сторонник всех упрятать за решетку. Я не знаю степени вины Бориса, даже предположить пока не могу. Я скажу одно. Если он захочет помочь следствию, то свою участь он решит сам. Сейчас суды идут навстречу тем, кто искренне раскаялся, кто реально помог следствию, кто пошел на сотрудничество с правосудием. Может, вы и будете еще счастливы с вашим беспутным Борькой Кушнаревым. Хотите ему помочь?

— Хочу, а как? — сразу ухватилась за эту мысль женщина.

— Ответьте мне на вопросы. Как можно серьезнее и вдумчивее. Чем быстрее мы разберемся, тем легче участь вашего суженого. Да и смертей уже было много. Скажите, Оксана, с кем дружил в последние месяцы Борис?

— Не знаю, — разочарованно покачала головой женщина. — Он ведь ни с кем меня не знакомил, никого ко мне не приводил. Один приходил.

— И вы его никогда ни с кем не видели? Может, когда-то случайно встречались на улице, видели со стороны?

— Видела! — вдруг на высоких нотах вскинулась Оксана. — Видела! Как раз месяца два назад видела Борьку с одним типом. Я тогда еще подумала, что рожа у него... с кем связался, не до добра ведь будет.

— А подробнее?

— Я на 506-й маршрутке от Щитникова ехала. Почти у «Измайловской» вдруг вижу: Боря мой стоит. Мы как раз на остановке стояли, а он чуть поодаль. И с каким-то типом разговаривает. Точнее, тот ему что-то втолковывает. Да еще так с пренебрежением. А Боря мой телок телком стоит. Обидно мне за него стало. Он ведь, когда мы познакомились, из-за меня морду двоим набил.

— Вы этого человека хорошо запомнили?

— Глаза у него нехорошие. И губы он кривит... аж передергивает от омерзения.

— Вот что, Оксана. Поедемте со мной. Мы попробуем с нашими специалистами составить портрет этого человека по вашему описанию.

— Ой, да я не вспомню больше ничего.

— Вспомните, уверю вас. Это просто. Вам будут помогать. Просто нужно подбирать наиболее подходящие глаза, потом нос. Потом рот, волосы, овал лица. Это просто.

Кушнарева привели в кабинет Гурова уже под вечер. Следователь его уже допросил. Вопрос с арестом решили отложить на сутки. Сейчас Борис был осунувшимся, поникшим. Даже каким-то оплывшим. Он сидел на стуле, опустив руки, повесив голову, и смотрел куда-то в нижнюю часть стены напротив. Взгляд его был пустой.

Гуров смотрел на Кушнарева и удивлялся, а что действительно нашла в нем Оксана Галкина. Вот уж точно, чужая душа потемки, а уж тем более не пытайтесь понять женщину. Что у них там срабатывает?

— Боря, а зачем ты к Оксане приходил? — спросил сыщик.

— Зачем, зачем... — вздохнул Кушнарев, и его взгляд сделался немного осмысленнее.

— А ты знаешь, что она тебя любит, поганца такого?

— Так уж... — криво усмехнулся Кушнарев безвольным лицом и отвел глаза.

— Я разговаривал с ней, — спокойно ответил Гуров. — Она тебя все это время ждала и ждет. И никого у нее нет. А годы идут, а ты играешься.

— Стойте, — вдруг нахмурил лоб Кушнарев и посмотрел на Гурова, — а откуда вы знаете, что я у нее был?

— Беда с тобой, Боря, — мягко усмехнулся Гуров. — Ты не понимаешь, что из-за ваших украшений вся Москва на ушах стоит. Не понимаешь, что вас ищут по всем углам. Да каждого из вашей компании сейчас ждут даже у троюродной тети двоюродного дяди жены свата. А тут речь идет о твоей любовнице. Это же элементарно. И откуда бы взялись оперативники, которые, между прочим, тебе жизнь спасли. Ты хоть это осознал?

И Кушнарев сразу замкнулся. Гуров чертыхнулся мысленно, но было поздно. Надо было предвидеть, что дело не только в испуге Кушнарева. Он испугался, но он не патологический трус. Просто, когда дело касается риска для жизни, — это всегда ярко. Но довлеет над человеком все же не разовая опасность, а ситуация. А она была явно сложнее, чем представлял себе Гуров.

— Давай, Боря, все с самого начала и по порядку, — вздохнул Гуров. — Я знаю, что следователю ты ничего не рассказал. И весь ваш допрос ограничился событиями в ночном парке и стрельбой. Кстати, ловко ты его ухлопал. Точно в сердце.

— Я случайно.

Гуров усмехнулся. Он умышленно нарушил весь порядок постановки вопросов. Сложил два в один, поставив менее важный на второе место, а значит, спровоцировал допрашиваемого на ответ на второй вопрос, опустив первый. Но Гуров сделал это умышленно. Он заставил Кушнарева самого понять, что первый вопрос не так важен для него лично. Важнее угроза его жизни из-за всей этой истории с драгоценностями.

— Ухлопал ты его случайно, — начал загибать пальцы Гуров. — Ты случайно ухлопал человека, которому велели тебя убить. Ты случайно остался в живых, потому что полиция оказалась рядом. Ты случайно в свое время сошелся с Ходулей, которого убили, ты случайно вляпался в историю с драгоценностями. Ведь тебя и твоих дружков случайно втянул Копыто. Он мог найти других ребят, но случайно вы ему встретились первыми. Его, кстати, тоже убили. Убил один и тот же человек. Боря! Ты долго будешь пытаться выжить на одних случайностях? Они тебя, наоборот, в могилу тащат!

Кушнарев молчал. Гуров рассказывал ему, как его любит Оксана, как она помогала составлять фоторобот того человека, с которым Бориса как-то увидела, потому что сразу поняла женским чутьем, что от этого человека исходит несчастье. И как она рвалась на свидание с Борисом, чтобы втолковать ему, что только он сам может помочь себе и не сесть в тюрьму. Пусть условно, пусть поселение. Ведь убил он ночью человека, фактически защищаясь, в состоянии аффекта. Можно сказать, спасая жизнь оперативникам уголовного розыска. А все остальное, если на нем нет крови, может его перевести в разряд свидетелей из обвиняемых.

Кушнарев молчал.

Чтобы поговорить в СИЗО с Курочкиным в вечернее время, пришлось подключать генерала Орлова. Через час Гуров сидел в знакомой комнате для допросов. Курочкина ввели, короткий доклад сержанта. Гуров махнул рукой и отпустил сопровождающего.

— Садитесь, Павел Андреевич, садитесь, — попросил Гуров, — нам говорить предстоит долго. Теперь многое изменилось, и я не могу больше вас щадить в угоду вашим капризам.

— Какие, к черту, капризы, — ответил Курочкин, и его щека дернулась как от тика. — Я здесь с ума сойду, понимаете! Заикаться начну... щека вон дергается.

— Согласен, не санаторий. Только вы говорите мне это с таким раздражением, Павел Андреевич, как будто я виноват в том, что вы тут сидите.

— Конечно, — с сарказмом ответил Курочкин. — Вы теперь все друг на друга будете указывать. Это не я, это следователь вас арестовал, да? Как будто вы не одна система и вы тут ни при чем...

— Стоп! — Гуров поднял ладонь. — То есть вы законопослушный гражданин, а злой следователь вместе с полковником Гуровым взяли и засадили вас в СИЗО? Вот так вот, шли вы по улице, девушкам цветы дарили, детям мороженое. И старушкам улыбались, переводя их через дорогу. Или, может, вы все-таки занимались противозаконной деятельностью? Не вы ли вместе с Копытиным пытались скрыть от государства клад на десятки, если не сотни миллионов рублей и перепродать его частным лицам?

Курочкин открыл было рот, но не издал ни звука и опустил голову. Лицо его снова из возбужденного сделалось напряженным. Накатило внутреннее напряжение.

— Не забывайтесь Курочкин, — тихо сказал Гуров. — Мы не в детском саду. Вы ввязались в такие игры, что мне с моим опытом страшно становится. Трупы валятся, как груши с дерева. Вы забыли, что вас самого пытались убить? Или напомнить? Вон он, ваш убийца, в морге лежит. Хотите, прямо сейчас сходим и посмотрим?

— Вы садист? — Курочкин поднял лицо, и Гуров увидел совершенно больные глаза этого человека.

— Отнюдь, — покачал Гуров головой. — А почему вы спросили?

— С меня уже хватит садистских выходок здешнего персонала. Сегодня ночью они, видите ли, устроили проверку камеры. Неожиданную, как водится в этих стенах. Вы можете себе представить меня с расходившимися нервами и в ночи тихо входящих людей и заглядывающих вам в лицо. Я закричал! — крикнул Курочкин, и его лицо налилось кровью. — Я испугался, черт вас подери. Потому что меня уже хотели убить.

— Таковы порядки. А чтобы не пугаться по ночам, чтобы вообще хорошо спать по ночам, нужно всего лишь жить честно. Ну хватит этих соплей, Павел Андреевич. — Лицо Гурова стало жестким. Он открыл папку на столе и вытащил из кармашка стопку фотографий. — Вот эта фотография, Павел Андреевич, сделана в пустующем доме в Горчакове. В том самом, между прочим, из которого в музей и продали тот самый злополучный шкаф, проданный музеем потом по непригодности. — И Гуров бросил на стол перед Курочкиным фотографию мертвого тела Копытина. — Я вам про него говорил, если вы не узнали. Это Геннадий Васильевич Копытин, с которым вы пытались реализовать клад на «черном рынке». Убили бедолагу. Два ножевых ранения в грудь, и оба смертельных. Уголовники умеют бить, уверяю вас.

Курочкин смотрел на фотографию стеклянными глазами. Гуров бросил ему еще парочку, но уже в других ракурсах. На них был хорошо виден разобранный пол.

— Они что-то еще там нашли в этом доме. Было там еще что-то под полом, и, видимо, того же хозяина, что и в шкафчик клад спрятал. И когда Копытин стал не нужен, его зарезали. Концы они рубят, понимаете. И вас хотели зарезать, чтоб никто не узнал о кладе и о тех, через кого вы его пытались продать. Они ребята ушлые, своего не упустят. И с вами, олухами, делиться они не собирались с самого начала.

Так, теперь в глазах научного сотрудника забилась мысль, отметил про себя Гуров. Продолжим развивать успех. И он бросил на стол еще несколько фотографий.

— Смотрите, смотрите, Павел Андреевич. Это Хондулян. Так, мелкий уголовник по кличке Ходуля. Убит возле все того же вашего шкафа. Те же два ножевых в область груди. Обратите внимание, шкаф повернут, а в задней стенке дыра. Это тайник, о котором вы прекрасно знаете. И он пуст. Чувствуете закономерность? Клад забирается, конкурент или лишний рот или свидетель убивается. Весьма однообразно. Ножичком. Между прочим, как установила экспертиза, ножичком не фабричного изготовления, а изготовленным ручным способом. Знаете, где грешат такими поделками? Догадались? Точно, на зоне!

— Я не знаю этого человека, — с каким-то странным облегчением ответил Курочкин.

— Верю, могли и не знать. Покойный Копытин их всех знал. А место, где убили парня, — это мебельный цех сына той женщины, что купила ваш шкаф в комиссионке. Его чуть не загребли в СИЗО, подозревая в связи с преступниками. Да вы его знаете. Он к вам приходил консультироваться по поводу реставраторов мебели. И вы испугались, когда узнали, о какой мебели идет речь. А вы ведь тогда чуть еще не убили двоих, Павел Андреевич. Когда вы навели уголовников на новых владельцев шкафа, они проникли дважды в квартиру этой женщины и могли вполне в какой-то момент всех зарезать. Если они увидели воров.

— Это не я, — тихо сказал Курочкин.

— Верю, — кивнул Гуров. — Это Копытин. Валите все на него. Труп выдержит все. Но пойдем дальше. Вот вам еще один покойничек. И все из той же оперы. Это просто уголовник, который к вашим делам с коллекцией купчихи Брыкаловой отношения не имел. Его нанял главарь бандитов, чтобы убрать еще одного паренька из тех, кто входил в их преступную группу. Мы чудом сумели паренька спасти, а вот уголовника застрелили. Но по необходимости.

— А этого они зачем хотели убить? — хмуро осведомился Курочкин. — Чтобы себе больше досталось? Его долю поделить?

— Вы недалеки от истины, — порадовался Гуров тому, что Курочкин начал задавать вопросы. — Безусловно, для того, чтобы было меньше претендентов на сокровища. Возможно, нашелся серьезный покупатель, который потребовал гарантий, чтобы ни одного живого свидетеля не осталось. Возможно, это жадность самого главаря группы. Он даже повод придумал приличный. Якобы Кушнарев сбежал из того места, где они прятались, без разрешения сбежал. А значит, должен быть заподозрен в попытке сдать всех уголовке. А может, просто потом объявил всем, что не знает, кто убил Кушнарева. Хулиганы какие-нибудь.

— Кому объявить? — не понял Курочкин.

— Понимаете, Павел Андреевич, — вкрадчиво начал объяснять Гуров, — в уголовном мире существует четкая система понятий. Что можно делать, а что нельзя, как себя можно вести, а как нельзя. Кое-что устарело и почти не употребляется в обычной блатной жизни, но такие вещи, как обман подельника при дележе добычи, нарушение данного слова, а тем более убийство своего дружка с целью захвата его доли, — эти вещи там не прощают. Если докажут, конечно. Вот у их авторитета и была отмазка. Но Кушнарев жив.

— Это хорошо? — с надеждой в голосе спросил Курочкин.

— Вы меня удивляете, Павел Андреевич! Вы ученый, историк! Гуманист по своей научной профессии, и вдруг спрашиваете меня, хорошо ли, что человека не убили, что он не умер. Да кем бы он ни был, виновен в чем-то или нет, всегда хорошо, что кого-то не убили.

— Я не об этом, — проворчал сконфуженный Курочкин.

— Ну да, — кивнул Гуров и стал собирать фотографии. — А я, представьте, об этом. Мне вот хорошо от того, что вас не убили. Мне хорошо, если я смогу предотвратить еще смерти. И уж совсем хорошо будет, если вы сообразите, что должны помочь следствию и рассказать как можно скорее все про эту вашу находку. С именами и фамилиями. И тогда, я вам на полном серьезе говорю, суд отнесется к вам благосклонно. За дурость и жадность у нас не дают много. А вот за умышленные преступления с отягчающими последствиями дают много. Не отягощайте свою душу и свою долю!

— Мы действительно ничего не знали про тайник в шкафу, — заговорил Курочкин. — Шкаф стоял у нас много месяцев. А потом Копытин нашел его случайно. Он каким-то чудом открыл механизм, когда любопытства ради лазил во внутренностях этого шкафа. И внутренний шкафчик вдруг отъехал в сторону. Мы тогда словно ошалели с ним. Льняные мешочки все истлели, хотя и находились в шкафу почти в герметичном состоянии. Мы аккуратно разбирали украшения, они сводили нас с ума. Это продолжалось несколько дней. Копытин приходил ко мне, и мы с ним как будто работали в запаснике. А на самом деле как два идиота со слюнями на подбородке трогали и ласкали украшения.

— Потом вы опомнились?

— Копытин первым опомнился. Он сказал, что это глупо. Беречь их для себя и знать, что никогда и никому их нельзя показать. Он и предложил найти покупателя и тайно продать все. А на эти деньги...

— Понятно...

— Копытин взял несколько изделий как образцы, чтобы договариваться с потенциальными покупателями. А потом мы закрыли тайник и не могли больше его открыть. Черт его знает, что там за механизм. Ну, решили пока и не трогать. Мало ли. Раз мы не можем открыть, то и другие не смогут. Потом Копытин уехал попытать счастья в Питер. А я заболел. А когда вернулся, то, к своему ужасу, узнал, что наш шкаф с тайником продан через комиссионный магазин. И я как помешанный пытался выведать у начальства, куда его продали, через какой магазин. Организации или частному лицу.

— А тут пришел этот парень. Вадим Кузнецов. Сын женщины, купившей шкаф.

— Да. К тому времени уже и Копытин вернулся. Он тоже страшно испугался, но в отличие от меня начал сразу энергично действовать. Этот Кузнецов проболтался про комиссионный магазин, когда был у меня. А Копытин потом с помощью взяток и другими способами выведал и адрес, и фамилию покупателя шкафа.

— Ну, это все я примерно и сам представлял. Вы о главном говорите!

— А что главное? — философски закатил глаза Курочкин.

— Главное — это сокровища и преступники, ими завладевшие и убивающие из-за них людей. Я вам должен объяснять такие простые вещи?

— Но я же представления не имею, где они и у кого! Всем занимался Копытин. А когда шкаф вскрыли, я даже не узнал об этом. Просто Копытин пропал, полиция начала ходить. Я страшно боялся и ничего не понимал.

— Копытин хоть что-то называл, хоть фамилии, клички, имена, места встреч?

— Я знаю только то, что он ездил туда, где наш новый филиал, откуда к нам шкаф попал. В Горчаково. Вот и все.

— А куда вы собирались бежать в тот день, когда я вас задержал?

— Если бы я знал...

Глава 9

— Мы на проходной уже, Лев Иванович, — послышался в трубке возбужденный голос Бойцова.

— Ну хорошо, — ответил Гуров. — А то я уж думал, что вы там в аварию попали. Больше часа вас нет.

Ольга Ивановна Костикова оказалась крепкой деловитой женщиной, с пышной грудью и узкой талией. Костюм с нашивками охранного агентства сидел на ней как влитой, подчеркивая все прелести фигуры этой 50-летней женщины. Крашеные волосы забраны в хвостик на затылке, ногти коротко, но аккуратно подстрижены. И вообще в этой женщине была и деловитость, и сила, и женственность одновременно. Наверное, выдали ее глаза. Быстрые, постоянно меняющие выражение. То ирония, то удивление, то игривая насмешка, то сосредоточенная внимательность. Такие глаза очень нравятся мужчинам.

— Здравствуйте, — четко поздоровалась Костикова, осматриваясь по сторонам и машинально поправляя завернутые почти до локтя рукава форменной куртки.

— Здравствуйте. — Гуров поднялся и показал рукой на стул возле своего стола. — Проходите сюда, пожалуйста. Присядьте, Ольга Ивановна.

Бойцов отошел к холодильнику в дальнем углу комнаты и принялся звенеть там бутылками. Наверное, искал минеральную воду.

— Ольга Ивановна, Александр, когда вас приглашал ко мне, наверное, немного рассказал о причинах этой встречи?

— Ну, вкратце. Он у вас партизан. Ничего не вытянешь. Говорил только, что дело очень важное, раз им напрямую министерство занимается, а не отдел полиции. И что-то связанное с Горчаковом. Я там жила. И дядю Ваню Холина знала хорошо. Я уехала оттуда давно, а он, говорят, умер уже. Жалко, хороший дедок был. А что случилось?

— Да вот про Холина и хотели с вами поговорить. Раз вы так хорошо его знали.

— Да, ну как хорошо... наверное, хорошо, — сказала женщина, и по ее голосу и чуть затуманившимся глазам Гуров сразу все понял. И то, почему эта женщина больше других знала о Холине.

Бойцов подошел к Костиковой и поставил перед ней невысокий стакан с минеральной водой. Видимо, она еще в коридоре просила попить. Женщина кивнула, взяла стакан и стала пить, но газ ударил ей в нос, и она приложила к лицу руку. Гуров взял листок бумаги и быстро набросал на нем для Сашки записку.

«Иди погуляй, сейчас будет разговор о личном, и женщина будет стесняться тебя. Я позову».

Подозвав Сашку, он сунул ему записку и велел отнести ее в приемную. Бойцов недоуменно посмотрел на шефа, потом глянул в записку и, кивнув, вышел.

— Скажите, Ольга Ивановна, — Гуров сделал паузу и мягко улыбнулся, — вы были близки с Холиным? Да?

— Это кто же вам успел наговорить-то на меня? — не очень искренне вспыхнула женщина. — Вот языки поганые.

Понятно, подумал Гуров. Сразу кто же признается. А ненатурально возмутилась. А женщина она в теле, если мужика не было и старик крепок, то какая разница... не пацана на улице же ловить.

— Да никто не наговорил, Ольга Ивановна, — успокоил женщину Гуров. — Я старый сыщик, я и сам все понял. Ничего тут такого страшного и предосудительного же нет. А для дела важно. Мы с вами взрослые люди. Да и на службе я, поймите меня правильно.

— Поэтому и мальчика своего выпроводили? — кивнула Костикова, вдруг став серьезной и спокойной. Как будто только что не разыгрывала стеснение порядочной замужней женщины. — Вы порядочный мужчина.

— Мне многие так говорят, — улыбнулся Гуров одними губами. — Если честно, то немножко нам намекнули на ваши отношения с Иваном Николаевичем. Не то чтобы так вот все точно, а предположениями. И что иногда видели, что вы ему готовили, чаще других захаживали. И то нам намекнули всего две женщины, которые так и живут в Горчакове. А вы? В Москве?

— Да, я давно оттуда уехала, лет десять, наверное. Знаете, как бывает... Когда одна, без мужа. А работа такая, что намотаешься и только до дома бы. А где мужика искать, простите за подробность. На работе? Нельзя, да и контингент не тот был. Алкашня одна. По дороге на работу или домой? В транспорте не больно-то... А тут смотрю, он на меня поглядывать стал. Ему тогда лет шестьдесят пять было, когда у нас все началось. Иван еще крепок был, хотя и ходил с палочкой. Поглядывал, поглядывал, помочь что-то позвал. А в комнате возьми и пристань ко мне. А у меня на тот момент года два, как мужика вообще не было А тут! Он и говорить умел красиво, и знал много. Ну, в общем, мужчина был приятный в общении. А тут как прижал меня к себе сзади... Мамочки мои светы! Так у меня все ватное и сделалось. Да пропади оно все, думаю. Чего я в самом деле, замуж за него собралась... вон добра сколько пропадает... Ну и сдалась я. А он-то доволен был. Все Олюшкой называл, миленькой звал. С того дня у нас и началось. Лет пять было. Потом сестра позвала в Москву. Со здоровьем у нее плохо было. Переехала. А там и замуж вышла. Официально. Вот уж лет десять как здесь.

— Рад за вас, — улыбнулся Гуров. — Вот все и сложилось. А про Холина нам все говорят, что хороший был мужик.

— Очень, — улыбнулась Костикова. — А почему он вас интересует?

— Я скажу, а пока ответьте, у него в квартире стоял большой старинный шкаф. Помните?

— Да, был такой. Огромный, до ужаса. И тяжеленный, наверное, потому, что в те времена дерева не жалели и делали из цельных досок...

— Он вам что-то про этот шкаф рассказывал? — перебил Гуров женщину.

— Да, говорил, что старинный какой-то. Только он не его. Этот сундук Ивану в наследство остался от прежних хозяев. Да и они, как я поняла, не покупали его и с собой не привозили.

— А при вас Холин не говорил, что он его хочет продать, в музей сдать или что-то в этом роде?

— Нет, он ему даже нравился чем-то. Иван был эстет. А может, это память о дочери. У него ведь дочь умерла. А каково родителям переживать своих детей?

— Дочь? А она имеет какое-то отношение к этому шкафу?

— Да какое там отношение, — махнула рукой Костикова. — Она у него поздний ребенок. Мать, в смысле жена его, то ли умерла, то ли бросила их. Он об этом никогда не рассказывал. Так вскользь если. Ему уж сороковник был, когда она родилась. А когда он на пенсию вышел, она уж с мужем жила. Быстро выскочила девчонка, себя сгубила. А так она у него какое-то время жила. Знаете, какими иногда старики сентиментальными бывают. Платьица ее там висели, вот и жалко продать шкаф.

— Значит, разговор был о продаже?

— Нет, Иван не хотел, это муж его дочери все подкатывал. Видать, рассчитывал деньжат на этом поднять с тестя. Да он и сам бы им все отдал, что выручил от продажи. Ему много ли одному надо.

— Стоп. — Гуров поднял ладони. — Давайте с этого момента подробнее.

— Муж дочери бывал в Горчакове и уговаривал Холина продать шкаф?

— Да вроде были разговоры. Может, пару раз. Иван его не любил. Из-за дочери терпел. Она уж больно души в нем не чаяла. А он оболтус оболтусом. Да еще и отсидел.

— А где они жили и что стало с дочерью Холина?

— Во время родов умерла. Тяжелых родов, на сохранность отказалась ложиться, а в деревне, что там местная акушерка сделает. Пока «Скорая» из райцентра приехала, уже некого было спасать. Ни мать, ни ребеночка. А жили они первое время у него. Это километров тридцать от Горчакова вроде. Матвеевское, вот! А как дочь умерла, Игорь вроде и навещал иногда Ивана.

— Игорь? — Гуров весь напрягся. — Скажите, вы по фотографии узнаете этого Игоря?

— Столько лет прошло.

Гуров пододвинул к себе папку, раскрыл и стал вытаскивать из кармашка стопку фотографий. Он клал их перед Костиковой одну за другой в ряд. Когда она не реагировала на данного человека, он этот ряд отодвигал, но недалеко, чтобы фотографии оставались в поле зрения женщины, и выкладывал фотографии следующего. Когда дошла очередь до фотографий Самарина, Костикова никак не отреагировала. Гуров смутился и мысленно вздохнул. Но на последней фотографии, сделанной для дела оперчасти в колонии, где Самарин отбывал срок, она вдруг прижала пальцем фотографию.

— А вот он. Лысый как раз. Он такую стрижку носил. Под расческу. И лицо такое же наглое. Это он в тюрьме или сразу после тюрьмы фотографировался?

— В процессе, — улыбнулся сыщик и продолжил выкладывать фотографии. — Смотрите еще, может, еще знакомое лицо попадется.

Но больше Ольга Ивановна никого не узнала среди пяти десятков предложенных ей для опознания человек.

Генерал Орлов собрал оперативное совещание в своем кабинете. Информация стекалась к нему почти непрерывно, были приглашены специалисты технических служб, судмедэксперт, капитан Аверьянов из МУРа. Гуров сидел и откровенно отдыхал. Когда Орлов берет бразды правления в свои руки, можно быть уверенным, что он ничего не пропустит.

— Итак. — Орлов посмотрел поверх очков на Аверьянова. — Давайте все по порядку. Полная хронология. Аверьянов, докладывайте.

— Наблюдение велось за объектом «квартира». Ждали одного гостя — Кушнарева, по логике дела можно было ожидать его и с подельниками. Наблюдение велось тремя группами по перекрещивающимся направлениям. Окна выходили на один фасад здания, выхода на чердак в этом подъезде не было. Наблюдение велось снаружи с трех точек. Одна — из окна здания напротив при помощи технических средств, две — на улице в подготовленных нишах кустарника. Наблюдатели занимали места с наступлением темноты. Подстраховка — две автомашины на смежных улицах с постоянной связью.

— Как произошел контакт?

— В 1.50 ночи Кушнарев вышел через парк к дому и поднялся по газовой трубе на второй этаж, откуда через окно влез в квартиру. Покинул он ее в пятом часу утра через подъезд. Решение о задержании еще не было принято, и приказа я не получил. Однако вести Кушнарева мы должны были. И как раз силами наружных наблюдателей. Неизвестный появился справа — со стороны парка. У него был найден бинокль и обнаружено место, откуда он вел наблюдение. Мы предполагаем, что он довел Кушнарева ночью до дома, дождался, когда тот выйдет, и напал на него с целью убить. Нож вполне соответствовал этой цели по длине лезвия. Пистолет «ПМ» с глушителем фабричного производства был заряжен боевыми патронами.

— Что показал неизвестный в схватке с оперативниками?

— Никаких особых навыков он не продемонстрировал. Умение драться, но не более. Сила, гибкость, но не более.

— Хорошо, спасибо. Что показало вскрытие?

— Вскрытие, товарищ генерал, — начал судмедэксперт, — и осмотр тела показали следующее. Тело покрыто татуировками в соответствии с размерами, принятыми в уголовной среде. Возраст самых ранних до пятнадцати лет, поздних не более пяти. Следов употребления наркотиков нет, курение умеренное. Печень имеет признаки перенесенной травмы внутренних органов, неправильно сросшиеся три ребра правой нижней части, имеются признаки перенесенных и залеченных венерических заболеваний. Кроме того, колит, гастрит, залеченная язва двенадцатиперстной кишки.

— Выводы?

— Выводы, товарищ генерал: этот человек прошел через колонии общего режима как минимум и вращался в типичных криминальных кругах низшего, так сказать, эшелона. Притоны, дешевые пьющие девочки, низкого качества еда и выпивка. Это не профессиональный киллер, это просто нанявшийся за деньги или по приказу убить Кушнарева уголовник.

Орлов поднял трубку и набрал внутренний номер.

— Что там по делам Кушнарева? Обзор готов? Хорошо! — Орлов положил трубку и посмотрел на Гурова. — Принимай по электронке, Лев Иванович. Переслали.

Гуров сел прямо и пододвинул к себе ноутбук. Через несколько минут он открыл присланные файлы и начал зачитывать наиболее важные места:

— Так, задерживался за... ну, это мелочи. Проходил свидетелем! Вот... нет, тут никого с фамилией, в корне имеющей «губа», нет. Всего трое проходили, и Кушнарев отмазался... Вот еще, но это драка с нанесением тяжких телесных... Нет, тут тоже нет никого похожего. А вот серьезное. Ограбление водителя такси! Да ты что! Опять увернулся и свидетелем... так, она признана группой. Еще два разбоя, но без Кушнарева. Понятно, как он увернулся, его не взяли. Так... Есть! Губарев Сергей Иванович. В главарях проходил. Надо запрос делать в зону, Петр Николаевич. Характеристику из оперчасти, фото, пальчики нужны обязательно, связи.

На следующее утро, уже перед самым отъездом в Матвеевское, Гуров получил информацию из колонии в Рязанской области. Губарев Сергей Иванович, по кличке Губа, отличается крайне неуравновешенным характером. Повышенной агрессивностью и жестокостью. С фотографии на Гурова смотрело неприятное лицо с прищуренным левым глазом и неприятно оттопыренной губой. Рассеченной неправильно зажившим шрамом.

И самое главное. Совершен побег из мест лишения свободы. УИН... так, когда? Оп, в прошлом году, летом. Год уже бегает Губа.

Дом в Матвеевском нашли почти сразу. Гуров показал рукой Бойцову на почту, и тот подрулил к одноэтажному зданию белого кирпича. Для небольшого села домов в двести наличие своей почты было делом большим. Но Гурова это обрадовало по другой причине. Почтальоны не хуже участкового знали население на своем участке. А то и лучше. Это сыщик усвоил еще в лейтенантские годы.

Начальник почты, толстая тетка лет сорока, быстро сообразила, что нужно приехавшим из столицы полицейским. Она позвала двух пожилых женщин, работавших на сортировке корреспонденции.

— Девчата, вот товарищам из уголовного розыска надо найти один дом. А вы у нас самые... — Заведующая засмеялась, и все поняли, что она не хотела говорить в адрес женщин слово «старейшие». — Вы самые опытные и всезнающие почтальонши села. Сколько ножками своими исходили все вокруг.

— А что надо? — сразу поинтересовалась одна из женщин.

— Все очень просто, — улыбнулся Гуров веселым женщинам. — Надо найти один дом. Хозяин или хозяйка могли носить фамилию Самарин или Самарина. Или Игорь Самарин, парень лет тридцати с хвостиком, судимый, или его мать, бабушка, тетка. Не знаю. Но он тут жил лет десять назад с молодой женой. И она умерла во время родов здесь, в фельдшерско-акушерском пункте. Ранние роды или патология, не знаю.

— Так это вам надо к фельдшеру сразу, — предложила заведующая. — Он помнить должен.

— Нет, он у нас всего как лет шесть или семь работает, — поправила вторая женщина. — А еще у них пожар был, бумаги какие-то погорели. Это же мой участок был, я помню, что карточки медицинские потом люди восстанавливали.

— Так это же дом, в котором Светка Корщеева живет, — вдруг вспомнила первая женщина. — Я носила пенсию, она как раз перебралась. Они его купили как раз после смерти девчонки при родах. Точно, парень ей дом продал. Его еще участковый тогда задерживал с деньгами. Думал, что он обокрал кого. А это были деньги за дом.

— Девушки, — Гуров стал перебивать гомон женских голосов, — дом этот где стоит, дом покажите!

— Пойдемте на улицу, я вам покажу, — кивнула женщина и двинулась к выходу.

Дом был крепок. Сложен он был из бруса, а потом обложен кирпичом. Стоял он почти на окраине, возле местного стадиона, как его назвала почтальонша. Три ряда лавок, вытоптанное поле и два столба с прожекторами и одним громкоговорителем. И деревянным крепким сараем, видимо, раздевалкой и судейской. Сейчас там паслась коза. За домом простирался небольшой пустырь с пучками рогоза, разбросанными по нему, а дальше лес.

Пожилая женщина, Марина Сергеевна, с коричневым от работы на воздухе лицом, пригласила гостей под навес. Смахнула фартуком пыль с лавки, усадила и начала угощать чаем.

Информация подтвердилась. Покупала она дом у Игоря Самарина. Он тогда наконец вступил в права наследования после умершей бабки и сразу дом продал. Да, жена у него умерла. А где он теперь сам? Его, кажется, никто с тех пор и не видел. Участковый, может, а сюда он и носа не показывал. Кто его знает.

— Приезжал он, — вдруг раздался мужской голос, и под навес вошел крепыш лет сорока, пропахший соляркой.

— А ты откуда знаешь? — удивилась и махнула на него полотенцем мать.

— Он у меня в гараже бензин покупал. И в магазине был. Жрачку покупал.

— А когда это было?

— Прошлым летом. В июне, кажется.

— Он один был?

— Вроде один. А он чего, в розыске у вас, что ли?

— Он нужен как свидетель по одному делу, а по месту регистрации не живет. Вот и приходится искать по всем местам, где может жить. А он вот продал дом.

— Так это давно было. С домом-то.

— Скажите, а как он тут жил, этот Игорь Самарин? Тихо-мирно, работал?

— Да какое там, — взмахнула полотенцем Марина Сергеевна. — Пил, буянил! И как жена к отцу соберется, так они с парнями и с девками пьянки устраивали. Безобразия всякие. То ли где-то дом заброшенный есть на околице, то ли еще где. Я уж не помню, тогда бабы что-то говорили.

— А лесник у вас тут есть? — спросил Гуров. — Или он на кордоне живет?

Лесник, точнее бывший лесник, дед Андрюша, как его звали бабы, работал сторожем в пекарне. И в силу того, что его ночная смена закончилась, а поговорить он любил, находился он у проходной на лавке с сигаретой и в окружении женщин, вышедших после ночной смены. Дед, видать, за время своей службы по лесному департаменту сейчас на пенсии компенсировал недостаток общения.

Увидев двух посторонних, пошедших к леснику, женщины удалились по домам. Дед Андрюша важно проверил документы Гурова, вернул удостоверение и вежливо приподнял козырек кепки.

— Стало быть, слушаю вас, товарищ полковник.

— Скажите, Андрей Иванович, вы когда на пенсию вышли?

— Вышел давно, одиннадцать лет назад, но лесное дело бросил только шесть лет назад. А что?

— У вас жил в поселке такой Игорь Самарин, который частенько, как жаловались бабы, устраивал пьянки и всякие непотребства. У него еще жена умерла во время родов.

— Был такой обалдуй, хорошо помню. Весь поселок на него зуб имел. А участковый все никак прищучить не мог. Да, был у нас тогда слабенький участковый. Добрый больно. Моя б воля... ну так... а что?

— А где они свои пьянки устраивали? Может, вы знаете, а то бабы то про какой-то дом заброшенный говорят, то чуть ли не про чертову мельницу.

— Да нет, какая там мельница. У нас и реки нет. На старой пасеке они куролесили. Это вон по тому овражку, что вдоль леса идет, а потом влево. Там поляны средь массива большие и цветов всегда много. Они от ветра защищены, стало быть, там и опыление лучше. Вот такие цветочные места. И там пасечный дом поставили еще при царе Горохе. А точнее, в советские еще времена.

— Вы их гоняли оттуда?

— Да мне что, жизнь, что ли, не дорога. Он ведь, Самарин, дикий. Буйный. Кляузы писал. Грозился тем, что пожар могут устроить, а у нас деревня рядом и роза ветров неблагоприятная. Преобладающий ветер как раз к нам.

— А там только свои с ним пили или чужие были тоже?

— И чужих хватало. И все не имена, а клички, как у собак, что ли. Самарина они все Самураем звали. Кусок какой-то у них был. Губа! Как и не люди...

— Губа? Вы точно помните?

— А у меня память хорошая, — довольно засмеялся старик и полез в карман за новой сигаретой.

Гуров поднялся на ноги и достал из кармана телефон.

— Петр Николаевич. Срочно ОМОН нужен. Есть след Самарина и Губарева. Да в Матвеевском.

Через два часа на окраине села Матвеевского остановился неприметный белый «Форд Транзит» с затемненными стеклами салона. Гуров, оглянувшись по сторонам, подошел, дождался, когда откроется дверь, и поднялся в салон автобуса. На него смотрели два десятка глаз бойцов ОМОНа в полном боевом оснащении.

— Так, кто командир?

— Капитан Морозов, — поднял руку один из бойцов.

— Понял, — кивнул Гуров. — Итак, инструктаж короткий. Карту мне. Смотрите, капитан. Вот здесь, в верховье оврага и в ста метрах западнее, отдельно стоящее временное деревянное строение. В нем предположительно находятся преступники, совершившие тяжкое преступление. С ними один уголовник, находящийся в розыске. Всех нужно взять живыми, капитан. Повторяю, всех!

— Я понял, товарищ полковник.

— Нет, я слышу по вашему тону. Я обращаюсь ко всем бойцам. Эти люди должны не просто предстать перед судом, они должны дать важную информацию о месте нахождения большой ценности коллекции ювелирных изделий восемнадцатого века. Это национальное достояние стоимостью... даже не хочу пугать вас количеством нулей.

— Не переживайте, товарищ полковник, — спокойно ответил капитан. — Подойдем скрытно, выкурим газовыми гранатами, задымим, если надо. Войдем в масках и повяжем всех, кого скажете.

— Хорошо, — кивнул Гуров. — Сейчас едем по маршруту, который я укажу водителю. Будем делать даже не остановки, а просто сбавлять скорость до минимума. Высаживаетесь, как у вас принято, парами. И сразу скрываетесь с глаз. Тут до черта грибников, а могут быть и наши клиенты. Задерживать с особой осторожностью всех. Я с машиной и своим помощником перекрою направление на восток и начало оврага. Местный участковый с помощниками — направление на село и трассу. Вопросы? Нет вопросов. Тогда поехали.

Автобус, тихо урча двигателем и переваливаясь на неровностях местности, объезжал лесной массив, прижимаясь к крайним деревьям и кустам. Капитан Морозов придерживал дверь, чтобы она не хлопала и не открывалась, и выпускал попарно своих бойцов в тех местах, где Гуров велел водителю притормаживать. Наконец вся группа ОМОНа покинула автобус. Оставалось только надеяться на профессионализм бойцов и их командира.

Тишина в эфире тянулась очень долго и тоскливо. Гуров посмотрел на часы. Нет, всего двадцать минут. Им до этого домика идти минут тридцать. Рано. Еще через двадцать минут Гуров не выдержал и взял в руки рацию, как будто это могло помочь быстрее получить информацию. Его радовало хотя бы то, что он не слышал стрельбы. Еще через десять минут его вызвал Морозов.

— Пусто, товарищ полковник.

— Вы уверены, капитан?

— Абсолютно. Что мы, берлог не видали? Лежки оборудованы хоть и просто, но всем необходимым. Извините, дерьма вокруг свежего или недельной давности мы не нашли. А должны были обязательно вляпаться. И с остальным так же. Должна быть вода и место приготовления пищи. Или объедки. Место для спанья. А тут разруха, и паутины килограммов двести. Паутина, понимаете?

— Гуров понимал. Уж паутину люди обязательно бы порвали. Можно пылью припорошить все вокруг, можно питаться всухомятку, можно свои экскременты закапывать, но с паутиной не справиться. Она самый лучший природный маячок для сыщика. Значит, там давно, очень давно никого не было. Ладно, отсутствие результата — тоже результат.

— Задержанные есть? — спросил Гуров.

— Нет. Посторонних не обнаружено. На пределе видимости две бабки были, но мы их не стали догонять. Там все очевидно.

Гуров неторопливо вышел из автобуса и стянул с плеч пиджак. Ослабив галстук, он прошелся по траве, глубоко вдыхая воздух. Итак, он опять оказался на шаг позади преступников. И опять исход всей операции довольно печально теряется в неизвестности. Драгоценности неизвестно где, Губу установили, но и он неизвестно где. Всю подноготную выудили про Самарина, и тот неизвестно где. Все неизвестно. Уравнение с одними неизвестными. И еще одно неизвестное — неизвестно, что делать.

— Сашка, — позвал Гуров своего помощника. — Ты знаешь, что нам теперь делать?

— Нет, Лев Иванович, — покачал головой участковый и посмотрел на шефа как побитый щенок. С надеждой!

— Тогда слушай и запоминай. Когда не знаешь, что делать, самое простое, что ты можешь сделать в любой ситуации, — думай. Начинай думать! Итак. Нам нужен мозговой штурм. Срочно. Где нам искать Самарина? О том, где искать Губанова, мы и тужиться не будем. Нам его нынешние связи неизвестны, кроме этих друзей. Но Ходулю убили,

Кушнарев сидит в СИЗО. Остается Самурай. Где искать Самурая?

— Не знаю, Лев Иванович, — пожал плечами Сашка.

— Плохо, старший лейтенант Бойцов, — погрозил ему пальцем Гуров. — Не надо себя сразу настраивать на поражение. Мы все места его появления знаем?

— Кажется, все.

— Ты забыл про привидение, Сашка, — резко повернулся Гуров и ткнул Бойцова пальцем в грудь. — Про привидение на стройке. Забыл ведь?

— Забыл, а что нам это даст? Думаете, они будут прятаться там, где уже засветились?

— Саша, Самарин, когда «работал» на стройке оракулом и когда метался в туманной мгле привидением, должен был где-то жить. Думаешь, он из Москвы ездил в Горчаково? Или из Матвеевского?

— Он жил в Горчакове, — несколько оживился Бойцов.

— Правильно, умница. А где он жил?

— Где угодно.

— Плохо, Саша. Вся группа была заодно. Они действовали по своему плану, по плану Губанова, он у них командир. А раз они все заодно, то у них и явочные квартиры, и малины должны быть общие. Где Копытин оставил машину, где вы нашли его «Рено»? Рядом с каким зданием?

— Школа... на ремонт закрытая. Нет, это я вам сразу тогда сказал, что школа, а потом мы выяснили, когда хозяина машины искали, это техническое училище было. Потом его закрыли, и помещение временно пустует до передачи его на баланс кому-то другому. Порядком обветшало, надо сказать. Но здание под охраной. Там сторож есть.

— Саша, там же есть спортзал?

— А зачем он вам?

— Не мне. Прятаться в учебных классах опасно. В пустом здании все так раздается. Да еще они курить начнут, пить... запахи долетят до сторожа. А спортзал — это такая штука, что прокурить ее сложно. И сторож туда и не додумается идти что-то проверять. Лежи кури, мочись по углам. А в любой раздевалке можно включить электрическую плитку, чайник и согреть себе хавку!

Глава 10

Гуров и Сашка Бойцов были единственными, одетыми в гражданскую одежду и не привлекавшими внимания. Автобус ОМОНа, не имевший полицейских опознавательных знаков, оставили на проезжей части в тридцати метрах от объекта. Гуров и Сашка неторопливой походкой двинулись к зданию училища. Беглый осмотр показал, что окна и двери основного здания целы. Послав Сашку с обходом здания дальше, Гуров поднялся по ступеням и стал барабанить в дверь. Внутри стояла гнетущая тишина, ничем не нарушаемая. Гуров подумал с неудовольствием, что сейчас может обнаружиться труп сторожа, и дела совсем пойдут кувырком. Но тут послышались шаркающие шаги, потом приподнялась белая тряпка, закрывавшая застекленную часть двери, и на Гурова глянули неприязненные заспанные глаза мужчины лет семидесяти.

— Че те?

— Откройте, полиция, — попросил Гуров и показал корочку удостоверения через стекло.

— Че те? — снова тупо осведомился сторож с еще большей неприязненностью. — Иди вон начальству моему звони и с ним приходи.

Занавеска опустилась, и шаркающие шаги стали удаляться. Гуров поднял было кулак, чтобы снова начать барабанить в дверь, и тут тишину маленького городка прорезал пистолетный выстрел. Раздался как раз с той стороны, куда Бойцов пошел осматривать стены и окна. Со стороны пристроенного высокого одноэтажного спортивного зала училища. Чертыхнувшись и невольно тронув пистолет, заткнутый сзади за ремень, который его уговорил взять капитан Морозов, Гуров побежал вдоль стены здания.

Вот и угол, за углом должна быть спортивная площадка, а потом парк. За углом были остатки спортивной площадки. И по растоптанному и совсем не имевшему травянистого покрытия футбольному полю резко разворачивалась старенькая черная «Мазда». Справа, вытаскивая на бегу пистолет из кобуры, бежал Бойцов. Гуров увидел открытую настежь дверь спортзала. А еще возле второй машины — красной «Ауди-80» —

визжала девчонка. На земле лежал парень в окровавленной на груди рубашке, а над ним склонился второй парень.

— Вызывай «Скорую», что смотришь, — закричал Гуров, подбегая к машине. — Телефон есть?

Парень кивнул и полез за телефоном. Девушка наконец перестала визжать, но смотрела теперь на всех с таким ужасом, что скоро могла просто рухнуть в обморок от избытка впечатлений.

— Ключ? — дернул парня за плечо Бойцов.

Тот кивнул на салон. Ключ торчал в замке зажигания. Гуров толкнул Бойцова на водительское сиденье, а сам прыгнул на переднее пассажирское.

— Гони, Сашка!

Взревел мотор «Ауди», и машина понеслась по футбольному полю к проему в ограждении, где не хватало двух бетонных плит. «Мазда» уже миновала проем и исчезла на улице. Бойцов восхитил Гурова тем, что, не сбавляя скорости, прошел этот же проем, где преступники притормозили. Тормозные фонари «Мазды» мелькнули у перекрестка, и снова машина исчезла за деревьями и крайними домами.

Гуров по рации кричал Морозову, отдавая распоряжение. Капитану следовало любым способом перекрыть три направления выезда из городка. Четвертое было свободно, но там их гнали они с Бойцовым. Первый же пост ГИБДД, первая же патрульная машина усложнят бегство. И тут Сашка удивил Гурова. Он не стал сворачивать налево и выходить на другую улицу в хвост беглецам. Он продолжал гнать машину по пустынной улице параллельным курсом. Знает, что делает, или это ошибочный маневр. Но участковый как будто понял взгляд Гурова.

— Там улица перекопана. Я еще в прошлый раз видел. Мы отсюда заезжали, когда с Вадиком тут были.

Впереди мелькнул бок «Мазды», выворачивающей с трудом по разрытому участку дороги, где еще не положили асфальт. Вот отлетел в сторону пластиковый стакан ограждения. «Мазда» снова прибавила скорости и пошла в отрыв в сторону Ленинградского шоссе. Еще два поворота, и все! Над Ленинградским шоссе почти постоянно висят вертолеты надзора за движением, эту гонку увидят сразу и перекроют беглецам кислород.

— Нормально, Саша, пусть идут. — Гуров похлопал Бойцова по руке. — Держи дистанцию, нервируй, но не рискуй.

И тут случилось непредвиденное. Навстречу выехал белый «Форд» патрульной ДПС. Полицейские еле увернулись от черной иномарки, выскочив на обочину и едва не перевернувшись. «Форд» мгновенно врубил проблесковые маячки, проквакал сиреной, и властный голос начал приказывать иномарке остановиться. Гуров опустил голову. Как не вовремя! Сейчас эти друзья могут натворить таких дел. Гуров поднял рацию, но понял, что вмешиваться бесполезно. Пока он свяжется с управлением ГИБДД района, пока те поймут, о чем речь, пока вызовут свою машину, что гоняется сейчас за преступниками, и велят прекратить преследование. Много времени уйдет на это. А из «Мазды» высунулась рука с пистолетом, и в инспекторов ДПС полетели пули. Один, второй, третий выстрел! «Форд» вильнул, но даже не сбавил скорости.

«Мазда» резко ушла влево на грунтовую дорогу. «Форд» все же сбавил скорость и вошел в поворот. Гуров показал Бойцову вперед, туда, где грунтовка шла параллельно асфальтированной дороге и только потом уходила в лес. Сашка понял и вдавил педаль до пола. Теперь они обогнали «Форд» и почти поравнялись с «Маздой». Гуров вглядывался в лица тех, кто сидел в машине. Точно, Самарин. А за рулем? Не видно.

Сашка притормозил так, что машину занесло и она проехала боком по глинистой поверхности обочины. Потом она плавно съехала в кювет и выбралась на грунтовку. Отчаянно сигналя, мимо пронеслась машина ДПС, окутав все вокруг пылью. Сашка ругнулся, виновато глянул на Гурова и снова погнал машину следом. За поворотом парила разбитым радиатором «Мазда». Две фигуры, коренастый Самарин и еще кто-то в черном свитере под горло, бежали в гору. «Форд» остановился, и тут же беглецы открыли по инспекторам огонь из пистолетов. Несколько беглых выстрелов заставили ребят спрятаться за свою машину. Зашипело пробитое колесо.

— Не стрелять! — заорал Гуров, но было поздно. Невысокий белобрысый старший лейтенант вскинул руку, положил ее на капот машины и несколько раз выстрелил в сторону беглецов.

Самарин, бежавший последним, вдруг вскинул руку с чем-то зажатым в ней и повалился набок нелепо, как подкошенный. Длинный вернулся было, но тут у его ног запрыгали фонтанчики, выбиваемые пулями второго инспектора.

— Не стрелять, идиот! — продолжал кричать Гуров.

Когда они поднялись на пригорок, второго уже не было. Игорь Самарин лежал на спине с открытыми ясными глазами и коротко, поверхностно дышал. При каждом подрагивании его грудной клетки изо рта выплескивалась струйка крови и стекала по его шее на траву. К груди он прижимал небольшую кожаную сумочку, явно женскую, причем плотно чем-то набитую. Сумочка была в крови.

Гуров протянул руку и вытащил из пальцев Самарина сумочку. Один из инспекторов вернулся с аптечкой и сейчас изготавливал тампон, чтобы прикрыть рану и не давать попадать в нее воздуху. Сумочка оказалась набитой драгоценностями. Инспекторы увидали содержимое и одновременно с уважением присвистнули.

— Самурай, ты меня слышишь? — позвал Гуров. — Игорь! Самурай! Самарин! Кто с тобой был?

Самарин перевел взгляд на Гурова, но неясно было, понимал ли он что-то или лапы смерти уже сжали его мозг, спасая умирающего от ужаса понимания собственного конца. Гуров попытался прочитать в глазах Самарина хоть что-то, говорящее о сознании. Но тот вдруг вытянулся странно, стал как-то длиннее и замер. Голова свесилась набок, как у куклы... кровь больше не выплескивалась толчками изо рта. Глаза смотрели с непонятной пустотой куда-то в сторону.

— Один охранять тело, вызвать опергруппу, второй за мной, — устало приказал Гуров и, прихватив сумочку, побежал выше по склону. Туда, где скрылся Губарев. Следом, шумно дыша, побежал Бойцов.

Черная спина была хорошо видна среди белых молодых березок. Преследователи растянулись цепью и пытались отрезать уголовника от Ленинградского шоссе, от возможности захватить машину. Губарев несколько раз стрелял. Одна пуля прошла над плечом Гурова очень близко и с треском врезалась в ствол дерева за его спиной. Вот так и нарываются на шальные, неприцельно посланные пули, подумал сыщик.

То, что он увидел дальше, заставило закричать от бессильной злости. Уголовник встретил молодую женщину с мальчиком лет пяти, которые собирали грибы. Выбив из рук женщины ведерко, Губарев схватил ее за шею и, развернув к своим преследователям, прижал ствол пистолета к ее голове.

— Эй, вы там, — кривя изуродованную губу, крикнул уголовник. — Стоять, суки. Еще шаг сделаете — я бабе мозги вышибу. Или пацаненку ее. Выбирайте!

Гуров устало опустился на одно колено за деревом и опустил голову, пытаясь восстановить дыхание. Неподалеку упал на дерево Бойцов и выжидающе посмотрел на сыщика. Что ты смотришь на меня, как на волшебника, с тоской подумал Гуров. Это самое неприятное, что могло случиться. Заложники, и он весь взбешенный.

— Че делать будем, товарищ полковник? — просипел за спиной инспектор ДПС.

— Губарев! — подняв голову, крикнул сыщик. — Сдавайся. Не делай хуже, чем есть.

— Ты меня знаешь, начальник?

— Мы тебя установили уже. Ты в бегах, но это мелочи по сравнению с умышленным убийством двух и более лиц с отягчающими. Ты же понимаешь, что это пахнет пожизненным.

— И че мне терять, начальник?

— А ты подумай, Губа! На хрена тебе усугублять все до такой степени. Сдайся добровольно, пойди на сделку с правосудием, и тебе могут скостить до двадцатки. А это уже шанс выйти оттуда.

— Ой, купил ты меня! — нехорошо засмеялся Губарев. — А то я не знаю. Да через пятнашку я напишу заяву, и меня выпустят. У вас там сидеть уже негде. Опять же амнистия какая подкрадется незаметно. Не, не сидеть мне пожизненно, даже если и дадут.

— Зря ты так думаешь, Губа! Оттуда не выходят. А те редкие исключения из правил, что там выживают, они выходят умалишенными, полными социальными и физическими импотентами. Ты там подохнешь, а я тебе жизнь предлагаю, Губа!

— Да пошел ты, начальник, — крикнул в ответ Губарев и тут же заорал на ребенка: — И ты заткнулся, утырок! Не, начальник, не уговоришь. Я пошел, но если хоть одна сука двинется за мной, я сопляка вам с дыркой в башке оставлю. И объясняйте начальству как хотите эту историю. А потом ее по частям буду отдавать. Хотите?

— Не дури, Губа! — крикнул Гуров, чувствуя, что впервые в жизни он теряет самообладание.

И тут до него дошло, что Бойцова нет уже на том месте, где он только что лежал. Гуров понял, где сейчас может быть его шустрый помощник. Спина участкового мелькнула и исчезла справа уже на половине расстояния до Губарева. А ведь получится, думал сыщик. Там хныкает и истерит женщина, там ревет во всю глотку ее ребенок. Губарев ведь не слышит ничего. Надо его еще отвлечь.

Гуров вышел из-за дерева и показал свободные руки, в которых не было оружия.

— Губа! Еще два слова, а потом беги, если захочешь! Прошу два слова.

И Гуров начал нести такую околесицу про гуманизм, про не убий, не укради. Он специально нес полную чушь, составляя такие наборы слов, которые ему только приходили в голову. Он должен был во что бы то ни стало помочь Бойцову отвлечь на себя Губарева. А Губарев сейчас как раз и стоял и пялился на Гурова, не понимая, что это за цирк такой.

Уголовник сначала слушал, потом повел стволом пистолета и, не целясь, выстрелил в сторону Гурова. Пуля ударилась в землю почти возле ноги сыщика. Инспектор ДПС дернулся было, но Гуров зашипел на него:

— Лежать!

И в этот момент Бойцов наконец добрался до Губарева. Ему как раз помогло то, что уголовник убрал ствол от головы женщины. Один прыжок, и рука Сашки обхватила шею Губарева, а кисть второй вцепилась мертвой хваткой в кисть его руки. Они повалились на землю, свалив и заложницу. Ребенок закричал от испуга, женщина кинулась к сыну, закрывая его собой.

Гуров бросился что было мочи вперед. Его обогнал старший лейтенант из ДПС. Еще две секунды борьбы, и пистолет из рук Губарева выбили, а самого положили на живот и сцепили за спиной руки наручниками. Гуров обессиленно уселся на землю. Он смотрел, как молодая женщина неистово целует лицо Сашки Бойцова, как она подсовывает ему ревущего в голос пацана то ли для того, чтобы мальчик целовал своего спасителя, то ли наоборот.

— Глупышка! Все же кончилось.

В кабинете генерала Орлова горели все потолочные светильники. Довольный и веселый заместитель директора музея Егоров сидел, откинувшись на спинку кресла, и смотрел с большим удовольствием на худого и подвижного профессора Гафановича. Старик был в ударе. Он вышагивал, как аист, по кабинету и вещал, рассказывал, обобщал и делал выводы. Он находился в своей тарелке и был тоже, безусловно, рад, что в той тарелке он смог чуть ли не в одиночку раскрыть такое преступление и вернуть государству замечательную и очень ценную коллекцию ювелирных украшений.

— Вы понимаете, это же дома-реликвии, их под стеклянный колпак надо было, а мы под снос. Это первые дома выше одного этажа в Горчакове. Так называемые доходные дома. Квартиры там сдавались внаем. И жили там самые состоятельные и важные люди. Вокруг Горчакова сосредоточено несколько мелких имений, здесь воздух считался по какой-то причине чуть ли не целебным. И жил в этом доме в дорогой квартире врач Крупянников Всеволод Зиновьевич. Врач с хорошей практикой и с приличным доходом.

— Были времена, когда врачи получали как генералы, — засмеялся Орлов.

— Мы нашли тетради Крупянникова, — заявил Егоров. — Благодаря вам, товарищи сыщики, поняли теперь, в чем дело.

— Да-да! — закивал Гафанович. — Он был простым лекарем. Ничем не выделялся из среды своих коллег, но до тех пор, пока не придумал схему. Очень простую, но очень эффективную. А что вы хотите? Конец девятнадцатого и начало двадцатого века. Народ продвинутый и эрудированный. И тут появляется врач Крупенников и заявляет некой вдове майорше Пузанцевой, что у нее опухоль мозга или другая страшная болезнь, которая на слуху, про которую в ежемесячном вестнике прочитать можно.

— Дамочка в истерике, дамочка просит вылечить, — засмеялся Егоров. — Дамочка сулит большие деньги. Лекарь, кто бы мог подумать, вылечивает госпожу Пузанцеву. Слава, чудо-лекарь, посланец божий. И слава, и почет, а они несут деньги.

— Лекарь вел у себя учет. И оказалось, что брал он только что не борзыми щенками. И обстановка его квартиры была изысканна, и деньгами он брал. Как монетой, так и ассигнациями. Потом этот прохиндей нашел золотую жилу. Он пришел по вызову к купчихе Брыкаловой. И увидел он у нее или на ней драгоценности невероятной красоты. И придумал он Брыкаловой страшную болезнь, от которой он лечил ее на протяжении трех лет. А у Брыкаловой на тот момент были стесненные обстоятельства. А болезни своей и смерти она так боялась, что спустила все свое состояние Крупенникову.

— И он что же, — спросил Орлов, — знал, что в одном из шкафов есть тайник, или заказал его изготовить?

— Это нам неизвестно, как и дальнейшая судьба самого доктора Крупенникова. Главное, что врач, человек, призванный дарить жизнь, оказался дарующим смерть. Его наследие унесло столько жизней. Но каков наш Курочкин-то?

— Слаб он оказался перед сим испытанием, — философски наметил Гуров. Как уж они там с Копытиным нашли этот тайник, я не знаю, но как только они его открыли, то сразу перестали быть людьми. Золото вырвалось на свободу и принялось убивать и убивать. Проклятые какие-то драгоценности. А дальше Копытину не повезло встретиться с Губаревым.

— Как он жесток, — покачал головой Гафанович. — Из-за золота убивать друзей?

— Не друзей. Нет в их среде среди них друзей. А может, у него и другие причины были, узнаем после окончания следствия. Я представляю, как кусал локти Самарин. Сколько лет его тесть прожил рядом с золотым шкафом, и никто не знал и не догадывался даже про тайник. И продать-то шкаф Самарин уговорил тестя, чтобы денег заработать на этой сделке. Первого Губарев убил, может, и правда в драке, или Хондулян на него решил напасть и убить, а Губарев только защищался. Но потом смерти пошли чередой. Копытина могли убить уже для того, чтобы доля каждого повысилась. Копытин им никто, не их поля ягодка. А может, он просто решил забрать себе один весь клад, что хранился в квартире Крупенникова под полом. Только там бумага одна, ценности те ассигнации теперь не имеют.

— А что, — Орлов с интересом посмотрел на ученых, — эта коллекция правда стоит двести двадцать миллионов?

— Крови она много стоит, — вздохнул Гуров. — Эту коллекцию выставить в музее и назвать ее «Дарующая смерть». А музеям впредь давать указания проверять все шкафы на предмет нахождения в них кладов. Дабы слабость человеческую не провоцировать на гадкие поступки.

Содержание

Литературно-художественное издание

ЧЕРНАЯ КОШКА

Леонов Николай Иванович
Макеев Алексей Викторович

ИЗОБРЕТАТЕЛЬ СМЕРТИ

Ответственный редактор *Н. Прокофьев*
Художественный редактор *В. Щербаков*
Технический редактор *И. Гришина*
Компьютерная верстка *Л. Панина*
Корректор *Е. Дмитриева*

ООО «Издательство «Э»
123308, Москва, ул. Зорге, д. 1. Тел. 8 (495) 411-68-86.
Өндіруші: «Э» АҚБ Баспасы, 123308, Мәскеу, Ресей, Зорге көшесі, 1 үй.
Тел. 8 (495) 411-68-86.
Тауар белгісі: «Э»
Қазақстан Республикасында дистрибьютор және өнім бойынша арыз-талаптарды қабылдаушының
өкілі «РДЦ-Алматы» ЖШС, Алматы қ., Домбровский көш., 3«а», литер Б, офис 1.
Тел.: 8 (727) 251-59-89/90/91/92, факс: 8 (727) 251 58 12 вн. 107.
Өнімнің жарамдылық мерзімі шектелмеген.
Сертификация туралы ақпарат сайтта Өндіруші «Э»

Сведения о подтверждении соответствия издания согласно законодательству РФ
о техническом регулировании можно получить на сайте Издательства «Э»

Өндірген мемлекет: Ресей
Сертификация қарастырылмаған

Подписано в печать 09.02.2016. Формат 60×90^1/$_{16}$.
Гарнитура «NewtonC». Печать офсетная. Усл. печ. л. 24,0.
Тираж 5000 экз. Заказ № 1168.

Отпечатано с готовых файлов заказчика
в АО «Первая Образцовая типография»,
филиал «УЛЬЯНОВСКИЙ ДОМ ПЕЧАТИ»
432980, г. Ульяновск, ул. Гончарова, 14

HOW TO GET HAPPILY PUBLISHED

A JOAN KAHN BOOK

How to Get Happily
PUBLISHED

Judith Appelbaum
and
Nancy Evans

HARPER & ROW, PUBLISHERS

NEW YORK, HAGERSTOWN, SAN FRANCISCO, LONDON

FIRST EDITION

Designed by Lydia Link

Library of Congress Cataloging in Publication Data

Appelbaum, Judith.
    How to get happily published.
    Bibliography: p.
    Includes index.
    1. Publishers and publishing.   I. Evans, Nancy,
1950-   joint author.   II. Title.
Z278.A56   658.8'09'070573   77-3737
ISBN 0-06-010141-5

---

78 79 80 81 82 10 9 8 7 6 5 4 3

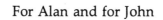

For Alan and for John

Contents

Acknowledgments

FOR CREATING new publishing patterns that led us to develop this project, we thank Tony Jones; and for contributing generous helpings of assistance and encouragement as work progressed, we offer our gratitude to him and to Ann Banks, Janice Blaufox, Selma Brody, Dan Carpenter and the staff of PACT/NADAP, Robert Cassidy, Joan Kahn, Tom Montag, Carol Ohmann, Harriet F. Pilpel, Robert Pilpel, and Robert H. Pilpel.

Hundreds of other people in and around publishing supplied us with valuable data and advice. We'd like to extend our warmest thanks both to those we've mentioned in the text and to those whose contributions are reflected indirectly in the book, including: Bob Adelman, Alfred H. Allen, Carolyn Anthony, Robert E. Baensch, Virginia Barber, Marvin G. Barrett, John Baskin, Sheila Berger, Susan Bergholz, Louise Bernikow, Meredith Bernstein, Richard P. Brickner, Janet Coleman, Page Cuddy, Ginger Curwen, Paula Diamond, Robert J. Egan, Martha Fairchild, Paul Fargis, Cheri Fein, John Fischer, Zelda Fischer, Joan Foster, Len Fulton, Elizabeth Geiser, David Glotzer, Annette Grant, Hannelore Hahn, Stuart Harris, Bill Henderson, Hayes Jacobs, Irwin Karp, Laura Katz, Mimi Kayden, Ralph Keyes, Rhoda Koenig, Bill Leigh, Tom Lewis, Lydia Link,

Miriam Madfis, Rich Marchione, Richard Marek, Elaine Markson, Peter McCabe, Ken McCormick, Robert R. Miles, Joseph Montebello, Richard Morris, William Morris, Julian Muller, Raymond Mungo, Victor Navasky, Don Passer, Jean Peters, Ryan Petty, Christine Pisaro, Terry Pristin, Eleanor Rawson, Pat Rotter, Marc Sacerdote, Leonard, Eleanor, and Mike Shatzkin, Robert Shnayerson, Karl Shumacher, Ruth Sonsky, Miriam Steinert, Cindy Taylor, Carl Thorgerson, Carll Tucker, Joseph Vergara, Lois Wallace, Michael Weber, Florence Weiner, Richard Weiner, Marianne Woolfe, Susan Zakin, Suzanne Zavrian, Mel Zerman, and Charlotte Zolotow.

And finally, a special thank you to Lynn and Alec Appelbaum, who were staunch supporters throughout.

Behind This Book

In the summer of 1974 an editor named Tony Jones, who
had a variety of innovative publishing projects to his
credit, tried out a new idea on his colleagues at *Harper's
Magazine*. Jones wanted to start a weekly paper written
not by professional writers but by its readers, men and
women who would be eager and able to share the wealth
of their experience, with or without benefit of stylistic
sophistication.

Predictably, there was a chorus of opposition: nobody out there can put three sentences together; you'll
get crackpot schemes and doggerel verse and sentimental
twaddle; you'll be deluged with junk.

But support for the paper was strong too. We were
so sure of its merits that we joined its staff and, in time,
50,000 members of the public echoed our enthusiasm by
signing up as charter subscribers.

Harper's Weekly—"America's Reader-Written Newspaper"—was officially launched in January 1975 and,
contrary to received wisdom, it proved to be a lively and
interesting publication with phenomenally responsive

readers who brought important new subjects to light months before they could surface through conventional media channels.

While the paper continued to be strong editorially, management difficulties arose which forced an early retirement. But by the time it disbanded we and our colleagues on the *Weekly* had learned a great deal about how—and how much—people who weren't professional writers could contribute to our national fund of information and insights. It seemed clear to all of us that ameliorating the problems these people generally have with breaking into print would confer benefits on editors, publishers, and the public alike, and—in the beginning—that was the idea behind this book.

Before long, however, it became obvious that where getting published was concerned, professional writers had problems every bit as serious as those faced by nonprofessionals. Even veterans who'd had several books issued by the East Coast's most prestigious firms had atrocity stories to relate about their publishing experiences, and the more we talked with them the more certain we felt that they needed guidance to get through the publishing thicket too, and guidance of a sort that we were well equipped to provide.

Thus, in the end, this came to be a book for writers at all levels of accomplishment as well as for people who want to write for some particular reason at some particular point in their lives.

Beginners may want to proceed straight from page 1 to page 266, or they may prefer to study "Learning to Write," jump to "Money," and return to concentrate on "A Foot in the Door" until success in that area makes it necessary to understand "Sequels to a Sale." Writers and quondam writers who've been previously published are more apt, we suspect, to focus on "Sequels," "The Self-Publishing Option," and "Money," and to skim earlier chapters in search of new ideas or solutions to immediate problems (when a writer is blocked, for example, when he just can't get started on that assignment for *Esquire* and he begins to wonder whether his idea is any good, he may find that "Basics"—with its tips on getting started and its reminders that he's got friends who can act as sounding boards—offers just the kind of help he needs right then).

But anyone who wants to is welcome to get in touch with us about any part of the book at any point. We'll look forward to receiving comments, questions, criticisms, and additional input because we expect our own measure of happiness in getting published to increase as our contacts with readers deepen.

J. A. and N. E.

P.O. Box 8290
New Fairfield, Conn. 06810

Initiation

———— ☆ ————

To BEGIN WITH, an announcement for writers, would-be writers, and people who have important things to say from time to time and want to say them in print: It is largely within your power to determine whether a publisher will buy your work and whether the public will buy it once it's released.

That having been said, two questions naturally arise: Why do so many people who try to place articles, stories, and books with publishing firms get rejected time and again? And why do so many people who succeed in placing articles, stories, and books with publishing firms then find that their work never attracts a sizable audience?

The answer is surprisingly simple. Failures abound because hardly anybody treats getting published as if it were a rational, manageable activity—like practicing law or laying bricks—in which knowledge coupled with skill and application would suffice to ensure success. Instead, almost everybody approaches the early phases of the publishing process, which have to do with finding a publisher, by trusting exclusively to luck, to merit, or to formulas. And when later phases come along, bringing production and marketing problems, most writers opt out.

Such behavior is thoroughly counterproductive, but it's

1

entirely understandable at the same time, and on several grounds.

In the first place, people who write are as reluctant as the rest of us to expose themselves by asking questions. Seeking information is an intimidating task in this day and age. We've all been raised to believe that, since knowledge is power, ignorance must be impotence and it's shameful, therefore, to admit it when there's something we don't know.

Furthermore, we tend to proceed on the assumption that mastery of any field is the exclusive province of specialists and experts. Laymen, so the theory goes, can't expect to understand how to fix a leaky pipe, let alone how to get a manuscript from writer to reader, so that people who aren't prevented from finding out by the fear of looking silly are precluded by the fear that the information they'll receive will be unintelligible anyway.

But even those who are brave and energetic enough to go in search of knowledge about getting published have not, in most cases, found the effort worthwhile. What every aspiring author really needs is an editor who has the time and the inclination to sit down with him and show him the industry ropes. What he gets, however, is more likely to be a handful of books from the oppressively large canon of works on breaking into print (which usually tell only parts of the truth and may not tell the truth at all) or a handful of books from the pitifully small canon of works on subsequent aspects of the publishing process (which tend to explain the way the business works without any reference to the flesh-and-blood men and women who run it and who inevitably alter the rules to fit personal and practical demands).

To substitute for the friendly editor, we've written this book, and arranged for it to offer a full and frank description of the contemporary publishing picture—complete with fallible human beings in the foreground and annotated guides to hundreds of available resources at the back. We're convinced that anyone who reads it intelligently will get a good general idea of the way the publishing process normally works, some valuable specific information on the ingenious tactics assorted individuals have devised to make it work for them, and easy enough access to additional information about the full range of publishing options so that he'll be able to create effective publishing strategies of his own.

As we guide you through the publication labyrinths, we'll draw upon our twenty-three years of experience in editing magazines, books, newspapers, and newsletters—and upon myriad experiences other publishing professionals have shared with us—to explain each phase, introduce the people in charge, define the unfamiliar terms, set forth the basic unwritten rules that govern progress, and tell you how to discover more about whichever aspects of getting published interest you.

But at every step our main focus of attention will be on you—what you want, what you need, what you'll have to contend with to get it, how wide your options are, and how you can reach your goals most expeditiously.

This book, in other words, is designed as a launching pad for individual writers and writing projects, and its overriding purpose is to help you improve your improvisational skills so that you'll be able to switch gears when you need to, no matter what the rulebook experts say. We're betting that once you understand the query letter in context (for example), you'll see that it's a valuable tool for you and not just a time-saver for editors, and you'll choose to use it to maximum advantage. Similarly, we expect that once you've gained the confidence to obey other people's dictates only when they fit your situation, you'll use common sense effectively in drafting a covering letter to an editor at the *Real Paper* that's quite different in tone—and perhaps in content as well—from the one you'd send to the *Saturday Review*.

The *Real Paper* may disappoint you, of course, and so may the *Saturday Review* and Little, Brown and the Cold Mountain Press, but we urge you not to let yourself be discouraged if getting what you want involves a few false starts. To keep your spirits up on darker days, you may find it useful to dwell on three important facts:

1. *Publishers need you at least as much as you need them.* Despite widespread suspicions of conspiracy, there's little truth in the theory that an elite circle of editors and writers

concentrated in Manhattan and doing business on the cocktail-party circuit reserves every printed page for itself.

Editors do, no doubt, know established writers, and established writers do, no doubt, know editors, and, unquestionably, a lot of assignments are given out at New York cocktail parties and at opulent New York publishing lunches as well (they still exist, those lunches, somewhat subdued by the current state of the economy but worth angling for if you find yourself with a big-city publisher interested in you).

On the other hand, (a) even the deputed leaders of the New York Literary Establishment are wary of accepting too much material from fellow NYLE members; in spite of long and liquid lunch hours, editors are always aware of the dangers of provincialism; and (b) no matter how many authors an editor knows he never has enough first-rate material. In publishing firms on both coasts and in between, the quest for new ideas and new writers is considered so vital that editors in chief frequently chide—and sometimes threaten—their junior colleagues about it. "Unless you have three projects to propose, don't come to the editorial meeting this week; and if you miss three meetings, don't come back to work," a particularly stern taskmaster is in the habit of telling his staff.

One editor's nonstop search for fresh talent recently led straight to a friend of ours, John Robben. After many abortive attempts, Robben, who's a toy manufacturer during normal business hours, had finally had a piece accepted for the Op Ed page in *The New York Times*. He wrote about breaking away from what he called his programed past, and the day his article appeared an editor at Crowell tracked him down. Had Robben, he wanted to know, ever thought of writing a book? "Writing a book!" Robben said. "I have seventy-two journals in my basement."

Undaunted (or at least not fatally discouraged) by this revelation, the editor went on with the conversation and eventually, over the course of the next several months, he helped Robben fashion material from his journals into a book titled *Coming to My Senses*, which was, in essence, an expanded version of the *Times* piece. None of the major review media paid any attention to the book when it appeared, but it got some nice mentions in a handful of small magazines and papers, and word of mouth coaxed sales to a thoroughly respectable level.

This writer happened to get a big break because he'd gotten a small piece into *The New York Times*, but editors doggedly scan far less eminent publications, looking for promising material. And of course they spend hours each day paging through the manuscripts and outlines and proposals that arrive on their desks in the hope of discovering a new writer who will boost their status with their colleagues and improve their employer's standing in the marketplace.

2. *Editors make mistakes.* Dozens of publishing houses turned down *Zen and the Art of Motorcycle Maintenance, Auntie Mame,* and fiction by Anaïs Nin, for instance. And John Fischer, for many years head of the trade (i.e., general) book department at Harper & Brothers, tells—with the aplomb made possible by his otherwise admirable record—of spurning a book that went on to make publishing history.

"I hate to remember," Fischer confessed in one of his "Easy Chair" columns in *Harper's Magazine,* "the time when James R. Newman first told me his scheme for a history of mathematics. . . . He wanted to gather all the basic documents of mathematical thought and arrange them into an anthology which would trace the development of the science in the words of the masters themselves. It would be a big book—perhaps five hundred pages. What did I think of it?

"I told him it was impossible. Nobody would buy it; its subject was too specialized—in fact to most people (including me) downright repellent—and it would be far too costly to manufacture."

Newman's *The World of Mathematics* was subsequently issued by Simon & Schuster, having grown to four volumes from the originally contemplated one, and Fischer reports drily that before long the publisher had sold over 120,000 sets, in addition to those distributed by two book clubs.

The point, clearly and comfortably, is that a rejection (which in any case is directed to your work and not to you as a person) may well reflect more unfavorably on the editor's ability than on yours.

3. *Perseverance pays.* Outlets for writing are multiplying rapidly nowadays, as new technology makes small presses and self-publishing ventures economically feasible. And at large houses as well as small, editorial tastes are always so varied that there should be an editor somewhere who's looking for what you have to offer, as Judith Guest discovered when she tried her now famous, but then rejected, novel *Ordinary People* on a new pair of editorial eyes.

After the book was turned down by Random House, Ms. Guest sent it on to Viking, where an editorial assistant named Mimi Jones picked it out of the slush pile and passed it along to her colleagues with enthusiastic comments. Viking accepted the book, whereupon it was published to good reviews, selected by the Book-of-the-Month Club, and sold to a paperback house for over half a million dollars. *Ordinary People* went on to make the best-seller lists, and the final chapter in its success story to date is its sale to a major film production company.

The author was delighted, for obvious reasons, that she hadn't quit while she was behind, but Mimi Jones won a full measure of joy from the novel's fate too. "It was exhilarating," she told us, "to have one of my cherished ideals finally borne out just at the point when I was about ready to abandon it: that real talent will always eventually be recognized, that a good first novel does have a chance."

Precisely because so many people inside publishing companies share Mimi Jones's desire to get valuable pieces of writing the attention they deserve, it makes sense for an author to persevere even after the acceptance stage. In fact, a wise writer will shepherd her work all the way through production and distribution until finally it reaches its readers because she'll realize that when the pros are prepared to do their part, it would be a shame to have her fortunes founder because she didn't do hers.

Please understand: there's no need for anyone to actually perform every publishing chore, but authors who make it their business to know what should be done to give their work its best shot—and when it should be done and why and by whom and how they themselves can participate—stand by far the strongest chance of winning attention from the critics and purchase money from the public. Moreover, they figure to escape the frustrations that so often arise to plague people who rely on the specialists in a big and busy organization to handle important matters for them.

In publishing, as in practically every other field of modern endeavor, "success" is a term that each individual must ultimately define for himself. But if you set your goals wisely, with full comprehension of the framework that surrounds their realization, we believe that you'll find an unprecedented degree of fulfillment in getting published, and that you'll encounter serendipitous pleasures at several points, for using your own wits and your own energies provides an especially satisfying way to ensure that the profoundly personal act which writing constitutes comes finally to fruition.

LEARNING TO WRITE

Basics

─────── ☆ ───────

A GREAT MANY successful authors have never taken a writing course or read a writing manual, and they wouldn't want to. Instead, they rely on common-sense measures to improve their writing skills. Realizing, for example, that reading offers one good way to learn about using words, they are apt to go through several books and magazines a month and to pick up pointers on style, organization, point of view, and the like from each one.

Sometimes the learning process that takes place when you read is virtually unconscious. Perhaps, for instance, you will barely sense that steeping yourself in Henry James novels causes you to be more careful about nuances in your own prose; but the effect will have occurred nonetheless and, at a minimum, it will have taught you something about your options in selecting language.

To make learning from reading a more deliberate act, writers often stop to examine each powerful passage they encounter in order to figure out how it achieved its impact (through a succession of startling images, a change of tense, a panoply of facts?). And to further advance their educations, many authors turn to behind-the-scenes books like Virginia Woolf's *A Writer's Diary* and the diaries left by Chekhov,

11

Hawthorne, and Thoreau, which deal directly with how a writer creates and organizes his material, how his private reading feeds constantly into present and future projects, and how he deals with writer's block, self-doubt, and the other psychological hazards of his trade. Similar subject matter characterizes anthologies like the *Paris Review Interviews*, in which writers not only talk about their craft but also reveal whether they write reclining nude on a sofa or standing up in an A & P parking lot.

Because analyzing and explaining how they do what they do appeals strongly to many writers, the common-sense approach to writing has given rise to a body of teachings based on personal experience and handed down over the years in print and through word of mouth. It's from this legacy that we've compiled the suggestions that follow. For additional guidance, see "Learning to Write Resources."

Clipping and Filing

Writing well for publication demands, first, that you pick a subject that excites you and will attract others, and, second, that you flesh it out with examples, images, anecdotes, facts, and characters. Among the writers we've canvassed, most meet these requirements with the help of the pack-rat process, which involves hoarding printed materials that interest them along with scribbled notes about ideas, snatches of conversation, and nuggets of information they find provocative.

In the beginning, these bits and pieces may not mean much but as they accumulate they'll start to form patterns, and eventually a number of items may cluster around a subject like (for example) building your own house. At that point, the next step is easy: label a folder with that heading and stock it with all the makings for an article or book: notes on background reading, research materials, people to interview, associations to contact, relevant data from the *Congressional Record*, preliminary reflections, and angles of approach.

Any subject, it's important to understand, can be treated in numerous ways, so that even before you begin to write you have vital choices to make. Whom shall I write for, and how should I address them? What style will I use? What tone? What do I want to say, and how will I arrange my material for optimum effect?

To get a concrete idea of the range of choice that confronts you, take a subject you're curious about and look it up in the *Reader's Guide to Periodical Literature* and the *Subject Guide to Books in Print* at your local library. Then look up related headings and read around in the materials you discover. You'll find that although the topic is unchanging, each treatment of it highlights a different aspect for a different audience, and you'll come away more alert to the decisions you must make at the start of any writing project. (Furthermore, by way of bonus, you'll get a leg up on your research.)

In making these preliminary choices, some of the writers we know consult style folders in which they've filed samples of the short, pithy, anecdotal piece; the first-person report; the informal essay in social criticism; the investigative story; and other forms available to authors today. If you start such a folder for yourself you can use its contents as a checklist each time you begin work on a new topic. Perhaps that will prevent you from propping a sprightly personal reminiscence on a scaffolding better suited to *War and Peace.*

Keeping a Journal

Some of the nicest people we know turn pompous when they write, probably because they've been saying to themselves, "Who wants to read what I, John Nobody, have to report about marriage? I'd better write like somebody people ought to listen to." Unfortunately, and for obvious reasons, the attempt to impress is usually counterproductive; just as people at a party groan when someone comes in putting on airs—that old standby defense against the social jitters— readers will be put off by a manuscript that's written with pretension rather than warmth and sincerity.

To build confidence in your writing ability to the point where you can drop your poses, you might try keeping a journal. Ideally, a journal is a free space, inaccessible both to the self-critic and to the critics lurking in the great out-there. In your journal you can experiment by writing whatever comes into your mind without censorship and by following your thoughts wherever they lead, because it's not polished work you're after now, but loosening up to feel comfortable with the written expression of your thoughts and observations.

If you also use your journal to jot down quotes and facts that appeal to you, to try out different writing styles, to test and develop story ideas, and to phrase your reactions to current events, you should find that it serves as a healthy complement to research, reporting, and the more structured writing you produce when you begin to draft your manuscript.

Drafting

No matter how extensive your preparation, you may be struck by panic and confusion when you finally sit down to write. The best way to handle the performance jitters—however devastating they seem—is to recognize the fears as normal and then take a simple next step. Get something down on paper. It doesn't have to be perfect; it just has to exist so that you will have the beginning of a rough draft to work with, and not merely a pile of notes.

The impetus to get that initial group of words out of your head and onto your paper will be strong if selling what you write is the only way you're going to pay the rent. Otherwise, though, writing all too often strikes people as an activity that can fit under the heading "Important But Not Urgent" devised by Edwin C. Bliss in his *Getting Things Done*. To make sure you really do get started, both Bliss and several writers we talked with suggest that you reserve substantial blocks of time for writing each day, or three times a week, or at whatever intervals are practical in the light of your other commitments and priorities.

You may finish a full morning's stint having completed one sentence; on the other hand, you may become inspired once you're involved in the work of figuring out what you want to say and saying it. But keep trying. "Many times, I just sit for three hours with no ideas coming to me," Flannery O'Connor once said. "But I know one thing: if an idea does come between nine and twelve, I am there ready for it."

Particularly for people working on book-length manuscripts, to make the best use of writing time takes practice. Dawn Sangrey, who's a young writer drafting a book about crime victims, told us that "at first, making lunch dates was good for me. They got me out of the apartment and gave me some contact with the outside world. As I got more involved in the book, though, lunch dates became an interruption. Now I see people either for breakfast or in the evenings and I keep my days completely free for writing."

Other people work best by interspersing sessions at the typewriter with periods of physical activity (one writer we admire gets up and dances madly around his apartment whenever he's stuck for a word or a phrase). And still others function most effectively when they think in terms of deadlines. Two professors in this last group, both of whom were carrying full teaching loads and under pressure to publish, found that a deadline buddy system insured productivity. On target dates, each teacher was required to deliver a chapter to the other; both had finished manuscripts ready for a publisher within a year.

Just as optimum time schedules vary from writer to writer, so the physical situation an author works well within may range from a book-lined cabin on the top of a mountain to a corner of a cramped, urban kitchen. Susan Brownmiller, author of *Against Our Will: Men, Women and Rape*, found ideal working conditions inside the New York Public Library, which, she explains, houses "a very special place called the Frederick Lewis Allen Room, where I was given a desk for my typewriter and a shelf for my books. I was also given the companionship of a score of writers who became my own private seminar in how to get the job done. The interrelationship of my Allen Room friends and me is too complex to detail; suffice it to say that each of us struggled together, respectful of one another's progress, in a supportive environment dedicated to hard work and accomplishment, a writer's Utopia or close to it." Only about forty authors who have book contracts can enjoy this utopia each year. But a set-up similar to it can be created by any group of writers who arrange to share some working space.

Every so often, a person who wants to write discovers that he simply can't manage the task under any available circumstances, and in that case finding a collaborator or a ghost may be a good idea. (Ghosts, by the way, should always be given corporeal existence through a shared by-line or, at the least, through an explicit acknowledgment at the front of the book.)

"Resources" offers leads to writers who'll work with nonwriters on book and magazine projects. And even editors have been known to function as ghosts by reworking clumsy prose completely in order to get important ideas to an audience. But for most people ghosting isn't necessary. Almost anybody can put words together in a serviceable fashion provided he's not hampered by believing that he has to be a great stylist. So just remember that if you know fully what you want to say you will find a way to say it and write as you speak, or rather, in the words of Northrop Frye, write prose that "is not ordinary speech, but ordinary speech on its best behavior, in its Sunday clothes, aware of an audience with its relation to that audience prepared beforehand."

Revising

The printed materials you buy at the bookstore or newsstand have generally gone through numerous revisions. "I rewrote the ending of *Farewell to Arms* thirty-nine times before I was satisfied," Ernest Hemingway once told an interviewer.

"Was there some problem there?" the interviewer wanted to know. "What was it that had stumped you?"

"Getting the words right," said Hemingway.

Thirty-nine rewrites are several more than most writers will want—or be fully able—to attempt, but you should count on revising your work up to half a dozen times before you consider it finished. To make revision easier, be generous with spacing from the start. If you write longhand on a yellow legal pad, double space so you can insert words and rearrange sentences without totally destroying legibility. If you type, triple spacing might be best.

Instruction in the self-editing process that revision constitutes is available in several good books (see "Resources"), most of which explain, sensibly enough, that it makes sense to begin with the beginning. This is the time to look with a critical eye at those first few paragraphs. Did you breeze through the start just to get up some steam? Do they read just as they were written—as a preliminary clearing-the-throat exercise? If so, x them out and find the spot where you really begin to address your subject in a way that will capture a reader's interest.

Devising a good lead is worth all the craft and inspiration at your command. For it's with your first few sentences that you must convince people to read what you have to say. If you're not sure what constitutes a good lead, look hard at writing you admire. And during all your reading, be on the alert for openings that grab your attention. Try to figure out why they attract you and compel you to read on. If you can determine the causes behind the effect—a catalog of precise details, a bold question, a colorful anecdote—you will be better equipped to fashion an exciting lead of your own.

Though the lead is the single most vital section of your manuscript, each word counts, and each should be designed not to dazzle but to communicate. Keep your critical eye sharp as you continue through passages now familiar to you by reading silently in a monotone or aloud to yourself. Both methods will help you spot places where a reader may stumble.

Finding the precise word that says what you mean is not, of course, a luxury; it is a crucial necessity. Sometimes the best choice doesn't come to mind right away, but when that happens you can leave signals for yourself as you draft: circle a word you're not sure about; bracket a choice of two phrases; put a question mark in the margin; write in TK in a circle (it's a printer's abbreviation for To Kum); then come back later and get the thing right.

As you pencil in your changes, you may notice that entire

sections should be scrapped or reshuffled, or that you short-changed a point and need to elaborate. To make major revisions as painless as possible, work with scissors and tape and new pieces of paper; and don't retype a clean copy until you're quite sure you've finished polishing. Thus, if you discover that on page 6 you have left out some illustrative material, simply mark "Insert" at that point; and on the top of a separate piece of paper (to be numbered 6A) compose your addition. And, when you find a paragraph that clearly belongs with the discussion three pages back, just cut it out, retape the remaining paragraphs together on a new sheet, and insert the transferred material as an insert to the page on which it now belongs.

Deleting material is, of course, psychologically harder than moving or adding it, but abridgment is frequently necessary in revision. Although you may have grown fond of a passage, if it duplicates an earlier one, something has got to go. The freedom you allowed yourself in drafting now requires that you be ruthless in pruning the redundant, the irrelevant, the gratuitously showy. And that may mean cutting your first draft by half.

Getting Criticism

To get critical feedback before you send your manuscript to an editor—from whom, by the way, you shouldn't expect a critique—you can approach a variety of people. The most obvious source for constructive criticism is another writer, either one who is at your stage of development, or a professional whose work you've read and admired.

"If you really like someone's work, why can't you write them?" asks Cheri Fein of Poets & Writers, an organization of professional writers sponsored by federal and state arts councils. "The worst thing that could happen is that they won't write back." Most writers are accessible to some degree (see "Resources" for directories which include addresses and phone numbers), and James Harkness found Annie Dillard,

Pulitzer Prize–winning author of *Pilgrim at Tinker Creek*, to be very accessible indeed.

I had just finished reading *Points for a Compass Rose* by Evan Connell—about four times, without coming up for air—and I was rushing around to all my friends, clutching them by their coat sleeves and crying, "My God, read this!" Of course no one was paying the slightest attention. I wanted to share my enthusiasm, and I was frustrated. Then Annie Dillard published an essay/review about the book which was rhapsodic and well-written.

I sent her a note via the publisher to tell her I enjoyed the piece and agreed. She replied. We spent several weeks whooping and hollering "Connell! Connell!" and eventually moved on to other topics.

Although Annie knew I was ghost writing for the president of the university where I worked, I kept quiet about the stuff I was grinding out privately. By then I had seen essays from what came to be *Pilgrim at Tinker Creek*, and I had no burning desire to send a bundle of my mawkish scribbling to this obviously brilliant and talented writer who was knocking them out in the aisles.

I don't recall exactly how it came about that I finally did allow Annie to see a manuscript of something or other. She wrote me back an ecstatic paean to the effect that I was "obviously the best writer alive on the planet," a composer of "muscled prose," and on and on. I replied proposing marriage. Too late.

As far as the sort of comments went, they were general and supportive. Mostly she stroked my ego and let the verbs take care of themselves—a strategy, I'll add, that seems to me now not only humane but pragmatically wise. For anyone who has a certain innate potential, the most difficult aspect of learning to write is the long, dreary, often desperate silence that greets early efforts. What is needed there isn't so much criticism, constructive or otherwise, as encouragement. Sooner or later you will begin to get close analysis from editors or critics, if your manuscripts are promising enough, but not many editors or critics will hold your hand and tell you how wonderful you are in the face of much evidence to the contrary. Annie instructed me to try not to be the subject and object of my own prose, an idea I've thought about a lot and attempted to put into practice. But she told me I was the best writer on the planet first, and I suspect the hyperbole was more sustaining, hence more valuable, than the bits and pieces of "objective" commentary.

At various points in their lives, a surprising number of writers knowingly and graciously accept the responsibility of encouraging beginners. "For ten minutes of time and thirteen cents (they never send return envelopes), I can restore a person's faith in humanity," one established essayist told us. "Lots and lots of people write me and send manuscripts. I try to read and comment on all of them."

Nevertheless, asking for criticism is a hard thing to do, primarily because everyone is afraid of being told her work is downright rotten. And this fear often makes beginning writers just as skittish about seeking comments from peers as they are about approaching literary lights. Friends can be helpful, though, even if they're not writers or editors or professional critics. In fact, when he won the Nobel Prize for Literature in 1976, Saul Bellow declared that nonprofessionals may have an edge when it comes to critical comment. Many letters from readers, he told the *New York Times Book Review*, "are very penetrating; not all are completely approving, but then I am not completely approving of myself. In recent years, I would say that I have learned more from these letters than I have from formal criticism of my work."

So consider asking friends whose intelligence you respect to act as critics of your work in progress, not by passing final judgment on it but by pinpointing strengths and trouble spots. As Cynthia Buchanan, playwright and author of a successful first novel, *Maiden*, has explained, "It's a matter of being clear to other people. What I want to find out from friends is, first, can they follow what I'm saying. Then I want to know if it's boring and where it's boring. And third, I ask whether they feel that the language is too baroque and unrealistic in places. In the long run I choose what I want to do, but I need this consensus." Buchanan maintains that her fine track record in getting her work published is due in large part to the informal consulting system she's developed for herself.

To initiate a productive feedback system, first formulate specific questions. You might begin, for example, by asking people which passages they had to read twice; which sections they remember best; and which parts they would eliminate if someone were to insist the manuscript be shortened.

Those who want this kind of criticism on a regular, ongoing basis can consider joining or organizing a writers' club, whose members will be a ready source of reactions (perhaps you can locate a group in your area or call interested friends and try to form one; or, if you're enrolled in a writing class or workshop, you could propose your idea to the other students). And if you've written a story for children, the most obvious testing ground is the children's story hour at your local library.

Some writers, among them Vicki Heland of Salisbury, Maryland, have arranged to get criticism through a round-robin exchange of manuscripts. Heland and a number of writers she met at a conference set up a group in which each member can choose to send her manuscript, along with specific instructions about the kind of feedback she needs, on to one reader after another until all round-robin participants have read and reviewed it; or she can elect to send it to one or two people on the membership list, each of whom will in turn show it to five or so other writers in his area. To facilitate circulation, the only rules are that a stamped, self-addressed envelope accompany the manuscript and that each reader keep it no longer than two weeks.

Meeting and corresponding with other people engaged in writing has several advantages. Frequently, you'll get useful pointers. Sometimes a collaborative project will be sparked. And always your morale will be strengthened by a feeling of support and community—by the knowledge that other people understand and care about what you're doing and what you may be undergoing—as you progress through the process almost nobody likes, writing itself, to the point nearly everyone enjoys, having written.

Formal Instruction

———————— ☆ ————————

MAYBE IT'S BECAUSE of the glamour—write and you too may hobnob with the rich and the famous; write and one day they'll all look at you with respect. Maybe it's a simple semantic confusion—writing, after all, is something you learned back in first grade, so of course it will be easy to bring your prose up to publishable level. Or maybe the explanation is simply that man is congenitally communicative. In any case, millions of Americans are regularly seized by an urge to write. Naturally—in a culture that believes in advancement through education—lots of would-be writers immediately look for courses and manuals which will start them writing and get what they've written into print. And just as naturally—in a culture of entrepreneurs—there's no lack of individuals and institutions prepared to provide what the public wants.

The goods and services on sale can be summed up under a short list of headings—courses, criticism, and books. But within each of these categories variations in quality are enormous. A few of the writing aids on the market promise a great deal and deliver next to nothing, while others make modest claims for themselves and then yield surprising benefits. Many, it's a pleasure to report, will honestly reveal what they offer, but only to those who carefully interpret their ads and investigate their operations.

22

Before you spend your first penny on any form of printed or personal instruction, you should be able to answer these four questions:

1. Is this necessary for the successful development of my written work?
2. What exactly am I buying?
3. What value will it have for me?
4. How much will it cost, both in money and in psychological wear and tear?

The answer to Question 1 is no, and you may therefore wish to go directly from this sentence to the beginning of "A Foot in the Door." But because "unnecessary" is not synonymous with "ineffective," and because much of what's on the market can be valuable if it's skillfully selected and used, we offer the following guide to instructional aids.

Classes

Good teachers of writing will tell you that writing cannot be taught; it can only be learned. The teacher's role, they will explain, is to create and capitalize on opportunities for learning so that the students can develop faster and more efficiently than they would on their own. Or, as Lawrence Durrell puts it in the catalog description of his course in California's International College Independent Study Program, "While nothing can be taught, the presentation of notions and ideas with precision and enthusiasm can hatch out the talents in people and thus develop them." Word it any way you like, the point is that no writing course can be worthwhile unless you exercise initiative and work hard on follow-up.

First among your required course activities will be writing, setting words down on paper until they form a structured whole. Having written, you will then be asked to submit your work to your teacher and your fellow students for criticism. And after they've commented you'll have to rewrite, accepting those of their suggestions that your emotions and intelligence can approve and rejecting the rest. Moreover, you will probably be called upon to offer constructive criticism of your classmates' work—which means you will have to figure out where their strengths lie and how their weaknesses can be corrected.

None of this is easy; much of it may be agonizing. And what do you get for your pains?

Motivational energy, for one thing. Whether you call it writer's block or procrastination or just plain fear of failure, the difficulties that many writers experience in getting started can be eased by the presence of an instructor who assigns, expects, and encourages the completion of a manuscript.

And despite instructors' protestations, you may actually get some traditional teaching during class discussions, for a good teacher will seize on particular pieces of student writing to illustrate important aspects of literary technique. He may focus on dialogue, transitions, point of view, narrative exposition, plot structure, or even basic rules of grammar, but whatever the subject, it will serve to sharpen every student's critical perceptions and thus to improve the value of his comments on his classmates' work and the value of his changes on his own.

Most conscientious teachers not only discuss each student's writing in class and with him or her individually; they also turn manuscripts into teaching tools by jotting comments as they read. John Leggett, director of the Iowa Writers Workshop, for example, edits and copy-edits each piece of student work he reads, just as he used to edit books when he worked for large publishing firms. And Yale's William Zinsser, author of *On Writing Well*, marks up student manuscripts in memorable letters of red. Katie Leishman, one of Zinsser's many appreciative pupils, describes the consequences of his technique for learning:

In the opening lecture Mr. Zinsser asked for a five-page account of "My First Day at College." I still have my notes: Writing is a craft. Good writing is very difficult. One word is better than two. Unnecessary words = CLUTTER. In the margin I've written, "This is all *very* obvious."

All that was obvious a week later was that I had a twenty-two-page draft when Mr. Zinsser wanted five pages. No amount of frenetic snipping and repasting of paragraphs made it any shorter. So I did the only thing I could do. I put the draft and my typewriter in the car and started driving. I suppose I thought that somewhere along the road I would have a vision of the sections I could trim from the article. Then I would stop in a coffeeshop and rewrite.

Five hours later I was still driving. At midnight I checked into a motel in the Berkshires and lay in bed wondering, in the middle of winter, in the middle of nowhere, which were the 1,000 critical words of the 6,000 words I had written. I spent the weekend in the bathtub, writing on an upside-down drawer which I laid across the rim of the tub. Saturday, I rewrote ten pages and threw out the rest. By Sunday afternoon I had what I thought were five pages of flawless prose. Satisfied and very clean, I drove back to school.

When I got that paper back it was bleeding—bleeding badly. Mr. Zinsser's red arrows, red question marks and red slashes were everywhere; he had excised entire paragraphs. I slunk out of the classroom, crestfallen, resentful.

That evening, when I could bear to look at it again, I retyped the piece, simply leaving out what Mr. Zinsser had cut and clarifying expressions he'd found vague. As I typed I realized that he hadn't robbed me of my say. Though the edited version ran only one and a half pages, it retained every point of the original twenty-two-page draft.

So "clutter" and "craft" and "the difficulty of good writing" suddenly became real, personal problems to tackle. In later assignments if I used a gratuitous or vague expression, I could almost see a slash or question mark welting over it. Eventually I developed my own sense of what was essential or expendable, of what was my own style and what was imitative. By the end of the course, when Mr. Zinsser joked about students in his "red pen orbit" I knew what he meant. Because, though his principles remained a crucial point of reference, each student was spinning off on his or her own path.

The fact that writing well is a path, not a destination, a process more than a goal, is perhaps the most important truth a writing course can divulge. The ongoing give-and-take with the teacher and the other students makes it clear, as nothing else can, that the effort has no end; it is possible to make progress; it is necessary to accept defeat and go on. Because teachers of writing are themselves writers they can comfort students as fellow sufferers while providing living examples of at least limited success. They are people who have won the right to take themselves seriously as professionals, and they can help you earn that privilege, too.

Carol Lew Simons, who has spent three terms in Richard

P. Brickner's "Free-Style" Writing Workshop at New York City's New School, sums up the benefits of writing courses this way:

> I am not, strictly speaking, a beginning writer. All my life I have written essays that loyal friends and my mother have dutifully praised; as a literature major at Antioch College I wrote very well-received critical papers; for the past four years I have been writing for a medical magazine. I decided to take a writing course, however, because I felt a gap existed between these slender accomplishments and the claim I sometimes made, more often than not to myself, that underneath it all I was a *real* writer. So far my attitudes have undergone more revolution than my writing, but this fact may suggest the major advantages of workshop courses.
>
> One attitude that has begun to alter rather remarkably is my view of writing as an activity, which has come about largely through the nature of the workshop discussions. What makes a workshop different from the scores of good literature courses I have taken is that the author is there in the room; the work is being regarded as a thing in process rather than as something that has, as doctors say, passed "into the literature"; and the people considering the work are involved to some extent in trying to do a similar task.
>
> I think, though I would never have admitted to this had I been asked, that before the workshop I regarded writing as an either/or proposition; you wrote something, revised it a little, and it succeeded or not. The workshop has made it clear that writing is something to be practiced very diligently, like the piano. One might never write as well as one wishes, but one can learn to write as well as one *can*— although only with considerable time and concentration. The workshop has given me a much greater respect for writing as a craft and a process, even as it has made me see it as an endeavor more accessible and less mystical than I had once thought it.

To find a course that's as good for you as Brickner's has been for Simons, decide first—and honestly—how big a commitment you are willing to make. Depending on your age and station in life, as well as on your financial and emotional wherewithal, you may want to choose anything from a full-scale, two-year creative writing program leading to an MFA degree and a career in writing, to a journalism course or a weekend workshop (though a very short course is likely to be more useful for making contacts than for learning to write; see

"A Foot in the Door"). Then, if you're contemplating a sizable investment of time and/or money, consult "Resources," read catalog copy and works by your prospective professor, talk with fellow students, and look for these hallmarks:

1. A commitment from the teacher to comment individually, in detail and in person, on each student's work.

2. An indication that your classmates will be at approximately your level of writing ability, so that you will be able to respect their comments without developing feelings of inferiority or superiority.

3. An instructor who has published, who intends to publish again, and whose work you admire.

4. An absence of dogma in the course description. The teacher should be loath to mold you in his image and eager, instead, to point you toward what Brickner calls "that language which is most yours and which is yet to be made available to a readership, to help you impose your specialness in a way that's beneficial to the outside."

Correspondence Courses

Despite the fact that almost every big university now has a writing program, that more and more colleges are opening their undergraduate courses to part-time students, and that continuing education centers are mushrooming throughout the country, many people who would like to get instruction in writing find it hard to attend classes.

In some cases geography is the problem; there's simply no appropriate course within a reasonable radius. In others, the stumbling block is time; personal or job responsibilities can make it impossible to show up anywhere at the same hour each week. And in still other instances, psychological difficulties arise; taking criticism in front of a group—no matter how similarly situated and how sympathetic the members—may be a terrifying and repellent prospect. In these situations, among others, a correspondence course can be worth considering as a source of motivational energy and critical reaction.

No doubt, you will do your considering skeptically, because anyone who reads the papers knows that education by mail in America today is not only a big business, but also often a bad business. Unfortunately, government controls· over correspondence schools are weak. State departments of education usually regulate refund policies, and any school that actually lies about its faculty's credentials or its graduates' achievements is likely to find itself in legal trouble—when and if somebody institutes an action against it. But for the most part, nobody monitors the quality of correspondence-school offerings. So skepticism is entirely in order.

Fortunately, however, you can size up a correspondence course before enrolling. As proof, we offer a personal case history in which the protagonists are Judith Appelbaum as the Aspiring Author and the Institute of Children's Literature in Redding Ridge, Connecticut, as the Eager Instructor.

Our story began in an urban supermarket where a flyer on display at the exit trumpeted, "We're looking for people to WRITE CHILDRENS [sic] BOOKS!" Under the subhead "If you ever wanted to write and be published this is your opportunity," a lengthy copy block explained how lucrative the market for children's literature was and invited all comers to send for the institute's free (no obligation) aptitude test and descriptive brochure. So we did.

The aptitude test proved sensible, if hardly grueling. Starting with True/False questions ("Young people don't have any serious problems and don't want to read about any"), it proceeded through a varied series of short assignments ("Write a step by step instruction for a child on how to fly a kite, cook an egg, or plant a seed") to a request for a two-hundred-word piece about "something that happened during your childhood."

Without trying to do either badly or well, we filled out the form, sent it off, and sat back to study the accompanying brochure, which offered hard sell—but hard information, too—about faculty credentials and curriculum.

A flurry of activity then ensued. The institute fired off a form letter accepting Judith Appelbaum as a student (and then more form letters counseling prompt enrollment). Judith Appelbaum asked for additional information about course content and for the names and addresses of graduate references. The institute responded with a lengthy, informative, and personally typed letter. J.A. called the ex-students (all three of them liked the course and said it helped them develop discipline and self-confidence). And finally, we checked to see whether ICL was listed in the "Directory of Accredited Home Study Schools" (which it was).

At this point we were satisfied. Without great effort we had learned enough about the school to discount the tone of hucksterism in its ads and in its programed correspondence (letters offering new and improved incentives to enroll kept coming for months), and to conclude that ICL presented a conscientious and apparently effective program of instruction. Because we never did enroll—not even when an offer of a "Special Publishing Course" at a vastly reduced cost arrived in the mail—we can't recommend ICL specifically, but we can and do recommend our methods of investigation.

To find a worthwhile correspondence course, send for the "Directory of Accredited Home Study Schools" (you'll find full information in "Resources") and then explore the programs that interest you by carefully reading their brochures (What's the refund policy? How much is the total cost of the course—including any and all finance charges? What promises do they make about selling your work? Who's on the faculty? Are academic credits earned here accepted anywhere else?). Ask to talk or correspond with students; check consumer and government agencies for complaint histories; write a faculty member to inquire about how actively he participates in instruction and how much individual attention you'll receive.

Though you won't, of course, need to know who your fellow students are, you should see to it that the other three hallmarks of good writing courses (see page 27) characterize your correspondence course too. Careful evaluation before you sign up can prevent crippling blows to your psyche and your pocketbook.

Paid Critics

Both classroom teachers and correspondence-school faculty may offer advice and assistance on marketing, but as a rule they emphasize writing well at least as much as writing to sell. This is generally not the case with criticism services, which tend to stress marketing above all else and which, as a result, can be dangerous. As you read their ads (they appear regularly in writers' magazines and sometimes in general-interest periodicals too), keep the risks in mind.

Chief among the dangers, perhaps, is the possibility that your whole approach to writing will suffer if you heed the comments of an agency critic. For what he's selling is not continuing advice on improving a work in progress but, rather, a one-shot assessment of an allegedly finished manuscript couched primarily in terms of its salability. Confronted with this emphasis, you may be tempted to stop concentrating on saying what you have to say as well as you can say it, and to focus instead on giving the public what it supposedly wants. From there it can be a short step to hack writing if you're glib and to writing garbage if you're not.

Of course, your hired critic may not know what the public really wants; the chances are, however, that he'll say he does, and that, furthermore, he'll have a particular "public" in mind—big-name commercial book and magazine publishers. Now, commercial publishers may very well be the wrong audience for your work, and even if they're right for it their reactions to a given manuscript simply cannot be accurately predicted. Editors themselves are so aware of the variety of tastes in their ranks that they often refuse to comment on a book or article (even if they think it has merit and promise) unless they themselves can buy it; each is afraid the changes he'd suggest might be anathema to another editor.

Your money, in other words, may be ill-spent on a criticism service (though the fact that you've actually spent it will provide a powerful and destructive impetus for thinking well of the advice that it bought). And your money may also be stolen. The field is full of charlatans, people who will take what you pay and then vanish where the Better Business

Bureau cannot follow. For every grateful writer who praises Scott Meredith, say, or Sherwood Broome, there must be scores who are bitter about the hundreds of dollars expended for bootless or nonexistent critiques.

Consider, as a warning, this portion of a letter from Great Novels, Inc., to writer Wayne B. George: "There is not enough emotion in your book. Instead of the storm in Boston clearing up right away you could have a snowdrift blocking your home in the suburbs. You are slowly starving, and the young lady who is your guest gets sick and needs a doctor. Finally you are both saved from death."

The advice may strike you as insultingly simple-minded on the face of it, but it is downright infuriating when you realize that George had paid $50 for strictures such as this when the manuscript he'd submitted had no snowstorm scene.

If it's criticism you want, we suggest you try the approaches mentioned in the preceding chapter; if it's marketing advice, turn to "A Foot in the Door," which comes next. But if you're determined to pay for comments on your completed work, take these precautions:

★ Ask your chosen critic for a current client list, and call or write some of the people on it to discuss the quality of his services.

★ Ask him for a list of editors who've bought his clients' work recently, and get in touch with them.

★ Consult government and consumer agencies about complaints.

★ Get a written explanation, in advance, of charges and services.

★ And don't forget that the substantial sums you can pay for advice have no logical connection with what that advice is worth.

Books

Relax now. It's hard to make a bad mistake with a book, both because books are cheap (as instructional aids go) and because their influence for evil (if any) is far weaker than that of a personal adviser who claims to be talking exclusively to you.

Though they tend to be similarly titled, books about writing divide into three classes: those in which the author becomes your partner in the task of learning to choose and combine words; those in which the author imparts formulas; and those in which the author explains how to find things out.

Partnership books, like good writing courses, see learning to write as an unending process in which the teacher's role is to provide fertile ground for growth. Though the authors here are often men and women of considerable literary distinction, they tend to talk humbly of their work and to speak unblushingly of frustration and failure. As a rule, they concentrate on the development of skills in three primary areas:

Reading: "What the writer wants to note, beyond anything that concerns even the critic, is how the story, its language, and all its parts have been joined together" (R. V. Cassill, *Writing Fiction*).

Diction: "You will never make your mark as a writer unless you develop a respect for words and a curiosity about their shades of meaning that is almost obsessive" (William Zinsser, *On Writing Well*).

And construction: Or learning "how to put words together . . . so that the reader not simply may but must grasp your meaning" (Jacques Barzun, *Simple and Direct*).

Obviously, this approach involves steady hard labor. You can expect to be stimulated by a partnership book; to be satisfied you must experiment with its teachings (preferably in a playful, almost childlike way), and you must also absorb them, so that they color your perceptions as you work. And rewrite. And rewrite some more.

Few formula publications dwell on the importance of painstaking revision. Instead, they offer to make writing easier. Although they are issued by publishers large and small throughout the country, formula books emanate most often from The Writer in Boston, Massachusetts, and the Writer's Digest in Cincinnati, Ohio. Almost always the authors are professionals setting forth the fruits of their experience as a series of instructions, and they tend to utter commands with great confidence.

Generally, these writers are most trustworthy when they discuss their own activities (by outlining, for example, how they keep records or conduct interviews), and they are least to be believed when they deal with the effects of their systems on editors (beware, for instance, of detailed directions about the physical appearance of a manuscript; if you follow them, you'll signal most publishing people that you're a fledgling writer trying to be slick).

Both The Writer and the Writer's Digest companies issue monthly magazines as well as a corpus of books. The Writer (which does not carry ads for vanity presses or for quickie writing courses) tends to be more thoughtful in its approach than the Writer's Digest (a company that also offers tapes, correspondence courses, a criticism service, a speakers' bureau, and conference kits).

Essentially, The Writer/Writer's Digest publications constitute a grab bag for authors in which some of the goodies are much better than others (see "Resources"), some may not suit you at all, and none is a major gift. For, where learning to write is concerned, tips on technique and on industry mores, and gimmicks and shortcuts and nuggets of knowledge can be no more than peripheral aids. The central job—developing your individual style, substance, and purpose—demands independent, innovative work.

To the extent that gathering data is part of the writing assignment you set yourself, your burdens will be eased by a knowledge of research tools and techniques. As you'll see if you explore your library, the current range of informational materials is astonishing; running from the Guide to Reference Books and the Encyclopedia of Associations to the Directory of Ethnic Newspapers and Periodicals in the United States and the Minerals Yearbook, the assortment casts a sweeping light on the infinite targets of human curiosity and provides starting points for anybody in search of facts.

Research manuals provide starting points too, and most of those that get published offer solid information and analysis in lively prose (since they can't depend on the glamour of their subject to attract readers, they almost have to be good).

Manuals on interviewing procedures tend to be less meaty. In fact, many of them are chatty, anecdotal discussions that illustrate nothing so well as the art of padding article-length copy into book-length size. But they do serve as useful reminders that people can be excellent sources of new knowledge. And the best of them offer serviceable pointers on how to get human beings to tell you what you want to know.

Wherever you get your information, you may need help in evaluating it because, as this single example from William L. Rivers' admirable *Finding Facts* suggests, the plainest of factual statements can bear a highly complicated relationship to the truth:

[Consider] varying news stories about a simple report on gifts to Stanford University during one fiscal year. The university-published *Campus Report* headed its story:

HIGHEST NUMBER OF DONORS
IN STANFORD HISTORY

The *San Francisco Chronicle* headline said:
STANFORD AGAIN RAISES
$29 MILLION IN GIFTS

The *Palo Alto Times* story was headed:
DONATIONS TO STANFORD
LOWEST IN FOUR YEARS

The student-published *Stanford Daily* announced:
ALUMNI DONATIONS DECLINE;
BIG DROP FROM FOUNDATIONS

These headlines accurately reflect the stories they surmounted— which were also accurate.

Clearly, one lesson here is that the way a writer presents a piece of data determines its meaning in the reader's mind. Which brings us around once more to the reason for learning to write. You can teach yourself by following the suggestions in "Basics," or by devising others, or by muddling through. You can take courses, contact critics, and study books. But your fundamental goal must always be the same—full absorption (to such an extent that both your conscious and your subconscious choices are informed as you work) of a crucial principle: what you communicate is a function of how you communicate. Or, as Northrop Frye has explained with exemplary clarity, "The words used are the form of which the ideas are the content, and until the words have been found, the idea does not fully exist."

A FOOT IN THE DOOR

Who Do You Know:
Agents and Other Connections

―――――― ☆ ――――――

THE CHARGE that the publishing game is fixed, that you've got to know an insider if you're ever going to break into print, is part myth, part truth. The myth arises because the easiest response in the face of repeated rejection is to say that everyone but you is pulling strings left and right. It's not a large step from this interpretation of bad fortune to a full-blown conspiracy theory of an entrenched literary establishment. Those who've written superb (and fairly conventional) prose, however, are all but sure to get published by a major house— even if they don't know a soul remotely connected with publishing—for the reasons we've indicated in the "Initiation" section.

As for the truth: there's no doubt that it helps to have personal contact with people in a position to make editorial decisions, particularly when your work is good rather than great. The point is not that an editor will publish you because he's your friend (that would not be a good way for him to keep his job); the point is that he will be more likely to take a chance on you if he sees you as a known quantity. Editors are as insecure about their own judgments as most other people, and therefore they always find it easier to back a pre-tested, pre-approved author. Anything you can do to provide trustworthy testimony to your skills will help reassure editors that by gambling on you they'll be running a fairly small risk.

The idea of a connections approach to publishing shouldn't repel you, since, in the first place, connections are not necessarily insidious and artificial, and, in the second, most sources of connection to publishing insiders are not only generally accessible but also worthwhile cultivating in their own right.

Agents

The first question everyone asks is about agents—How do I get one?—the assumption being that you've got to have an agent if you're going to place your work. Well, agents aren't necessary, though they certainly can be useful (explanations follow); and, furthermore, looking for an agent may not even be smart. If you're a beginning writer with only a handful of publication credits or a relatively unknown teacher or scientist with one book you want to write, no agent is likely to welcome you to her client list; your agent-hunting efforts will simply waste time and energy that could more profitably be devoted to writing and marketing your own work.

Agents take on people who give them enough evidence of past accomplishments and future potential to assure regular income from writing over a long period of time, because agents, after all, are businessmen. Although an appreciation for good writing may have initially attracted them to this line of work, they can't keep going on literary love alone.

Virginia Barber, an agent committed to work hard for any writer she believes in, illustrates the economics of the situation like this: "For a year and a half I sent out a novel and a bunch of short stories by a woman I think is brilliant. She had won literary awards and she has great talent. The book was rejected fourteen times and only one of her stories sold—for $550, which left me with $55 [the usual 10 percent commission] for eighteen months of work. It was clear to me that I wasn't doing her any good, and when a small press expressed interest in her book, it made sense to both of us that she withdraw as a client."

Because the agent lives on his 10 percent commission (15 percent is still rare but may become more usual in the near future), he must deal only with the major markets. (If he's not living on his commissions but asking instead for a fee up front, cross him off your list.) It's simply not worth any agent's while to send manuscripts to small presses and small-circulation magazines. In fact, most agents won't even do large-magazine placement anymore because there's not enough money involved; clients are encouraged to handle that on their own.

The bulk of the money that agents stand to make comes from books, so that if, and only if—by applying your efforts intelligently to placement—you eventually succeed in getting a firm offer from a book publisher, you'll probably have no trouble getting almost any agent around.

Of course, finding just any agent to represent you should not be what you're after. Instead, you need to find an agent who's specially suited to you, someone with whom you can have a healthy, constructive relationship. "Unfortunately an annotated directory of agents doesn't exist, and it's not going to," Beth Freedman, executive secretary of the Society of Authors' Representatives and a former agent, told us. "It's not because there's any big secret, but because if it were known that such and such an agent represented a lot of children's books, that agent would inevitably be deluged by every piece of doggerel ostensibly written for kids."

Since you're not going to learn any more than names and addresses from the printed resources available, the best way to find out about a particular agent's interests, strengths, and idiosyncrasies is through word of mouth. You can begin investigating agents long before you're in a position to hire one by asking published writers you know whom they'd recommend, or by calling a local author you've just read about in the paper for suggestions. Alternatively, you can contact the local writers' club, talk to your librarian, scan prefaces for comments on agents' contributions, and browse through the book trade's organ of communication, *Publishers Weekly.*

Or, when you finally find an editor who expresses interest in your book, you can ask him to suggest a good agent; since he's taken a liking to your work, he may be particularly well suited to single out an agent who would be congenial. (A note of warning here: if you want an agent to negotiate your contract, don't agree to a specific sum of money before he gets into the picture; once you've verbally agreed to a dollar figure, there's nothing an agent can do to get you a better monetary deal.) For advice about how to query an agent when you're ready for that step, consult "Procedures."

One important part of an agent's job is sending his clients' work to the editors he thinks are most likely to warm to their subject, approach, and style. A good agent who's been in the business a while knows dozens of editors well enough to estimate their reactions to a given manuscript, and this knowledge is obviously an asset any writer can use. But no matter how sensible the agent's selection of editorial targets may be, he cannot ensure that the particularly receptive editors he addressed will be the people who actually read what he's sent. Because of other demands on their time, many editors turn all submissions, even those from agents, over to junior colleagues for a first reading. And to balance those editors who respect and rely on agents' recommendations, there are others who declare themselves disgusted by the generally low level of agented offerings and loath to read any submissions with certain agency imprints. Manuscripts that come from an agent will be read—or at least skimmed—by someone at the publishing house where they've been submitted, but that, frankly, is the only guarantee most agents can make about placement.

During the placement process, agents maintain files of all correspondence and records of all submissions and their outcome. Most agents try to keep their authors abreast of the manuscript's status. But don't expect a weekly progress report; with dozens of clients, agents find it impossible to pay constant attention to each. In any event, some writers prefer not to know every detail of a flat-out rejection letter, and your agent can serve as a buffer between you and potentially devastating comments. If you get frantic for word of what's happened to your book, write a note and ask (most agents don't take kindly to a barrage of phone calls). And rest assured that when something sells, you'll hear about it.

It's when your manuscript is accepted at last that an agent's most valuable skills come into play, for at this point a book publisher will usually offer you an advance against royalties, and an agent will know (as a writer probably won't) how much money that advance should consist of (according to a survey conducted by the Authors Guild for titles published in the fall/winter of 1975–76, the median advance for books is $5,000). Furthermore, as your business representative, an agent can sell your talents and potential to a publisher in a way calculated to get you the best possible terms throughout your contract (see "Getting What's Coming to You" for additional advice on contract negotiations). Most writers who feel uncomfortable about singing their own praises and unqualified to argue over the details of a deal clearly need an agent at this stage.

As a book progresses through production to sales, good agents perform other intermediary functions. For one thing, they can explain terms and procedures that may irritate or puzzle you; and, for another, they can act as gadflies to get your book as much attention as possible (though they probably won't without prompting).

In executing all these services an agent's effectiveness depends in large part on his place within the matrix of publishing. The friendships he has cultivated with editors help him to help you, but they also exert pressures of their own which may be contrary to your best interests. Like all middlemen, agents sometimes have trouble keeping both sides happy without short-changing either. And the author–agent–publisher relationship is not the only one that's hard to handle; agents are often whipsawed by the author–agent relationship as well (if a manuscript doesn't sell, that's the agent's fault, and if it does sell the author thinks he could have placed it himself and saved the 10 percent commission).

But for all the wavering allegiances and disputed powers, an agent who understands and is enthusiastic about your work may very well become a friend, a supporter, and a trusted adviser as well as a skillful business manager. And when you're hoping to make a lot of money writing books, those are all good things to have around.

Writers

Any way you can associate with writers is bound to be to your advantage. Taking a writing course will put you in touch with at least one published author, the teacher (there may be others among the students). Ask him for the names of people you should send your work to, and ask if you may use his name in the covering letters. Go to readings and nerve yourself to talk with the writer after his presentation. Tell him who you are and what you're working on; he could be a valuable link between you and a sympathetic editorial ear.

Some writers make it a point to share their contacts—"I know an editor at the *Atlantic;* I'll write and tell him you're sending an article in." Others you meet may recommend you for assignments they hear about but don't want for themselves.

One of the best ways to meet a large number of writers is by going to one or more of the hundreds of conferences and weekend workshops organized each year (see "Resources" for advice on finding those nearby). When professional writers and editors and would-be writers gather to share marketing tips and critical evaluations, exciting developments sometimes occur.

This is most often the case for writers who come to conferences with manuscripts in hand. Anne Rice, for instance, brought the manuscript of her first novel to the Squaw Valley writers' conference. An editor from Knopf who was there to lecture read it and was impressed enough to bring it back to New York for consideration. Rice's book, *Interview with the Vampire,* was subsequently published by Knopf, and large paperback and movie sales completed this success story.

To forge a valuable connection at a conference, you may have to do more than plant yourself on fertile ground and hope to be discovered. You may have to boldly bring your work to the attention of others. Christina Baldwin's story illustrates the snowball effect that one step of initiative—taken in a mood of nothing lost, nothing gained—can have.

In the February 1976 *Ms.*, I saw an announcement of the Second Annual Women in Writing Conference; its topic was to be "women's personal writings." I wrote the director, Hannelore Hahn, of my work teaching and my intention to write a book, and she invited me to be a panelist at the conference. I headed for Long Island in early August 1976 with my third-draft manuscript, and a twenty-minute presentation entitled "The Rituals of Journal Writing." After that everything felt like a hurricane.

I gave my presentation, and was astounded and delighted with the energy and response it generated. I was asked to do a mini-workshop later in the afternoon and agreed to invite anyone interested. Fifty women crowded into that space, journals in hand, and we shared avidly all we could for the next three hours. Published authors came up to me with advice and referrals for breaking into the New York publishing world. The next day someone introduced me to Meredith Bernstein and told me she was a book agent.

Monday, August 9, Meredith and I had lunch, discovered we liked and trusted each other. I gave her my manuscript copy of *One to One*. She read it that night and called me the next morning saying she loved it, and I agreed to have her handle it. That afternoon she hand-carried it to Herb Katz at M. Evans, who promised that he would read it Tuesday night. Wednesday morning he called Meredith, said Evans was highly interested in it, and he wanted some other staff people to read it and wanted us to meet him on Thursday afternoon. Thursday I met with Evans and found them supportive and helpful about revision. Only one more week passed before Meredith had negotiated the contract and the advance.

It's possible that all you'll get from a conference is a rudimentary suntan and a dent in your bank balance, but it's also possible that you'll come away having found (1) encouragement from peers and/or professionals; (2) references you can use later in submitting manuscripts or applying for grants or jobs; (3) a demystified view of the publishing business; and (4) proof at first hand that unknown writers do get published. The overwhelming response of many conference-goers we talked with was joy, because they'd discovered that the publishing world was not as sealed as they had thought.

Publishing Personnel

If you don't want an agent (or you don't want one yet) and if close association with writers doesn't appeal to you, perhaps you'd like to make your connections through people who work in publishing.

First, reach far and wide among your acquaintances to see what leads you can turn up. Maybe your brother-in-law's sister's friend or one of your high school classmates is a secretary at a national magazine. Well, that one name is enough to get you out of the magazine's slush pile and into agented status, where, at a minimum, you'll be read by somebody and rejected with a letter signed (if not written) by an editor. The same strategy works for book publishing; Peter Tauber, for example, got entrée to an editor's office for his first book, *The Sunshine Soldiers*, through an introduction from a mutual friend who'd worked with Tauber on a newspaper.

Another effective strategy involves turning a rejection from an end into a new beginning. Call the editor who returned your manuscript with an admiring note and see whether she'd be willing to suggest colleagues of hers who might like your work. A covering letter mentioning one editor's opinion sends powerful signals to the other editors who read it.

A third promising approach lies in making friends with a salesman. Representatives of all publishing houses travel the country constantly. You can find out from your local bookstore manager which ones will be in your area when, and then you can arrange to meet some of them. It would do you no harm to learn as much as you can about their work in general, and if you find that one of them likes what you've written, you've gotten yourself an influential sponsor. (Since sales work is often a route into editorial positions, a salesman will be just as pleased to "discover" you as you will be to have made contact with him.)

In case none of these methods attracts you, there's a still

more direct way of building publishing connections: go to work in the field, either informally—by offering editors reliable assistance with clerical chores during your free time; or formally—by getting a job.

Obviously, there's no point undertaking a job hunt in a crowded (and poorly paid) field just to gain connections. But if you're genuinely interested in becoming an assistant editor, say, or a library promotion trainee, and if you manage to get yourself hired, you'll find making connections among the fringe benefits of your work. Lisa Smith explains why:

At college I told every teacher and student I knew that I wanted to go into magazines and that I was interested in finding out about an internship program so I could see what magazines were like without the pressure and commitment of a permanent job. A teacher told me about the American Society of Magazine Editors internship program and I applied and was accepted. During my internship I made extremely good contacts. In addition to the people I met at the two magazines I worked on during the summer, I got to meet editors from other magazines who came each week to participate in discussions at the ASME offices. A lot of the editors I met face to face were editors I later submitted story ideas to.

After graduation I was offered a job at *Mademoiselle*, where I worked for two years. Because of my work there, I know how to shape ideas and who to direct them to. I know why manuscripts are accepted or rejected because I've been on the other side of the desk. As far as I'm concerned, going into magazine work is one of the best ways to prepare the ground for a writing career.

The same encomiums can be applied to jobs in book publishing, no matter how lowly they may be to begin with. Cross-overs from editing to writing are frequent (we're happy to stand with E. L. Doctorow, author of the best-selling *Ragtime*, as current examples of the phenomenon), and all knowledge gained on one side of the spectrum is clearly relevant to success on the other.

If publishing jobs interest you, we suggest you consult "Resources" for leads.

Collaborators

Connecting yourself to people with good connections is a fine way to win readers and influence editors. Mort Weisinger, president of the American Society of Journalists and Authors, suggests that it's relatively simple to break into print with quick canvasses of celebrities on assorted subjects (What's the most terrifying event in your past? How do you think we should deal with the energy crisis?). And deeper patterns of collaboration may ease entrée to publishing houses too.

Consider, for example, the experience of Victoria Y. Pellegrino, a freelance writer and career consultant who had been depressed for some time without fully understanding why. Realizing that lots of other women were feeling the same way, she decided that an analysis of the problem could help them all, and she began to read with an eye to finding an expert who might be interested in collaborating with her on a book.

Research done by Dr. Helen DeRosis, a psychoanalyst and psychotherapist, best addressed Pellegrino's concerns, she discovered, and so it was DeRosis she approached with her idea. "The important thing about collaboration," Pellegrino reveals, "is to find someone whose work you respect and whom you personally like and trust." In an atmosphere of mutual admiration, the writer and the doctor decided to work together on a manuscript about overcoming depression, and with the benefit of DeRosis's professional credentials, Pellegrino found a publisher fairly quickly.

Endnote on Priorities

Regardless of who its members are, an acquaintanceship chain in publishing (as in any other industry) simply greases the wheels. The final verdict on your manuscript will be determined by its perceptible merits. For guidance in making those merits show to best advantage, please move on through the next three chapters.

Subject Matter Matters

———————— ☆ ————————

THE MAIN TROUBLE with writing for a market is that editors can't know for sure what they want until they've read it. They know what they wanted in the past, of course (and so will you if you study back issues of magazines at the library or this year's book catalogs in the *Publishers Trade List Annual* at your local bookstore). And they may think they know enough about what they will want in the future to fill out the questionnaires sent by annual marketing guides (though the statement that a magazine is looking for fiction "on contemporary life and its problems" is not likely to help you much, no matter how accurate it is). But what editors really want is something they can't describe because it doesn't exist yet—the untold story, the fresh perspective, the new idea.

Editors spend a great deal of time trying to think up article and book topics. Once they finally agree on a subject they spend still more time talking about how to narrow it, how to focus it, what facts to go after, and what purpose to serve. After that they'll confer about which writers might handle the project effectively. And when they eventually find a writer willing and able to do the article or the nonfiction book they've been discussing, as often as not the project fizzles (obviously, good fiction cannot result from this process, though popular fiction sometimes does; see "Money"). Bearing in mind that this is what frequently happens when professionals try to create prose that will sell, you may be inclined to abandon the effort yourself. If men and women who are not only intimately familiar with the character and needs of their own publications but also knowledgeable about marketing trends and literary talents can't get it right, how can you?

Quite simply, by following where your enthusiasms lead. When the individual who has an idea she's excited about is the same individual who develops that idea for publication, the chances of pleasing an audience (including an audience of editors) shoot way up.

Thus, if you're a lawyer who's eager to propose a new legal status for couples who live together but are not married, or a commercial fisherman who longs to write a novel exposing the corruption in the industry, or a corporate vice-president who's desperate to know whether other highly paid executives feel useless too, you don't have to go looking for a strong subject. All you have to do is write up the one you care about and then figure out how and where to get it into print.

Suppose, however, that you can't think of a story you're determined to tell. Given that the best criterion for choosing a subject is your own enthusiasm about it, and that you feel no enthusiasm for any subject at the moment, it may look as though you have a serious problem. For enthusiasm clearly cannot be legislated; neither technique nor willpower nor patient craftsmanship will suffice to create it.

Fortunately, the real problem can't be that there's nothing for you to be enthusiastic about. Instead, it's probably that you've failed to provide an environment in which your natural passions can reveal themselves and that, as a result, you simply haven't recognized your natural subjects. One good way to correct this situation is by beginning a program of clipping and filing, as outlined in "Basics." And another is by developing an awareness of readers' motivations and your relationship to them. (What needs could you fill for the reading public that nobody else has filled yet? What needs could you fill that nobody else could fill better?)

Why people read what they read is an endlessly interesting question with plenty of sensible answers. If you keep a list of theories in the back of your mind as you examine events occurring around (and within) you, you should soon find your energies engaged by an idea for a poem or a story or a book. From the multiplicity of readers' motives, here's a selection to get you started.

Readers Want to Learn . . .

Everyone has some knowledge that would be useful to other people. Perhaps, for example, you could write a manual about repairing cars or cooking Lithuanian delicacies or even getting published. Norman Stark knew how to make furniture polish and drain cleaner and deodorant and cold cream and dozens of other products for far less than they cost in the store. He started writing his formulas down, and before long he had a syndicated newspaper column and an offer from the publishing firm of Sheed, Andrews and McMeel, which wanted to collect some of his columns and issue a couple of anthologies: *The Formula Book 1* and *The Formula Book 2*. Sales of nearly half a million copies show why publishers have a growing fondness for the practical, step-by-step, here's-how kind of approach.

Or perhaps what you know—and ought to transmit knowledge of—should serve as the basis of what's called a service piece. Can you explain how to find your way through a complicated morass of information? Could you prepare a *Complete Guide to Home-Swapping Programs* or *A Directory of Occupational Diseases*, for example? Have you discovered a scientist whose studies of genetic engineering excite your interest or a musician who's created a startling new system of notation? By all means, consider making valuable technical data accessible to laymen, and explore collaborating with an expert so that new findings which otherwise would be couched in trade jargon and buried in the voluminous literature of a specialized discipline can reach a wider public.

To find current research that may be grist for a story, make it a habit to browse through the special-interest and academic journals in your library. If a title intrigues you, read the article, and if the article meets your expectations, consider writing the author (in care of the magazine) to ask about other good material on the subject; later perhaps you can do an interview with the author/expert himself.

Interviews offer a good form for communication between experts and laymen because Americans today are coming more and more to value the authentic personal voice, the individual mode of expression, the first-hand, eyewitness testimony. But traditional narrative and expository approaches are fine too.

The most complicated kind of knowledge you can relay to an audience involves not just knowing something but knowing what that something signifies. With practice, you can develop the perspicacity and skill necessary for asking revealing questions about apparently commonplace events. What's behind the movement back to the kitchen and the resurgence of affection for the smell and taste of homemade bread, for instance? Economics? A recommitment to family life and the home? A diabolical plot by a handful of women's magazines and food manufacturers to get women out of the office and back into the kitchen? The answers may provide fresh material that concerned Americans will value.

. . . to Amass Experiences

Twentieth-century men and women are avid consumers of experience. What we can't do in fact we're usually eager to do vicariously, so that reading matter which can serve either as a trial run or as a substitute for activity has definite attractions.

Thus if you can reveal what it's like to cross the Alps on a bicycle, to experiment with a new method of childbirth, or to be the foreman of the jury in a murder trial, you have an excellent foundation for the kind of I-was-there-and-this-is-how-it-really-was kind of piece that the media are fond of nowadays.

And if you haven't already had an experience worth sharing, you can set one up. Twenty-two-year-old Mark Rasmussen, for instance, deliberately got himself seduced into attending one of the Reverend Sun Myung Moon's Divine Principle three-day workshops; Rasmussen's edited diary entries appeared in two national magazines. And anthropologist David K. Reynolds arranged to be committed to a veterans hospital as a potential suicide. Reynolds spent two weeks as a mental patient and then wrote a book with suicidologist Norman Farbow about what happened to him and how his experiences jibed with current research findings.

Even when they don't involve this degree of subterfuge and risk, inside stories always appeal to readers' natural curiosity, and there's nothing to stop you from using the form. If you're not an insider by right, you can make yourself one.

. . . to Read About Themselves

It's always exciting to see a movie made in your neighborhood; somehow your own life takes on luster after that and you feel almost as if you'd been featured in that film yourself. A similar pattern of identification probably lies behind the substantial sales of written work with a local focus.

What with diaries and oral histories and natural wonders and the unnatural acts of the couple next door, enough raw materials exist in everybody's town or region to create innumerable poems, novels, and works of nonfiction. If you become fascinated by a subject of local interest, you're in luck, because gathering the kind of concrete data that make a lively manuscript is no problem (most of the facts are right before your eyes) and selling your work will be relatively easy too, since editors are well aware that Americans love to read about where they live (or where, in this rootless age, they used to live in younger days).

Just as we flock to read about our neighbors because proximity makes us identify with them, we reach eagerly for material about people we recognize as psychological kin. The mushrooming corpus of feminist literature results in part from the fact that most women identify to some extent with all women, and therefore feel personally drawn to any discussion of the sex in print. So if you can write as a member of any clear-cut group, you can expect other members to form a readership.

. . . to Be Up on the Latest

Check the shelves of your supermarket if you doubt the attraction of the *new* for the American public. Where books are concerned, though, being new means living a year or two in the future because it will take roughly that period to get a manuscript from the idea stage to the bookstore. Since even periodicals usually have lead times of several months, best-seller lists and other conventional hit-parade compilations aren't much use as tools for keeping up with the times; though they seem to reflect the present, they actually portray phenomena that will be in the past by the time you get your manuscript out.

A crystal ball of sorts does exist, however, in the bible of the book trade, *Publishers Weekly* (unfortunately, although there are periodicals about periodicals, *PW* has no counterpart as a channel of communication among editors and publishers of newspapers and magazines). *PW's* circulation is small (roughly 35,000), but its influence is enormous; almost everyone involved with book publishing reads it and reacts to it, so that when the magazine establishes a new review section called "How-to Books," for example, you can bet (a) that how-to books are a big item on current publishers' lists, and (b) that they'll continue to be welcomed by editors, who naturally like manuscripts clearly suited to a prestigious review medium.

The pleasure of glimpsing such motives behind the dignified façade of publishing is one of the auxiliary benefits of reading *Publishers Weekly*. As you skim through the magazine, you can begin to feel yourself a member of the gossipy publishing fraternity, listening as hard as the next guy for the first sound of a new bandwagon getting ready to roll.

Like its treatment of publishing trends—which it offers in the form of solid factual analyses as well as through informational tidbits—*PW's* coverage of forthcoming books provides an outstanding resource for keeping current. Its Spring and Fall Announcement issues present annotated lists of upcoming titles, and throughout the year the magazine prints items about manuscripts that are still somewhere in the idea or rough-draft stage; books, in other words, that will be published a year or more later. If you can discern a pattern among the new titles, you're on to something that will be hot just when you get your discussion of it off the presses. Similarly, conclusions you can draw from studying *Forthcoming Books* and the *Subject Guide to Forthcoming Books* (both of which are published by *PW*'s parent company, R. R. Bowker) are likely to foretell subjects that will keep readers up to date in the near future.

To capitalize on current trends in publications more transient than books, you can begin by noting what's selling on the newsstands. Look at the cover lines on view at a variety of locations over a period of several weeks, and see if you can get newsstand dealers to talk with you about what's selling and why. Then, if one of the subjects now drawing customers captures your interest, you can do a piece about it for a periodical that has a very short lead time—a daily paper, perhaps, or possibly a weekly.

. . . to Be Prepared for the Future

If you have to look a couple of years ahead to see the publishing present, it follows that you will have to be even more farsighted to spy its future. Confusing though this seems, it is worth puzzling out because demand for previews of what's coming next is huge. Looking hard for handholds in a maelstrom of accelerating change, modern man is greedy—and will be grateful—for anything that helps him predict, and therefore prepare for, tomorrow.

The trick can be done by people who realize that small is seminal. When you think about it, you will see that almost without exception cultural, political, and intellectual movements of note start small—with one ardent individual or a small group of impassioned people. At first these initiators are unknown to the rest of us. As they begin to focus attention on themselves, we may well regard them as nuts. But gradually the ideas they've championed catch on, often becoming so widely accepted after a time that new small groups form in rebellion against them.

It's through little observations, which anyone can make, that large changes first become visible. Mary McLaughlin, who edits the "Right Now" department of *McCall's*, spotted a new attitude toward children among a sizable group of parents before it came to national attention when one friend and then another confided in her that, if they had' their lives to live over, they'd stay childless.

And it's through small, unconventional publishing houses that seminal thinkers and doers are usually first able to address an audience. You can get a leg up on embryonic movements by reading local counterculture papers and getting hold of the best of the alternative tabloids published around the country, as editors routinely do. (See "Resources" for directories of these publications.) To ferret out those that will be most useful to you, request sample copies of several and skim the ones your local library carries.

As you study alternative-press titles,. noting which areas of concern are paramount, you may develop an ability to sight coming movements long before the general public has any inkling of them. Then you can be the one who introduces evidence for self-healing or schemes for redesigning our school systems to the wider world as soon as the time is ripe. (Gauging the moment of ripeness is far from easy, however, for if the future you're describing is too far off, most audiences will see you less as a forecaster than as a fool. Perhaps, like Margaret Kavanagh-Smith, who writes out of Waynesville, North Carolina, you'll decide to do a piece whenever you come upon a portentous subject and then put what you've written away in a drawer until you can see indications of a general readiness to accept its content. For more on timing, read "Openings.")

To see what's hatching in the small presses, which are often good harbingers of both concerns and techniques of the future, sample the latest editions of Len Fulton's *International*

Directory of Little Magazines and Small Presses and his *Small Press Record of Books* and Bill Henderson's *Pushcart Prize: The Best of the Small Presses.* Or get hold of review journals like Tom Montag's *Margins* and Fulton's *Small Press Review.* (Full references appear in "Resources.")

Like familiarity with *Publishers Weekly*, acquaintanceship with small- and alternative-press books and magazines can result in making you feel as if you'd joined a group. But this is not the clubby, competitive *PW* crowd; this is more of a cult, a band of brothers and sisters committed to placing literary and political goals above financial ones. Small- and alternative-press people tend to be poor, proud, and interesting, and they function as a sizable nongeographic community which has extraordinary powers to stimulate and sustain its members. If you get yourself admitted, though, you should guard against feeling so cozy that you forget to evaluate small- and alternative-press concerns critically, because while it's true that what's seminal is small, it is not equally true that what's small must be seminal. Again, your own passions are probably your best guide; what you feel strongly about, other people may respond to as well, or at least they may respond to it once you have explained it to them. That way, you'll not only have helped prepare for the future, you'll also have helped create it.

Development

Have faith. Let's assume that one stimulus or another or several in combination have triggered the degree of excitement necessary to launch you on a writing project. As you begin to flesh your subject out, attention to the following suggestions may help ensure that your readers will respond with an enthusiasm to match your own.

1. If you're writing nonfiction, start by conducting a small, informal survey among your acquaintances to see which other people really would like to know what you're planning to tell, and what their general level of ignorance is. It's as important to avoid boring readers by dishing up background

they already have as it is to beware of confusing them by beginning your discussion on too advanced a plane.

2. Unless you think you're the sort who'd make talking a substitute for writing, tell all sorts of people about your project. Among your friends and associates there will be a surprising number who will present you with a valuable idea or bit of data. Moreover, you'll make new discoveries about your own ideas as you listen to yourself talk.

3. Figure out what special sources might exist for the information you need by following the practice Alden Todd outlines in his masterful *Finding Facts Fast:* on any given matter, ask yourself (a) who would know, (b) who would care, and (c) who would care enough to have put it in print.

4. Keep tugging on the informational chain. You might want a map as background for a short story, or an anecdote to liven up a piece of social criticism, or some word on who could help you understand black holes in space, but whatever you seek you should find if you press each person you talk with for the names of others who could help you end your search.

5. Refer back to "Basics" in the "Learning to Write" section, and consider using some of its resources.

6. Narrow your focus. "Prison Reform" won't work as a subject, but "Why Halfway Houses Are the Best Hope for Prison Reform" probably would. If you can't phrase a good working title, chances are your subject isn't adequately defined yet.

7. Be as graphic as you can. Don't tell if you can show. Specifics are much more interesting than generalities, so round up generous collections of anecdotes, illustrations, descriptions, dialogue, and quotes.

8. Don't be afraid to put yourself in the picture. Who you are and why you're writing this and what makes you think anyone should listen to you can be important elements of your story.

9. Bring the wisdom of your lifetime to your task. Writing from experience does not, of course, mean transcribing experience. You have a responsibility to sift and shape your material

until it makes sense as a unit and until that unit can be fitted into the context of the reader's life.

10. Stay flexible, expect changes and setbacks in the normal course of development, and abandon all rules—including those we've propounded—if ever some combination of gut feeling and dispassionate analysis tells you to try something outlandish. Maybe it's just what the world needs now.

Openings, or Where
to Submit Your Manuscript

──────────── ☆ ────────────

CHOOSING MARKETS for your manuscripts is a two-step process. First, you must become aware of the tens of thousands of outlets that exist; and second, having learned how enormous your range of options is, you must figure out how to narrow it sensibly, so that you end up sending your work to the particular publishers and editors who are most apt to be receptive to it and enthusiastic about it.

We're about to describe a variety of selection tools that will help you locate the best markets for your writing. As you wield them, however, you ought to keep one question very much in mind: Would you, generally speaking, be happier with a large publishing firm or a small one?

Large publishing operations offer certain obvious advantages: everybody's heard of them, so their imprint on your writing tends to confer prestige; they pay better than small firms; they have more clout with reviewers and talk-show hosts, as well as with bookstore managers and newsstand distributors; and they employ professional designers, copy editors, and other skilled specialists to process the raw copy they buy.

On the other hand, most big firms are more likely than most small ones to reject serious fiction and poetry and anything else that's noncommercial, and they're quite apt to offer you little or nothing in the way of promotion unless you're a celebrity or about to become one. Furthermore, large companies are often—although by no means always—impersonal, and they have an irritating habit of getting tangled up in red tape.

Small firms have roughly opposite strengths, weaknesses, and special interests. Until recently, the terms "alternative press," "small press," and "little magazine" sufficed to describe their output, which consisted mainly of avant-garde literature from the small presses and little magazines, and leftist political prose from the alternative publishing concerns, and which had nothing to do with the goal of commercial success.

Now, however, we need a new term to subsume the three already mentioned and include a fourth as well. For now there's a newly popular kind of publishing outfit, one which is small by design but which aims to become viable as a business and, partly for that reason, doesn't confine itself to fiction, poetry, or politics.

As they edge into subject areas once monopolized by large houses, it gets increasingly difficult to distinguish what small firms offer from what big firms offer, but because the mere fact of size has significant consequences where publishing houses are concerned, it pays to try. We propose, therefore, to borrow the Italian word *piccolo* and use it to label the constellation of smaller publishing houses that exists today. Piccolo's denotation is exactly right, and its staccato consonants seem suited to evoke the maverick quality that characterizes all independent publishers to some extent.

The piccolo presses, as newly denominated and defined, will appeal especially to writers who want personal attention, freedom from bureaucracy, and a chance to help produce and sell their work. Since they issue relatively few manuscripts (perhaps fewer than half a dozen a year, as compared to the large publishers' two hundred plus), piccolo publishers usually work hard on each one. And since their overhead is low, they can often take a book that would have been quickly remaindered by a large house and keep it in print over a long period of time while it climbs toward substantial sales.

On the debit side, piccolo presses have not done much so far to get their share of attention from the mass media; they often pay poorly, at least where advances and guarantees are concerned; and on occasion their seat-of-the-pants approach to editing and production results in sloppy work.

Fledgling writers are frequently advised to start with small companies and work their way up to big ones, on the theory that competition for editorial space is less keen in the so-called minor markets. And sometimes it's true that sales to piccolo publishers will establish a record of achievement that will persuade one of the giants to want you on his list. No press or periodical is designed to be a steppingstone, of course; each has its own independent dignity of purpose. But evidence that one editor thought your work worth printing can serve to embolden another editor to back you, in much the same way that an endorsement from a mutual acquaintance might confirm an initially shaky editorial judgment.

One good reason not to invest heavily in the steppingstone theory is the fact that some piccolo presses are every bit as fussy about accepting manuscripts as any larger firm. And another is this: at heart, effective marketing of your work has less to do with choosing between big and little or top and bottom than with finding the particular publishers who are going to want the particular manuscript you're trying to place right now.

In some cases, it will make sense to aim straight at Doubleday or *The New Yorker;* in others, the best targets may be distinguished small presses like Black Sparrow or the *Hudson Review;* under a third set of circumstances you might decide to submit to both large and little houses—Harcourt Brace Jovanovich, say, along with John Muir—and under still a fourth you could consider trying a special-interest quarterly first and then using a clip of your piece as it appeared there to boost your chances at a slick mass-market magazine.

Because the paths to publication are so numerous, you can probably discover a variety of promising markets for every manuscript you have to place. If you maintain your awareness of the distinctions that result from size as you confront placement puzzles, you should be able to use the strategies outlined below and the "Foot in the Door Resources" to concoct a thoroughly workable (if not an entirely watertight) solution to any problem you face.

The Affection Approach

"I judge mostly by an editor's enthusiasm," said Richard Marek, explaining how he decided whether to buy a book manuscript when he was editor in chief of the Dial Press. It's a popular criterion; in fact, with the possible exception of those responsible for mass-market paperbacks, most book and magazine editors see excitement as more important than sales forecasts in determining publishability. Herman Gollob, Atheneum's editor in chief, goes so far as to predict "an unending chain of disasters—financial as well as psychological—for houses that publish books no editor feels strongly about."

The emphasis is undeniably attractive. Unlike the outdoor grill manufacturer or the automobile designer or the orthodontist, an editor can—and should and frequently does—allow passion to rule, at least where acquiring manuscripts is concerned, with the result that publishing doesn't suffer as much from homogenization as most other industries.

Unfortunately, the reverse side of this coin shows a less pleasant picture, partly for reasons to be discussed in "Sequels to a Sale," and partly because it's extraordinarily difficult for a writer to figure out which editor, among hundreds, is going to respond passionately to him. "Love" is a word even the gruffest editors like to use in high praise—"I loved this story," they'll scribble on the back of its envelope without embarrassment—but, as when boy meets girl, the chemistry is hard to predict and impossible to manufacture.

Fixing yourself up with a promising editorial partner—which is the best possible way to ensure a happy publishing future—is largely a matter of learning a lot about individual editorial tastes; try one or more of the following tactics.

1. Compile a data bank, using a separate index card for each editor's name and filling each card with as much informa-

tion about that editor as you can glean; perhaps eventually you'll be able to sell a piece about nonsmokers' rights because your files led you to somebody who'd run two pieces on minority power.

One good way to get to know an editor without actually meeting her is by reading about her in a publishing memoir. You'll find dozens of lively portraits in books like Hiram Haydn's *Names and Faces* or William Targ's *Indecent Pleasures* (consult the *Subject Guide to Books in Print* for other current titles), and once you've made allowances for bias and for that striving after color which afflicts editors as diarists no less than other people, you can use acquaintanceship through print to facilitate acquaintanceship in person.

Publishing memoirs get published a lot (for obvious reasons), but they're by no means the only things that editors write. Poems, novels, and nonfiction by editors appear often, and should prove revealing, so that skimming reviews and ads and biographical notes to find writing by working editors may be worthwhile.

Other good data for your files can come from comments about particular editors that you collect at writers' conferences or from friends; from *PW* items about which editor is responsible for which new title; from dedications and prefatory notes that express gratitude for an editor's work; and from the assorted across-the-editor's-desk jottings you'll find sprinkled through magazines.

2. Break through editorial anonymity by investigating personal publishing, which is flourishing today on two fronts. Within the large commercial houses, it's becoming more and more common for an editor to arrange to put out a line of books chosen and supervised solely by her and issued under her own personal imprint. Pioneers in this system, like Joan Kahn and Seymour Lawrence, have been joined recently by a host of new recruits. Moreover, the number of independent, one-person publishing operations is growing outside the establishment too.

Brief descriptions of one-man publishing outfits appear in the "Book Publishers" listings in *Literary Market Place* and in the *International Directory of Little Magazines and Small Presses*.

(Naturally, publishers are not formally categorized as one- [or two- or 112-] man operations, but you can tell which houses are an individual's property by checking staff rosters for number of employees and similarity of surnames.) When a company's description attracts you, write to the head of the firm and ask for a catalog; from the catalog you'll be able to infer a great deal about the personality in charge and about your own potential relationship to him.

3. Discover an editor through a book you feel passionate about. One young writer who greatly admired Robert Pirsig's *Zen and the Art of Motorcycle Maintenance* figured there might be an emotional affinity between him and Pirsig's editor. He therefore placed a call to the publicity department of *Zen*'s publisher, William Morrow, and asked who had edited Pirsig's book. They told him—no questions asked; he got in touch with the editor, and his book proposal was subsequently accepted at Morrow.

Though it takes considerable nerve, this approach will undoubtedly put you on a good footing with the editor at the receiving end. He'll be impressed by your effort to find out something about him, and perhaps his pleasure in learning that you enjoyed a book he helped create will lead him to greet your submission with a small prejudice in its favor.

4. Advertise. The Commitee of Small Magazine Editors and Publishers, known as COSMEP, has a regional newsletter which is experimenting with a "Publishers Wanted" section where writers can summarize their available work. COSMEP hopes it will be a good resource for small-press publishers, and it's just possible that a similarly direct approach—perhaps through a *PW* ad—might strike the fancy of an editor at a large house.

Indirect advertising is worth thinking about too, especially since it can be obtained easily and without cost through biographical notes on current published work. If you ask the editor who's printing your study of utopian theory to run a line saying, "The author is halfway through a novel called *Bravest New World*," you may hear from far-flung editors who want a chance at the book.

Matching Exercises

For a straightforward approach to manuscript placement nothing beats matching the subject matter of your work with the subject matter that appeals to a particular publisher.

Perhaps, without fully realizing it, you've already formed a mental image of what attracts the editors of magazines you read regularly, in which case you'll know almost instinctively whether your work belongs there. Though your sense of a book publisher's range of interests is likely to be hazier, you can bring it into equally sharp focus by studying the *Publishers Trade List Annual*, where current catalogs from firms that issue three or more titles a year are gathered. Lists from small houses and from subsidiaries of large houses and regional or special-interest presses are easiest to categorize, but even a general-interest publishing giant has a personality of its own, and whatever you can conclude about the likes and dislikes of any size firm will help you with placement.

To supplement impressions formed through study, you can turn to descriptions in a writer's single most valuable reference book, *Literary Market Place* (which is commonly referred to as *LMP*; see "Resources" for a full description), or to the subject indexes in *Writer's Market* and the small-press directories. Moreover, you can get hold of COSMEP's newsletter to see whether anything in the "Manuscripts Wanted" column matches up with anything you're working on or would like to tackle. (Have you, for instance, written an article about practical alternatives for humanizing city life; an essay on fear; or a poem that deals with the laundromat experience? Not long ago, publishers were looking for just such material.)

Furthermore, you can try the *Subject Guide to Books in Print*. When you look up your topic you're apt to discover that several related titles have been published by a single house, and you may be tempted to conclude that the editors there are now surfeited with the subject. That's possible. It's at least as likely, however, that they're still hungry for more. They wouldn't have done a second book on solar energy, after all, if the first hadn't sold well, and the fact that they issued a third or a fourth indicates that they've tapped a lucrative market they'll be reluctant to abandon.

If an abundance is good for placement purposes, an absence may be still better; instead of matching your subject to a company's demonstrated strength, you can match it to an obvious weakness. Is one national magazine you read short on profiles, when the form is clearly fashionable? Are there no gardening books in the publisher's catalog you've been studying, even though *PW* has just announced an unprecedented boom in their sales? If so—like a high school student we know who accused the editor of the local paper of ignoring the kids' point of view and got himself hired to write a column—you've found a gap in need of filling.

Timing

Consider "A Day in the Life of a Peanut Farmer." Before Jimmy Carter began his ascent to the White House, only farming journals or local peanut-country weeklies would have bought such a story. As the presidential campaign got under way, however, big-city dailies and national magazines might have gotten interested. And after Carter's election it's probable that no ready market existed for still another peanut piece.

The point, clearly, is that each moment creates and destroys publishing potential, so that sensitivity about timing is an enormous aid in placement.

If you are alert to passing events you can sometimes hang an already completed manuscript on a newspeg to attract editors. A much-rejected book about Big Foot, for example, might suddenly become salable the instant that new evidence of the monster's existence turned up. Similarly, if an article about man's unquenchable desire for war has been repeatedly turned down on the grounds of familiarity, a timely new lead might help. Perhaps, for instance, the piece could be sold to a newspaper for the June 25 issue if it began by pointing out that June 25 marks not only the anniversary of Custer's Last Stand and of the invasion that began the Korean War, but also the occasion of the National Skillet Throw Championship (this celebration, along with hordes of others that delight and inform, is listed in *Chase's Calendar of Annual Events;* see "Resources").

People unprepared with manuscripts can also take advantage of propitious moments for getting published. Was it your town the tornado hit? Your aunt who gave the governor a ticket for jaywalking when he came to speak at a medical convention? Your college that voted overwhelmingly to reinstitute curfews? When you're involved in any way in a newsworthy event, it makes sense to offer an eyewitness report to interested publications that have no representative on the scene. If you can plan ahead for the story, query selected editors about it beforehand (see "Procedures"); otherwise make a few phone calls to see if you can get an expression of interest.

Either way, you might consider parlaying the temporary position of on-the-spot reporter into an ongoing job as a stringer for one of the national newsmagazines or large metropolitan papers that like to keep up with news breaking locally around the country; get in touch with the nearest bureau chiefs (you'll find their names on mastheads) if the prospect appeals to you. Stringers' assignments are sporadic; their copy is generally rewritten beyond recognition; both their by-lines and their pay may be virtually invisible. But think of it this way: magazines like *Time* and *Newsweek* make nice additions to anyone's list of credits, and being even partly responsible for what millions of people get to read has its charms.

Not every story needs, or should have, explicit links with current events, but no manuscript can be sensibly submitted unless targets are selected with timing very much in mind, because every publishing enterprise has a definite position on a temporal spectrum. As we noted in "Subject Matter Matters," the small and the specialized tend to congregate near the leading edge, getting to the future way ahead of most mass-market, general-interest publications. Thus a piece that the *Berkeley Barb* might like this month probably won't be suitable for the *Saturday Review* until sometime next year and might not be welcomed at the *Reader's Digest* until long after that (for tips on making several sales with the same story, see "Spin-offs").

Art Harris, a prep-school teacher turned freelance writer, learned his lesson about timing the hard way: "In 1968, having three sons and a wife who was reading all these articles on 'How Safe Are Birth Control Pills?' I had a sterilization operation—the vasectomy. What a great idea for an article, I thought. It even tied in with another subject—zero population growth. 'You're a nice fellow,' the editors said, 'but frankly nobody wants to hear about your operation. Forget it. It's too personal a subject.' So I put the idea aside only to see a whole crop of articles on the subject a year or two later. If I were to approach an editor today with 'My Male Sterilization,' I would get laughed out of the office; the subject has been well covered, thank you."

However painful Harris's education, he learned enough in the end to write a piece called "Timing the Submission" that he sold to *The Writer*. The advantages you'll derive from developing timing skills may not be quite as direct, but they're sure to aid your progress nonetheless.

Easy Access

"We regret that we are unable to consider unsolicited manuscripts" is a sentence that causes a lot of needless anguish. It's true, as enraged would-be authors are quick to point out, that many publishers make it a rule to return unsolicited material unread. But that policy can't debar anybody's work as long as editors respond to queries and proposals with invitations to submit the manuscripts described (see "Procedures"). And besides, no matter what rejection slips may say, the periodical press is increasingly open to contributions from unknowns, as witness the following rundown.

1. *Reader-participation departments*. Magazines and newspapers of all sizes and sorts are now actively soliciting material from the general public. Like the physicists and politicians of the mid-twentieth century, publishers have recently discerned

that our deepest sense of reality demands some confluence of subject and object, of actor and acted upon. The results of this realization—which is especially powerful because it's not entirely conscious—vary among disciplines, but in publishing it has led editors to try making writers of readers. "The magazine game has tended to look on readers as spectators," editor Tony Jones explained when he sparked the trend. "We think they should be players, and we're looking for ingenious ways around the limitations on how many can play."

Not long ago, the only place open to readers as players was the "Letters to the Editor" column, but today ordinary folk are cordially urged to contribute to "Viewpoint" in *Glamour*, "Second Thoughts" in *Human Behavior*, the "Living" section of *The New York Times*, the Op Ed pages of innumerable newspapers, "Opinion" in *Mademoiselle*, and the gazette pages of *McCall's* and *Ms.*—to name a few items on the steadily expanding list of reader participation departments.

In all these columns, and in the letters column too (which remains a good launching pad for an idea and/or a writing career), short pieces that emphasize specific, significant experience rather than abstract theory are most likely to succeed. Editors can use writers with reputations when they want opinion and analysis; it's for the small wisdoms of everyday life, the personal stories that will resonate in readers' minds and lives, that they have to turn to you.

2. *Book review columns.* In addition to sections that solicit contributions from readers, there are a good many periodical departments that are entirely open to the public, though they seldom proclaim that fact. One of these, as Robert Cassidy discovered seven years ago, is the book review section. Cassidy, who got his start with a review, is the author of *What Every Man Should Know About Divorce* and editor of *Planning* magazine. You can follow his example by checking publishers' catalogs and *PW* for forthcoming titles you'd be able and eager to write about, and then querying an editor to see if he'd either let you cover a book you'd like to discuss (mention title, author, publisher, and publication date) or try you out on one he has up for grabs. Book review editors' names are listed in *Literary Market Place*, and their preferences as to style and sub-

stance can be inferred from the reviews they ordinarily run; try your library for copies. Book reviewing doesn't usually pay much (in fact, the book itself may be your only payment), but the rewards in terms of exposure and contacts and credits and pride of performance can be considerable.

Other editors who are especially receptive to newcomers include those who work on:

3. *Community newspapers.* Applying to a neighborhood weekly for a particular beat is a fine way to begin a career as a published writer; once you've regularly covered dance, say, or home repairs for a small periodical, you've got credentials to present to a big one. And if you've written anything with a local focus, you should find a ready market among community weeklies.

4. *Company magazines and newsletters.* Both profit and nonprofit organizations need people to discern and relay ideas relevant to their concerns. Here again, the pay may be low or nonexistent, but the audience will consist of anything from a couple of hundred employees to thousands of sympathetic members of the general public, so that you can expect high dividends in the form of exposure.

5. *Campus publications* (including alumni magazines). The connection between you—or your subject—and the school will give you an edge here, and though the pay scale varies widely, most editors in this field—like their counterparts on other small publications—are generous with assistance. "We have to scratch harder for good stuff," Elise Hancock, editor of *Johns Hopkins Magazine,* says. "So if something has possibilities we'll work on it rather than turn it down because the possibilities weren't quite realized. I once published a piece called 'Bald Is Beautiful,' a magnificent parody on radical manifestoes that maintained (quite rightly) that bald people *are* discriminated against. The author was urging the *Ten Commandments* be refilmed starring Woody Allen. It was a great piece, but *Esquire* had turned it down. I think they just weren't willing to spend the hour required to cut it by two-thirds, which was all it needed. So that's a plus of working with alumni magazines if you're starting out."

6. *Contests.* Both book and periodical publishers use as-

sorted competitions to attract new talent and, not incidentally, to generate publicity. Announcements about them appear from time to time in trade journals, in a firm's own publications, and in the directories listed in "Resources."

It would be misguided to treat the easy-access openings with less respect than any others; what you've written must be right for the specific publisher you send it to in terms of subject matter, style, tone, and timing. But if you submit to the most hospitable editors with the same care you'd use for the most forbidding, you can anticipate better results.

Vanity Presses

With one exception, any publication opportunity you can seize is worth seizing; ever-widening ripples move out from even the smallest of splashes. It is our opinion, however, that something more like a self-contained plop is all you're likely to get if you resort to a vanity press.

Vanity publishing is not the same as either subsidy publishing or self-publishing, though the terms are often used as if they were synonymous. Subsidy publishing is best defined by its guaranteed audience (see "Front-end Funding"); self-publishing is partly defined by its realistic efforts to find an appropriate audience (see "Managing Sales"); vanity publishing frequently involves no audience at all.

You can recognize a vanity press by its come-hither ads. "An invitation to authors of books," they'll say (or words to that effect). And they'll offer a free (no obligation) manuscript evaluation and a free (no obligation) brochure about the publishing operation. Usually vanity houses wait until you've begun corresponding with them to mention their fee. Be advised, though, that a vanity press is likely to charge you several thousand dollars to handle publication processes that you'd be far better off directing and/or executing yourself. (Please don't decide you lack the necessary skills before you've read our section on self-publishing. And don't be dismayed if you recognize vanity as one of your own motives for getting published, as long as it's not the only one you see; virtually every writer is seeking glory to some extent.)

Most vanity houses issue impressive-looking pamphlets that explain their operations with varying degrees of candor and detail. These booklets generally fail, however, to stress two crucial points:

1. The press has no stake in the success of your book; it takes its money up front by getting you to pay all the costs of editing, typesetting, proofreading, printing, overhead, and the like—plus a sum that's pure profit for them; then, if the edition actually earns anything they'll take a cut of the revenues from sales too (and they'll charge you for any copies you buy over and above the allotment mentioned in your contract).

2. Distribution efforts by vanity presses can be worse than useless because vanity books bear a stigma. Most libraries, bookstores, and book reviewers won't touch them; and while some titles do manage to rack up sales, it's virtually certain that most vanity press successes could have been easily equaled by a writer on his own.

Testimonials from happy authors are a regular feature of vanity press catalogs, which don't, of course, print any litanies of complaint. The complaints are a part of the picture, though ("I never realized that binding all the copies in the first printing wasn't included in the deal" commonly heads the list). Anyone who's considering vanity publishing should, first, learn what happened to Charles Aronson when he tried it (see "Resources"). Second, send for a reprint of "Does It Pay to Have It Published?" (*Writer's Digest*, January 1975). Third, become familiar with "The Self-Publishing Option." And fourth, consider taking a short course in calligraphy; your book will be prettier, cheaper, and less aggravating to produce if you letter it by hand than it will if a vanity press puts it out, and probably no less practical for marketing purposes.

Sure Thing Department

Somebody wants you. A couple of homes for unpublished books have recently been established, and there's one in upstate New York that will happily house anything but hard-core pornography free of charge. Everett Adelman, its founder, has modeled his library on one founded by a character in Richard Brautigan's *The Abortion*. Adelman pays all expenses himself and donates his time. "Everybody says there's got to be a catch," he notes, "but there isn't one. I simply saw a need in society and tried to fill it."

As long as he lives, Adelman intends to run the Home for Unpublished Books, and he plans to get someone else to take over after that. Anyone who's interested can write to Adelman and arrange to come in and read around in his collection, and you can write to him if you'd like to contribute to it: R.D. #2, West Winfield, New York 13491; please enclose a stamped, self-addressed envelope.

Procedures, or How to Submit Your Manuscript

☆

A LOT that's written about the fine points of submitting a manuscript not only can be disregarded, it should be. Editorial etiquette is mainly a matter of common sense; for obvious reasons, your copy should be neatly typed, free of misspellings and coffee stains, consecutively numbered page by page, clearly labeled with your name, address, and telephone number, and accompanied by a stamped, self-addressed envelope. Those rules that have no common-sense basis will only divert your attention to minutiae when it ought to be focused on your primary purpose: getting editors to publish what you write.

Any pieces of paper you send an editor—from a three-paragraph query to a thirty-page proposal—will persuade him either to move your manuscript one stage closer to publication or to reject it right then, depending on whether he's been led to answer yes or no to the two all-important questions in his head:

1. Will this article (story, book), if it's skillfully handled, add to my company's prestige and/or profits (and therefore to mine as well)?

2. Can this writer handle it skillfully?

If your idea comes across in the beginning as a half-baked

75

notion jotted down in a spare moment, no editor is likely to take it more seriously than you apparently have. It's best, therefore, not to think of any approach to an editor as a preliminary move designed merely to feel out the situation before you submit your "real" work. Even the shortest introductory note, though it should look effortless, probably ought to be the end result of several rough drafts.

Essentially, what you're doing when you first make contact with an editor is applying for publication, much as you might apply to college or for a job. And just like a director of admissions or of the personnel department, the editor you apply to will be only the tip of a decision-making iceberg. Almost always, a group rather than an individual has the power to accept or reject, and if your proposal succeeds in winning one editor's vote, he in turn will have to convince his colleagues that your project is worth backing.

Queries and proposals generally circulate among editors, with more and more people becoming involved when the risks of commissioning a project are high; some book publishers insist that every manuscript under consideration be reviewed not only by an editorial board (or two) but also by the sales department before an editor gets clearance to buy it. No matter how many people participate in the process, however, what you've set down on paper is all they've got to go on.

To give yourself every advantage in approaching an editor, you'll need a working knowledge of the forms of communication they've developed over the years. Here's a roundup.

Queries

On the surface a query is simply a letter that asks an editor whether he'd be interested in work you're planning or have already produced. It's an introductory move, used to pave the way for submitting articles to periodicals and proposals or finished manuscripts to book publishing houses (and to agents too). With magazines, queries may also function as proposals, in the sense that they can earn you an assignment—

complete with guaranteed minimum payment (but they're not likely to do that if you're an unknown). And in all cases they obviously make for efficiency; evaluating a letter takes a lot less time than reviewing the entire manuscript it describes, so the winnowing process is speeded up. But the query's most important function is often—and oddly—ignored: a query is a tool for steering your manuscript clear of the slush pile.

Judging from the number of unsolicited submissions that reach editorial offices daily, most writers either don't know this or don't believe it. The fact is, though, that queries get manuscripts solicited status, with benefits all around.

Queries about nonfiction offer an editor the opportunity to become involved in shaping your material at the outset. When the subject you've suggested is one he's interested in pursuing, he'll welcome the chance to share thoughts on how the story should be approached, what length it merits, and what information should be included. His suggestions will improve your manuscript, at least for his purposes. And to come closer to what an editor has in mind—as long as doing that doesn't violate the basic premises of what you want to say—is obviously desirable.

With fiction, phrasing a query is more difficult, but if you write an intelligent letter in which you explain what led you to do your story or why you think its subject is important and timely, you should succeed in building up a backlog of editorial interest in you and your work that will help it over the final decision-making hurdles.

Whether or not an editor offers specific comments, a go-ahead from her means that your submission will land in her in-basket rather than in the unsolicited-manuscripts bin when it arrives. Her expression of interest obligates her to read, or at least to skim, what you send. That's all it obligates her to do, however, unless she has agreed to commission your forthcoming work; when an editor says she'd be delighted to see your manuscript on speculation (or "on spec," to use the common jargon) she means she thinks it has promise but she's guaranteeing nothing.

"A magazine writer shouldn't expect an assignment his first few times out," Carol Eisen Rinzler, features editor at

Glamour, explains. "And anyway—at *Glamour,* at least—the only difference between an invitation to submit on speculation and an assignment is that with the latter you get a kill fee [generally a couple of hundred dollars] if the piece doesn't work out. We usually give formal assignments only to writers with good track records who bring us good ideas, but if an editor expresses real interest in your article and would like you to send it on spec, then go ahead and give it everything you've got. That may mean investing two months of your life; still, when you want to be published that damn much, that's what you have to do. If, after all that time and effort, the piece doesn't succeed, at least you'll have impressed the editor by the work you put in. And that means on the next try you'll have a sympathetic, receptive audience."

To get a positive initial response to your query you need to do more, of course, than ask to be invited to submit your manuscript. The question "Would you be interested in my story about snowmobiling being hazardous to health?" can call forth only one reply: "Well, it depends." It depends on what, exactly, your point is and how you're going to express it.

"Say what the story is; don't ask, and explain why you think it will interest a particular audience," Gerri Hirshey of *Family Circle* advises. "Even if a writer doesn't have a lot of publishing credits he can write a professional letter that gives essential information in an organized way. It's important that he do that, because if his idea grabs me, I'm going to have to sell the other editors here on it. I will be asked why we should publish this story, and I need information right there in the query so I can point to it as I answer."

Remembering that a query must do double duty—by selling your idea to the editor it's addressed to and then by helping him sell his colleagues—makes it easier to compose a good one. The following guidelines summarize most editors' advice for drafting a one- or two-page query letter about a nonfiction manuscript; if you adapt them in a creative fashion, they'll serve for fiction as well.

1. *State your specific idea* (as opposed to your general subject). A title that conveys the essence of your story will be

useful here; perhaps skimming magazines will help you come up with one.

2. *Explain your approach* (how-to; first-person experience; a canvass of opinions), and give some sense of the style you've chosen for this project (will it be informal and chatty; or scholarly and critical?). One editor who had received dozens of queries on the subject of teenage tensions rejected them all as bloodless until she got one from a young woman who wrote, "I'm twenty and have survived adolescence to tell the story." That was worth encouraging, the editor thought, because the writer clearly had both a personal stake in her subject and enough psychological distance from it to give her findings value.

3. *Cite your sources* (will you conduct interviews; use case studies; work from historical documents?).

4. *Estimate length.* A figure that's appropriate to your topic and to the publishing concern you're writing for gives an editor a clue that you do your homework.

5. *Provide a tentative delivery date for your manuscript.*

6. *Mention your connections and qualifications.* If you have any relevant expertise let the editor know, and tell him, too, about your publishing credits, even if they're minor. A young writer who's worked during the summers on a newspaper or won honorable mention in a high school short-story contest has credentials worth mentioning; in fact, some editors ask their first readers to direct manuscripts from anyone who lists such credits to their personal attention. Include clippings (two at most) only if they're relevant to the piece you're proposing or if they're outstandingly good samples of your work.

7. *Convey some sense of your enthusiasm for the project.* Enthusiasm is infectious and, as we've had occasion to note before, editors are inclined to encourage writing that obviously has conviction and energy behind it.

It should be needless to say (but experience indicates it's not) that you should enclose a stamped, self-addressed envelope with your query; that you should direct it to a specific editor, not to the articles editor; that you should spell his or her name correctly; and that you should remember that the editor in chief isn't the only one on the staff. Associate editors, assistant editors, department editors, and others still lower in the ranks may give your manuscript more personal attention than the higher-ups who get most of the mail.

To find your target editor, consult the latest edition of *Literary Market Place* or the most recent issue of the magazine you're aiming at. Then, because editors are notorious job-hoppers, call and ask the switchboard operator whether the one you've chosen is still with the company before you write.

Some writers shy away from queries for fear that editors will steal their ideas. Well, in the first place, they probably won't. In the second place, they may well get similar stories from other writers, so if it looks as if they stole something of yours they probably didn't. And in the third place, what alternative does an aspiring author have? You can't sell your work sight unseen. So conquer your paranoid tendencies. The grain of truth that may lurk behind them in this instance is a rotten reason to give up one of the best door-opening tools you have.

Calls

Occasionally, a telephone call or a personal visit to an editor will provide the best way to acquaint him with your idea. Delia Ephron, for instance, dropped in unannounced on the editor of the magazine supplement of the Providence *Journal* to propose writing about sports from a woman's point of view. He said, Sure, on spec, and bought the first piece she did. Ephron then used that clip to get an assignment from a national magazine.

Once you've got an editor listening, you're in a make-it-or-break-it situation, so be 100 percent sure that you've formulated what you have to say in the best way possible. Boiling your story down to three or four sentences or coming up with a descriptive title beforehand will help you arouse an editor's interest during the few minutes of his time you've requested.

Perhaps, following the lead of successful freelancers, you'll want to equip yourself with three or four well-developed story ideas before you enter a conversation with an editor. Then if all those fail, two other tactics will remain to be tried. You can turn the tables and ask the editor whether there are any weak spots on his list of upcoming titles that he'd like you to work on; maybe after he tells you his editorial problems you can mull them over and return in a week or so with a list of ways in which you might help solve them. Or you can see if he'll suggest other markets or other topics that might work for you.

Like the written query, a well-planned phone call or visit gives a receptive editor the chance to help shape your idea and ensures his personal attention to your manuscript once he's encouraged you to send it in. Established writers approach editors in person all the time; and for beginners who are effective in one-to-one situations, it offers an exceptionally good means of entrée.

Covering Letters

Several marketing manuals suggest dispensing with a covering letter when you mail your manuscript, on the theory that if the thing's going to sell, it will sell on its own merits and that a letter saying simply "Here is my manuscript" only wastes an editor's time. There is, however, more than that to say.

You can use your covering letter to reestablish personal contact with an editor by reminding him of previous exchanges between you (or to establish personal contact if you've decided a query won't convey the strengths of your short story and opted for just mailing it in). You can use it to convey thoughts or information of the sort that might have appeared in your original query but didn't. And you can use it to indicate that you're eager to improve your work even now, after you've tried hard to do your best.

Listen to an editor vacillating about a submission: "A very interesting idea, I think—'romanticizing the Holocaust.' It's good. But he is heavy-footed, repetitive, and clumsy in places. Excessively wordy. It could be helped by a few passages of quotations, to refresh our memories if not to make the point. Is it worth sending back for fixing?"

In a case like this, the fact that your covering letter proclaims an openness to criticism and a willingness to make changes might be enough to keep rejection at bay. Although major revision is a headache and a gamble for both editor and writer, it is also a much-traveled route to publication. Authors of magazine pieces are regularly asked to revise on speculation, but most book editors say they wouldn't think of requesting that a writer make substantial changes without offering to pay him for his labor, and without fully intending to buy the improved version of his work. Since one editor's idea of an improvement may be another editor's idea of a change for the worse, you'll have to assess your own position carefully before you decide whether the risk/success ratio is reasonable enough for you to proceed.

Book Proposals

With a book proposal you can sell a book before you write it. Many houses will offer an advance—and pay half of it—on the strength of a proposal alone (the other half will be forthcoming on delivery of a satisfactory completed manuscript). If a publisher is to advance money for a book, though, he must generally be convinced that the book he's buying will be a book he can sell. (Many small presses and, on occasion, certain large houses will pay more attention to literary merit than to sales potential; if your book has no future as a commercial property, you'll be better off stressing whatever virtues it does have rather than trying to predict sales.)

Book proposals can be submitted to agents (who will take you on—or not—having read them) as well as directly to editors, and the basic principles that contribute to the success of a query apply to proposals too: because it's much shorter than a full manuscript, a proposal can be considered more quickly and easily, and because it represents raw possibilities, it has the power to ignite an editor's imagination and get him involved in what you're trying to do.

Editors commonly define a book proposal as "an outline and a sample chapter," but what they really want is anything on paper that will give them some sense of how you write (which several unrelated passages may demonstrate better than a chapter in a book's early stages) and some reason to believe that your subject, when developed, will interest a large group of readers (which no rigid I, II, III, A, B, C outline of contents is likely to convey).

The following checklist for organizing a complete and effective proposal will keep you from omitting elements of importance to editors, but it won't serve as a guide to phrasing or arranging your presentation. Only you can figure out how to mesh your proposal and your earlier query so that together they do justice to the book you hope to write.

1. *Describe your book* well enough so that an editor can say to his colleagues, "I have a great proposal here for a novel about espionage during World War I." Later, this same pithy description will be useful in acquainting sales people with the book, an eventuality the editor already has in mind. Your title, if it's catchy or compelling, can be a strong selling point.

2. *Give an anecdote or example that illustrates your theme and its significance.* Take whatever space you need for this—a paragraph, a page, or more.

Ralph Keyes, for example, used the following paragraph in the proposal that won him a contract for a book about the problems of being tall and small that he calls *The Height Report:* "Just to see what would happen, a newspaper recently had two reporters converge on various public servants and simultaneously ask for help. One reporter was 5'6" tall, the other 6'2". In every case the larger reporter was helped first. 'Your height seemed to demand that I speak to you first,' explained a Hertz clerk to the taller newspaperman."

3. *Identify the audience to whom the book is addressed* (coin collectors; people in rebellion against impersonal bureaucracies; everyone who loved *To Kill a Mockingbird*). Sometimes you can direct an editor's attention to several possible markets and thus inspire him to think of still others.

Since salability is a vital consideration for most editors, it's a good idea not only to identify your markets but also to suggest ways of reaching them. If you're planning to write about St. Louis architecture, for instance, you might mention that architects could be approached about your book at their biannual conventions and that ads in their professional journals cost x dollars per column inch.

4. *Talk realistically about the competition and how your book is different,* so that both editors and salesmen will understand why it needs to be written and why it will be read.

5. *Show how you plan to develop your book.* Indicate the breakdown by chapters and sketch your primary sources of information (where will you go; whom will you talk with; what statistics will you gather?).

6. *Explain your credentials.* Cite publishing credits as evidence of your ability to write, and any experience or training that qualifies you especially well for this project.

7. *Enclose a sample of your text* (twenty pages is about the norm). Send whatever chapter or excerpts will reflect your book's content and style most accurately and most favorably.

8. *Express any passion and excitement you may feel about the project.*

To see one author's unconventional response to an editor's request for an outline and a sample chapter, consider the following book proposal. Then tailor a fresh and individual approach for yourself.

Ann Banks, who wanted to write a book about women and children who live on military reservations, had herself grown up on army posts, so she chose to begin with a reminiscence about her regimented childhood. After her personal foreword, she explained:

I propose to write a book about the women and children who are the official "dependents" of U.S. military men, about what life is like on a "reservation" where young wives are expected to master an elaborate social protocol as well as a series of plans for the proper evacuation procedures in the event of enemy attack. Military posts are self-contained communities, portable small towns whose residents have little connection with life outside. (Military personnel who reside off the base are said to be living "on the economy.")

I will approach the book as an ethnographic journey, a report from the interior of a little-known country. Little-known, but not little: all told, there are nearly 3 million military "dependents." To provide a structure, I will do my research on the five Army posts where I lived as a child: Ft. Sill, Oklahoma; Ft. Bragg, North Carolina; Carlisle Barracks, Pennsylvania; Norfolk, Virginia; Frankfurt, Germany.

The primary focus of the book will be investigative, although it will also have a strong autobiographical motif.

Having thus covered many of the elements a good book proposal requires, Banks continued with a description of her book's seven chapters, noting what each would include and how its material would be treated ("My narrative will blend profiles of families, descriptions of the milieu, vignettes, mythology and fables, statistical information, autobiographical sketches and expert testimony").

Then, following a space break, she reinforced the thesis of her book by listing topics to be covered, with a paragraph devoted to each; this, she explained, "is not an outline; rather, it is intended to suggest directions for research."

In eight pages, Banks obviously provided sufficient material to convince editors that she knew her subject and that it was worth writing about. The proposal was sold to Knopf, and although the book that will eventually grow out of it will no doubt depart from Banks's plan in several significant respects (books always do develop in surprising ways), both publisher and writer know enough about what they're getting into to feel confident of success.

The Question of Multiple Submissions

Until very recently, anyone who sent out a query, a proposal, or a full manuscript could anticipate one of two fates. Either he'd wait several weeks—or months—and then be rejected, in which case he'd have to start all over again. Or he'd wait several weeks—or months—and then be accepted, in which case he could take whatever terms he'd been offered (perhaps with minor modifications) or start all over again. Now, however, thanks in large part to innovative agents, all that is changing, and the vehicle of change is the so-called multiple submission.

Although the manuscript auction, which is a related form also pioneered by agents, is still closed to anybody except big-name authors, multiple submissions can be used by all. To offer your idea to several editors (or agents) simultaneously, you need to observe only one rule: tell each of them that's what you're doing. (Don't use the words "multiple submission," though. They act as a red flag to many editors, who resent being asked to spend time considering a manuscript that they may have to compete for if they decide they want it. Formulations like "Several publishers have expressed interest," or "I'm exploring publication possibilities with a number of houses" should serve to keep editorial dispositions relatively unruffled.)

In book publishing, where long periods usually go by between the time you present your work and the time you get a response to it, making multiple submissions seems worth the risk of irritating an editor, partly because the danger is decreasing as the practice becomes more and more widespread, and partly because anyone who receives a positive response from more than one publisher can compare offers, perhaps playing them off against each other a bit and certainly picking the one that's best for him. (See "Getting What's Coming to You" for a further discussion of choosing among offers.) For periodicals, one submission at a time is probably still safest; the fact that magazine editors respond more quickly than book editors makes multiple submissions less necessary and less usual where they're concerned.

Follow-up

Queries normally elicit a response within a few weeks; book proposals can have you checking the mail for months. It's a good idea, therefore, to keep records of everything you've sent out and to follow up on magazine pieces after about six weeks and on book outlines after roughly twelve. Editors do get bogged down, go on vacations, and sometimes even lose manuscripts (this is as good a place as any to remind you always, *always* to keep a copy). Furthermore, delays may result when a project hovers on the borderline between acceptance and rejection. A polite letter of inquiry is a reasonable and perfectly proper way to find out what's holding things up.

If and when you do get a positive response from an editor, acknowledge it with thanks and with some word on when you expect to deliver your finished manuscript. Be as realistic as you can about the due date; then if you find it impossible to stay on schedule, let your editor know.

Any rapport that you establish with particular editors obviously works to your advantage, and can be strengthened by simple gestures of courtesy—saying thank you for comments, for example, or expressing gratitude for encouragement offered along with rejection.

And speaking of rejections—well, everyone gets them, even the best of writers. And everyone feels the same way: rotten and hurt. But bear in mind that it's probably true if an editor says that he really liked your piece even though other editors didn't, or that everybody liked it except the editor in chief (whose no means no). And remember, too, that the roots of rejection are infinite: an editor who had a fight with his wife last night bristles at your piece about how to achieve a blissful relationship through yoga; a story like yours just came in from a house author and, while it isn't any better than the one you wrote, it isn't any worse either; your book just doesn't strike the sales manager as a good bet; or your article sounds too much like one that just came out in *Business Week*.

What this variety of causes signifies is that one editor's rejection may be another's acceptance, so continue to circulate your material. If you've followed our advice without garnering a single encouraging word from the forty-six editors who've considered your manuscript, then it's time to take stock. Perhaps your logic is not as sound as you first thought, or your point is not so fresh and crisp after all. Sigh one sigh, file the manuscript away, and get on with something new. (Unless you're still convinced of its merit, in which case you might consider publishing it yourself; see "The Self-Publishing Option.")

If, heaven forbid, you receive nothing but printed rejection slips without so much as a personal note scribbled at the bottom, return to "Who Do You Know" and reread this chapter.

★

A Note on Improving Your Vision

The next two sections present complementary perspectives on the same set of processes. "Sequels to a Sale"—which approaches publishing from the point of view of an author who wants someone else to take charge of producing and selling his work while he assists—should provide self-publishers with valuable information on the standard operating procedures that have helped conventional firms succeed over the years. And "The Self-Publishing Option"—which approaches publishing from the point of view of an author who wants other people to assist in producing and selling his work while he takes charge—will prove a good source of innovative ideas for conventionally published writers.

We suggest, therefore, that whatever role you want to play, you read both.

SEQUELS TO A SALE

Getting What's Coming to You

—————— ☆ ——————

RECEIVING WORD from a publisher that he's interested in buying your work is just cause for celebration. What follows, however—the business of talking money and rights—can be (and usually is) an ordeal, especially where books are concerned, because although you and your publisher share many goals, your aims diverge on the division of profits and risks.

With magazine pieces, areas of contention are relatively minor. You can ask to be paid on acceptance rather than on publication; you can ask for a kill fee; you can ask to be reimbursed for expenses; you can ask to retain everything but first serial rights. Your publisher can then refuse any or all of these requests. If your wishes are largely ignored, though, it may not matter much and, in any case, whatever agreements you and your publisher come to are likely to be informal and amiable.

The situation is quite different with books, as a quick glance at your contract will convince you. Book publishers, who must sink substantial sums of money into each title they issue, have developed complex, formal mechanisms for minimizing their losses and maximizing their gains, which tend to put burdens on—and take rewards away from—you.

Authors, understandably, resent this, and many of them

are tempted to vent their anger on their editors, whose earlier support may now seem suspect. You'll be better off, though, if you can manage to treat yours with kindness. After all, he's just assumed the unenviable role of middleman between you and all the publishing people who will be handling aspects of your book; and besides, he's probably the closest thing to a friend that you'll ever have at a large house. With everyone else there, you might as well gird yourself for an adversary relationship; expect the worst and be prepared to fight for the best.

Comparing Offers

If, having made multiple submissions, you've attracted two or more interested buyers with your book proposal, your first task is to decide which one to accept. The house that offers the most money? Maybe not. Although the size of an advance does provide a tangible index to the publisher's level of commitment, as well as an all-but-guaranteed income, you should investigate each publisher's abilities to prepare and sell your book in addition to each one's proposed down payment on it before you make a decision. These are the areas to explore:

1. *Distribution* (i.e., sales to stores). Does the house have its own sales force? How large is it? What territories does it cover and how often does a salesperson visit each one? (If you have a "women's" book, you might want to find out how many of the salesmen are saleswomen.)

Houses that can't afford to maintain their own sales departments depend either on sales people from larger firms (who can reasonably be expected to work hardest for their primary employer, rather than for the smaller, tag-along presses); on commissioned sales representatives (who handle books for a great many publishers and probably will have no incentive to pay special attention to yours); or—in one of the most encouraging developments in the industry—on one of the growing number of independent distributors (whose self-interest in selling books coincides neatly with that of their clients and who therefore may do as fine a job for the titles they handle as any salaried, in-house sales force could).

2. *Foreign rights.* A house with its own foreign rights department and/or its own international department is most likely to maximize whatever potential your book might have for sales abroad, whether in English or in translation.

3. *Library sales.* Since libraries account for more than half of all trade-book sales, an active library promotion department (or, at the least, a dynamic library sales specialist) is vital.

4. *Mail-order sales.* Authors who have concluded that their books can be sold easily through the mail should find out which editors agree and which houses have mail-order departments.

5. *Special sales.* If you've written a book about cross-country skiing, perhaps sporting goods stores would do a good job selling it. Ask each publisher whether he's equipped to distribute to sales outlets of this sort.

6. *Pecking order.* The importance of your book in relation to others on a publisher's list is significant because you will be competing with every other current title for the time and money budgeted to all departments in the house. Perhaps your book would not be considered a "big" book by any publisher, but even second-rank titles get appreciably better treatment than those on the bottom of the heap, so try to feel editors out about their expectations for yours; most will be quite frank about the prospects.

7. *Personal compatibility.* Don't be ashamed to ask a lot of questions; naïveté coupled with an eagerness to learn may prompt an editor to go out of his way to talk with you, and the longer you converse, the stronger will be your sense of how well the two of you would work together.

Contracts, or the Agent's Hour

Because a book publishing contract is a complicated legal agreement in which the commitments of both author and publisher are defined (by the publisher) and the financial terms of the partnership are set forth (by the publisher), it's smart to hire either an agent or a lawyer to represent your interests as soon as you've decided to accept an offer for your manuscript (once more, a warning: don't agree to any dollar figures until your representative is in there fighting for you).

If you hope your first book will be only the beginning of a long writing career, you probably ought to get yourself an agent at this point (you're a desirable client now, remember, with a firm offer from a publisher that guarantees an agent his commission). If, however, you don't plan to write much (or if you intend to make subsidiary sales yourself), then a lawyer with expertise in publishing may be what you need (ask your editor to recommend a couple). While an agent will receive a 10 percent commission not only on your advance but also on all subsidiary sales of your work, a lawyer can be hired simply to negotiate your contract for a fee.

There's only one case in which you'd be wise to proceed without the help of either an agent or a lawyer who's familiar with publishing, and that's when you're signing up with a very small house that uses a simple, straightforward contract. If all he has to deal with is a two-page memorandum of agreement and a one-man publishing operation, an assertive author can probably handle negotiations himself.

Authors who are represented are not, of course, relieved of all responsibility for shaping a contract that's acceptable to both sides; at the least, you should be familiar enough with your publisher's contract form to know what changes you'd like to make. You'll have to read the thing, therefore, and probably more than once.

Much of it, you'll find, is intelligible to laymen, and what you don't understand you can ask about (consult your editor and/or your lawyer and/or your agent). But comprehension of a contract's basic provisions is about all a writer can hope to achieve on his own. For the use of common sense (which we've touted before in this book and will encourage again by and by) has no place in the highly stylized negotiations of the usual contract quadrille. And that's where the agent's or the lawyer's expertise comes into play. Almost as if there were annotations throughout the contract that were visible to authors' representatives but invisible to authors themselves, your champion will x out and add in and modify clauses, acting a part that's as predetermined as the patterned figures of a dance.

Each house has a different contract—Simon & Schuster breaks the record at over sixteen pages—so that standard changes vary a bit, but both sides always know which moves are about to be made; in fact, even your editor will know (and might tell you in advance if you ask her) roughly what terms the whole maneuver will produce in the end.

Why, you may well wonder, go through the motions? If every expert is aware that an author with clout can get the paperback split changed from 50-50 to 60-40 (his favor) this year, and that clauses A, D, and Z are always deleted by authors' representatives, who regularly add identical riders to paragraphs 4, 7, and 12, wouldn't it make sense to amend the forms before issuing them and skip the back-and-forth that comes afterward?

Well, arguably, no. For one thing, although the initial round of demands and counterdemands about changes in a publisher's standard contract is pretty well determined by custom, its outcome and the outcome of all subsequent rounds can be influenced to some extent by an astute and aggressive bargainer. For another thing, no matter how generous the form contracts were, authors would always want more. And for a third, publishers still scent the possibility that unrepresented writers may swallow the package as printed.

Don't you do it. If you decide for some reason to conduct contract negotiations yourself, apply for membership in the Authors Guild (see "Resources") so you can get a copy of its recommended trade-book contract. It's an excellent document, designed—with full knowledge of the contract quadrille's choreography—to get every author a fair deal, and even writers who are represented can use it to assist their agents in arranging for the best possible terms.

Payments

Controlling payments from periodicals is fairly simple, the idea being to collect once, for a single use of your material by a magazine or newspaper, and then, if any other use of your article or story eventuates, to get paid again by the second user. Thus, you have only two things to watch out for:

1. *Get the going rate.* To learn what a magazine or paper normally pays its contributors, read its guidelines sheet (if it has one) and check to see if it's listed in *Writer's Market;* then multiply any figures you find by roughly 150 or 200 percent (because they're directed to neophytes, published prices almost always fall at the low end of a periodical's payment scale). Later, when you've established a track record and are in a position to ask for top dollar, you may want to join the American Society of Journalists and Authors so that you can bargain on the basis of their minimum rate schedule, and maybe embody the accord you reach in their recommended form letter of agreement.

2. *Don't sell more than you must.* When you receive a check from a periodical, be sure to examine it front and back for fine print before you endorse it. Otherwise, you may sign away all rights to your piece, with the result that the periodical will get the fee if it's reprinted in an anthology, say, or sold for use on TV, and you won't.

Periodical publishers don't try to buy all rights from anyone with an agent or from any writer who can be presumed to know his business as well as his craft, mostly because they realize they'd never get away with it. They shouldn't get away with it where you're concerned, either. Speak with your editor and see if he can get management to issue you the same voucher they use for sophisticates. If that fails and the magazine insists on purchasing all rights, then you should insist right back that they sign a letter promising to give you an assignment of copyright in the piece as soon as you ask for it. Do this even if you have no plans at the moment to reissue your material in any other way.

Payments for book manuscripts are, predictably, far more complicated, and consequently far more likely to provoke and prolong aggravation.

The first money you get for a book will probably be your advance; as a rule, half of that is paid when you sign your contract (or as soon thereafter as the legal department and the accounting department fill out the appropriate forms), and the other half comes due when you deliver a satisfactory manuscript. Occasionally, the entire sum will be paid up front (this is worth angling for if you need the money to pay back bills or to keep a roof over your head while you write). And occasionally, in the case of a small press perhaps, no advance at all will be forthcoming, and although you'll be slated to receive royalties as soon as profits from sales have recouped your book's original costs, you'll find collecting a chore because of sloppy bookkeeping on your publisher's part.

Payments that are slow in arriving are no rarity in modern publishing circles, and the first thing to do about them is write a polite letter of inquiry to your editor; then nag as necessary. Payments that must in the end be returned are a somewhat less frequent phenomenon, but if you fail to deliver a manuscript that's satisfactory to your publisher (or if you fail to deliver any manuscript at all), you're virtually certain to be legally obliged to repay any advance you've received.

Nowadays, partly because advances have escalated into five and six figures and partly because publishing houses are being pounded into financial shape by their new corporate owners, it's increasingly common to find a publisher demanding his money back when a book project doesn't pan out. If your advance was relatively small and if you tried your best to write a good book and if you're poor and starving anyway, your publisher probably won't put himself out to try to get money back from you. But don't count on it.

Assuming that you turn your manuscript in on time, or nearly so (editors grant extensions on due dates much as professors do, although here too they are getting stricter), and assuming further that it's found acceptable and subsequently published, the next money due you will be paid after your advance has been earned out, and it will come in the form of royalties.

If you have an agent, she will have taken some subsidiary rights out of the publisher's hands during contract negotiations and put them in her own; among them, you'll usually see first and second serial rights (for excerpts in magazines and newspapers before and after book publication) and motion picture rights, but you'll almost never see paperback or book club rights, which are too lucrative for hardcover publishers to part with.

All monies from subsidiary sales effected by agents go directly to them; they subtract their 10 percent commission and forward the rest to their clients. When a writer is not represented by an agent, his publisher will try to sell all subsidiary rights and will keep the monies received until he's been reimbursed for whatever advance he paid. Thus, if *Sports Illustrated* bought an excerpt from your book for $3,000, 10 percent, or $300, would go to your agent, if you had one, and $2,700 would go to you; if you had no agent and were represented by your publisher, approximately 10 percent would go to him no matter what and the remaining 90 percent would go to him until such time as your advance had been earned out, unless your contract specified otherwise.

The sooner your advance is repaid (through one sort of sale or another), the sooner you begin earning royalties. On the standard scale, you'll get 10 percent of the retail price on the first 5,000 copies sold, 12½ percent on the next 5,000, and 15 percent on all copies sold thereafter (make sure that you're getting a percentage of list price, not of wholesale price or of the publisher's net receipts, both of which will yield substantially lower dollar figures). Higher royalty rates are gaining in currency today, but they're still rare for a first book.

Essentially, royalty figures represent your cut of the money a retail customer pays for your book. But if you get $1 per copy on the first 5,000 sales of a $10 book, where does the other $9 go? One big chunk is for bookstores and wholesalers, who will buy your book at an average discount of 43 percent, which gives them their margin of profit and means that all they actually remit to the publisher is $5.70. After your $1 has been subtracted, the $4.70 balance must stretch to cover the costs of editing, manufacturing, advertising, selling, shipping, warehousing and, of course, the publisher's normal overhead (rent, utilities, and payroll) as well as your advance.

Taking all this into consideration, it's easy to see why large publishing houses must sell thousands of copies of a book just to break even, and why they may sometimes engage in a variety of shenanigans to hang on to whatever money finally comes in. One author who suspected that his publisher was keeping cash it owed him was lucky enough to discover an interview in which his editor bragged about sales of his book. Since sales figures quoted in the interview far exceeded those indicated on his royalty statements, the author called at once to discuss the matter; it was then settled in his favor.

The point of this story is not that all publishers will try to cheat you or that if you read widely enough you will catch the ones who do; instead, it's that you may need to take the offensive not only to get the money you're entitled to, but also to find out how much it is. Royalty statements don't divulge a great deal (few note, for example, how many copies have been printed and how many are still on hand), and the way in which they're issued makes the data that does appear hard to grasp.

Twice a year the income generated over the preceding six-month period is supposed to be reported in a royalty statement. Usually, there's a lapse of three to four months between the closing date of the royalty period and your receipt of that period's statement, which means that money for a serial sale consummated in February will show up not on the statement you get in April but on the one you get the following October, some eight months from the date of sale. To make matters worse, money earned just before a given closing date is sometimes not included in the statement where it belongs; instead, it's held for the next statement because a publisher "forgot" to list it (and thus gave himself an interest-free loan at your expense).

"Statements are practically always incorrect, some more than others," remarked Georges Borchardt, president of his own literary agency, to a meeting of the Authors Guild. If yours seems wrong, you or your agent should ask your publisher for complete, accurate, and up-to-date information about your book: how many copies were printed (it's unlikely that the print order mentioned at the outset will be the print order scheduled at publishing date); how many are still in stock; what subsidiary sales have been negotiated, with whom, for how much, and when payment is due. If necessary, put your questions in writing and add a request to examine the accounting department's records. The Authors Guild, which is lobbying along with agents and authors for more detailed royalty statements, has a useful form for soliciting royalty data that it will supply to members.

Fringe Benefits

Authors who know the ropes routinely ask their publishers for a host of extras that no contract will ever stipulate. As long as you're not greedy in your requests and not churlish if they're refused, you may well follow suit. What you have to gain, among other things, are the following benefits.

Office space. Occasionally, you can arrange to use an empty editorial office, and sometimes you can manage to get access to an electric typewriter, a telephone, and a variety of office supplies as well.

If you regularly spend time in your publisher's quarters, perhaps you'll meet and make friends with employees who'll get interested enough in your project to give it special attention.

And even if you show up only occasionally, you may gain the privilege of using the company's copying machine.

Expenses. Particularly in the case of a nonfiction book that involves extensive research, it's worth asking for a supplement to your advance to cover the costs of travel, interviews, postage, copying, and research materials. Unlike advances, expense allowances don't need to be earned out before you can collect royalties, and they're not taxable as income either.

Free books. The most obvious fringe benefit for writers under contract to publishing firms comes in the form of reading matter. Don't expect to stock your library from your publisher's warehouse, but if you see a book you'd love to have, go ahead and ask for a copy of it.

Positioning

The self-fulfilling prophecy has doomed many a book. Here's what happens: Your editor views your manuscript as nice but minor; if it breaks even on sales, he decides, everyone will be satisfied. Because he considers it minor, he won't lean on anyone in marketing or publicity to produce special sales strategies or promotion campaigns to attract the attention of the buying public. And because no special efforts will be made to publicize and distribute your book, it will end up nice but minor; if it breaks even on sales, everyone will be satisfied. Except, of course, you.

This scenario—a common after-the-fact explanation of why-my-book-was-remaindered-after-three-months-and-I-never-got-a-penny-more-than-my-advance—can seem inflexible enough to convince the writer himself that his book's failure was preordained. Feeling helpless and anguished at this realization, he'll turn on his publisher, who will respond to his shrieks of outrage and his demands for bigger advertising budgets with veiled (or possibly not so veiled) anger, and nothing else.

But there's no need for a writer to place his book at the mercy of editors and marketing directors until it's too late to do anything about their plans for it but scream. With determination, tact, and knowledge, you ought to be able to steer clear of the minor-category catch. (The analogous exercise for magazine pieces would consist of working to make yours the cover story, the lead, or one of the articles in the "well," or center, rather than one of those in the front or back of the book. As with contracts and payments, however, positioning is relatively unimportant for periodicals and relatively simple to fight for if you're inclined to argue.)

The first step in positioning a book with a publisher is to grasp the fact that it will be categorized very early, either in some formal way, on paper, or informally, in the minds of editorial and sales department people. The usual system involves an A, B, C scale which is designed to help publishers allocate their limited supplies of manpower and money. Every publisher obviously wants the maximum return on his efforts, so when half a dozen books on a forthcoming list seem likely to bring the house a profit if they're heavily promoted, those titles will be designated A books and slated to get the bulk of the promotion budget. The Bs and the Cs will have to compete for what's left over (which may not be much), and it's more than likely that the Cs will end up with no budget whatsoever.

There's no foolproof way to win promotion money for your book (though you can ask for a guaranteed budget when you negotiate your contract, you're not likely to get it), but there is an optimal time to begin plumping for position: immediately after you sign your contract. Normally this is the very moment when writers are most anxious to get out of business hassles and back to the business of writing. But the hours you put in now planting seeds for the full campaign to come (see "Why and How to Be Your Own Best Salesman") can mean the difference between a book that is ignored or mishandled and one that is granted the most favorable treatment possible.

Your primary goal between the day your manuscript is accepted and the day it's published should be to get everyone—from your editor to the publicity director to the sales department personnel—involved with (and, if you can manage it, excited about) the future of your book. To make them envision that future the way you want it to happen, you'll have to reinforce and supplement the marketing suggestions you made in your original proposal through occasional short, informal notes to your editor.

Since most editors have numerous authors to deal with, an outpouring of "me first" epistles is not recommended. Just write in an enthusiastic, contributory spirit. "It's occurred to me that it might be a good idea to play up the self-improvement angle in promotions throughout California" may make an effective approach. And suggestive tones—*coulds* rather than *shoulds; we might* rather than *you'd better*—will make it clear that you're willing not only to fire off suggestions but also to do the work entailed in executing them. Each of your letters, if it's well worded, will encourage your editor to think about a new dimension of your book and equip him with at least one viable idea to pass along to sales and publicity people. (Keep copies; as publication date nears and promotion plans are firmed up, you'll want to refer back to these early memos.)

Among your efforts to gain momentum for your book in its early stages, you might include the following:

★ If there's anything in the news that's relevant to your book's contents, write a short piece for a newspaper's Op Ed page or letters column or for a magazine's opinion department; include a biographical note mentioning that your material comes from a book you're working on; and use the clip of the published piece as evidence to convince your publisher that you're dealing with a timely and important subject.

★ If your book requires that you do research, ask the *New York Times Book Review* or *Publishers Weekly* to run an author's query for you. Publicly seeking information will not only help you get it, but will also start people talking about your book, and it may lead to invitations to speak before groups or at conferences, which will add further to your fame and thus to your developing good fortunes.

★ Keep your eyes open for gatherings relevant to your subject; volunteer to be on a panel or to participate in a series of readings. Ask for, or collect, a list of names and addresses of attendees to whom you can send notices and order blanks when your book is published, and after a successful speaking engagement drop a note to your editor telling her about the event and the enthusiastic response you met at it.

★ Once you develop the habit of thinking in terms of positioning, you'll be visited by enticing ideas at all sorts of odd moments. To keep them where you'll be able to find them, start a file that will include:

1. *Names (and addresses if possible) of writers, critics, broadcasters,* and anyone else who's famous and who, because of her interest in your subject or her ideological bent, might give

your book favorable advance comments for use in cover blurbs and press releases.

2. *Names of magazines and newspapers* that would have good reason to run excerpts from your book or to review it or to plug it in one of their regular columns.

3. *Potential sales pitches.* "This book is for people who . . . and we can reach them by . . ."

4. *Appealing advertising slants.* Read book ads with care and decide what, if anything, makes them effective.

5. *Titles.* Improvements in your working title are likely to occur to you as you write, and if you keep a record of them all—even those that don't quite make it in your mind—you may eventually come up with one that works beautifully.

All of these steps, along with others that we'll discuss in the next chapter and still others that you'll think of on your own, will help give your book its best chance. But that's not all the good they'll do: when you're so stymied in the actual writing that you've begun to think nothing will ever be published at all, they'll give you a psychological boost; even (and sometimes especially) when you're disgruntled it's just plain fun to work on ways of making your book the biggest deal it can legitimately be.

Editing, Copy Editing, Design, Production, and Part-and-Parcel Advertising

─────── ☆ ───────

THE IDEAL author, from the point of view of practically everyone in a large publishing operation, will open his mouth only to say thank you as his manuscript moves through the editing and production stages. Even the editor who loved his work from the start won't be eager to hear protests about the changes that seem indicated now, while the copy editor, the designer, and the production manager (all of whom are highly trained in technical fields) are apt to bridle if a writer tries to tell them their business, on the entirely plausible theory that an amateur's mistakes will cost dearly in money and time.

Partly because their specialized skills are often less well developed and partly because their general approach assumes a partnership, people in the piccolo presses are far more likely to welcome an author's participation. Writers for smaller houses are freer to contribute ideas, to challenge preconceived plans, and to pitch in with proofreading or paste-ups on occasion. In fact, they may be called upon to help with production even if they lack the knowledge and experience necessary to do a good job.

But if the tone of the proceedings differs between large and piccolo presses (with advantages and disadvantages inherent in each), still the steps are the same; and it's important

107

for every author (a) to have control over them, and (b) to exercise that control for the good.

Groundwork

The best preparation for smooth passage through editing and production shoals is a thorough dry run through your manuscript. After it's been accepted and before editing begins, get the typescript back and go over it, marking every textual and stylistic point you care deeply about. Is it important to you that a particular example not be cut; that footnotes appear at the back of the book instead of on the bottom of each page; that section headings seem twice as powerful as chapter headings; that dialogue be punctuated exactly as you've indicated? Expressing preferences of this sort may not get you everything you want (and perhaps you'll eventually be glad if it doesn't), but it will help you avoid some conflicts and it will maximize your influence on the outcome of others.

Chances are good at a major magazine or publishing house that the editorial and production staff will do better by your work than you would. Chances are good at a piccolo press that you'll be aware of developments all along the way because you'll be in there helping. It's intelligent, though, in either situation to state clearly and in writing—before work starts—whether you want the right of approval for any or all of the following (we recommend that you insist on reviewing at least the first three).

1. The edited manuscript
2. The copy-edited manuscript
3. The title
4. The layout
5. The illustrations (if there are any) and the captions
6. The book jacket design and flap copy, or the magazine cover line
7. The catalog copy

You needn't—in fact, you shouldn't—be strident or combative when you make your request. A friendly, informal note to your editor explaining that you want to be involved (and that you don't intend to be obstructive) should serve you well. Backstop the note, though, by becoming familiar with your manuscript's timetable so that you can call a halt for consultation if stages you want to supervise threaten to zip by out of your control.

Editing

Editors come in two varieties at some giant firms: acquiring and in-house. Acquiring editors scout for material, take authors and potential authors out for lunch or drinks to discuss projects, and herd manuscripts through the acceptance stages. In-house editors edit. Most companies, big and little, are set up so that every editor is both an idea man and a pencil-and-paper man, but if your publisher divides the functions—or if your editor turns editing jobs over to junior colleagues—try to arrange to deal face to face with the person who's actually working on your manuscript as well as with the one who was in charge of it to start with.

How much editing that person will do depends on how much your work needs, on his particular style, and, obviously, on his abilities. Ideally, an editor will clarify what you have to say, suggest cuts and additions to strengthen the impact of your work, and change nothing unless change means improvement.

In fact, some editors habitually change a great deal; tackling a manuscript with scissors and stapler as well as pencil, they cut, rearrange, and reword until they think they've got the material in its most effective shape. Others make virtually no alterations. Editors of paperback originals, for example, can seldom budget time for major revision; as a result, they either edit lightly or reject. Occupying the vast middle ground between those who overedit and those who hardly edit at all are editors who vary their activities markedly with each manuscript they handle, deleting large chunks of the flabby ones; moving sections around in the disorganized ones, or suggesting two pages worth of revisions to an author who seems capable of fixing his text himself, given guidance.

If your manuscript hasn't changed much in appearance by the time an editor is through with it, you can be sure he's done relatively little editing. If it's heavily pencil-marked, you're an average editee. And if it's clean, fresh, retyped copy, he probably rewrote the whole thing, and you probably had to wait quite some time for him to do it. It takes most editors about five working days to edit an average book and roughly a day to do a normal magazine piece, but with heavy rewrites these figures can easily triple.

Despite individual differences of style and speed, editors generally agree on what to do to a given manuscript (the opening should build up momentum more quickly; the mother's speech in the confrontation scene should be foreshadowed; readers ought to be told the basis for the findings in paragraph 4). And they tend to agree, too, about what not to do. Editors remind themselves and their assistants—often and with conviction—to refrain from superimposing ideas on or changing characters in an author's work. The editor's job is to realize your story's potential; if he has a tale he himself wants to tell, he should tell it on his own time and typewriter.

Good editors take pains to treat authors as carefully as they treat manuscripts. In fact, some editors are so solicitous of writers' egos that they've developed a special diction for suggesting revisions. "That's a marvelous lead," they'll say; "compelling and thoroughly apt. And your conclusion works beautifully. But I wonder whether the middle section might, perhaps, benefit from just a bit of tightening. If you don't object, I'd like to try tinkering with it a bit, being careful, of course, not to injure your style or your point in any way."

Roughly translated, this means: "I genuinely admire what you've written; I know how hard it was to write; and I don't want you to feel hurt because the final product is less than perfect. What you don't know and I do, however, is that every manuscript has notable weaknesses; for your own good, I want to correct the flaws in yours. The midsection is verbose and confusing, and needs to be cut by a third."

To forestall the defensive reaction that may arise when an

editor comes along and tells you, tactfully or not, that he can make your manuscript better than you've made it, think about these contrasts:

The editor doesn't have to cope with a blank piece of paper. You've originated a story or a line of argument that's worth transmitting to readers; all he has to do is fine-tune the signals.

The editor is intimately familiar with a wide range of literary techniques because he's worked with dozens of writers, while you've got only your own experience and learning to draw upon.

The editor knows the audience. Sometimes, by using his hard-won knowledge of readers' predilections, he can reshape a manuscript so that it will draw a bigger and more receptive crowd.

The editor isn't sick of the whole damn thing. After endless rewriting, both your words and your concepts may blur and grow stale in your mind, but the material is new to the editor, so he can come to it clear-eyed and eager.

In spite of everything writers can do to persuade themselves to adopt a professional attitude toward being edited, some find it impossible not to bristle. If you're in this group, read your revised manuscript through once, fast, and take a breather. Go run around the lake or play a couple of sets of tennis before you look at your copy again, and then try to read it as if it were the work of a total stranger and to imagine as you read what your publisher's problems with it may have been (does his magazine have a particular tone of voice to maintain; are cuts of twenty-three pages necessary to keep your book's cost down to the point where bookstores will stock it; did that lovely descriptive section you struggled with for weeks destroy the story's pace?).

Whatever complaints survive a dispassionate reading should be taken up—calmly—with your editor. Don't squabble if you can avoid it, because you and he are jointly responsible for creating and nurturing a piece of writing, and creative, nurturing tasks are best performed by teammates who focus on the good of the offspring rather than on failings in each other.

Copy Editing

A mutually satisfactory working relationship with your editor is at least as important after he's finished his work on your manuscript as it was before and during the editing phase, since from now on you'll have to rely on him to help settle disputes with everybody else. The odds-on favorite for most-likely-to-be-disputed-with is the individual who gets your manuscript next: the copy editor. (In piccolo publishing operations your editor may be your copy editor too, which cuts down on the number of personal relationships you need to establish. And on many newspapers the editor who's called the copy editor will have general, high-level responsibilities, but you're not likely to have much direct contact with people of this stripe.)

Copy editors have a lot to put up with. Their status is low, as is their pay, and their job—which tends to be literally thankless—demands a peculiar, contradictory blend of character traits: copy editors must be highly intelligent, dazzlingly knowledgeable, keenly alert nitpickers.

The copy editor is responsible for making a manuscript correct in all its details. Authors are generally disinterested when he conforms their work to house style ("theater," not "theatre"; The New York Times, not the New York Times or the New York Times) and they're grateful, on the whole, when he catches and corrects their mistakes, by supplying appropriate double consonants in "accommodate" or "desiccate," for instance, by taking San Antonio away from the Pecos River and placing it on the banks of the San Antonio River, or even by pointing out that the action in a particular story couldn't happen (take the tender scene in a leading novelist's work in which a father tiptoes in to place a goodnight kiss on the cheek of his child as she lies asleep in her crib; Listen, said the copy editor, you can't kiss a kid in a crib unless you balance on your stomach over the railing; God, how embarrassing, said the novelist; thanks very much).

It's when the copy editor presses for documentation or defines as a correction something the author sees as a distortion that trouble starts.

More and more, documentation is the author's job because fewer and fewer publishing concerns can afford to have a fact checker on the staff nowadays. To protect against lawsuits and to ensure accuracy, the copy editor must often call upon a writer to cite (and perhaps to produce) his sources. Writers who have kept careful notes will naturally find the task less onerous than writers who haven't, but even the most rigorous recordkeepers may have to exert themselves considerably, because copy editors know—from long and sad experience—that what you read in print is not necessarily so. Satisfying their rule of thumb—when two out of three authorities agree, that's good enough—generally calls for additional research, which few authors undertake without grumbling.

The grumbling turns to groans, or even screeches, when a writer comes up against a copy editor who has a context to contend with (is yours the second piece in this issue to use the Mad Hatter's tea party as a metaphor? If so, you'll probably find the allusion has been cut) or one whose ideas of correctness don't jibe with his own. Robert Pilpel, who repeatedly referred to Churchill as Winston throughout his "affectionate portrait," *Churchill in America*, was furious to discover that a copy editor had laboriously changed all his Winstons to Mr. Churchill, Churchill, or the PM on the grounds that Winston sounded disrespectful. Pilpel thought it conveyed just the tone he wanted. He won the point.

You can win similar arguments with copy editors about matters of preference, and you can usually win them with ease if you call on your editor to run interference and if you treat the copy editor with kindness. Rhoda Koenig, who copy-edits *Harper's Magazine*, says she almost always gives in gracefully to authors who seem respectful. "If they tell me, 'I know you might be well within your rights to think I'm irrational but, really, this comma means a lot to me,' the comma stays," she confesses.

The fact is that when you dig in your heels you can have your way on most editing and copy-editing questions; after all, it's your story. It's important that you not make an issue out of everything, however, and it's vitally important that if you're going to take a stand, you take it early. After the copy-editing stage, it gets extremely expensive to fuss with the text. (To learn more about copy editing, see the Starter Kit in "The Self-Publishing Option.")

Design and Production

When you and your editor and your copy editor have finished with your manuscript, it is sent off to the typesetter with a full set of specifications for typefaces, column widths, spacing, and the like. The person who chooses specs is a designer; the person who supervises their execution is a production manager. The smaller the firm, the more likely it is that the designer and the production manager will be one and the same; in every firm, their functions are intimately related.

To get a firm grasp on design and production, you can turn to the self-publishing Starter Kit; to learn enough about these operations so that you'll know what their effects are, read on.

At its simplest level, design has to do with how a manuscript should look in print. Given the available space, a range of type options, and possibly a budget for artwork, a designer will select one or more sizes and styles of type for text and several others for headings; he will devise a format; and he may commission or secure drawings or photographs—all this with two goals in mind: making your work readable, and visually reinforcing its message. Once he's made his basic choices, the designer combines text and titles and pictures to create an effective array of pages. Because most writers know little or nothing about layout and type, and because many book and periodical designers have a strictly limited range of options, there's not much an author can contribute at this stage; in fact, you should feel freer now to ignore your manuscript than you've been before or will ever be again.

With intermittent breaks for required activities, your recess period should last all through production—which consists of purchasing materials and services, scheduling and routing the manuscript, coordinating printing and binding with distribution, and keeping everything straight and moving along with the help of detailed written records. A production cycle lasts several weeks at most magazines and between five and nine months for the average book, and you can safely leave it to the specialists. Do read your galley proofs, though, to catch any mistakes you and the copy editor missed and any the typesetter perpetrated; and return them on time because deadlines matter more now.

As publication date approaches, your manuscript's schedule gets increasingly inflexible and changes get more and more complicated and costly. There's a little bit of give at every point of every production timetable (despite what you'll hear to the contrary from people who don't trust you to meet a real deadline), but by the time page proofs are pulled, things are generally moving so fast that only minor and absolutely essential corrections can be made.

Authors don't see page proofs as a rule, so if you want to have some effect on layout and illustrations, don't wait; get involved while rough sketches are in the works. Be prepared, even that early, to meet resistance; editors and designers alike may prefer not to use pictures unless they're essential, because artwork adds enormously to expenses, and they're apt to have sharp preferences of their own about how your manuscript should look in print.

Part-and-Parcel Advertising

After a book or article is published, its author should find a variety of ways to let people know it exists and to make them want to read it ("Why and How to Be Your Own Best Salesman" and "Managing Sales" will elaborate). There's one piece of advertising, however, that's conceived and executed well before publication because it's an integral part of your work. For a book, it's the jacket; for an article or a story, it's the cover line (only a few items from a magazine's table of contents get listed on its cover; if you can come up with a phrase that will attract newsstand buyers to yours, perhaps it will be one of those that's featured).

Like coming-next-issue blurbs and catalog writeups, magazine cover lines and book jacket copy are presented as the publisher's work rather than the writer's. That being the case, editors frequently feel no obligation to check them with authors, and authors usually don't mind.

It's a rare writer, however, who's willing to forgo a preview of his book jacket and, unfortunately, a still rarer one who knows how to evaluate what he sees. Controversy about jackets results from the fact that publishers define them as point-of-purchase ads, while authors assume they should be works of art. Since the first point of view is demonstrably healthier for sales, you'd be wise to adopt it and, having adopted it, to decide then what ideas and/or sketches and/or leads to picture sources you might usefully contribute.

Out of politeness, publishing people may pay lip service to your suggestions, no matter how off-base they think you are. But if you want them to heed as well as to listen once you get into the conflict-ridden area of publicity, advertising, and sales, you will have to convince them that you don't fit the conventional writer's mold. For a writer, as pictured in publishing's collective unconscious, is a babe in the business woods, an impractical type who's understandably eager to succeed and infuriatingly misinformed about how success is achieved. Because this mental image has a substantial foundation in fact, overcoming it means absorbing knowledge and terminology. You can try spouting phrases like the aforementioned "point-of-purchase ad" for openers, and by the time you've read the next chapter you'll have learned enough to position yourself verbally and intellectually on your publisher's wave length. Then you can really start to fiddle with the controls.

Why and How to Be
Your Own Best Salesman

—————— ☆ ——————

CALL IT the curse of abundance; with 39,000 new books each year and scores of periodicals starting up all the time, only a small percentage of what's published catches the attention of the public. This reality comes as a shock to most writers, and as an especially severe shock to authors of first books, whose expectations about sales and reviews always escalate as publication day approaches. To help cushion the inevitable blow, many editors deliver a standard pre-publication speech. The gist of it is: Don't expect much (or, for most fiction writers and poets, don't expect anything). Your book is not going to sell 100,000 copies, the editor will say; we'll be lucky if it sells 2,000. Don't look for a full-column ad in *The New York Times*, because there isn't going to be one. And, no, you won't get on the *Today* or *Tonight* show. In fact, unless a major book club chooses it or a paperback house makes a whopping bid, your book will vanish without a trace three months after publication.

Fortunately, as the ghost said to Scrooge, these are the shadows of things that will be only if you don't get busy.

To promote a magazine or newspaper piece, about all you need to do is draw up a list of influential men and women who figure to comment on it and ought to get copies, draft a

117

covering letter to them, and tell your publisher about any contacts you have with media people who might focus on your story. (If you want extra copies of your piece for your friends or your files, order them before the issue they'll appear in is printed; they're cheaper that way.) To promote a book, however, you can do a great deal more, and you'd better.

Profit and Loss and the Bigbook Bind

It's part of publishing's proverbial wisdom that each book is unique and that it therefore requires individual attention—"This isn't toothpaste we're selling" is for reasons unknown the standard comparison. In fact, though, publishers generally produce and distribute their wares assembly-line fashion. For this apparent contradiction, they have a ready, and thoroughly plausible, set of excuses: large houses note that, given hundreds of titles to sell each year, routinization is essential; and small houses, which are not hampered by volume, point to shortages of money and manpower to explain their use of rote procedures.

Why do publishers continue to produce so many books if they lack the resources to sell them? Why, to put it another way, does a $4.2 billion business accept it as a fact of life that 60 percent of its products will fail to bring in a penny of profit? A full discussion of the reasons would make a book by itself, but three of them deserve mention here.

1. Even the largest, most commercial houses sometimes publish books that clearly won't make any money, because editors there think those books are important to contemporary thought or literature; and small presses frequently put money considerations last.

2. There's some truth in the toothpaste analogy, not because each book is unique (most current titles have obvious counterparts in the publishing past) but because the public will greet it as if it were until they've been educated to believe otherwise. The educational process is expensive—conventional book publishing houses, after all, have no brand-name loyalties to draw upon and no subscription systems to guaran-

tee that the initial expenditures involved in amassing an audience will be paid off over time—so large firms quite naturally concentrate on telling the world about those titles that have a huge potential readership and leave the rest to luck.

Since each book is a one-shot deal, publishing people must base initial commitments to a particular title on the rough guidelines their experience offers and on apparently unquenchable sparks of hope. Usually, though, the hope proves forlorn because in the end the routine measures that publishers have time to put into effect almost never suffice to locate and arouse a particular book's best audience, and authors, who might inject some non-routine verve into the proceedings, don't know how to help.

3. The bigbook has the industry in a bind. On the one hand, best-sellers (not unlike toothpaste) appeal to a general mass market, and that enables publishers to benefit from market research (of an admittedly informal sort) and from economies of scale. On the other hand, however, they draw funds and attention away from the majority of the books on a publisher's list, and they demand a strenuous commitment to hype.

Here's how the bigbooks grow:

★ Editors at a particular publishing house get hold of a book with best-seller potential.

★ The book gets a two-page write-up in the new catalog; editors and marketing people begin to talk it up over lunch and drinks with publishing colleagues, and to collect ecstatic blurbs from celebrities they work with; ads are scheduled for *PW* and major metropolitan newspapers; and a cross-country tour, complete with radio and TV appearances and local press coverage, is planned for the author.

★ Booksellers, librarians, reviewers, and the editors of paperback houses and book clubs, seeing the catalog, the ads, and the press releases and hearing the trade gossip, get the bigbook signal loud and clear, and hurry to leap on the bandwagon before anyone can accuse them of not being with-it.

★ Reviewers review, bookstores and libraries buy, and the public—responding reflexively to the hoopla—decides to get with-it too, by rushing out and grabbing that book that absolutely everybody is reading.

★ Absolutely everybody reads it.

The bigbook bandwagon gets a considerable part of its power from implicit comparisons (this is the cream of a very large crop, goes the unstated bigbook message); thus, it can damage your chances by defining your book as inferior (it's something other than cream, quite clearly, and perhaps no more than watery milk). And, of course, the bigbooks can also hurt you (along with any publisher's overall track record) by preempting the major portion of all sales resources (that initial advertising blitz is expensive, and so is the tour, and after salesmen push a bigbook as hard as they're often instructed to do, they won't have much energy left for selling the rest of the list).

To counter the forces that will work to keep your book just one more title on "the rest of the list," you'll have to attract an audience for it, and the most efficient way to do that is by identifying the connections that already exist between you and your work, on the one hand, and classes of readers, on the other.

Try people who know you, people who share membership with you in a formal or informal group of any sort, and people who will feel a sense of kinship with your characters, your settings, or your subject. Is your protagonist a liberated househusband? Tell women's organizations and men's clubs. Does your subject involve college students? Reach the campuses. Is there a scene in Chicago, a narrative account of abortion, a proposal to abolish free public education? Across the country, people who identify in some way with these areas of interest (and with almost any others you can think of) regularly convene, and communicate through newsletters; and if you use their particular concerns to provide points of entry to selected aspects of your work, the whole of what you've done will get its fair chance to capture their attention and earn their admiration.

Once you succeed in stirring up interest, you can use evidence of your success to convince the staff at your publishing house to back you. When they see signs (even small ones) that you're a winner, they'll be more likely to make your book one of the titles they urge on booksellers, librarians, reviewers, and all the other intermediaries who stand between a conventionally published writer and his readers.

Persuading your publisher to get out there and sell your book is a never-ending job that demands a good deal of gall (though they don't want to be quoted, publishing people all admit that the more an author nags, the more attention his book gets). But skillful maneuvering is useful too, and for best results you'll want to devise sensible promotional plans, figure out how to fit them in with your publisher's standard operating procedures, and then get up the gumption to insist that they be put into effect.

The following descriptions and suggestions should tell you what you need to know to manage all three steps.

Major Departmental Development

Publicity, Promotion, and Advertising

At large houses, separate departments may exist to handle each of these areas; at small firms one person is often responsible for them all, and for other things besides. In any case, though, all three are closely related and extremely important.

Probably the only request these departments will ever make of you is that you fill out a questionnaire providing them with an autobiographical sketch, a description of your book, an account of how it was conceived and written, a list of its newsworthy aspects, and a roster of names and addresses of people who might provide blurb copy or otherwise help focus attention on what you've written.

In a rational world, all writers would complete these forms immediately and with care. What actually happens, however, is that publicity people have to plead for information—"We know it's a chore to fill out forms," is the way one house begins its questionnaire's covering letter, "but if you could spare a few moments to answer the attached questions, it would be a great help to us in publicizing and promoting your book"—and when they finally get writers to hand the forms in, they discover half the time that the data supplied is too sketchy to be of any use.

Bolstering this evidence of authorial sloth, there are numerous indications of authorial ignorance (writers not only have an unbounded and ungrounded faith in ads, for instance; they also seem to believe that a bookstore clerk who tells them he's never heard of their book is saying something true and significant). Having listened to all these stories and lived through too many of them, most publicity people don't count on much help from writers. In fact, they've been badgered so often by inappropriate demands that their automatic response to the idea of author participation is horror.

Before you can make a contribution, therefore, you'll have to demonstrate that you're different, that while others may try to nag and second-guess marketing people, what you intend to do is provide extra information and elbow grease.

Where you get your supply of elbow grease is up to you, but the bulk of your information ought to come straight from your book, which you have every reason to know intimately and which many of the people at your publishing house may never have read. All too often, publicity personnel and others in charge of selling a book have to proceed knowing nothing more about it than its central subject. Thus, if your book is called *A History of Vegetarianism*, they'll know enough to alert vegetarian societies and periodicals to forthcoming publication, but because they won't have read the chapter on next year's convention in Cleveland, they won't be able to develop potential there.

You could, though; you know every chapter, every scene, every sentence, and if you assess them as candidates for fairly standard promotional efforts, they can give you quite a lot of mileage.

Consider, for example, review copies. As a matter of course, most publicity departments send copies of every new book they handle to major review media like *Publishers Weekly, Library Journal*, American Library Association magazines, the Virginia Kirkus service, *The New York Times*, the Washington *Post*, and the Los Angeles *Times*. Columnists and magazine and newspaper editors with large, national audiences who have expressed interest in a book (or who figure to be interested in it) will also get copies.

But small periodicals can print effective reviews too, and because the publicity department may not know the ones in your field (and surely won't have time to ferret them out), it becomes your job to get up a list. Include small-town papers and neighborhood throwaways published in places you've mentioned in your book, along with pertinent special-interest journals.

As a general rule, between one hundred and five hundred copies of a new title go out for review. Though the press releases regularly issued by publishers vary at least as widely in number, they too constitute powerful selling tools for any sort of book. Usually they're mailed along with a form letter that says, "We thought this book would be of special interest to you because . . ."; and you may find that completing the sentence in a variety of ways helps you think of good places to send them. What people or groups would be especially interested in the people or groups your book mentions? What local papers serve the places you've described? What associations care about your subject? What directories exist in the field? And how can you get your work listed? (The Bowker and Gale Research catalogs, which are listed in "Self-publishing Resources," will be helpful here.)

If you think your book would be valuable as a text or for supplementary reading in schools, draft a letter to teachers explaining how they might use it, and pass the draft along to your editor. If you've studied the mail-order-list catalogs cited in "Self-Publishing Resources" and come up with some promising ideas, write a memo about them. And if you think you've spotted the newsworthy side of what you've written, by all means develop your thoughts and share them as soon as you can.

Remember, too, that publicity departments frequently send announcements to notify friends, family, and interested others that a particular author's book has just been published. This is a relatively inexpensive practice (much cheaper, for example, than mailing out review copies or scheduling ads), so you're not likely to meet much resistance if you press for its use.

The best way of all to sell a book is face to face with a prospective buyer, and the odds are 50–50 that your publisher will arrange interviews and speaking engagements for all his nonfiction authors (the chances are somewhat less good that he'll manage to have promotional materials and bound books on hand to fill any demand they generate). But if he doesn't schedule you, you can schedule yourself. One of the greatest success stories in contemporary publishing is traceable to a series of talks initiated by an unknown author. *I'm OK, You're OK* had an advance sale of 7,433 and sold 19,843 copies during its first year. Respectable, but by no means extraordinary. Sales went up over 100,000 the next year, however, and continued to mount each year until they peaked at over a million in 1973. Stuart Harris, publicity director for Harper & Row, gives the credit to the author, Thomas A. Harris, because his talks before small audiences got sales to the point where the publicity department felt justified in planning a strong promotional campaign.

Where public appearances are concerned, your knowledge of your book is again your best asset, and you should use it to select upcoming conferences and conventions that will be worth attending. Many authors have been successful in selling their own books at conventions and fairs, so you may have no trouble getting your publisher to cover your expenses at such gatherings (if you do go, try hard to get a list of who was there; it could supply productive leads for mail-order sales).

Unabashed promotional devices like posters, circulars, bookmarks, and ads are useful when you speak before groups, and in theory 10 percent of your book's projected net sales will be allocated for them. In practice, though, bigbooks get much more than their share and most books get much less. If you're artistic, you may be able to compensate by designing and executing promotional materials yourself in consultation with publicity and promotion people; and if you're realistic in your suggestions about advertising, you might get some money for that too. Just don't plump for space in the standard book review media. Ads there are exceeedingly expensive—a full page in the *New York Times Book Review* costs $5,000—and their rate of return may be only a fraction of what you'd get from two tiny coupon ads in publications that focus on your area of interest. (See "Foot in the Door Resources" for leads.)

The publicity department will be delighted if there's enough evidence of interest in your book to warrant keeping it alive after its initial trial period. And when and if a book passes that milestone, they'll try to help it along by issuing periodic announcements to the trade journals about favorable new reviews or large new printings. The more developments there are, the better; so keep working to interest the local bank, the library, the schools, or the stores in displaying your book; keep sending small periodicals materials about it whenever a news event comes along to serve as a peg; keep looking for groups that might welcome you as a speaker; and above all, keep telling your publisher what you're doing. Each new sign of interest and enthusiasm you can report may stimulate still more attention.

Subsidiary Rights Sales

Subsidiary rights departments make publishing economically viable through sales to book clubs and paperback houses, both of which pay handsomely enough for the titles they select to make up for a lot of the books that lose money. Almost every subsidiary rights person will try to sell every book on her list to some club or some paperback house or both, and she'll hope hard that they take it, but she won't need or want your help in placing your work. Unless you have an uncle at a book club or a friend who publishes paperbacks, there's no way (and no need) for you to crack the closed circle around reprint deals.

You can help the sub rights director, though, with serial sales (of excerpts, to magazines and newspapers, before and after publication) and, once again, your intimate knowledge of your book can make the difference between getting offers and getting ignored. If you suggest that the analysis of sitcoms on pages 85 to 90 might appeal to *TV Guide,* that chapters two and three, with some connective tissue and a new lead, would work for *Sports Illustrated,* or that your section on old country inns should interest *Connecticut Magazine,* your rights director (or your agent, if that's who's handling serial sales) will be delighted—and much more effective.

Left to his own devices, an overworked rights director is likely to send a complete set of galleys of your book out to a magazine that shares its general area of interest. When the galleys arrive on an editor's desk, he will be faced with a choice: either he can plow through three hundred pages worth of material in hopes of finding fifteen that might, if he did some work on them, make a piece; or he can ship the book back and risk missing a decent article. Quite often—and quite rightly, given time pressures and priorities—he will opt for the latter. If you want portions of your work to appear in the periodical press, therefore (and you will if you consider either the money or the publicity you can gain that way), you'll have to carve them out yourself and help direct them to the most appropriate openings you can find. Confer with your editor on timing and consult "A Foot in the Door" and "Spinoffs" for leads.

Sales to Stores

The job of getting books into stores is performed by a sales force which can number more than two hundred at a large publishing house. At least twice a year salespeople at most houses convene for a full-dress presentation of their house's new books. In the past, sales conferences were generally held in the publisher's own home territory and each editor introduced his own titles; nowadays they're more likely to take place at an island resort and the editor in chief, along with other members of upper management, is apt to announce the entire line, describing each book and suggesting how to sell it.

It's important to get your book presented favorably at the sales conference because if the salesmen sense that it's a loser they'll classify it mentally as a "skip book" (one they can use to build confidence with booksellers by saying, "Between you and me, you can skip this"); and then, of course, a loser is what it will be. To avoid this fate, you should prepare a package of selling documents and pass it along to your editor several weeks before the sales conference date, in the hope that she, in turn, will relay copies to all the marketing people and to sales conference speakers. Consider including a list of promising markets together with notes on how to reach them, an analysis of the distinctions between your book and its competition, a particularly engaging excerpt, and/or a table of contents.

In addition, you might offer to talk with the assembled salesmen if they're in your area, either by addressing them at a meeting or by attending one of the parties the house will be giving for them during the sales conference period.

Since as many as a hundred titles are presented at each sales meeting and since each salesman will have approximately twenty-nine minutes to sell a book in the stores, it's a good idea to create a tag line for yours. "What I need most," says Nancy Taylor, a saleswoman for Random House, "are key words or phrases that will be sure to catch the attention of the retailer. For instance, when *Inner Tennis* came out, I jotted down 'Zen approach to tennis' and 'meditative techniques applicable to sports.' And that's what I used to sell the book. If there's no handle, it's difficult to sell a book, no matter how good it is."

When, after close to a week, sales conferences end, each salesperson goes forth to call on roughly two hundred accounts (including bookstores, college stores, and book departments of department stores) armed with catalogs, jackets, photos of authors, and a quota to meet for every title. Because most books sold to stores are fully returnable and because a salesman's bonus is based on sales minus returns, it does him no good to load a retailer up with copies of a title the store won't be able to move. Still, once the books are on the shelves the manager will try to find customers for them (or so the theory goes), and besides, quotas help publishers provide an objective correlative for impressionistic first-printing orders.

Unfortunately, despite quotas and clever sales pitches most new books have a shockingly brief life in bookstores (the current shelf life of a paperback, according to a *PW* survey, is twelve days). Because they know they can return every title they stock, bookstore managers take little risk in ordering, have little incentive to sell aggressively or imaginatively, and tend to go with our cultural flow toward the new, new, new and the big, big, big. Ninety days after a book's publication, a bookseller who wants room for other titles can simply pack it up and return it to the publisher for full credit, and unless something convinces him that that would be a mistake, it's just what he'll do.

Everyone agrees that present systems of distribution are unsatisfactory all around, and perhaps at their worst in those moments—known to authors, publishers, and booksellers alike—when it's impossible to cash in on a surge of interest in a particular book because the damn thing isn't in fact "available at your bookstore," as the ads and media coverage promised, but is, instead, stuck in the warehouse, lost in the mail, or held up in its second printing by a strike at the bindery.

On the whole, the transience and unpredictability of a book's life in the stores makes everybody miserable, and there's not much relief in sight. You can take a small step toward sanity, however, by reminding yourself that—just like the publicity people and the subsidiary rights people—salesmen can't be relied upon to have read your book, and that they need you to tell them what's between the covers.

If you've written about alternatives in childbirth, for example, and you know that Boston, New York, and San Francisco are among the cities in the vanguard of medical change, write a memo to the sales force and urge them to set high quotas for stores there. Try to isolate as many promising geographical markets as you can, whatever your subject, and prepare a list for the salesmen, complete with explanations (I grew up in Newtown, Connecticut, my parents live in Boise, Idaho; I went to school in Madison, Wisconsin; chapter six is set in Helena, Montana).

Then go a step further and think of places besides bookstores where your book could conceivably sell (maybe even over a long period of time and on a no-return basis). *Cheap*

Chic, a guide for dressing well on a shoestring budget, was marketed effectively in clothing and secondhand shops; CB books have sold well in electronics stores; *How to Make Furniture Without Tools* found a logical home in lumberyards; and one industrious independent salesman has succeeded in getting beauty salons to stock books for women to read under the drier. Publishers themselves are understandably eager to find more and better retail outlets for books, so they'll welcome sensible suggestions.

Sales to Libraries

In addition to selling directly to retailers, some salesmen call upon wholesalers, who get a large discount because they buy in bulk and who sell their inventory to retailers and librarians. Wholesalers (or jobbers, as they're sometimes called) sell books of all publishers and offer all the advantages that accrue to one-stop suppliers in any industry, including simplified ordering, billing, and shipment procedures.

It's their greater efficiency and their discount policies that recommend jobbers to librarians, who order from them after studying publishers' catalogs and reviews in professional journals. Most of the 100,000 libraries in the United States rely exclusively on wholesalers to get books, and their purchases—half a billion dollars a year—account for over half of all trade-book sales and close to 85 percent of the sales of children's books.

Since libraries are obviously a crucial market and since books lead comparatively long lives on library shelves, you'll want to establish contact with librarians in your area, and perhaps you'll decide to include an index in your book (a "no index" note at the end of a review in *Library Journal* can mean "no reference value" to a librarian and thus no sale to you). Otherwise, you can rely on whoever handles library promotion to do whatever is necessary and practical for your book in this area.

Fighting the Fear of Hustling

Authors rarely lobby for their books within the houses that publish them (which means less competition for you if you follow our advice), and they're even less likely to go out by themselves in search of sales. Somehow, they seem to think, it's not dignified to hustle for anything you yourself created. Well, dignified people do it, and for a dignified reason: believing that what they have to say is worth saying, they accept the responsibility of finding those individuals who will benefit from being exposed to it.

Dr. Wayne W. Dyer's *Your Erroneous Zones*, a book that might have been chalked up as one more self-help manual and quickly forgotten, provides a case in point. Because Dyer believed in the therapeutic value of what he'd written, he set aside a summer to acquaint the American people with his work. Loading four hundred copies of his book into his car, Dyer and his wife covered 28,000 miles, visiting forty-seven of the fifty states—most of them more than once—and giving eight hundred interviews. *Your Erroneous Zones* subsequently made the best-seller lists and Dyer's editor, Paul Fargis, is the first to applaud his valiant efforts. "Dyer had lots of chutzpah as far as publicity goes," Fargis explains. "He would insist that feature writers hear him out even if they didn't want to listen. And unlike a lot of authors, he didn't look down on doing interviews with small papers or local radio stations; he knew they might lead to bigger things. The publisher/author relationship is a symbiotic one, and because Dyer was working so hard, we bent over backward for him."

Dyer was an unknown who'd written a book with a lot of strikes against it, but even famous, well established authors are not so smug or rich that they won't get out and give their latest book a nudge or two. Susan Bergholz, a buyer for the Radius Book Store on the West Side of New York City, reports that Joseph Heller, who's a neighbor of hers as well as the author of *Catch-22* and *Something Happened*, periodically comes into the store to autograph a few copies (autographed copies usually sell), to check the stock and positioning of his book, and to see how many copies have been bought. And Alex Haley, who could have easily taken a long-deserved rest after sales of *Roots* skyrocketed, continued his breakneck schedule of lectures until he was forced by exhaustion to slow down.

Haley, like any author with insight, probably realized that nothing sells a book better than personal connections. To get the most from yours, with the least psychological strain, start by talking before audiences that will think of you as a neighbor or a friend. Arrange for a reading at your local library. See if a book shop downtown will display your book and invite people to meet with you to talk about it. Check with local groups that might sponsor meet-the-author get-togethers.

While you're stalking the home front, call the local papers and radio stations to volunteer for interviews or to see if they'd like to serialize your book. And by all means drop a note to the book reviewers of all local publications to tell them that a hometown son has been published. Whatever lengths you go to, it's all but impossible to overemphasize the importance of sales on your home turf. (Rose Naftalin sold 6,000 copies of her cookbook in her hometown—Portland, Oregon—alone.)

After you've utilized every connection your personal roots suggest, you can start to develop connections through subject matter. Consider the example of Jane Seskin—author of *Young Widow, Living Single,* and *A Time to Love*—who prepared a brief talk about living alone and meeting people, combined those remarks with readings of her lighthearted poems about the single life, and arranged to deliver the resulting presentation at a variety of singles clubs.

Ever since Seskin heard writer Elizabeth Janeway say that she and her economist husband, Eliot, never spoke anywhere without bringing some copies of their books to sell, she has carted a supply of her own books around to meetings. Because she finds juggling money awkward, she usually takes a friend along to transact sales, but she personally autographs every copy on request. (For more information about money-making opportunities on the lecture circuit, see "Spinoffs.")

Wherever you speak and whether you bring your own personal stock or rely on your publisher to get books into the area, be sure to have a supply of order forms along for backup. Ask your editor to get the sales department to prepare some for you, and if they won't or can't, you can produce them yourself (see the Starter Kit for instructions). Be sure, too, to let the publicity department know at least six weeks in advance about any speaking engagements you've lined up so that they'll have time to alert the local press and bookstores and so that you'll have time to take advantage of any public-speaking services your publisher has to offer.

Many houses regularly provide coaching for their authors before scheduled radio, TV, and personal appearances, but if coaching lessons aren't available, you can always ask a friend who's read your book to make up a list of questions that an interviewer might ask, and then you can practice answering fast and fully. Since the average interview lasts eight minutes, there's plenty of time to establish eye contact with your audience and to mention the title of your book with fair frequency; all you need by way of preparation is a few rehearsals.

For those of you who still feel shy, we offer one last stunning inspirational saga, the tale of Lucian K. Truscott IV, enterprising young author of *The Complete Van Book*. Several weeks before publication, Truscott began cruising around town and inserting a one-page flyer under the windshield wiper of every van he saw. The jacket of his book appeared on the flyer's front side, and there was a letter from Truscott on the back, which listed all that an avid vanner would find valuable in his book and closed with a paragraph that read in part: "*The Complete Van Book* was written by a vanner for other vanners everywhere. At $5.95 I can honestly say that this 8½" x 11" quality softcover book is a steal. The buyer's guide alone is worth the cost, and then you get all the rest of the stuff, too! By the way, I know all about the book because I wrote it."

Truscott kept sales climbing by touring the country in a book-stocked, customized van that he persuaded the Chrysler Corporation to provide. Today, his book is in its sixth printing.

Cheap Tricks Department

The author of a first novel—who will be known here as X—had no illusions about the probable fate of his book. Casting wildly about for a way to stem the onrushing tide of failure, X decided to write to everyone he knew and ask them to visit or call bookstores and demand copies of his work. Booksellers, X thought, would then be stampeded into ordering it. With a somewhat embarrassed smile, X now reports that he's not sure how much credit his strategy should get for the 317 copies his book sold. But he did hear from a lot of far-flung friends.

Moral: Don't just do something; do something smart.

Drastic Measures

Authors are prey to strange evil forces. When the reviewer assigned by a prestigious magazine to cover your book does a lousy job and his piece gets chucked, you get no coverage there. When delays of one sort and another mean your tap-dancing guide comes out after the craze is over, you'll have lost your audience. When two books with subjects like yours suddenly fail, you'll forgo the support of the sales force. And when your editor is feuding with the publicity director or when his record's been bad or when he leaves to join another firm while your book's in production, you will suffer.

But no matter how events conspire against you, if you believe in your book you can change your luck. Here's a sampling of suggestions.

1. Any author with the money to back her convictions can hire her own publicity agent, either with the approval of her publisher or without his knowledge. Press agents can't guarantee to breathe new life into your book, and the price of their services is high, but they've been known to perform small wonders.

2. If you have plenty of convictions but very little money, try hiring an energetic student whom you can train to be your own personal publicity agent. With a week's study of the stan-

dard publicity guides (see "Self-Publishing Resources"), even an amateur should be able to put ten good ideas into practice.

3. At your own expense, you can place coupon ads for your book in publications read by members of your target audience, and then you can fill orders from your home with copies you've bought from your publisher at the author's discount. (It's a good idea to insist that payment accompany orders; billing poses a host of problems.)

4. The direct-action route is available. One determined writer, confident that her editor wasn't behind her book and that if she didn't act fast it would be headed for oblivion, walked straight into the office of the editor in chief and told him her problem. He gave her book the support she thought it deserved.

5. You can buy your book back. After a publisher concludes that a book has flopped, he runs a clearance sale of unsold copies. The remainder dealers who buy up publishers' overstock in bulk at below-cost prices and offer it to the public at a discount sometimes sell enough copies of a particular title to warrant printing more. If switching to their pricing and merchandising techniques can give a book new life, there's no reason why switching to yours can't too.

So if all else fails, or if you just decide one day that, paradox or no, it's easier to do things yourself than it is to have other people do them for you, you should (a) tell your editor you want to buy your book's printing plates and unsold copies at one-third of cost; (b) sever relations with your publishing house; and (c) begin functioning as a self-publisher. Check on contractual points with your lawyer or your agent if you have one, and see "Managing Sales" for guidance on how to proceed after that.

THE SELF-PUBLISHING
OPTION

───────────────── ☆ ─────────────────

The Case for Doing It Yourself

OR

DON'T SKIP THIS CHAPTER UNLESS YOU'RE WILLING TO LET PREJUDICE STAND BETWEEN YOU AND WHAT MAY BE YOUR BEST DESTINY

———————— ☆ ————————

A DEMONSTRABLY FALSE series of assumptions keeps a great many writers from seriously considering self-publishing, which is a shame because many of them could earn more money and have more fun if they brought out their own work. Compounded of one part ignorance, one part laziness, and one part unadulterated snobbery, the chain of thought might be summarized as follows: I am a writer; a writer's job is to express ideas, images, and information in words; after a writer has done this job, noncreative types should pronounce it good and take it over, leaving him free to write some more.

At first glance, the argument seems logical enough, but closer examination reveals a fatal flaw. If expression is a writer's goal, why does he need a publisher? Why, indeed, does he need more than a desk drawer big enough to hold his completed manuscripts, or, at most—if appearances are important—a printer?

The answer, of course, is that expression is really only a preliminary goal, a necessary first step toward the ultimate end of writing, which is communication.

Once you accept the fact that when you write you want to communicate, you'll realize three things: (a) you need people to communicate with; (b) you're most likely to communicate effectively with people who'll be receptive to your writing's particular style and substance; and (c) finding those people is the only way to fulfill your role as a writer.

In theory, you can get a publishing company to track your audience down for you; in practice, though, busy professionals handling hundreds of titles are not likely to concentrate on drawing receptive readers to yours. Thus, if you want to reach as many people as possible you'll have to plan selling campaigns on your own (and maybe execute them on your own as well) whether you're self-published or conventionally published. Those who self-publish, however, will be spared one burden: they won't have to start by putting their ideas across to a publisher with an impulse to ignore them.

Looked at in this light, do-it-yourself publishing may seem a more attractive alternative than it used to. Writers who are beginning to like the idea but who are not yet convinced that they'll be able to implement it should read the next two chapters to resolve their doubts one way or the other. And writers who are troubled by the always sticky matter of money may ease their minds with the following string of comparisons.

Self-publishers pay to have their work issued. Writers who use vanity presses pay to have their work issued (though they pay much more and get much less; see "Openings"). But the group that pays the highest price of all is composed of the men and women who write best-selling books for conventional publishing houses. True, these writers don't pay to begin with. But the advances they receive can sometimes be matched by self-publishers (see "Front-end Funding"). And besides, by the time a successful book goes out of print at a major house, its author will have repaid his publisher many times over, not only for his advance but also for all expenses, through the portion of his profits that the firm keeps for itself.

Therefore? Therefore who pays what and when and to whom is not, by itself, a useful gauge of publishing worth.

Instead of allowing yourself to be diverted by quibbles about front money or picturesque notions of the cloistered literary life, we suggest that you confront the decision to self-publish on a rational level. A good way to begin is by examining self-publishing's advantages, as sketched below, to see how well they would blend with both your work and your character.

Advantages

1. *Quality control.* Self-publishing is often the only way to produce a book or periodical that will live up to your personal standards.

Photographer Bob Adelman began putting his own books out when he found that conventional houses wouldn't or couldn't meet his specifications for design and reproduction. Working closely with designers, printers, and journalists whose achievements he knew and admired, Adelman put together a book he's proud of. Called *Street Smart: Adventures from the Lives of Children,* it's an unusually handsome volume.

Ron Jones, motivated by educational rather than aesthetic considerations, turned to self-publishing because he and several of his fellow teachers thought conventionally published textbooks inadequate. "During the six years I taught in city and country schools," Jones explains, "no one ever stole a textbook, and I think I know why. Every year textbooks pop out of the publishers' ovens with new covers and new titles, but the content is always the same. They encourage verbal skills and deductive paths of logic. They avoid the use of intuition, imagination, contemplation and direct action as problem-solving tools."

Today, Jones and a loose confederation of parents and teachers publish a "de-school primer" called *Zephyros* that stimulates thousands of students through projects like "Make Your Own Religion" or "Pretend You Are a Building." At a regulation-model textbook house, where editors must meticulously tailor their books for adoption by school boards, *Zephyros'* unorthodox learning experiences would have been either drastically modified or totally scrapped.

2. *Freedom of form.* Despite the honored place of pamphlets in American history, publishers nowadays don't print them. They don't print narrative poems much either, or no-

vellas or nonfiction that's longer than a normal magazine article but shorter than a normal book.

If you have something important to say that can best be expressed in 15,000 words, one of two things is apt to happen: a publishing firm will buy your manuscript, in which case you'll be asked to pad it to 25,000 words (so it can count as a book) or to cut it in half (so it will fit into a standard magazine format); or you'll decide to bring it out yourself, in which case you can leave it at the length that suits it.

Self-publishers are free to vary physical dimensions other than length (some find great joy in experimenting with page widths and depths and with type fonts and artwork). And they are free, as well, to demarcate new literary boundaries. Tom Montag, editor of the small-press review journal *Margins* and an incisive observer of the current small-press scene, notes that hybrid crosses between books and magazines are beginning to issue from little literary publishing houses, and descries a new style of publishing in the making. (See "Resources" for a full reference to Montag's analysis.)

Like small-press and little-magazine editors, a self-publisher can put out magazines that resemble books because they're aesthetically unified, or books that resemble magazines because they're issued serially, or, for that matter, works of prose, poetry, or pictures like nothing ever seen before on earth. In short, when a self-publishing author wants to break old publishing molds and construct new ones, nobody can stop him.

3. *Tangible sources of satisfaction.* Not long ago, when a women's writing workshop began planning to self-publish an anthology of members' work and circulate it within the group, a lot of potential contributors got worried. With their poems and stories already in print, they thought, they'd be tempted to slack off, and then they'd never write anything worth offering an outside audience.

As things turned out, the anthology did nothing to depress creativity; on the contrary, it stimulated a surge of new composition. Having seen their words clothed in the dignity of bound and printed pages, the workshop writers found their energies fueled by pride. They'd picked the printer, after all, and checked galleys for typos and roughed out the cover and glued the binding on, and now they had a professional-looking edition to show for their efforts. In these pushbutton times, the pleasures of physical achievement are reserved mainly for children, but self-publishers, along with a handful of other adults who work with their hands building things they love, are privileged to share the I-made-it-myself elation.

4. *Reader response.* Unlike a writer whose book circulates in the hands of a publishing company's sales force, a self-publishing author often deals face to face with wholesalers, retailers, and members of the reading public, and thus creates innumerable opportunities to converse about his work with people who have actually read it. When feedback from readers is favorable, it's a delight; and when it's unfavorable, it may still be instructive.

5. *Ease of entry.* No preparatory rigmarole is required when you publish your own writing. You don't have to sell anyone on its merits until it's printed, and you don't have to know more about how to get it printed or about how to sell it when the time comes than you can learn from this book (in fact, many people who started out knowing far less than we explain have done just fine).

Furthermore, you can edge into self-publishing by degrees, without ever making a major commitment before hard evidence shows that the move will be wise. Suppose, for example, that you've written *The Complete Small-Engine Repair Manual.* With a modest cash outlay, you can get 1,000 copies printed up to offer local hardware stores, department stores, and bookstores on consignment, and to retail personally at nearby vocational schools and continuing-education centers. Then, if those markets work well, you can go back to press, begin to experiment with mail orders and wholesale distribution over a wide geographical area, and perhaps wind up selling hundreds of times as many copies as there were in your original print order.

Or suppose (to frame another example drawn from actual experience) that you've just moved to the Ozarks and that you want to share observations on your new homeland with friends you've left behind. If you begin by mimeographing reports to them, and if they pass your pieces on to friends and acquaintances of theirs, and if the chain continues to lengthen, you will have founded a newsletter or a magazine before long, and developed a mailing list that more scientific periodical publishers will envy.

6. *Camaraderie.* One of the nicest side effects of self-publishing is friendship. People working together toward a common goal often forge close personal ties, and self-publishing writers can convene as big a group of collaborators as they like. Conventional houses react badly to having more than two people on the other side of a publishing contract (both profits and decision-making powers will, they fear, be spread too wide and thin). But works produced in concert do succeed when self-publishers are in charge; consider, by way of shining example, the *Whole Earth Catalogs.*

The men and women who labor along with a self-publisher on his particular project aren't the only ones who offer him aid, comfort, and affection, however. Editor/publishers of the small-press/little-magazine network may also be ready to help. Perhaps because most of them are not in publishing for the money, they're frequently generous with advice and assistance, and coming to know them—through correspondence or through their contributions to review journals and newsletters—frequently means coming to like them as well.

Fellow feeling between self-publishers and members of the small-press/little-magazine community sometimes turns sour over the issue of commercial viability, which self-publishers are inclined to seek and small-press people are apt to regard with distaste (they worry about the profit motive subverting the drive toward literary excellence). On the whole, though, since publishing processes are essentially the same whether you're putting out how-to or haiku, you can expect to learn valuable lessons from the experiences that distant small-press colleagues report in their periodicals and to be warmly welcomed if, by sharing your discoveries, you join their group.

7. *Longevity.* Large, established book-publishing firms

which must make room in their catalogs for hundreds of new titles twice a year can't afford to keep a book in circulation for more than a few months unless its initial rate of sale is impressive. The life span of articles in established magazines is even more severely limited; one month after the March issue comes out, it's off the stands, no matter how many copies remain unsold or how many people are just now beginning to show an interest in the piece you wrote for it.

By contrast, a self-published work can be granted the gift of time, and with time it may well attract a following. Many books that make no splash when they're released become profitable over the years as appreciative readers begin to wield the single most powerful selling tool any publishing company ever has: word of mouth. And once word of mouth begins to operate, it's relatively simple for self-publishers to capitalize on it. When you're personally involved with your readers you can get their names and the names of their interested acquaintances onto a mailing list that will give you a ready-made market not only for further sales of things you've already written but for all your future writing projects as well.

Natural Candidates

If a major commercial publishing house with close ties to influential media people is going to give your book their big-book treatment, then you will almost certainly do better under its auspices than you would on your own. In other circumstances, it's not so easy to decide whether conventional publishing will be a better bet than self-publishing, or vice versa.

As if to underline the availability of both self- and conventional publishing options for a wide variety of projects, dozens of writers have always moved back and forth between the two systems. Historically, the roster of self-publishers has included many names that now appear under publishing's most prestigious imprints. (Thomas Paine, William Blake, Washington Irving, Percy Bysshe Shelley, James Fenimore Cooper, Edgar Allen Poe, Walt Whitman, Mary Baker Eddy, and Mark Twain are among those cited by Bill Henderson in his classic *Publish It Yourself Handbook*.) And crossovers continue in present times.

Richard Weiner, for instance, who now puts out his own *Professional's Guide to Public Relations Services*, originally sold the book to one of the largest publishing houses on the East Coast but took it back when he found the second edition badly dated and the publishing firm reluctant to replace it with a third.

Conversely, Raymond Barrio began by self-publishing *The Plum Plum Pickers*, a novel about Chicano farm workers, and then, having sold 10,000 copies in less than two years, he secured a $1,000 advance from a publishing giant, which took the book over and gave Barrio a royalty contract. (It's by no means unusual for a major house to pick up a proven self-published work; in fact, self-publishers who are tired of business aggravations and eager to devote themselves full time to new writing projects frequently go after bids from conventional houses once their books are launched—and get them. Any self-publisher who makes a deal with a big firm, though, ought to be represented by a lawyer who's thoroughly familiar with the publishing industry and who's a bit of a scrapper besides.)

But if it's true that almost anything a commercial company can publish (and some things it can't) can be self-published instead, it's also true that two classes of writings are particularly well suited to the self-publishing process:

1. Works that are clearly of interest to a well-defined, relatively large, easy-to-reach audience (because a single individual can market them as well as an established firm, and if you do it yourself you get to keep all the profits);

2. Works that figure to interest relatively small groups of readers, at least to begin with (because no established firm is likely to take them on, and if they did, they'd let them die in short order without ever giving them a decent chance to live).

Whether a given self-publisher sells hundreds of copies or hundreds of thousands of copies will depend on his level of skill with words and with business arrangements, as well as on what it is that he's written. Diverse kinds of material offer good self-publishing potential across a wide sales spectrum, though. Consider, for instance:

Need-to-know pieces. In this inflationary era, factory outlet stores attract financially strapped consumers, and Joan Bird of Oradell, New Jersey, decided several years ago to publish a directory of the ones near her home. Her first edition—five hundred copies of a thirty-two-page pamphlet—appeared in August 1971 and sold out within the week, thanks in large part to coverage Bird had arranged with a local newspaper. Today Joan Bird publishes annual *Factory Outlet Shopping Guides* for New Jersey, New York, eastern Pennsylvania, New England, the District of Columbia, Virginia, Delaware, and Maryland, as well as a newsletter that updates the *Guides* eight times a year.

Seizing on the need for different kinds of information, John Muir has sold 800,000 copies of the self-published *How to Keep Your Volkswagen Alive* (and the book is selling still), while other writers have produced substantial profits with such items as a newsletter describing job openings in the federal government, a brochure explaining how to get rid of groundhogs, and a book analyzing the management of paperwork.

Local stories. When the locality in question is a region and the self-published work is a full-size book or periodical, sales may easily mount into the high thousands (regional books pay the rent for a good many commercial publishers). But even if both the area and the self-publishing project are defined by more modest limits, success is still possible.

F. Alan Shirk, who's a lifelong resident of Berks County, Pennsylvania, compiled a brief, illustrated hometown history he called *The Colonial Berks Sampler*, and sold it by placing coupon ads in local newspapers and sending complimentary copies together with order blanks to local schools, libraries, and civic organizations. Shirk, who is an advertising/PR man by trade, did his own layout, printing, and binding but hired people to set type and make plates and negatives. All told, he laid out about $1,000 to publish his book, which he priced at $3. Having now sold more than four hundred copies, he has cleared a couple of hundred dollars to date, and reports deriving great pleasure from the project as well.

Scholarly papers and classroom texts. Circulating ideas and information is essential in academia, but teachers who write or compile materials for distribution to their colleagues or their students can't rely on publishing houses to produce a book that fewer than a thousand people figure to read. Fortunately, though teachers' markets may be small, they are solid. Thus, by computing sales accurately in advance, self-publishing scholars can arrange to keep costs down to the point where they'll surely be matched by revenues.

To assist teachers and scholars in publishing their own work, several "custom" or "demand" publishing companies have lately been created. F. Chris Garcia, associate professor of political science at the University of New Mexico, used one when he decided to publish materials for his course on Mexican-American politics. Garcia obtained excerpts from assorted periodicals, added an introduction and some transitions and, with his custom publisher doing production, got a 224-page paperback ready for sale to his students in six weeks. (See "Resources" for other firms that offer self-publishers help with production, and the next chapter for knowledge of how to proceed without their aid.)

Special-interest literature. Some special interests appeal to such huge groups of people that whole publishing companies have been founded upon them (consider, for example, Garden Way, in Charlotte, Vermont, which recently added *Heating with Wood*—80,000 copies sold to date—to its stable of bestsellers for people who crave the simple, self-sufficient life). Others, with smaller followings, will support small-scale publishing ventures, sometimes even to the point of subsidizing them. Theo Van Dam, for instance, was able to self-publish his paperback *Postal History of Spain* with money from a stamp collectors club fund; and such subjects as white-water canoeing or handwriting analysis may prove equally appropriate for low-risk self-publishing projects.

Even those special-interest writers who bear all initial expenses themselves shouldn't be out of pocket for long, and they'll reap major rewards in the form of response quite quickly because they'll be serving a public that's hungry for word of its avocational enthusiasms.

Novels, short fiction, and poems. Because more fiction and poetry seems to be written each year than existing companies of any size can handle, some novelists and poets see no alternative but to self-publish. Whether last resort or first choice, self-publishing in this area can have thoroughly agreeable results.

Earl Ridgway, who retired at the age of sixty-three after a career as a psychologist in a defense plant, decided at that point to self-publish *Twist of Lemon*, a book of poems, photographs, and drawings. For a thousand copies of the fifty-two-page paperback Ridgway paid $1,500 (artwork adds a great deal to costs), and he was able to wholesale, retail, or consign about 350 of his books in the first three months after publication, with a cover price of $2 on each.

Harriet Herman also started out with a 1,000-copy print order when she published the first edition of *The Forest Princess,* her fairy tale about a heroine instead of a hero. Within two months she'd sold every book she had. A second printing of 2,000 copies sold out within a year, and a third (3,000 copies) followed suit. Today, Herman reports in the magazine *The Self-Publishing Writer,* she's planning a fourth edition of *The Forest Princess* (which she's now also produced and shown on television as a filmstrip); she's self-published a sequel; and she's sold United Kingdom rights to both books to a British publishing firm.

Activist arguments. In nonmilitary battles, the call to arms is often sounded by words on paper, which makes newsletters, pamphlets, and magazines perennially popular formats for rallying supporters around a multiplicity of causes.

In the mid-1970s, a small North Carolina collective of women who called themselves Lollipop and who shared Harriet Herman's concern with nonsexist children's literature successfully self-published a book called *Exactly Like Me.* At about the same time, the Corporate Action Program—a Washington, D.C., group with "an abiding faith in the power of people to shape their own destinies, and the belief that institutions should be servants, not masters, of our social needs and goals"—offered the public its *Corporate Action Guide;* and tenant groups in major metropolitan areas began founding papers to spread the word about apartment dwellers' rights.

Through advertising, subsidies from interested organizations, or sales revenues, activist self-publishers may manage to cover expenses and perhaps to produce profits as well. But most writers who aim to change the world with their words are prepared to look elsewhere for economic sustenance. What they want from publishing is the chance to deliver a message of importance to an audience of responsive individuals, wherever they are and whatever their numbers.

If self-publishing did not already exist, such motives might suffice to create it. As matters stand, though, the option is open to all, and clearly to be preferred by a good many writers for a variety of kinds of writing. Moreover, as the chapters that follow will show, it's becoming easier to exercise with every passing day.

A Complete Starter Kit
of Self-Publishing Skills

——————— ☆ ———————

TAKE A SIMPLE TASK like tying shoelaces, write out step-by-step instructions for a person who's never done it before, and the response you'll get will be, Thanks just the same but it sounds awfully complicated and I think I'll stick to moccasins.

Something similar happens when beginners read up on self-publishing. As with tying shoelaces, though, the steps involved in producing what you've written are much simpler than they sound and it's easy to get the hang of them if you just leap fearlessly into action; any mistakes you make will probably be both correctable and instructive, and they will certainly not be fatal.

Skeptics may protest that self-publishing requires mastery not of one new activity, but of a whole series of unfamiliar processes. And that's quite true. It's equally true, however, that you don't have to handle any or all of these processes completely alone. Free guidance is available (read on); paid help is not hard to find (see "Resources"); and, as you progress through production, you can effect any number of trade-offs between expenditures of your time and energy, on one

149

side of the equation, and of money to procure professionals' services, on the other.

In fact, this chapter assumes that you'll get professional help at various points. Together with selections from "Resources," it will tell you as much as you want to know about how to turn a manuscript into a printed and bound book, pamphlet, or periodical. But by itself what it will teach you is how to master those operations that any amateur can handle with a minor investment in equipment and no more than a modicum of background information.

Editing

Most writers get so heartily sick of reworking their words that they can barely get their eyes and minds to focus on the pages when the time comes to edit their manuscript. In such a situation, it makes sense to look around for someone else who could do the job, but many self-publishing writers don't bother. Instead, they simply skip the editing stage, sometimes because they believe it's of little value, sometimes because they're afraid of having their work distorted, and sometimes because they don't know how to find a good editor.

Points one and two are matters of opinion. Predictably, given our backgrounds, we think that every piece of writing can benefit from sensible editing (many will be significantly improved) and that good editors don't distort (on the contrary, they clarify and strengthen). If you tend to agree and decide to look for an editor who'd be right for your work, you might start by finding out who edited a book you admire and asking her if she'd do yours (call or write the publisher's publicity department to get a name if the book doesn't supply internal evidence). In the event that she can't afford the time or you can't afford her fee, perhaps she'll suggest a colleague you might contact.

Alternatively, you can choose a freelance editor from the listings in *Literary Market Place;* ask for references and samples before you make a commitment.

Copy Editing

The same approaches should suffice to find a good copy editor, but because copy editing demands an entirely different mental set than writing, even authors who've grown blind to the import of their work can copy-edit for themselves.

To copy-edit a manuscript (as the second chapter of "Sequels to a Sale" shows), you must make sure that it is correct and consistent fact by fact, word by word, and even letter by letter; and the best way to do that is by following a copy-editing style manual (you should find at least one that's to your taste listed in "Resources"). On its simplest level, copy-editing style is what determines whether you use "blond" rather than "blonde," and no matter how complicated its prescriptions get, style's function is simply to ensure consistency in the interest of clarity.

Descriptions as well as spelling ought to be consistent throughout a manuscript (don't drive your reader to distraction by presenting him with a character who's dainty and petite on page 16 and a strapping Amazon on page 92), and what you choose to stick to matters less than choosing to stick to something.

If you imagine, all the while you're copy editing, that your manuscript is the work of a slipshod and possibly feeble-minded soul, you'll find it easy to adopt the most effective copy-editing attitude: suspicion. Go slowly and question everything: is Wales correctly described as a peninsula; could anyone really fly to Rome in daylight all the way; does that say "dilemmma"; is "accurrate" spelled right; doesn't that plural verb refer back to a singular subject, and wouldn't the thought be clearer if it were presented in two sentences rather than one?

Though a careful copy editor will check all proper nouns, all facts (even fiction has them), and all words that look the slightest bit odd, the most important statements to verify are those that might lead to legal difficulties. If you are writing anything that is derogatory and/or untrue about real, living people or functioning businesses you may face a libel suit or a suit for invasion of privacy. Additional legal pitfalls open up when writers quote too extensively from other people's material, or when they print matter that might be adjudged obscene. Moreover, a new legal danger zone has arisen as a result of our culture's increasing emphasis on self-help; if, while following the advice in your "Blueprints for a Treehouse," a reader with vertigo falls off a branch and is seriously hurt, he may think that he has grounds to sue you.

This last trouble spot is the hardest to deal with, because no layman's guides on the subject exist yet, but common sense may be of some help (don't assume that your reader will realize he should unplug the toaster before he starts fiddling with its innards, for example; or that he'll think to consult his doctor before embarking on a strenuous diet or exercise program). On the other fronts listed, your best course is to get hold of one of the manuals on literary property mentioned in "Resources"; after you've read that sort of guide you'll know better whether you need to call in a lawyer or take any other measures to protect yourself from legal action. In addition, as attorney Harriet F. Pilpel points out, you'd be wise always to remember that even those people who win lawsuits find litigation expensive and aggravating, which means it's sound policy to recast all potentially dangerous material in your manuscript unless doing so involves violating your principles.

Mark all changes, no matter what their purpose, with the standard proofreading symbols you'll find in your dictionary. And, when your work is as correct, consistent, and clear as you can make it, remember to claim your own legal rights and the status your work deserves in the eyes of librarians, booksellers, and reviewers by applying for copyright, a Library of Congress Catalog Number, and an ISBN or ISSN number. See "Resources" for details on what forms to send for, and send for them early on.

Design

What your work looks like will have a good deal to do with how it's received. If it's sloppy or jumbled, if the body type is too small to read easily or the heads are so big and black that—no matter what they say—they always seem to be threats, then the power of your carefully assembled words will be vitiated.

Art school students and freelance or moonlighting book and periodical designers can help you come up with a format that will fit your work both physically and spiritually (the students, because they're less experienced, will charge less). And if you're using a printer who has an art department or a flair for design, he may be able to supply good advice. But unartistic authors can handle design well on their own so long as they keep it standard and simple.

The first standard to adhere to is that of page size. You'll save money by choosing the dimensions both paper companies and printers are accustomed to working with. For books and pamphlets, this generally means a page that's roughtly 5½ by 8½ inches; and, for magazines and newsletters, one that's 8½ by 11 inches. Check with your printer to see exactly what sizes his equipment handles most economically.

Having chosen a size for your page, you then must decide on margins (use your own books or magazines as models, and remember that unless the bottom margin is larger than the top your page will look droopy) and on how to arrange text, heads, artwork, and white space effectively within them. A smattering of technical terms should enable you to move comfortably through these decision-making points and those that will arise later:

Body type: type that's used for text rather than for headings (i.e., titles). Body type is measured in points (which are defined below) from the top of a letter like *h* to the bottom of a letter like *p*—that is, from the highest to the lowest extremities of the alphabet in a particular typeface.

Display type: type that's used for headings rather than for text; also measured in points.

Justification: the spacing of a line of type so that it will extend fully to both right- and left-hand margins. When each line of type does not meet the right-hand margin, the copy is *ragged right.*

Layout: a plan, on paper, that shows how text, titles, artwork, and all the other elements of a work to be printed should be arranged.

Leading: the space between lines of type (the term derives from the practice of inserting strips of lead above and below lines of metal type to create space between them).

Letter space: logically enough, the space between the letters of a word. Letter spaces can be adjusted to make lines slightly longer or shorter than they normally would be and are therefore useful for justification, but letter-spaced words tend to look funny. Ask to see samples before you agree to have a typesetter letter-space your work.

Pica: the printer's unit of measurement. A pica equals approximately one-sixth of an inch and is used for expressing column widths and other important dimensions of a page.

Points: divisions of the pica (12 points = 1 pica), used to express such things as body-type sizes and amounts of leading. Points are symbolized by a mark that looks like a straight, single quotation mark.

Running heads: the titles that are repeated at the top of book or periodical pages.

Typeface: a particular design of type. Each face has a name (like Helvetica or Bodoni Book) and consists of all capital and lower-case letters and a full range of numbers and punctuation marks in a variety of point sizes. Italic and boldface variations on any given face are generally available and are called Helvetica (or whatever) itals or bold for short.

Word space: just what it says, and adjustable within narrow limits to justify columns of text or to squeeze or extend headlines.

Text

Given a variety of typefaces to choose from, it's possible to select one that will make a particular manuscript fit into a particular number of pages. Copy-fitting techniques depend on simple arithmetic and are not hard to learn, but using them to good purpose requires a thorough knowledge of typography.

For a first self-publishing venture, therefore, you might as well not worry about making your manuscript into a printed work of a preordained size. If you're using a typesetter and/or a printer, find a book or periodical you'd like your work to resemble and ask his advice on specifications (or, in the trade jargon, specs). Chances are, a standard point size—10-point is usual for books, and 9- or 10-point will work nicely for newsletters and magazines—in a standard face like Baskerville or Times Roman with a standard two points of leading will serve you well. And if you're using typewriter type, all you have to decide is when to begin hitting the keys (see this chapter's "Typesetting" section). Those who find at the finish that they need a few extra pages to satisfy the requirements of the printing press can add blank pages front and back.

Heads

Specs for display type are somewhat harder to arrive at than specs for body copy, but one easy solution is to use a headline face with the same name your body typeface has. On more difficult choices, your printer can advise, and your typesetter will be happy not only to make suggestions but to do the work. If you're on your own you can get help from the manager of the art supply store where you'll buy transfer type to construct titles and cover copy. Transfer type catalogs are available, free, from several companies (see "Resources"), so you can order a bunch of them and mull over your choices at your leisure.

Again, a printed work that you admire will make a fine model, and you can't go far wrong by sticking with a conventional face and simply varying its size to indicate relative importance (36- or 30-point might, for instance, be perfect for part titles, with 30- or 24-point chapter heads, and 18- or 14-point for the subheads within chapters).

The largest display type that you use will probably appear on your cover. Don't be afraid to be splashy. If you design the front of your book as if it were a billboard, you'll stand your best chance of doing justice to what's inside.

Artwork

For some self-publishers, artwork is an integral part of the project; others want pictures to illustrate or to decorate, and sometimes they have trouble finding good ones. If you're in this second category, try the public relations departments of large organizations involved with work that's relevant to your subject (what they supply will be free); the sources of non-copyrighted drawings that appear in "Resources"; appropriate governmental agencies (through their PR departments); and the picture sources listed in *LMP* and *Writer's Market*.

Be sure to get permission in writing to use their pictures from people you or other individuals photograph. Perhaps you can copy the release form your local newspaper uses.

Layout

Three basic principles will stand an amateur designer in good stead as she begins her first layout: (1) The simpler the better; symmetrical and centered arrangements pose the fewest problems. (2) The fundamental unit of design is the spread—or pair of facing pages—that the reader's eyes take in with a single glance. (3) White space (i.e., blank space) is important; if you don't leave enough of it or you don't arrange it well, you'll end up with dense, uninviting pages.

By drawing on published books or magazines for models (and perhaps also on some of the guides listed in "Resources") beginners can construct layouts that range from serviceable to handsome. If you're working with straight text, you'll have only a few questions to answer. How much space should chapter heads get (for instance); or, should each article start on a new page, and what should the running heads look like? After you've solved such problems, all you'll have to do is fill each succeeding page with text until it's time to repeat the opening-page format once again.

To arrange more complicated material, you'll have to prepare a layout for every spread, which in turn will require that you know exactly which titles, which lines of text, and which pictures fall on it. It's best, therefore, to combine laying out with creating the dry-run paste-up called a dummy (see below). But don't slather the paste on until, through trial and error, you've found a system of juxtaposing textual and visual elements that pleases your eye and works all the way through your book or periodical.

While you're sketching your layout you may be confronted with text that's too long or too short and pictures that are too big or too little. Almost any text can be cut (developing the knack of cutting copy so that no scars show is itself a rewarding activity) and pictures are easy to adjust. If they're the wrong size for the space you want them to occupy, they can usually be cropped and/or inexpensively enlarged or reduced.

For scaling pictures, there's a beautifully simple method: draw a rectangle exactly the same size as the picture you have; then draw a diagonal line across it from bottom left to top right and mark off the dimension you must satisfy on one side (i.e., if your column width is 3¼ inches and you want the picture to fit into one column, put your mark 3¼ inches from the left on the bottom of your rectangle); finally, draw a line from this mark to the point where it meets the diagonal and measure it. The figure you get is the height your picture will be when its width is 3¼ inches.

Black-and-white line drawings will reproduce as is. So will stick-on decorative borders and rules of assorted sizes (which are available on tape and used to create boxed copy, underlined heads, and the like); art supply stores stock both. Photographs, however, must be processed for the press, and you should send yours out to be turned into prints called veloxes that offset presses can handle. Your printer can advise you on specifications, and you can ask him (or a friendly typesetter, designer, or piccolo-press publisher) for advice on what velox house to patronize. Whichever one you choose will also be able to enlarge or reduce your black-and-white line art.

Process every piece of artwork and insert it in its proper place, so that you can really see how your pages will look and correct miscalculations if necessary.

When your layout is done and pictures are under control,

stop for a minute and consider whether using one extra color would be desirable. Printing a headline in red, say, or tinting a picture or the background of a text block with a screen of color is a relatively cheap way to add life and interest to your pages. Those who want to try it should ask their printers for information about the cost.

Typesetting

Not long ago most printing consisted of direct impressions made by inked metal type on paper, and if you didn't own any metal type or any of the cumbersome machinery needed for using it, you have no choice but to take your manuscript to someone who did and pay him. Today, though, offset printing—which utilizes a photographic plate—is abundantly available, with the results that what a camera sees as type can now function as type. The popularity of offset printing is responsible for flourishing new typesetting processes which also involve cameras (and laser beams and chemicals and computers), and—more important for our purposes—it enables anyone who wants his work printed to set type himself on an electric typewriter.

For full explanations of all printing and typesetting processes, turn to "Resources." To see whether you'd rather hire a typesetter or use a typewriter, consider the discussion that follows.

Professional Typesetting

Cold-type operations (which usually utilize new photo-typesetting equipment) are cheaper than hot-type operations (which utilize old letterpress machinery) and not qualitatively inferior in important respects, so ask nearby publishers of good- but not expensive-looking books or periodicals which cold-type compositors they use and get estimates from two or three companies (these estimates will be accurate if they're based on knowledge of the whole job).

Before you hire anybody, examine samples and references; look for evidence of pride in the work that the typesetter does; ask for an explanation of his equipment's capabilities; establish clearly who's going to pay for correcting the compositor's errors and who'll pay for changes; and think twice if a prospective typesetter demands full payment in advance.

One-third up front, one-third on delivery of the job, and one-third after final corrections have been made is a reasonable system for payment. At some companies, the manager may be willing to let an employee make extra money by using the typesetting equipment for personal clients after hours, in which case you could get professional-looking copy fairly cheap. Ordinarily, however, typesetting will cost upwards of $4 or $5 per page.

To minimize costly mistakes, make sure that the manuscript you send a typesetter is clear in every detail and that you have come to a firm agreement on all specs (should copy be justified; should heads be centered; how much space between heads and body copy; how much between words and letters?).

At the manuscript stage, mark all corrections on the copy itself, because that's what the typesetter will be looking at as he keyboards; but later, when you note errors on galley proofs, you should indicate corrections in the margins, since he'll deal now only with lines that need to be changed. Don't forget to note which are the printer's (i.e., typesetter's) errors; mark them PE, so you won't be charged for those corrections.

The farther along you get in production, the more expensive changes become (they're free when you make them on your original manuscript; roughly $1 apiece on galleys; from $5 to more than $20 each on page proofs, and up in the hundreds of dollars once your material gets on press). So proofread carefully and consider asking a friend to help; one of you can read aloud from the manuscript, noting punctuation and indentations and spaces, while the other follows along on the galleys, marking and correcting mistakes.

Do-It-Yourself Typesetting

When it's reduced in size by the printer (he'll almost always do it at no extra charge), some typewriter type looks remarkably professional, but only if the job has been well done. Those who care about appearances, therefore, should have good typing skills or endless amounts of time to work at the typewriter. If you're not a good typist and you're impatient to boot, you can hire someone to type your manuscript for you, probably at about $1 a page.

Whoever does the typing will be well advised to do it on an IBM machine, unless (a) you're interested in typesetting regularly over an extended period of time, in which case you ought to see the entry for Compugraphic in "Resources", or (b) you have access to office typesetting equipment, in which case you might ask to use it after hours. IBM Executives, Selectrics, and Composers are all for rent, as your Yellow Pages will indicate, and they all have much to recommend them (for a rundown on each one's special strengths, consult an IBM rental agent).

Use a carbon ribbon with the machine you select and plan your margins so that the copy you type can be reduced before it's printed. (If, for instance, you're doing a newsletter on 8½ by 11-inch paper with a 1-inch margin on the top, 1½ inches on the bottom, and ¾ inch on each side, you will have a 7 by 8½-inch space for copy and you should type that copy on a space that's 7¾ by 9½ inches to allow for a 10 percent reduction.) An inexpensive proportion wheel, which you can get in any art supply store, will help you find the figures that apply to your work. For examples of the way typewriter type looks reduced in varying degrees, consult a printer or the Adams Press booklet cited in "Resources."

Once you begin typing you will, of course, make a mistake now and then. If you spot an error as soon as you've made it, retype the whole line as if the flawed line had never existed; and when you're finished with the page, cut out the line with the mistake in it and splice the correct line into place with tape on the back of your page. Otherwise, retype all incorrect lines with generous spaces between them after you've proofread the entire manuscript, and then insert each one where it belongs.

Only one more act now stands between you and typesetting. You have to decide whether you want your copy justified. More and more people are choosing to forgo justification, which requires typing a manuscript twice. And as books and periodicals produced with ragged-right copy continue to multiply, whatever stigma still attaches to an uneven margin is likely to disappear completely.

Pragmatists may skip justifying margins on these grounds, while the more artistically oriented can join several renowned designers who avoid it for aesthetic reasons. Those to whom a perfectly straight right-hand margin is essential can learn how to justify from the books in "Resources" and from IBM agents.

At the time that he rents you your machine, the agent may offer to sell you paper too. You'll save money, though, if you refuse the offer and buy a ream of 20-pound sulfite bond at your stationery store instead; it's just as good, and about one-tenth as expensive.

Finally, as you finish each page, spray it with a fixitive (available in art supply stores) to prevent it from smearing.

Paste-up

"Paste-up" is both a verb and a noun. You are engaged in pasting up when you do a paste-up (which, if it is final or "camera-ready," is also called a mechanical); and to perform the task and produce the result you'll need a small supply of new mental and physical equipment.

The mental equipment consists of a rudimentary understanding of what role paste-ups fulfill in production. Essentially, a paste-up functions as a photographer's model and it should be designed to pose for a camera that registers all blacks and all whites, that isn't likely to pick up other colors well, and that can't see light blue at all. In other words, it should be composed of black elements and white elements positioned exactly as you want them to appear in their portrait and accompanied by notes and guidelines in light blue for your use and the printer's.

As for physical equipment, what follows is a bare-minimums list. Any clerk in an art supply store will be happy to suggest other things you can buy, and Clifford Burke, in his clear and extremely informative book, *Printing It*, will tell you how to construct a good deal of useful equipment.

* Paste-up boards (your printer may supply them free or sell them cheap, or you can buy white paper or Bristol board that's big enough to accommodate a spread)
* 1 pad of tissues the size of your page or your spread
* 1 pot of rubber cement with an adjustable brush
* Rubber-cement thinner
* 1 roll of white tape; 1 roll of transparent tape; 1 double dispenser
* 1 box of single-edged razor blades
* 1 metal pica ruler, 12 inches long or longer
* 1 good-quality 18-inch metal T-square
* 1 plastic triangle, as high as your page is high, and preferably tinted
* 1 can of spray fixitive
* Transfer type
* 1 box of non-repro blue pencils
* Scissors
* A drawing board, preferably with a metal edge, or a flat, rectangular working surface with a thick, straight side on which to anchor your T-square (drawing tables and light tables make it easier to do a professional-looking paste-up, but they're not essential)

Behind every good mechanical there's the dress rehearsal known as the dummy, and it should be pasted up from galley proofs (when a typesetter is involved) or from an extra copy of your manuscript if you've set it on a typewriter. Writers who use professional typesetters should get three sets of galleys and dispose of them as follows:

1. Proofread and return one set with all corrections marked.

2. Keep one set as a master; mark all corrections on it too,

and flag those that mean changes in line counts (when the two words that are missing from paragraph 7 are inserted, the paragraph will number ten lines instead of nine, and you'll have to allow for the extra line in arranging your copy.

3. Cut one set up for the dummy.

Writers who've typed their own text can get by with one extra copy, as long as they too proofread carefully and note all line-count changes that will result from correcting errors.

With an ordinary pen or a felt-tip marker, write the number of each galley or typed page again and again throughout the text, so that after you've cut the copy and moved it around to fit your layout scheme, you'll know where each piece came from. Then, with the scissors, trim the text closely on all four sides, and assemble and trim extra copies of your layout's other elements as well (including artwork, headings, and borders).

Now, using your T-square as a horizontal guideline and setting your triangle on it to form a true vertical, position a piece of your paste-up paper on your working surface so that it's straight, tape it down at the corners, and, using a blue pencil, draw lines to show the dimensions of your page and its internal margins (remembering to allow for reduction if that's part of your plan).

Finally, pick up whatever goes on the pages in front of you and apply generous amounts of rubber cement to the back of each element in turn (using too little paste can make copy stick before you've had a chance to position it correctly, but using too much will simply result in spillovers that will lift off easily as soon as they're dry; buy a rubber-cement pickup in your art supply store or make one out of a big, dried blob of the stuff). Use your T-square and your triangle to check alignments, and when everything's straight, press down and move on.

Precision is important in making a dummy because you'll want to know now if chapter three is going to end with half a line on the top of page 46 (cut something from the final paragraph) or if you'll need a large picture, or two or three small ones, to fill up the page with the hang-gliding story on it. Whatever adjustments are necessary should be made before final paste-up; and where they involve substituting new copy for old, making them will be good practice for doing corrections on your mechanical.

Mistakes are easily remedied. Lift one corner of your paste-up board and slip a piece of cardboard behind it (so you won't scratch your working surface on the next step). Then cut the incorrect copy out with a razor blade (cut through the paste-up board but not into neighboring lines of type) and finally, lifting one corner of the board again, insert the new copy from the back. Each correction should be centered on a small rectangle of white paper so that when it's in place you can tape it on from behind. Because large copy blocks are easier to position than small ones, in the end it will be faster to retype a whole line in order to change Mondsy to Monday than it would be to try to substitute an *a* for the *s*.

In addition to showing text, heads, and artwork in their proper places, and alerting you to trouble spots while fixing them is still simple, the dummy should show running heads and page numbers, which are also called folios; folios can be centered below the text or placed in outside corners; they are always odd on right-hand pages and even on the left. (Page 1 is the right-hand page facing the inside front cover in a periodical and the first page of chapter one or the first part-title page in a book; pages that precede a book's page 1 should get Roman rather than Arabic numerals or not be numbered at all.) Examine current books to see the proper deployment of front and back matter, and be sure—for both books and periodicals—to insert your correct copyright notice in the place prescribed by the Copyright Office.

Once you've done your dummy and solved all the problems it revealed, you can repeat the paste-up process to construct mechanicals with your good typewritten copy or with the corrected repro proofs your typesetter has supplied. This time, though, when you rule your paste-up paper, add crop marks in the corners (any printer will show you how), cover the finished pages with tissue (so they'll stay clean), press down (so they'll stay stuck), and proofread one last time (or ask a friend to do that; a fresh pair of eyes will be helpful now). When you've done your final correction, you can cut the spreads apart; single pages are easier to transport.

Some typesetters and some printers will do paste-ups for you (in which case you should get two proofs of the pasted-up pages—one to proofread, correct, and return, and one to keep as your master), and you can also hire designers to create your dummies, and paste-up people who freelance or are willing to moonlight to prepare your mechanicals. You'll save quite a lot, though, by doing the pasting yourself (the going rate for paste-up in New York is between $8 and $15 an hour) and, besides, for reaping both tactile and psychological rewards, the paste-up process comes highly recommended.

Printing and Binding

Printing your own material is by no means out of the question (lots of writers have done it by buying a secondhand press for a few hundred dollars, and then gone on to earn their money back—and more—by using the press to print other people's work). And binding is not hard either. Presses are big, bulky things, though, which require a sizable outlay of capital, and binding requires equipment too, and a great deal of time, so we'll assume for now that buying a press is not part of your plan and that you intend to use a commercial offset firm which will also bind your finished product.

To select a printer, get suggestions from little presses that issue handsome books or periodicals, and consult "Resources." Then get at least three estimates. Prices per page for 500 copies of a 5½ by 8½-inch book that's delivered camera-ready to be printed on 50-pound white paper may range from $4 or $5 up to $9 or $10 or more. A wise writer will consider the characteristic quality of a printer's work (which you can judge from samples) and his geographical proximity (which will make it possible for you to oversee quality on your particular job) as well as cost per page in reaching a decision, so take your time.

Most printers gladly offer suggestions about paper and ink and produce samples on request. Moreover, plenty of leads to information on these subjects appear in "Resources." You won't go wrong, though, if you pick 30-pound newsprint for a newspaper, 50- or 60-pound stock for a book, and 80- to 100-pound paper for soft covers, and you're safe in letting your printer choose ink for you.

Similarly, although "Resources" will direct you to several manuals that deal with binding processes, you can rely on a carefully selected printer to handle binding for you. Just remember that if he talks about "perfect" binding he's not promising flawless work; instead, he's referring to the popular method of gluing pages together inside a square-backed cover.

The one major decision that printers can't help you with is whether to produce a book in hard or soft covers. Until recently, binding some copies (though not all) in hardcover was mandatory, because reviewers wouldn't write about paperbacks and libraries wouldn't buy them. Today, however, many review media have established separate-but-equal columns for paperback originals, and still others are integrating soft- with hardcover books; while librarians, who used to regard paperbacks as too flimsy to be suitable for circulation, have now figured out how to strengthen them by providing thick protective jackets or by sharing the wear and tear among several copies. Thus in both libraries and book review columns, the outside of a book is increasingly irrelevant. And softcovers are no problem in most stores.

The growing popularity of paperbacks is attributable in large part to simple economics. Consider: at the Adams Press (to take one example) you can get 500 copies of a 5½ by 8½-inch book bound in softcover for between $33.70 and $62 (depending on how heavy a cover stock you pick), but getting them bound in cloth will cost $540 plus $96 more if you want a dust jacket with one-color ink and 30 percent over that for each additional color you order.

Obviously your savings will be considerable when you select soft covers, and since you can charge less if you publish in paperback, both readers and the reviewers and booksellers and librarians who serve the reading public can't reasonably penalize you for renouncing cloth bindings.

Anyone who needs an extra incentive to produce the bulk of his edition in paperback is invited to contemplate the additional money soft, light covers will save on shipping charges.

Managing Sales

———————— ☆ ————————

IF NEW YORK PUBLISHERS—with all their money, personnel, and media connections—have a tough time getting most of their books and periodicals off the ground, what chance does a self-publisher have? Though you may be surprised to hear it, he has a good one, and it's getting better every day.

A self-publishing writer has three important advantages over anyone who's conventionally published when it comes to selling his work.

1. Self-publishers get closer to their readers. Between a conventionally published author and his audience there are two sets of middlemen: the publishing-house staff members, whom the author relies on; and the booksellers, librarians, interviewers, and reviewers, whom the staff members rely on.

Working through double ranks of intermediaries is seldom the most efficient way to accomplish anything, and it's especially inefficient when the goal in view is person-to-person communication, as it is for writer and reader. It is a definite plus, therefore, to regularly eliminate the middlemen, particularly if you have the option of getting them to work for you when you want them—which self-publishers now do. (In fact, if his budget permits, a self-publisher can hire someone to assist with or execute almost every selling task he'll confront; see "Resources.")

168

2. Self-publishing writers don't have to sell thousands of copies in order to have their work survive in print; editions numbering in the low hundreds make splendid economic sense so long as overhead can be kept down. As a rule, you can select a size for your first printing that will virtually ensure that you break even on it. And because a small first edition can serve as a trial run, later, and perhaps larger, print orders will be less risky.

3. A self-publisher has only one person's work to promote—his own. Thus, the energy and time he can devote to selling far exceed what any big publisher could offer. And unlike a conventionally published bigbook author (who'll be sent on a grueling promotional tour to face interviewers who haven't read one page of his book and booksellers who don't have it in stock), the self-publisher can go where he knows he's wanted and arrange to create and to satisfy demand for his writing as he travels.

Instead of being exhausted and frustrated by promotional activities, self-publishers are generally stimulated. Selling makes a nice change of pace from writing (which you can do for only a part of the day anyway), and it's financially and psychologically rewarding besides. When he visited bookstores all across the country to spur sales of his novel *The Grassman* and a selection of books from his own press, Len Fulton found ample confirmation of the view that "a book's best salesman is its author, that one who shares all the continuity."

Fulton conceived of his trip as part of the logical publishing sequence, in which "the artist was the bicep, the publisher the forearm, the bookstore the fingers which touch out to what will be touched." His work, he felt, deserved "a full blood-run to the ends of the fingers"; doubtless yours deserves no less.

Because self-published writers and conventionally published writers should use essentially the same techniques in reaching out toward readers, we recommend that everyone who's interested in selling self-published work read "How and Why to Be Your Own Best Salesman" (in "Sequels to a Sale") and adopt its stress on identifying points of entry for potential readers as a first principle. A mental blend of the information from that chapter with the self-publishing framework outlined below should then yield a fine base for self-publishing sales operations.

Print Runs and Pricing

Even economic simpletons know that what you'll net on sales of your work will be the difference between what you get for it and what you spend for it. What you get, however, will be largely determined by what you spend (on production, promotion, and distribution) and by what you charge (too high a price will have just as negative an effect on your balance sheet as one that's too low); while what you spend and what you charge may be largely determined by what you think you can get.

Leading publishing firms, which have been thrashing around inside this vicious circle for centuries, have developed a system for determining the major getting and spending variables: cover price and print order. They carefully assess unit costs for assorted quantities (which they estimate fairly accurately) in the light of projected sales (which they estimate with wildly varying degrees of success) and of current dogma about cover-price ranges. Then they wing it.

Unless you have the money and the temperament to follow the lead of well-funded new periodicals, which pretest prices and sales pitches in a fashion any toothpaste manufacturer would recognize, you'll have to follow a similar course.

Study what other publishers charge for material comparable to yours. Consider the industry's rule of thumb (cover price should probably be close to four times production costs if you're doing your own distributing, and half again as much if you'll be selling a good deal of your work at 40 percent off to stores or 45 percent off to wholesalers or 25 percent off to libraries). Count up the readers you can be fairly sure of. Then you should wing it too.

You can hedge your bets to some extent in a number of ways. Most self-publishers, for instance, ask their printers to keep the plates or film of their work (so as to lower unit costs on later printings), and many arrange to have only part of a first edition bound at the outset (so as to save the considerable expense of applying hard covers if the market for them doesn't pan out). But essentially what's required of you here is a small, but sprightly, leap of faith.

Self-publishing writers who take care to cushion that leap of faith with a sensible program of action will soon find enough solid information through experience to arrive at later decisions much more rationally.

Publicizing and Promoting

Some of the first people a self-publisher should become acquainted with are the editors and publishers of the piccolo presses (they're defined in "Openings," reachable through "A Foot in the Door Resources," and in many cases eager to share their experience). And one of the first things a self-publisher will discover in conversations and correspondence with piccolo-press people is that they're self-publishers too (though they may publish other writers' work as well as their own). Which leads to marketing tip No. 1: imitate them by choosing a name for your publishing venture. Issuing your book from the Backyard Press (instead of under your own name) will give it a certain cachet and signal its legitimacy for those people— and there are still a great many—who insist on equating self-publishing with vanity publishing.

Be sure to include your address along with the name of your press in the very front of your book or periodical, to make ordering easy. Putting a coupon order form on a back page may also stimulate orders; for models, look at any Dover publication.

Like that of a conventional publisher's staff, a self-publisher's first priority is to get momentum going in advance of publication. Everything a conventionally published writer can do for his work a self-publishing writer can do too, but the former won't be primarily responsible for securing blurbs, reviews, and listings, and the latter will.

Blurbs

Try the famous-name blurb tactic if (a) you have access to any well-known personalities whose praise might help attract reviewers' attention, or (b) you think that if a particular celebrity read your work she'd find you one of the most exciting talents to splash on the scene in decades and agree to be quoted to that effect. For names and addresses of potential blurb writers, consult *Who's Who in America* and Gale's *Contemporary Authors* directory. And if you send your work out for advance comments, accompany it with a covering letter that explains why you think it will interest the particular person you're addressing.

Whether or not you succeed in getting quotable comments from famous names, you might collect advance quotes fom relative unknowns whose credentials will give weight to what they say. "The most compelling account of life under the sea I have ever read" may do almost as much for sales if it's signed by Prof. John Doe, School of Oceanography, Underwater U., as it would if it had come from Jacques Cousteau.

Reviews

Once you have copies and comments to distribute, don't, in your enthusiasm, make the mistake of mailing them out too far in advance. Check lead times for the review organs you hope will cover your work, and arrange to deliver it a month or two before the issue that coincides with your own publication date is scheduled to go to press. (Remember to include a slip announcing publication date, price, and ordering information, and to use the special book rate for mailing; it's cheaper.)

As to where to send review copies, you needn't be reluctant to approach prestigious large national publications many of which, like *Publishers Weekly* and the *New York Times Book Review,* seem likely to expand their coverage of small-press books in the near future.

Self-publishers can select other standard reviewing outlets from the list in the latest *Literary Market Place* (which provides the name of the person in charge of each one), and they can draw up their own lists of potential reviewers at special-interest journals and local magazines and newspapers. On clearly outside bets, it's fine to send only a descriptive announcement—the small firm's version of the big publisher's catalog—instead of your book itself, with a note saying that review copies are available on request.

While self-publishers shouldn't count on getting reviewed in major magazines (any more than authors with established publishers should), they may get a warm reception from the numerous small-press and little-magazine review journals, particularly if it's fiction or poetry that they've issued. To find the names and addresses of small-press book reviews, get hold of the latest *International Directory of Small Presses and Little Magazines*, and then, because new review publications and departments are springing up all the time, join COSMEP so you can get its newsletter. In addition to listing new review media, the *COSMEP Newsletter* presents current information on upcoming book fairs, new stores looking for small-press books, cooperative distribution opportunities, and the like. It's the smaller presses' grapevine, and it carries enough bits of news and advice to make it an indispensable tool for self-publishers.

Since libraries constitute an increasingly strong market for independently published books and periodicals, be sure that *Library Journal, Booklist,* and *Choice* receive galleys and copies of your work for review, along with a covering letter in which you explain why you think libraries should acquire it. If no review appears in any of these journals by your publication date, follow up with polite reminder letters.

It's worth working for reviews in these magazines because librarians trust them and follow their recommendations in ordering books. And today you won't have to work as hard as small-press people and self-publishers once had to, since library periodicals are more and more unwilling to let review copies from little presses get lost in the avalanche of big-press materials. *Library Journal,* for instance, has introduced an annual "Small Press Roundup," and *Booklist* now runs a column of small-press reviews; both mark a good beginning.

Furthermore, there are some signs of significant interest

in small-press books from the electronic media. A series of five-minute reviews of small-press publications by critic Daniel Lusk is scheduled to be aired twice a month on participating National Public Radio stations.

To have your work considered for review by Lusk and by librarians, send copies to the addresses that appear in "Resources."

Listings

A number of standard bibliographies are used regularly by booksellers, librarians, and members of the reading public, and it's to the advantage of every published author to be included in as many as the nature of his work allows. Try for a place in several of the following, to start with, and then apply for additional appropriate listings as you discover them.

★ *Alternatives in Print: A Catalog of Social Change Publications,* issued by Glide, 330 Ellis Street, San Francisco, Calif. 94102.

★ *Book Publishers Directory* (Gale Research Company, Book Tower, Detroit, Mich. 48226).

★ The "Books Published Today" column in *The New York Times* (229 West 43rd Street, New York, N.Y. 10036).

★ The Bowker directories; essential organs of the book trade, they include *Books in Print,* the *Subject Guide to Books in Print,* and a number of special-interest indexes. Write for a catalog and information: R. R. Bowker Company, 1180 Avenue of the Americas, New York, N.Y. 10036.

★ The *Bulletin of Bibliography and Magazine Notes,* published by Faxon and used by libraries; it has a section devoted to announcements of new magazines (F. W. Faxon Co., Inc., 15 Southwest Park, Westwood, Mass. 02090).

★ *Contemporary Authors* (Gale Research).

★ The *COSMEP Newsletter,* which runs a regular section on new magazines (Box 703, San Francisco, Calif. 94101).

★ The *Cumulative Book Index* and other reference guides published by the H. W. Wilson Company, 950 University Avenue, Bronx, N.Y. 10452; send for a catalog.

★ *Directory of Publishing Opportunities,* which lists journals (Marquis Academic Media, 200 East Ohio Street, Chicago, Ill. 60611).

★ The skein of small-press information published by Dustbooks and including the *Small Press Record of Books* (which also lists pamphlets, chapbooks, poem cards and the like); the *International Directory of Little Magazines and Small Presses;* and the *Small Press Review.* Write Dustbooks, P.O. Box 1056, Paradise, Calif. 95969.

★ *Magazines for Libraries* (Bowker).

★ The *Newsletter Yearbook/Directory* (The Newsletter Clearinghouse, P.O. Box 311, Rhinebeck, N.Y. 12572).

★ *Publishers Weekly's* "Media Department," which announces new magazines that will review books.

★ The *Standard Periodical Directory* (Oxbridge Publishing Co., Inc., 1345 Avenue of the Americas, New York, N.Y. 10019).

★ *Ulrich's International Periodicals Directory* and its supplements (Bowker).

Selling Wholesale

Once word is out that your work is available, the next step is moving piles of copies from your garage into the wider world. We're happy to report that a wealth of services now exist to help you do just that.

Bookstores

In the early days of the small-press movement many of its leaders refused to simulate the publisher/distributor/bookseller system that smacked of the big-time, red-tape, commercial publishing world they had spurned; and it took a while for a new attitude toward the business side of small-press publishing to form. Today, though, even the most literary little presses are becoming aware that there's nothing ideologically unsound about getting your work into the hands of the readers it's meant for, and that dependence on government and corporate grants—which have traditionally substituted for sales as a source of income—has political as well as practical drawbacks.

As a result, small-press people have begun to appreciate and adopt businesslike systems for handling sales, and now that it's becoming clearer and clearer that they're serious about selling, assorted entrepreneurs are offering assistance, for a reasonable fee.

Oddly enough, considering the fact that bookstores have seldom proved satisfactory outlets for anything but hot items, many of these entrepreneurs have focused on bookstore distribution; and—odder still—some of them seem to have met with considerable success.

Modern little-press distributors service bookstore accounts in two ways—either by sending salesmen to visit with catalogs and book jackets in hand (in the style of large, commercial houses) or simply by mailing new catalogs several times a year. Some large outfits, like Bookpeople in California (which represents 7,000–8,000 titles), have built up a fine reputation among booksellers, so that a book may sell many more copies if it's presented through their catalog than it would if the author-publisher himself introduced it to store managers through a flyer.

Beyond the stamp-of-approval effect that a good distributor can bring, he offers another advantage, this one double-edged: booksellers are more inclined to buy from distributors than from individuals because they trust them more to fulfill obligations and simplify procedures; and booksellers are more inclined to pay distributors than individuals because business with them is ongoing.

(If you sell to stores on your own, get payment in advance or resign yourself to giving away a lot of copies for nothing. And try as hard as you can to sell on a non-returnable basis. Even though this will mean offering a bigger discount than normal, it's sound practice because unless a store manager has paid for your book he'll have little—if any—incentive to sell it; while the argument that the book will sell—somehow—if you can just get it on the bookstore shelves is clearly contradicted by the evidence. Most sales forces are stuck fast to fully-returnable policies, on the dubious—and incorrect—grounds that the industry always does business this way. But that doesn't mean you have to get hamstrung by the full-right-of-return rule too. Both Dover Publications and the Black Sparrow Press provide models of the no-return system in profitable operation, which you'd do well to emulate.)

Not long ago, a self-publisher's chief problem when he needed to reach bookstores was the dearth of distributors; in the near future, the basic quandary may be how to choose among them. All will take a cut of your profits, of course, but some want only to make a killing with a hot commercial property, while others are game to help the cause of serious literature. Your best bet, if you want to have a distributor, is to judge each one you consider according to what he can do for you.

To narrow the field, ask congenial piccolo-press people what distributors they've found reliable and effective, look through recent *COSMEP Newsletters* for recommendations, talk with local booksellers about which distributors they prefer to deal with, and consult "Resources." After you have a list of names and addresses, write to each distributor you're interested in and ask for his catalog and for information about fee schedules and timetables.

Every catalog you read should give you a good feel for the kind of book that distributor represents best. Some firms, like Serendipity Books Distribution of Berkeley, will handle ongoing presses only and not one-shot self-publishers, so you may have to cross those off your list; and others will strike you as clearly inappropriate (if yours is a how-to title, a catalog in which page after page describes experimental literature is not for you).

Once you have a final roster of likely candidates, you should answer the following questions to your own satisfaction before you sign on with any of them. (If you can't find the information you want in the literature you've received, write and ask for more data.)

1. Does this distributor have its own sales force, hire independent salesmen, or rely exclusively on a catalog?

2. What size cut does the distributor take? Bookpeople, for instance, buys on consignment at 52 percent off the retail

price, and they in turn sell to stores at a 40 percent discount. You'll have to figure out what discount is reasonable for you.

3. What territory does the distributor cover, and how many accounts does it service? (You can expect a large distributor to reach 3,000 to 4,000 bookstores.) Be sure to ask whether bookstore chains and jobbers are customers. (And if you're distributing on your own, don't forget to get in touch with the chains yourself; if one of them places an order, you get wide distribution right away; see "Resources." Contacting jobbers is optional. They'll stock your work fast enough once you create demand in stores and libraries.)

Since many distributors service only a part of the country, you may need to contract with more than one for a book that has national appeal, or to pick just the right one if yours is a local story. The point is to get the coverage you need.

Better Stores

Most distributors will insist on holding the exclusive rights to sell your book to bookstores, but self-publishers of both books and periodicals can do plenty of selling themselves to non-book departments of department stores and to non-book stores of all kinds. In fact, in imaginative marketing to non-book outlets, small and self-publishers have taken a definite lead over big firms. What began as a necessity (because there was no effective way for little houses to get what they published into bookstores) has thus become an asset (because bookstores are such bad places to retail anything but best-sellers). Today—thanks to small-press pioneers—health food stores, craft shops, hardware stores, and sidewalk vendors are growing accustomed to selling written work along with their other wares.

The list of good outlets can be as long as imagination allows, so come up with as many tie-ins between your book or magazine and specialty stores as possible. Prepare a selling speech and try it on the manager of an appropriate shop nearby. If he agrees to take your work on consignment and succeeds in selling it, you may want to set your sights on national distribution. Let's say, for example, that the local sporting goods store proves a fine outlet for your *Backpacking with Kids* guide. Ask the manager which wholesalers service him; contact those wholesalers; explain that you've sold your manual through the Acme Sports Emporium in Hometown, Kansas, and that you think other sporting goods stores would do well with it too, and offer to sell him as many copies as he wants at a large discount—50 percent or more—on a non-returnable basis.

You can use the same procedures in approaching manufacturers of products that relate naturally to your subject matter. One self-publisher was able to increase her sales significantly by getting a company that made fondue pots to package a copy of her fondue cookbook with each order.

Libraries

Have you sent review copies to the magazines librarians trust? Have you visited the libraries in your area to acquaint the staff with what you've published and with your availability as a reader or a lecturer? If so, you've done everything that should be done to ensure sales of your current work to libraries. (You might consider one additional move, though, if you get a good review in one of the library journals: reprinting the review on a postcard and sending it to librarians around the country could boost sales substantially.)

To help sales of work you may publish in the future, however, and to help the cause of small presses as well, you may want to join the informal alliance that's recently sprung up between small-press people and librarians who realize how much they have to gain from one another, and who've been working hard in ad hoc groups to hasten the day when libraries will play as important a role in nourishing and preserving a wide range of reading materials for adults as they now do in supporting children's literature.

Until recently, it didn't seem likely that librarians and small-press publishers would ever make common cause. Many librarians had never heard of the small-press movement; most knew virtually nothing about what it produced; and those who did know enough—and care enough—to order from little presses often had trouble getting their orders filled. Fortunately, before complaints about undelivered magazines and indecipherable invoices reached crisis proportions, several people began working to make it easier for libraries to acquire and handle smaller presses' publications. The projects listed below should suffice to give you a good sense of what they've accomplished so far, where they're heading, and where you might fit in.

★ *Margins'* Tom Montag has written an article for *Serials Librarian* magazine that explains how to find out about, and then how to select among, the many little magazines now available. Montag's piece should be a valuable aid for librarians who want to build little-magazine collections, and it may prove equally useful for self-publishers who want to understand librarians' needs.

★ Paul Fericano of Millbrae, California, has started a little-magazine rack project for libraries in his area. He supplies a display case and a selection of magazines, which he changes regularly and which serve the triple purpose of providing readers with new material they may enjoy, alerting writers to new outlets for their work, and giving independent publishers easy entrée to an audience. Fericano hopes other little-magazine editors will set up similar systems, and the *COSMEP Newsletter* is a good source of information on current efforts of this sort.

★ The Coordinating Council of Literary Magazines has tackled the problems of ordering and billing by offering to serve as a subscription clearinghouse. CCLM also operates a traveling exhibit for libraries and will send a free selection of little magazines to any librarian who requests them.

★ For under $1,500 the Kentucky Arts Commission has bought copies of every small-press book and little magazine published in the state and distributed them among the state's libraries. Other states might well follow suit.

Selling Subsidiary Rights

Although they account for a significant portion of a conventional publisher's income, book clubs and paperback houses hold little promise for self-publishers because the editors there tend to assume that no self-published work has appeal for a mass audience. This assumption is not, of course, always borne out by events, and you may be able to overcome its negative effects if you can get one of the handful of agents who have begun handling subsidiary sales for small publishing operations to represent you (so far, most paperback and book club people are psychologically unprepared to deal with individuals acting on their own behalf). Try the Society of Authors' Representatives and friendly piccolo-press people for recommendations.

The Small Press Book Club may be a good bet too (details appear in "Resources"), and fortunately other sorts of subsidiary sales are much easier to effect. Just follow the directions in the "Money" chapter called "Spinoffs."

Selling Retail

Selling retail is the purpose and the promise of all publishing. It's the retail buyers, after all, who'll be your readers, and every writer's efforts are directed, in the final analysis, to reaching them.

Self-publishers have three primary ways to get in touch with the people they want as readers—direct mail, advertising, and personal appearances. In planning each approach, be sure to include provisions for feedback—in the form of orders, with payment, as well as in the form of verbal give-and-take— and when you begin to get results, keep a record of the names and addresses of everyone who places an order from any source. In the event that you publish another book or periodical or issue a revised edition, you'll have a successful, free mailing list at your fingertips.

Direct Mail

As the number-one means of distribution for small pre ses, direct mail offers the best way to appeal—one to one—to the large bodies of people around the country who are most likely to want your work and who might not ordinarily hear about it or be able to get hold of it.

Getting a direct-mail package together can be an elaborate and expensive proposition (and it is in the hands of most commercial houses), but a self-publisher can keep costs down if she simply prepares a description of her book or magazine, a collection of enthusiastic (and preferably prestigious) comments about it, and a tear-off order blank. When a table of contents says best what the work is like, it might accompany the description, and when the author's experience or credentials are relevant, they should be mentioned too. Whatever its specific content, however, mail-order copy must always answer the question potential readers will be asking themselves: What's in it for me?

You may want to use slightly different approaches to reach slightly different segments of your public, but whether you mail one letter or a variety, choosing wisely where to send them is essential. As you'll discover when you explore the mailing-list compendiums listed in "Resources," every imaginable interest is represented. You can rent a list of people who've bought inflatable chairs as easily as you can rent one of Ph.D. holders. Prices start at $25 or $30 for 1,000 names, and the more narrowly you can define your market the better your chances will be of getting your money's worth.

If your work focuses on a very precise subject—like directing a summer camp, say—and you know there's an association of camp directors, you can go straight to that group and ask for the use of their membership roll (you may even get the list free if you're on it yourself).

In the event that neither your background nor your subject matter leads you directly to ideal lists, you should consult the "Mailing Lists" section of the LMP and the Standard Rate and Data Service Direct Mail Catalog.

After you've studied several of these sources and come up with a few lists that seem to match the audiences you want to reach, ask the broker for each list what response rate other people have gotten with it (2 percent is considered pretty good), and solicit his advice on your project. Then, using common sense mixed with courage, you'll have to decide for yourself whether a mailing will be cost-effective. Remember, expenses will include preparation of copy, purchase of paper, envelopes, and postage, and maybe of return envelopes (possibly also with postage), along with list rental fees (using the self-publishing Starter Kit, you may be able to keep some of these costs down). Because it's so hard to tell in advance how many orders to expect, most people start small with a test mailing of part of a list and then mail to larger groups if and only if that test mailing succeeds.

Advertising

Nobody in the industry has any hard knowledge as to whether ads without order forms sell books. Given the inaccessibility of most bookstores, however, and the inadequacy of most publishers' distribution efforts, it seems unlikely that they do, so use ads *with* order forms; they'll make it easy for readers to buy and for you to measure the success of your advertising.

There's no better place to run a coupon ad than in a periodical that's printing a review or an excerpt of your work. Other logical advertising outlets include magazines, newsletters, and newspapers that share your area of interest. *National Wildlife*, for example, might provide a good environment for an ad about a children's book on a prairie-dog town; while the *Vassar Quarterly* could pull orders for a history of higher education for women.

Ask the advertising departments of local newspapers, magazines, and radio stations where you want to run your ad for advice on how to prepare copy (it's to their interest that your ad succeed, so don't be shy). Or hire an agency. And if you plan to advertise in more than one place, key each order form (on the coupon in the "Hometown Gazette," for instance, instruct people to address their orders to Dept. HG, and use Dept. DN as part of the address cited on the coupon in the "Doglovers' Newsletter"); that way, when only three orders come in on the HG blank but you get 150 marked DN, you can arrange to keep running Doglovers ads until the response tapers off, and to pull out of your local paper.

Classified ads, which are cheap, may work for some books and periodicals; and exchange ads, which are free, can hardly fail. Magazines often swap advertising, so if you're putting one out you ought to see what kind of a deal you can arrange with kindred publishing spirits. How much room you'll be accorded in someone else's periodical will depend upon relative circulation figures and/or upon good will.

Personal Appearances

Each group you can reach by mail and through advertising you can probably also reach in person, with far more exciting results. We refer you again to "Why and How to Be Your Own Best Salesman," and we remind you that almost every one of this country's thousands of organizations has scheduled meetings. Check the *Encyclopedia of Associations* and the Association of American Publishers' *Exhibit Opportunities Guide* to see what conventions are held in your area or might be worth traveling to.

You'll have to be selective, since both fees and travel costs can mount up. But, happily, co-op alternatives exist. For a small fee (usually $25 per title) an exhibit service will display your work together with other small-press publications (see "Resources"), and if you go to a fair or convention yourself you can often arrange to split a booth—and its cost—with some like-minded exhibitors; the *COSMEP Newsletter* may help you find them.

But neither scheduled events nor the examples in this book exhaust the avenues for selling a book in person, so strive for impromptu, innovative strategies. The strangest schemes sometimes work magnificently, as the experience of Charleen Whisnant Swansea, editor and publisher of Red Clay Books, demonstrates.

When Swansea's first book came off the press, she took stock of who among her friends, acquaintances, and colleagues could help her sell it. Capitalizing on one of her previous jobs—she'd been a traveling saleswoman for a company that made false teeth—she decided to retrace her old route and convince the dentists on it that those dog-eared magazines in their waiting rooms were not lively enough reading for their clients. You should spruce up the reading racks by buying my book, she told them. And they did.

MONEY

———☆———

Front-end Funding

───────── ☆ ─────────

BEFORE YOU CAN BEGIN a major piece of writing you'll need to know how you're to support yourself while you work on it. If you're rich, there's no problem, of course. And if your publisher has provided an enormous advance, you have nothing to worry about, at least until you launch your next project. But if you're among the vast majority of writers, you'll have to scramble to make ends meet. In fact, the first rule of the writing game is: you cannot live by writing sales alone.

To supplement whatever income you derive directly from writing, tap any or all of the money sources we're about to outline.

Grants

Browsing through the directories that list grants available to struggling writers should prove heartening, both because you'll see how many people and groups are trying to help, and because you'll find at least one program, and probably more, for which you're eligible. Even first-time authors have grants earmarked especially for them; a number of New York publishing houses, for instance, sponsor fellowships for unpublished writers that consist of outright prize money plus advances, and some university presses offer similar programs.

You can find out who's giving what by sending for *Grants and Awards Available to Writers*, which is put out by the writers' group known as P.E.N. and which is the only annual list compiled exclusively for writers. In addition, see the general directories of grants listed in "Resources"; read the writers' magazine *Coda* for announcements of new awards (and reminders about deadline dates for old ones); look at preface and acknowledgments sections of books in your field to see whether one foundation or another is especially receptive to your kind of project; and write your state council for the arts and the National Endowment for the Arts to ask for information about financial aid.

As a rule, grants are designed either to support a writer's work in general—"to advance his career" is the usual phrase—or to fund a particular project. Those who apply for career-advancement money are generally judged on the basis of samples of their best work. Barry Targan, whose fiction has been selected for Martha Foley's prestigious anthology *Best American Short Stories* for three years running, says of the National Endowment for the Arts grant that he won in 1976: "The application form itself is quite simple and straightforward, and even though it asks what you will use the grant for (you can only honestly answer—to continue to write, for support while you do write), still I think what matters most is the feeling the judges have for the samples of writing that you submit. In my own case, the fact that I'd won the Iowa School of Letters Award for Short Fiction may have helped, but many other people who received grants have published very little."

Those who want grants for particular projects have to satisfy more complicated requirements. In addition to filling out application forms, they will probably be asked to write project descriptions, estimate the budgets necessary for their execution, and solicit letters of recommendation.

All this takes a good deal of time, but it's worth doing right since you're shooting for thousands of dollars. And a good way to discover what the right approach is for any specific grant is to talk with the people who've won it. The roster of previous winners that generally comes along with each application form may seem intimidatingly star-studded at first, but because many of the famous names on it got their grants while they were still unknown, they should be willing to empathize with your needs now. So mine the winners list for clues about what level of achievement is expected and what types of projects have been funded in the past, and then muster the courage to call a couple of successful grant-getters and ask for advice. Tell them about your proposal and admit it if this is your first foray into the grants game.

Susan Jacoby—who got several grants, including an Alicia Patterson Foundation fellowship, to help finance her book about new immigrants—endorses this route, as do other writers who've tried it. "Talking with someone who's recently won a grant from the foundation you're applying to gives you an insider's edge," Jacoby explains. "Each foundation has its own style: some like polysyllabic, academic presentations; others prefer it straight and simple. What's desirable and what's not changes as the composition of the selection board changes, so it's important that you talk with someone who won recently."

To go with whatever firsthand advice you can get, here are some general rules of grantsmanship:

★ Incorporate selected elements of the effective book proposal (as described in "Procedures") in your project description. Emphasize the credentials and expertise you bring to your work. Explain why your project is worth undertaking and what its significance is in relation to other work in the field. If you've received an advance from a publisher, mention it, and say why you need additional funding.

Once you've drafted a proposal you're satisfied with, circulate it among friends for suggestions; include at least one writer who has himself won a grant, if you can.

★ Make up a professional-looking budget. This means estimating your living expenses as accurately as possible, and in general using hard figures whenever you can, instead of guessing.

★ Contact the leading authorities in your field for letters

of recommendation, and try to set up meetings with them individually. If you can't arrange meetings, write and describe your project; explain what you've accomplished thus far; and ask each authority if he'd be willing to recommend you for the grants you need. If you make it clear that your work will constitute a real contribution to their field, they'll probably agree to support your applications.

In follow-up correspondence with a sponsor who seems truly interested in your work, you might ask whether she can suggest any other foundations you ought to try. And you should be sure, of course, to thank each sponsor and to apprise him of the outcome of your efforts. Whatever grants you win—or fail to win—this time around, you may need his help again.

★ Don't assume that you're limited to holding one grant at a time. Having money from X rarely precludes a writer from applying for more from Y and Z.

★ If there's anything on the application form that you don't understand, call and ask to have it explained.

Writers' Colonies

There's scarcely a writer alive who hasn't felt at one point or another that if only he had a little peace and quiet he could really get some work done. At a dozen or so writers' colonies scattered throughout the United States, peace and quiet are abundantly available, along with free room and board in most cases (at some colonies writers are asked to contribute by buying their own groceries and preparing their own meals).

Colonies come in a wide variety of styles, from Yaddo, outside Saratoga Springs, New York—with its mansion, formal rose garden, statuary, tennis courts, swimming pool, and box-lunch delivery—to Cummington Community of the Arts in Massachusetts, the only retreat that accepts writers' families too, and invites everyone to pitch in with the day-to-day chores. And at D. H. Lawrence's ranch in New Mexico, there's a one-person summer residency program.

Some colonies actively encourage beginners to apply (the

Fine Arts Work Center in Provincetown, Massachusetts, exists for beginning writers alone), but all say that writers with talent—published or not—will be welcomed, and most accept both fiction and nonfiction writers on the basis of samples of their work. See "Resources" for help in figuring out where you might best apply.

No matter how like utopia they may sound, writers' colonies are not useful for everyone. Having your own cabin in the woods will free you from the distractions of kids at home, phones in the office, and other assorted turmoil, but it won't necessarily activate your muse. As one writer who has stayed at a number of colonies put it: "You don't get inspiration by looking at the trees." Nor is the problem of self-discipline any easier to handle at a colony than it is at home, although some writers do find that living in a community composed exclusively of artists shames and/or encourages them to buckle down.

Those who get the most from colony life usually arrive with a specific goal in mind: five poems; the first three chapters; a rough draft. The goals you set for yourself will naturally depend in part on how long you plan to stay (some colonies ask that you spend no less than a month on the premises, while others have more flexible residence requirements), but even if you don't have time to get a great deal of writing done, you may find colony conditions just right for making valuable discoveries, as Anne Grant, a documentary writer and director, did when she stayed at the Millay Colony for the Arts in Austerlitz, New York, for ten days to work on her study, *Elizabeth Cady Stanton's Quarrel with God.*

"I had imagined I could finish my book," she said, looking back on the experience, "but I completed only twenty pages and a lengthy outline. I accomplished something else, though. For the first time in my adult life, I discovered my natural rhythms of waking, eating, and sleeping, my flow of energy and thought when I am not interrupted. At home, whenever I failed to accomplish as much as I had planned, I would reproach myself and resent my family. At the Millay Colony, I found that even under the best conditions it takes time to develop an idea and even more time to create art."

With colonies as with grants, don't be dismayed if at first you don't succeed. Understandably, the waiting lists at most retreats are long, so you may very well have to try and try again.

Economic Ingenuity

Let's say you desperately need to get away right now in order to pull your manuscript into shape, and there's no room to be had at any of the colonies you applied to. What do you do? Well, you could decide that the world's an unfair place, shelve the manuscript, and sulk; or you could choose to abandon dependence on other people's largesse and substitute reliance on your own wits. One good way to keep yourself in funds, after all, is to devise clever ways to avoid giving up those you've got.

Does anyone you know have a summer home that they're not using now and that they might allow you to live in for a couple of weeks if you volunteered to paint the kitchen during your stay? Can you afford to have a neighborhood high school girl sit for your preschool kids between three and six o'clock while you work in the empty apartment of a friend who's at her office?

Most writers become experts at cash-conserving improvisations of this sort out of sheer necessity. But devising money-saving moves can be pleasurable as well as practical if you enjoy the idea of outwitting such capitalist evils as inflation and planned obsolescence by reviving secondhand clothing and furniture, for instance, or by using a barter system (maybe the electrician will fix your stove for nothing if you teach his kid grammar).

Unlike local tradesmen, the IRS never accepts payment in services, but though you can't avoid paying cash to the government, you can keep your tax bills down. Any self-employed writer who makes $10,000 a year or more should consider hiring an accountant and perhaps also opening an

IRA, or Individual Retirement Account (in which you can deposit up to 15 percent of your annual income—but no more than $1,500 a year—without paying taxes on it; the income becomes taxable only when you withdraw it after you've retired). IRAs vary somewhat, so visit a number of banks and securities firms to compare the plans they offer.

And anyone who's earning anything at all from writing should read *Fear of Filing* (a manual compiled by Volunteer Lawyers for the Arts), get hold of the IRS pamphlets for self-employed workers (your local office will have a list), and remember that he's personally responsible for making Social Security payments.

One other thing every writer can do to put herself in a favorable position at tax time is keep an expenses diary. Simply carry a pocket calendar with you and jot down records of any money you spend on work-related matters (including transportation to and from editors' offices, postage and supplies, copying costs, phone calls, magazine subscriptions necessary for your project, professional membership dues, and the like). Keep all receipts; mark clearly what each one is for, unless it's self-evident; and in dealing with businesses that don't normally issue them, bring your own form (you can buy a pack at any stationery store) and get it signed. Faithfully recording your expenses should help you take full advantage of applicable tax deductions and keep the costs of tax preparation down.

Some writers' organizations help their members save money by offering informational seminars, charter flights, group insurance plans, and the like. And they may also provide an incidental financial benefit: membership in a national writers' group indicates to the IRS that you are indeed a professional writer, and therefore entitled to all the tax breaks attendant on that occupation.

If, despite the strictest and cleverest economy measures, you find yourself hovering on the brink of financial catastrophe, spend your last few dollars to get a copy of *The Harassed Bill Payer*, by George Belden; it reveals all kinds of tactics which really do work to keep collection agencies at bay.

Co-publishing

In a co-publishing venture, the author and the publisher each put up part of the money needed to cover publication costs and each collect part of the profits. Usually, although not invariably, the split is 50–50. Co-publishing arrangements are increasingly popular with small houses and among writers who would like to self-publish but who haven't got enough cash to cover initial expenses.

Authors who would otherwise aim to be conventionally published may also find co-publishing attractive because, after they've contributed their own funds up front, they'll get a chance to exercise control over production and promotion (publishers and editors function under this system as roughly equal partners), and they're likely to amass larger earnings in the long run.

One variant of co-publishing—the collective approach— has been tried with some success on a national level through the work of the Brooklyn-based Fiction Collective, which was formed in the mid-1970s and which may eventually serve as a model for other improvisations on the basic co-publishing theme.

Subsidy Publishing

Riffle through the pages of the women's magazines and you'll notice before long that the clothes and cosmetics featured in the editorial departments tend to come from the very same companies that fill the advertising columns. Almost all magazines depend on advertising revenues for economic viability, but some are more fussy than others about the nature of the links between ads and editorial attention, and a few manage to run plenty of ads that relate to articles without relinquishing control over content in any way.

A similar system exists to fund books and pamphlets. Subsidy publishing, as the practice is called, involves interesting a business, a charitable organization, or any other institution that has money to spend, in financing a written work.

What the company gets out of the deal is a marketing or public relations tool called a premium; what the writer gets is a sponsor, except that instead of the Medicis or the Ford Foundation, this time it's Amalgamated Widgets.

Established book publishers often make subsidy deals, but subsidy publishing is not well known among writers, most of whom discover it by accident, if at all, the way Ann Reed and Marilyn Pfaltz did as they were making the rounds of New York houses with their cookbook, *Your Secret Servant*. When a friendly editor who didn't want the book for her list suggested that it might make a good premium, Reed and Pfaltz asked her what she meant by that, and then switched targets. Instead of offering their manuscript to publishing houses, they began offering it to advertising agencies, and fairly soon they found one that wanted to use it as an incentive to draw new accounts to a banking client's offices. The bank paid enough for its copies of *Your Secret Servant* so that the authors could print and bind 5,000 extra books for their own purposes. With the finished work in hand, selling publishers was simpler. Scribner's bought the 5,000 copies and kept the book in print for a number of years.

To find the organizations that might subsidize you, figure out what institutional aims your work might serve (maybe a company that manufactures luggage would like to fund your anthology of expeditions and distribute it as its Christmas gift this year, for instance; or maybe the Lions would underwrite your history of fraternal organizations). Then call or write potential sponsors themselves, or use your connections at ad agencies or public relations firms, or get in touch with a subsidy publisher, whose business it is to match companies with appropriate books (see "Resources" for leads).

Like all forms of patronage, subsidy publishing may raise moral issues. But if you're honest with yourself, your sponsor, and your public there's nothing to stop you from having clean hands, a pure heart, and a healthy bank balance all at the same time.

Spinoffs

—————— ☆ ——————

THE SINGLE BEST key to financial success in writing is recycling. Both the materials and the skills that go into creating a piece of written work can be reused in a great variety of profitable ways, and while those who've written books have the widest range of recycling options, everyone who's written anything should be able to make it do at least double duty for pay. Or triple. Or quadruple. Or more.

Check your contract before you start the recycling processes, though, to see which rights you control and which you'll need clearance to dispose of.

Transforming the Whole

To switch from worrying about a roof over your head to worrying about a tax shelter over your earnings, get your story made into a successful movie or television program. TV and movie people prefer to buy best-sellers, of course, because they want presold audiences for their products, but little-known books, too, have been transformed for large and small screens.

Mostly, it's a matter of luck. Who you know is crucial (is

your cousin's sister-in-law an editor at Paramount? Why not ask him to ask her to call your book to the attention of a producer or tv·o? It probably won't do any good, but it shouldn't do any harm either). An aggressive and talented agent who specializes in dramatic properties can be a great asset (you might start a data bank, like the one outlined for editors in "Openings," in order to figure out which agents would be good for, and receptive to, what you've written). And the affection approach (see "Openings" again) may be worth trying with a producer, a director, or an actor whose work strikes you as similar in significant ways to your own.

Outside the glamorous world of entertainment, luck plays a smaller part in transforming written work for profit, and you can depend upon energy and intelligence instead to help you toward your goals. Among the many routes worth traveling, several stand out. Consider, for example:

1. *Export.* Some books travel well and, if you think hard about what sorts of people in which foreign countries would respond to what you've written, perhaps yours will be one of them. To get a sense of what's currently selling abroad, read *Publishers Weekly*'s International Publishing issue (which comes out in the fall, at the time of the book industry's annual international fair in Frankfurt). And then consult your publisher or your agent (if you have one) or some of the exporters and export representatives listed in *LMP* about how to effect foreign sales.

Great Britain, of course, provides a promising market for many American titles because language is no barrier, but scientific (and even semi-scientific) writing may draw English-speaking audiences around the world, and so might essentially visual works for both children and adults.

A writer who finds an interested buyer abroad can sell him copies of her American edition or the rights to publish an edition of his own.

2. *Translation.* Whether or not there's an English-speaking foreign market for an American writer's work, there may be a market—or several markets—for it in translation. Again, you ought to come up with a list of logical candidates and then discuss the possibilities with your publisher and/or your liter-

ary agent and/or several representatives of the export agencies described in *LMP*.

Share whatever grounds for optimism you have (are books about the same subject regularly featured on French best-seller lists; has the leading English–Spanish translator in the U.S. agreed to do your novel if you get a buyer for it in Latin America?). No exporter can afford to take lightly the obvious hazards that come with translation rights, so they'll all be hungry for evidence that supports projections of success.

3. *Filmstrips.* Audio-visual materials don't constitute quite as profitable a product line today as they did several years ago, before Washington tightened up on the schools' pursestrings. But they still sell well. Moreover, they're not hard to create (they're composed, after all, of only two simple elements: a succession of still pictures and a commentary).

If you think you see a way to recast your material as a filmstrip for use in a civics class, say, or a course in black studies, do a rough outline of the narrative; sketch or describe the pictures that should accompany it; and get in touch with the Association of Media Producers (the address appears in "Resources"). One or another of the members of that group may think well enough of your idea to want to take on the tasks of production and distribution.

4. *Tapes.* Perhaps the American people are harkening back to the oral tradition of olden days, when villagers gathered to listen to storytellers. Perhaps, on the other hand, we're just getting too soft to want to turn pages. Whatever the cause, the public seems to be developing a taste for books on tape.

Books on Tape, as a matter of fact, is the name of a Los Angeles firm that records *Walden, The Rector of Justin, The Manchurian Candidate,* and dozens of other titles in packs of one- and one-and-a-half-hour cassettes and rents them to the listening public, including commuters with tape decks in their cars. Since most of the books run eight hours or longer, a single novel might soothe a driver through a week's worth of traffic jams. And it's easy to imagine that sunbathers and insomniacs might also appreciate stories on tape.

Because taping is expensive, you may not want to consider it unless you have either relatively free access to a recording studio or a producer who is willing to back you.

5. *Large-type editions.* Although only six American publishing houses produced large-type books in 1968, over forty-five firms had 2,500 large-type titles in print eight years later. Bowker issues a directory of them (see "Resources"), and those of you who follow the methods outlined in "Openings" should be able to find good leads in it to publishers who would consider your work for this sort of printing.

6. *Awards.* Numerous cash prizes are given each year to outstanding works in a staggering variety of categories (best first novel; best book about Ohio history; best article on dental disease), and applying for them is relatively easy. The directories listed in "Resources" will tell you what's offered, so all you have to do is see whether your work qualifies and, if it does, apply. (Applications for some awards must be submitted by your publishers, but they should be delighted to do the necessary; just tell them what you're after and how they can help.)

Apportioning the Parts

Sometimes a section of a book can be lifted, virtually intact, out of the rest of a manuscript and stood firmly on its own feet. In such cases, the author needs only to figure out which periodicals might like to run it, and arrange to give them their chance.

More often, however, books refuse to disassemble neatly, and carving articles or stories from their pages takes careful craftsmanship.

Once you've decided which parts of your story merit publication on their own (perhaps you'll have to supply a new lead or a few passages of transition or a local newspeg before any of them does), you can approach magazines, newspapers, and syndicates with your selections (see "Resources" and, if you feel the need of a refresher course, "A Foot in the Door"). You should offer to sell either first serial rights (that is, the rights to the first appearance in print of this work) or second serial rights (i.e., the rights to republish, perhaps in a slightly different form). For obvious reasons, first serial rights go for more money.

Send as many different adaptations of your material as you can prepare to as many appropriate outlets as you can find, and try to schedule the pub dates of your spinoffs to coincide more or less with the pub date of their parent work. You'll want readers who are enthusiastic about an excerpt to be able to buy a copy of its source, which is most likely to be available just after publication. And besides, if a number of pieces that present your by-line and mention a book you've written appear simultaneously, their cumulative effect may suffice to trigger that much-prized sales phenomenon, word of mouth.

Don't stop, though, when you've gotten a bunch of excerpts into print and a bit of talk going. Fan the conversational flames by developing reprint possibilities. Should the *Reader's Digest* see the chapter of your book that appeared in *Modern Maturity*? Would airline magazines or trade journals or special-interest newsletters or local papers pick up your piece from *Business Week*?

The effort involved in sending tearsheets out to periodicals that might reprint from them is minimal, and likely to be fully repaid even if all you get is additional exposure. There'll be big money in the offing, though, for anyone who does win the vote at the *Digest*.

Deploying Writing Skills

If you decide to use your writing skills in order to earn enough money to use your writing skills the way you really want to use them, it's best to concentrate on assignments that pay relatively well for relatively little work. Novelizing is just such a task. So try following your acquaintanceship chain as far as possible to see if it will yield a connection between you and an editor at the house that does the books about Fonzie and Kojak, or the one that turns box-office boffo movies into paperback books.

Expending more effort (and perhaps earning more in the way of psychic rewards), you can try collaborating, either with an expert from academia (or from anyplace else where jargon rather than English is the native language) or with a celebrity who needs help with his memoirs. Sign the resulting book as a co-author if you can, and be absolutely certain you get credit somewhere in it. (Drawing up a written agreement at the outset about the terms of a collaboration is a good way to ensure that these and other focuses for dissension don't cause trouble later, when the project is so well launched that you're locked into it.)

Expending less effort (and no doubt earning less in the way of psychic rewards), you can take up writing fillers, short features, and greeting-card verse. Successful practitioners of these and comparable minor arts have, predictably, written books that tell how you too can cash in on them, and although you can sneer if you want to, this may be your best way to pay the grocery bills.

Other opportunities to write for money exist in organizations that need newsletters, companies that need house organs, government bodies that need speech-writing staffs, and myriad other concerns. Let your own ingenuity be a guide to the ones that will work well for you.

Lecturing

Lecturing is lucrative; in fact, it's what supports a good many well-known writers. For months every year, these prominent authors crisscross the country to speak before civic and corporate groups and on college campuses, and many of them earn well over a thousand dollars per speech. (The take for beginners is lower, of course.)

The lecture bureaus that schedule celebrities' talks (*LMP* has a list) are prepared to welcome new clients, but, as in any other business, a recommendation from a respected source and a strong presentation will increase the odds for acceptance.

Both in approaching lecture agents and in fulfilling the engagements they'll get you if they take you on, you should be aware that what works when you write won't necessarily work when you talk. For a piece of writing, as Bill Leigh of the Leigh Bureau explains, is directed to a class of individuals, but a speech is directed to a group; and what people in groups want to hear is the voice of authority. You should concentrate, therefore, not on your writing but on its subject; stress your theme, your points, and your credentials. And use the intimate, first-person approach that's so powerful in print sparingly, if at all, on the platform.

Teaching

Though it pays nowhere near as well as lecturing, teaching makes a good sideline for writers too, and draws on many of the same skills. Enrollments in writing and journalism classes are rising today, despite economic and energy crises, and almost every area of the country has a continuing-education program that might be hospitable to new courses. If you're interested in teaching, explore opportunities at prisons and rehabilitation centers as well as schools in your region; and send for catalogs. Maybe one of the instructors listed will agree to advise you about drafting and submitting a course proposal.

Teaching has several attractions. Serious writers report that helping others learn writing techniques gives them new insights into their own creative processes, and that contact with both students and fellow instructors is often stimulating. Furthermore, the pay is steady, at least as long as the semester lasts, and much longer than that in most cases.

Purveying Services

Self-publishers with firsthand knowledge of the steps involved in getting material from a writer's mind to a reader's are frequently tempted to use what they've learned by founding a piccolo press. But then so are all sorts of other people. Giving in to the temptation to start a publishing house may be wise for a variety of reasons, but making a lot of money isn't one of them. Small presses, particularly those that publish serious literature, often operate at a loss, which their proprietors must try to offset by adding highly commercial titles to their lists, by moonlighting, or by accepting patronage. Whichever they choose, tension builds, generally at a faster rate than income, and both financial and psychological disasters have been known to follow.

In the hope of avoiding these hazards, a number of men and women have lately devised ways of streamlining publishing ventures. Michael Shimkin and two colleagues, for example, started Aardvark, a firm which has no permanent staff. When a book comes along that's right for the house, a team is hired to handle it; and when the book is finished, the team disbands and its members—editor, designer, production manager, subsidiary rights director, and public relations chief—move on to other assignments elsewhere, leaving Aardvark with minimal overhead expenses.

John O. Stevens of the Real People Press gives much of the credit for his success as an independent publisher to his stress on simplicity. He prices his books in increments of 50 cents, for instance; uses a contract that's roughly five sentences long; and figures royalty payments like this: "I subtract current inventory from past inventory, round it to the nearest 5,000 books (1,000 books for slower titles), and send the author a check."

And Garland Publishing, Inc., has found a practical route to profits by specializing in short-run facsimile books, which require no typesetting. Garland's catalogs—"Fifty Classics of Crime Fiction," "The James Joyce Archive: Unpublished Notebooks, Manuscripts, Typescripts, Corrected Proofs, Etc.," and "Outstanding Dissertations in the Fine Arts," among others—go to academics and to academic libraries, which are easy to reach and, given attractive materials, very apt to order.

If the idea of being a publisher attracts you but the dangers rule the option out, you may want to consider becoming a book packager. Book packagers, who are fairly new on the publishing scene, take ideas, find writers and/or artists to develop them, raise some money to get the work they've done to the camera-ready or bound-book stage, and then sell what they've come up with to an established publishing firm (which usually pays on a per-book basis, although some packagers sell rights instead of copies).

Though it shares much of the appeal that publishing has for many writers, packaging is less risky; the packager, remember, withdraws from the publishing process, with his money, before the vicissitudes of distribution have begun.

Those who want to minimize their risks still further should think in terms of selling a single publishing skill, rather than a coordinated group of services. If you own a press or a typesetting machine, for example, by all means use it as a source of extra income; you should have no trouble generating assignments from paying clients. And if you've developed editing, copy editing, proofreading, layout, or paste-up skills, you ought to tap the ready market for them as well; try publishing houses, newspapers, ad agencies, and almost any other business that involves the preparation of materials to be printed (which almost any business nowadays does).

You can get advice on selling publishing skills from piccolo-press people around the country (who may advise you, too, on marketing valuable artifacts—like your mailing list).

ENDNOTE

Righting the Scales
of Success

———————— ☆ ————————

DOWN DEEP where it matters—on some sub-rational level—it's natural for authors to suspect that pub date constitutes the publishing industry's equivalent of the theater's opening night. And it would be nice if it did. After the long and lonely work of writing and the petty aggravations of production, there ought to come a time when the audience cheers and the critics dole out stars and a person knows for sure whether to pop open the champagne at a party or slink off to a bar by himself.

In the normal course of events, however, a writer's audience is apt to remain silent (people almost never volunteer comments on what they've read unless it made them mad); his potential critics will probably ignore his work (reviewers pay no attention to magazine pieces or to the vast majority of new books); and any responses that do come his way are liable to be hell on the impulse that wants certainty because they'll straggle in over such a long period of time and be so liberally sprinkled with waffle words ("Despite its flaws . . ."; "Despite its promise . . ."; "Despite its very real merits . . .").

But if random reactions are imperfect indicators of accomplishment, the supposedly scientific polls known as bestseller surveys are even worse. Credited by the public with mirroring its response to what's published, all the best-seller lists actually aim to reveal is which trade books are selling well in bookstores, and they rank even that small fraction of what people read more in terms of rate of sale than in terms of sales per se. As a result, a book that sells 2,000 copies a week for ten weeks in a particular set of stores may make the list, while another book that sells hundreds of thousands of copies over a five-year period will never get near it.

Worse still, and more important, best-seller lists don't generally rank anything right. The bookstore managers who supply data to compilers have learned over the years that the best-seller label stimulates demand, and they're not above reporting inflated sales figures for a specific book simply because—having been persuaded to order large quantities of it—they want it hyped.

On at least one memorable occasion, booksellers have cited a book that hadn't been written yet, let alone published and sold, as a current best-seller, and although their motivations may have been a bit obscure in that instance, it is clear enough on the whole that bookstore managers (and publishers too) can and do regularly skew best-seller standings, so that nobody knows just what they may mean.

Given these sets of circumstances, most writers find that publication day comes and goes, and leaves in its wake nothing but a gnawing sense of anticlimax that can lead eventually to a debilitating conviction of failure. In fact, only two kinds of authors are likely to get a fair share of pleasure from getting published: (1) those whose books the major paperback houses, book clubs, and TV and movie studios catapult to commercial success (no matter what your personal hierarchy of values is, almost everybody in our culture gets a warm feeling at some level from winning fame and money); and (2) those who've learned from this book, or from any other source, how to go where readers they respect will appreciate them, and how to appreciate themselves.

Techniques for reaching appropriate and appreciative audiences have already been outlined—in "Why and How to Be Your Own Best Salesman" and in "Managing Sales"—but we've not yet explained techniques for arranging to appreciate yourself, partly because the subject is fraught with tension. In the light of our Puritan heritage, it's hard not to believe that to appreciate yourself is to be proud and to be proud is to be vain and to be vain is to be threatened by comeuppance. Forget that. If you got your work published and read, you have plenty to be proud about, and the more parts of the publishing process you completed successfully, the more plaudits you've earned. Furthermore, nobody's in a better position than you are to evaluate the extent and nature of your accomplishments.

Our Achievement Awards list, which follows, is designed as a playful first step to help people who write learn to sing their own praises. At the outset, you may feel uncomfortable claiming credit for anything on it but the items that you can recite with a faintly self-mocking air. In the end, however, we hope that you'll abandon all pretense of sophistication, add freely to the list in your mind, and accept all legitimate commendations—whatever their cultural authority—with unselfconscious joy.

In our view, you're fully entitled to applause if you have:

★ Had a manuscript accepted (over 90 percent of the material submitted to publishing houses is regularly turned down).

★ Discovered ways to issue a book or periodical on your own.

★ Produced an aesthetically pleasing piece of work.

★ Elicited congratulatory letters and phone calls from family and friends (who may or may not have read whatever it was you wrote).

★ Elicited congratulatory letters and phone calls from total strangers who've not only read your work but liked it enough to comment on it.

★ Gotten enthusiastic and insightful reviews.

★ Gotten bad reviews with good lines in them.

★ Created a tangible literary object with your name on it that snuggles on the shelf between James and Kafka.

★ Built friendships—with your editor, agent, art director, readers, small-press publishers, distant colleagues.

★ Mastered a new skill (paste-up, proofreading, public speaking).

★ Become elibible for membership in the Authors Guild and for all the grants and prizes only published writers can win.

★ Found and informed the audience that will benefit by your work, even though it numbers only 2,000 readers and they're scattered all over the country.

★ Furthered a cause.

★ Generated interest in whatever you do next.

★ Managed to escape the 9-to-5 rat race without descending to a subsistence standard of living.

★ Learned a new language ("I want the picture flopped and a 9-point caption; that's the wrong font").

★ Established a track record (getting published is always easier when you have a past to parade as well as a future to promise).

★ Completed what you started. Now, instead of a wistful interior monologue—"Someday I've got to write that up"—you can be party to a spirited public dialogue—"Your piece [magazine, book] made me think [laugh, weep, see more clearly, want to tell you that . . ."].

And if ever you lose sight, for a moment, of the mysterious force that prompted you to sit down and write to begin with, listen to R. V. Cassill: "Writing is a way of coming to terms with the world and with oneself. The whole spirit of writing is to overcome narrowness and fear by giving order, measure, and significance to the flux of experience constantly dinning into our lives." And that's no small achievement.

★
How to Use Resources

This next section is designed to function as a giant Boy Scout knife. There are implements in it to serve almost any purpose you can dream up, so long as you use them creatively and with care.

We suggest that you keep it somewhere handy, so you can use spare moments to browse back and forth among the listings, picking out different ones to use at different times in somewhat different ways, and allowing your mind to play with the possibilities.

Before you make a sizable commitment to anyone or anything mentioned here, please investigate it with your own aims in view. Each individual will obviously have to determine not only what he needs at any given point but also whether, when he needs it, it still fits the description it merited when we wrote about it.

Because book prices are unstable, we haven't listed them, but every book we recommend was available in libraries and/or for sale at a reasonable cost when we reviewed it, and many could be had either in hard cover or in money-saving paperback editions. For the ultimate in savings, be sure to see the free catalogs and pamphlets we mention below.

When the asterisk appears, it indicates goods or services of an unusually high caliber.

RESOURCES

Learning to Write Resources

Singly and in a multitude of combinations, the listings below will help you uncover fresh material, and find the time, the temerity, and the talent to write it up successfully.

Printed Materials

Auchincloss, Louis. *A Writer's Capital.* University of Minnesota Press, 2037 University Avenue, S.E., Minneapolis, Minn. 55455. 1974.

This memoir of the author's childhood and young manhood shows how he eventually decided (despite strong qualms) to become a writer. Auchincloss is pleasant company, and his observations—especially when they deal with selecting material and with the ways critics misinterpret books—are often striking.

*Baron, Mary N., and Marion V. Bell. *Reference Books: A Brief Guide.* Enoch Pratt Free Library, Publications Office, 400 Cathedral Street, Baltimore, Md. 21201.

A superb introduction to the best of the reference books, divided into general and special subject categories. The annotated listings should give the reference-room user confidence that he'll be able to ferret out whatever facts he's after.

Barzun, Jacques. *Simple & Direct: A Rhetoric for Writers.* Harper & Row, 10 East 53rd Street, New York, N.Y. 10022. 1975.

Barzun offers lots of good advice and supplements it with readings and exercises. An excellent book that beginners can work with to improve their skills.

Barzun, Jacques, and Henry F. Graff. *The Modern Researcher.* Harcourt Brace Jovanovich, 757 Third Avenue, New York, N.Y. 10017. Third edition, 1977.

Valuable for anyone who writes nonfiction, although the focus is on history. Sections on evaluating data and sources and on writing and revising are exemplary, and the book also offers good advice on constructing written work.

Bellamy, Joe David. *The New Fiction: Interviews with Innovative American Writers.* University of Illinois Press, Urbana, Ill. 61801. 1974.

Jerzy Kosinski and Tom Wolfe are among the authors you'll meet here. Bellamy is less interested in the how of writing than in the why.

Among the topics discussed: Where does nonfiction end and fiction begin, and is the novel dead? (yes, according to most of these interviewees).

Bliss, Edwin C. *Getting Things Done: The ABCs of Time Management.* Scribner's, 597 Fifth Avenue, New York, N.Y. 10017. 1976.

A practical primer on how to organize your time and arrange your priorities so that you'll accomplish all you've been dreaming about doing.

Book Review Digest. H. W. Wilson Company, 950 University Avenue, Bronx, N.Y. 10452.

A monthly guide to selected book reviews from American and English periodicals, indexed by title and subject. Useful for checking the critical reception accorded works comparable to yours.

Brady, John. *The Craft of Interviewing.* Writer's Digest, 9933 Alliance Road, Cincinnati, Ohio 45242. 1976.

In jazzy prose, Brady (editor of *Writer's Digest*) dishes up innumerable anecdotes and quotes to flesh out a modest amount of advice on who and how.

Byrne, Robert M. *Writing Rackets: An Exposé of Phony Writing Schools, Agents and Others Who Exploit Would-be Writers.* Lyle Stuart, 120 Enterprise Avenue, Secaucus, N.J. 07094. 1969.

Byrne's lively and knowledgeable discussion is based on lots of first-person reportage, and makes an effective warning device.

*****Cassill, R. V.** *Writing Fiction.* Prentice-Hall, Englewood Cliffs, N.J. 07632. Second edition, 1975.

Cassill, who's written some highly acclaimed fiction himself, advocates learning to write by reading the best writing available and by comparing your writing with that by more experienced hands. He includes readings along with his text and offers a good deal of instruction about how to read as a writer and how to analyze the ways writers produce their effects. A fine book that covers all the stages necessary in writing fiction, including getting started.

Chase, William D. *Chase's Calendar of Annual Events.* Apple Tree Press, Box 1012, Flint, Mich. 48501. Published annually.

Fun to read and useful for finding newspegs on which to hang light pieces for hometown papers or small magazines, Chase's calendar will also alert you to upcoming fairs, conventions, and exhibits that might be worth covering or simply attending.

Chesman, André and Polly Joan, eds. *The Directory of Women Writing.* Women Writing Press, RD 3, Newfield, N.Y. 14867. 1977.

Both unknown and well-known writers are listed here—with addresses and short comments from each—in the hope of making it easier for people to search out advice and support.

Cross, Wilbur. *The Weekend Education Source Book.* Harper's Magazine Press, 10 East 53rd Street, New York, N.Y. 10022. 1976.

Useful for leads and advice on tracking down writing courses in your area, Cross's book should inspire you to be imaginative in your explorations and to persevere; if, for instance, the catalog for a nearby college says classes are open to enrolled undergraduates and no one else, you can still try to win the privilege of auditing a course you're interested in.

Dewry, John E. *Writing Book Reviews.* The Writer, 8 Arlington Street, Boston, Mass. 02116. Revised edition, 1966.

Although Dewry's presumption of ignorance on the part of his readers is disquieting, his advice is sound. Includes questions a reviewer should consider when discussing various types of books.

A Directory of American Fiction Writers. Poets & Writers, Inc., 201 West 54th Street, New York, N.Y. 10019. Revised periodically.

Unlike most directories of contemporary writers, this one is inexpensive enough so that you can own it yourself. Eight hundred writers are listed (Saul Bellow, Mary McCarthy, and John Updike among them), along with their addresses and phone numbers. In addition to providing easy access to professional writers, this directory offers excellent lists of service groups, reference works, and teaching materials.

A Directory of American Poets. Poets & Writers, Inc. See above. Updated periodically.

Roughly 1,500 contemporary poets' names, addresses, and telephone numbers appear here.

Elbow, Peter. *Writing Without Teachers.* Oxford University Press, 200 Madison Avenue, New York, N.Y. 10016. 1975.

If you get stage fright whenever you sit down with a blank piece of paper staring you in the face, this book—with its emphasis on "freewriting" exercises—may be just what you need. An excellent complement to journal writing.

Encyclopedia of Associations. Gale Research Company, Book Tower, Detroit, Mich. 48226. Revised periodically.

The organizations and reference centers listed here can supply information and leads on almost any topic. Indexed by title and subject, each entry tells you the address, purpose, programs, and publications of the group it describes.

Engebretson, Herschel O., and Jack Gillespie. *Getting Started . . . in Journalism: A Mini Course.* Educational Impact, P.O. Box 355, Blackwood, N.J. 08012. 1974.

The authors' goal is "to provide students with basic skills . . . the 'meat and potatoes' of journalism—leads, news stories, interviews, features, sports stories, editorials, captions and headlines." And that's just what you'll get, through examples and uninspiring but reasonably useful exercises.

Facts on File: Weekly World News Digest with Cumulative Index. Facts on File, 119 West 57th Street, New York, N.Y. 10019.

When you need to refresh your memory about a major news event, *Facts on File* will help. It provides easily accessible summaries of world and national affairs and, under its "Miscellaneous" heading, some soft-news summaries as well. Subjects, people, and places appear in the index.

Fedler, Fred. *Reporting for the Print Media: A Workbook.* Harcourt Brace Jovanovich, 757 Third Avenue, New York, N.Y. 10017. 1973.

Simple exercises for the beginning reporter. Fedler teaches enough about the essentials—what makes a good lead, copy-editing marks, newspaper "style"—to help you please the most curmudgeonly city editors.

Frye, Northrop. *The Well-Tempered Critic.* Indiana University Press, Tenth and Morton Streets, Bloomington, Ind. 47401. 1963.

Frye, who brought sense and standards to literary criticism in his *Anatomy of Criticism,* here trains his critical eye on the reading and teaching of literature. His keen sense of style and rhythm should inspire appreciation of the writer's tools as well as of the critic's role.

Gunther, Max. *Writing and Selling a Nonfiction Book.* The Writer, 8 Arlington Street, Boston, Mass. 02116. 1973.

A well-done and entertaining guide that overlaps to some extent with *Writing the Modern Magazine Article* (see below). There's an especially good chapter on assorted ways to do research.

Gunther, Max. *Writing the Modern Magazine Article.* The Writer, 8 Arlington Street, Boston, Mass. 02116. Revised edition, 1973.

Gunther, a veteran freelancer, offers plenty of examples from his own pieces in *True, Playboy,* and other magazines to illustrate his points in this sensible and lively book. Three articles reprinted in full as appendices, with marginal annotations on structure and technique, make particularly instructive reading.

Hersey, John, ed. *The Writer's Craft.* Alfred A. Knopf, 201 East 50th Street, New York, N.Y. 10022. 1974.

This anthology of excerpts and interviews with a wide variety of authors on the subject of writing ranges from the theoretical (what's the aim of art?) to nuts and bolts (how do you rework a last draft?). Good bedtime reading. Note the bibliography for more of the same.

Holst, Spencer. *Spencer Holst Stories.* Horizon Press, 156 Fifth Avenue, New York, N.Y. 10010. 1976.

What makes this anthology of short stories worth recommending here—aside from the pleasure you'll get from reading in it—is the collection of sixty-four wonderfully stimulating opening lines that Holst offers his readers. He's never developed any of them himself, but you may well want to use them as takeoff points.

Jacobs, Hayes B. *A Complete Guide to Writing and Selling Non-Fiction.* Writer's Digest, 9933 Alliance Road, Cincinnati, Ohio 45242. 1975.

As a successful freelance writer and as the head of the writing program at New York City's New School, Hayes Jacobs has acquired a great deal of useful knowledge, and he's produced an unusually worthwhile writing/marketing manual.

Literary Market Place. R. R. Bowker, 1180 Avenue of the Americas, New York, N.Y. 10036. Published annually.

A genuinely indispensable directory, *LMP* has many virtues we'll be discussing in subsequent sections. Where learning to write is concerned, we suggest you examine "Courses for the Book Trade" (which lists programs that teach publishing skills as well as programs that teach writing) and "Writing Conferences" (which provides a small list of the perennials that you should supplement with information gleaned from *Coda, Publishers Weekly,* and the May issues of *The Writer* and *Writer's Digest*—all of which are described fully elsewhere in "Resources").

Meredith, Scott. *Writing to Sell.* Harper & Row, 10 East 53rd Street, New York, N.Y. 10022. Second edition, 1974.

A somewhat dictatorial book about how to construct and market conventional novels. Superagent Meredith is at center stage, giving the lowdown on developing salable plot lines, and offering tips about such matters as minimum length.

Nixon, Joan Lowery. *Writing Mysteries for Young People.* The Writer, 8 Arlington Street, Boston, Mass. 02116. 1977.

Drawing on her knowledge of what spooks kids and what editors buy, mystery writer Nixon offers a sensible start-to-finish primer that deals with where to get story ideas, how to chart and write a book or story, and which lengths and vocabulary levels are right for which age groups. The book includes a useful checklist for evaluating the strength of a plot. As in analogous guides for writers of science fiction, westerns, and the like (which are available from The Writer and from Writer's Digest and from assorted other publishers), the author's advice on submissions procedures is subject to question.

Orwell, George. *A Collection of Essays.* Harcourt Brace Jovanovich, 757 Third Avenue, New York, N.Y. 10017. 1970.

Some of the pieces gathered here deal with good writing and all of them exemplify it. First-rate reading.

Palmer, Archie M., ed. *Research Centers Directory.* Gale Research Company, Book Tower, Detroit, Mich. 48226. Fifth edition, 1975.

Described as a "guide to university-related and other nonprofit research organizations established on a permanent basis and carrying on continuing research projects," this directory supplies excellent leads to experts and expertise for topics you're researching. Indexed by subject.

Readers' Guide to Periodical Literature. H. W. Wilson Company, 950 University Avenue, Bronx, N.Y. 10452. Published annually, with bimonthly supplements.

The leading bibliography of articles from mass-circulation and other fairly general magazines, the *Readers' Guide* is useful for tracking down a piece you read some time ago that's relevant now to your work; for finding out what's appeared in the periodical press about a subject you're researching; and for introducing yourself to varied angles on the same topic (see "Basics"). To get the most mileage from this guide, be sure to look under every subject heading that might possibly pertain to your needs.

Richards, Paul I. and Irving T. *Proper Words in Proper Places: Writing to Inform.* The Christopher Publishing House, 53 Billings Road, North Quincy, Mass. 02171. Revised edition, 1965.

Although clearly addressed to academics struggling with obfuscatory academese, this provides a good reminder for us all to stick with clear and simple prose. The "shuffle draft" and "trouble-shooting" sections are especially useful.

Rivers, William L. *Finding Facts: Interviewing, Observing, Using Reference Sources.* Prentice-Hall, Englewood Cliffs, N.J. 07632. 1975.

A brilliant discussion—with persuasive examples—of the elusiveness of truth and the power of perception to distort, this makes an excellent complement to Alden Todd's *Finding Facts Fast* (see below).

Rivers, William L. *Writing: Craft and Art.* Prentice-Hall, Englewood Cliffs, N.J. 07632. 1975.

A thorough and intelligent guidebook directed to students and offering many well-chosen and well-analyzed examples, some of them from student work.

Sheehy, Eugene P., compiler. *Guide to Reference Books.* American Library Association, 50 East Huron Street, Chicago, Ill. 60611. Revised periodically.

The ultimate reference book: 10,000 titles and an index that includes authors, subjects, and titles in one alphabetical listing. Available at your library.

Sherwood, Hugh C. *The Journalistic Interview.* Harper & Row, 10 East 53rd Street, New York, N.Y. 10022. 1972.

Good advice on the rudiments of arranging, preparing for, and conducting interviews. Lavishly illustrated with anecdotes.

Statistical Abstract of the United States. Compiled by the U.S. Bureau of the Census. U.S. Government Printing Office, Washington, D.C. 20402. Published annually.

A one-volume summary of statistics on the social, political, and economic activity of the U.S., in which you'll find such facts as the annual number of marriages and divorces. The references cited in this book will lead you on to more detailed information. Available in libraries.

Stein, M. L. *Reporting Today: The Newswriter's Handbook.* Cornerstone Library, Inc., 630 Fifth Avenue, New York, N.Y. 10020. 1971.

As chairman of New York University's department of journalism, Stein was well qualified to prepare this intelligent once-over, replete with examples and exercises. Interesting chapters on developing news stories and on broadcast journalism.

Strunk, William, Jr., and E. B. White. *The Elements of Style.* Macmillan, 866 Third Avenue, New York, N.Y. 10022. Second edition, 1972.

By now this collection of clearly and amusingly written "rules" of style is considered virtually sacrosanct. A valuable and thoroughly enjoyable classic.

Subject Directory of Special Libraries and Information Centers. Gale Research Company, Book Tower, Detroit, Mich. 48226. Revised periodically.

A staggering number of organizations have private libraries, and through skillful use of the somewhat peculiar subject index in this directory you'll be able to see whether the subject area covered by one or more of them matches the subject area you're exploring. If you find a collection you'd like to use, write the librarian (you'll get names and addresses here), describe your project, and ask for access.

Subject Guide to Books in Print. R. R. Bowker, 1180 Avenue of the Americas, New York, N.Y. 10036. Published annually.

To get a good idea of what's already been written about your subject, consult this compilation. Useful for a style survey as well as for research leads, the *Subject Guide* is on hand at most libraries and many bookstores, though you may have to ask the man or woman in charge for permission to use it.

Todd, Alden. *Finding Facts Fast: How to Find Out What You Want to Know Immediately.* William Morrow and Company, 105 Madison Avenue, New York, N.Y. 10016. 1972.

As this entire "Resources" section demonstrates, there's no dearth of places, people, and publications to consult when you're in need of information. In fact, your major problem may be selecting wisely from among the available sources of data, and it's advice on this question that Todd gives in his remarkably thorough and readable manual. Highly recommended for anyone whose writing projects include research.

U.S. Government Publications. Superintendent of Documents, U.S. Government Printing Office, Washington, D.C. 20402.

Ask to be put on the GPO's mailing list and you'll receive mail-order catalogs of inexpensive government publications, ranging from how-to booklets to transcripts of hearings, any or all of which may be good sources of story ideas and factual data. On request, the GPO will also send you a list of its bookstores around the country.

Washington Information Directory. Congressional Quarterly, Inc., 1414 22nd Street, N.W., Washington, D.C. 20037. Published annually.

A good way to tap the governmental goldmine of information is by using this directory. It lists agencies, congressional committees, and private associations based in Washington that may know what you need to know. Arranged by subject; complete with names of people in charge, addresses, and phone numbers; easy to use.

Wasserman, Paul, and Joanne Paskar, eds. *Statistics Sources.* Gale Research Company, Book Tower, Detroit, Mich. 48226. Fourth edition, 1974.

Arranged by subject, this book will tell you where to find the organizations and publications that can supply data you need.

Weisbord, Marvin, ed. *A Treasury of Tips for Writers: The Handbook of Professional Techniques by the Society of Magazine Writers.* Writer's Digest, 9933 Alliance Road, Cincinnati, Ohio 45242. 1965.

A shoptalk bonanza, full of hints on getting article ideas, finding and using sources, organizing research materials, setting up an office at home. Contributors include Alden Todd and Alvin Toffler.

Woolf, Virginia. *A Writer's Diary.* Harcourt Brace Jovanovich, 757 Third Avenue, New York, N.Y. 10017. Edited and with an introduction by Leonard Woolf, 1973.

A fine model for anyone thinking of beginning a journal. Woolf's diary not only illustrates how a journal can help develop writing style and serve to sort out approaches to subject matter, it also addresses these questions analytically.

The Writer, 8 Arlington Street, Boston, Mass. 02116.

This monthly magazine has been providing writers with practical advice and lists of markets for ninety years. The get-rich-quick, you-too-can-write tone of its counterpart, *Writer's Digest,* is not a feature of *The Writer,* which doesn't accept ads for vanity presses or for criticism services that charge fees. Although we don't suggest that you rely on any magazine to teach you to write, you may profitably use this one to develop a sense of yourself as a working writer. *The Writer* also publishes numerous books about writing and marketing; a free list is available on request.

Writers at Work: The Paris Review Interviews. First, second, and third series, ed. Malcolm Cowley; fourth series, ed. George Plimpton. Viking Press, 625 Madison Avenue, New York, N.Y. 10022.

Quintessential talks with writers, full of now-classic comments and striking insights into the way each author approaches his material and how and when he writes. Reproductions of a manuscript page from each writer's work in progress are included.

"Writers Clubs," in *Writer's Market*. Writer's Digest, 9933 Alliance Road, Cincinnati, Ohio 45242. Published annually.

Eight pages of clubs listed by state but not described. With luck, a beginning writer may find a group in his area that will serve his needs. (N.B.: the Writer's Digest booklet "How to Start/Run a Writer's [sic] Club," which is mentioned in this section, is too simpleminded to be of much use.)

Writers Conferences. See "A Foot in the Door Resources."

Writer's Digest. 9933 Alliance Road, Cincinnati, Ohio 45242.

The emphasis in this monthly magazine is more on marketing than on writing skills, and what advice about writing it offers tends to be flip or trite. Judson Jerome's poetry column, however, is always fresh and enlightening, and it presents information prose writers can use with profit too. Free particulars on all other publications and services offered by the Writer's Digest are available on request; be forewarned, though, that in some cases similar goods are obtainable elsewhere for less.

The Writer's Directory. St. Martin's Press, 175 Fifth Avenue, New York, N.Y. 10010. Published biennially.

Twelve thousand living authors are listed here, along with summaries of their work (including the names of their publishers) and their home addresses. Useful for contacting potential sponsors and critics.

Writer's Handbook, Writer's Market, and *Writer's Yearbook:* See "A Foot in the Door Resources."

Zinsser, William. *On Writing Well: An Informal Guide to Writing Nonfiction.* Harper & Row, 10 East 53rd Street, New York, N.Y. 10022. 1976.

Zinsser, who's an established freelance writer and who teaches writing at Yale, extols the virtues of discipline in learning to write and to self-edit. To show just what self-editing entails, Zinsser reproduces pages from his own working drafts complete with handwritten revisions. His discussion of what makes a good lead—which presents a great many examples—is especially good.

People, Places, and Programs

Associated Writing Programs, Washington College, Chestertown, Md. 21620.

A clearinghouse for information about the teaching of creative writing, AWP offers a catalog of more than 150 creative writing programs at both the undergraduate and the graduate levels. It's the only one in existence, as far as we can determine.

Center for Research in Writing, P.O. Box 2317, Providence, R.I. 02906.

In response to the cry that today's college students can't write, A. D. Van Nostrand, a professor of English at Brown, has devised a teaching system called "functional writing" which has proved phenomenally successful. On the theory that "it is easier to organize your information for someone else than it is to organize it for yourself," students are taught to write with their readers' expectations in mind, and that mental set helps them decide which points should go in and which should stay out and what sequence the material should follow. An eminently sensible approach to the writing problem.

Van Nostrand's center offers two functional writing texts (one for college students and the other for students in high school) as well as a correspondence course. Write for information.

Dial-a-Writer, American Society of Journalists and Authors, 123 West 43rd Street, New York, N.Y. 10036; (212) 586-7136.

Ask for help in locating potential collaborators in your area if you feel sure that your own efforts at composition are bound to be inadequate for one reason or another.

The Educational Exchange of Greater Boston, 17 Dunster Street, Cambridge, Mass. 02138.

The exchange publishes an annual catalog—"Educational Opportunities of Greater Boston"—in which 6,000 day and evening courses in public and private schools are indexed by subject.

If you don't live in or around Boston but you would like help finding writing courses nearby, call your local board of education to see if there's a comparable educational exchange headquarters in your area.

Heland, Victoria J. Richardson, 1806 Kipling Drive, Salisbury, Md. 21801.

Heland's round-robin system of circulating manuscripts for criticism is described in "Basics," and she will be glad to help others set up similar chain reactions. Please enclose a SASE if you write her for guidance.

International College, 1019 Gayley Avenue, Los Angeles, Calif. 90024.

Tutorials with some of the best writers in the world are offered under the auspices of the International College. Write for a full description of the program.

International Women's Writing Guild, Hannelore Hahn, Director, 1628 York Avenue, New York, N.Y. 10028.

Describing itself as "an alliance open to all women connected to the written word," the guild aims to encourage and support both published and aspiring writers through conferences and a newsletter.

National Home Study Council, 1601 18th Street, N.W., Washington, D.C. 20009.

Before you sign up for a home study program, check with the council; they publish a free list of accredited schools.

National University Extension Association, Suite 360, 1 Dupont Circle, Washington, D.C. 20036.

Representing colleges and other institutions that offer continuing-education programs, this association puts out a number of inexpensive directories of correspondence and independent study courses as well as of "on campus/off campus" degree programs for part-time students. A good source of leads for writers who can't afford to study full-time. Send for the free publications list.

Poets & Writers, Inc., 201 West 54th Street, New York, N.Y. 10019.

"A publicly supported information center for poets, fiction writers, playwrights, publishers, editors and all others interested in writing," Poets & Writers is an active organization that can serve as a true soul mate for young, serious, and struggling writers. Its newsletter, *Coda,* is described in "Sequels to a Sale Resources."

"Rewrite," *Literary Market Place* (see above).

Plenty of professional writers are ready to give you a hand in expressing what you have to say, and this list will lead you to a number of them. In approaching a potential collaborator, be sure to ask for an estimate and to get and check references.

U.S. Government.

A prime source of information on countless subjects. Write to the public relations staff of appropriate departments to request help in getting the data you want.

The Word Guild, 119 Mount Auburn Street, Cambridge, Mass. 02138.

The Word Guild represents writers throughout the country who are available for hire as collaborators.

A Foot in the Door Resources

Since making early sales depends on who you know, what you know, and how you present each project, many of the resources mentioned here are designed to serve as introductions not only to markets but to people and procedures that can help you gain entry to publishing firms.

Printed Materials

Alternatives in Print: Catalog of Social Change Publications (compiled by the Task Force on Alternatives in Print, Social Responsibilities Round Table, American Library Association). Glide Publications, 330 Ellis Street, San Francisco, Calif. 94102. Published annually.

Although it's intended to familiarize librarians and booksellers with the publications that issue from "nonprofit, anti-profit, counter-culture, Third World and movement groups," this guide can be used as a marketing aid for books and articles on abortion, alternative education, and other activist issues. See the subject index.

Alumni/ae publications. CASE [Council for the Advancement and Support of Education], 1 Dupont Circle, Washington, D.C. 20036, attn. Charles Helmken; enclose a SASE.

A list of the fifty top alumni/ae magazines and papers that can be of great help to those who want to place stories of special interest to a particular college or university.

Aronson, Charles N. *The Writer Publisher.* Charles N. Aronson, RR 1, Hundred Acres, Arcade, N.Y. 14009. 1976.

Aronson's experiences with a vanity press make a memorable cautionary tale, which is here offset by an account of his ventures into self-publishing. If you're strongly tempted to sign up with a vanity house, read this first.

Authors Guild Bulletin. The Authors Guild, 234 West 44th Street, New York, N.Y. 10036. For members.

As a rule, writers aren't able to join the Authors Guild until they're beyond the "Foot in the Door" stage, but if you do manage to gain early acceptance, or if you can borrow copies of the Guild's *Bulletin* from a friendly member, you'll find excellent data in it about publishing trends and mores, and about which job-hopping editors are now working where.

Ayer Directory of Publications. Ayer Press, 210 West Washington Square, Philadelphia, Pa. 19106.

Ayer's, as it's known in the trade, offers annotated listings of thousands of newspapers, magazines, and trade publications—including community throwaways and campus weeklies, but not corporate or college magazines. One or more of these entries may make good targets for material with a special-interest focus or a pronounced local slant.

Booklist. American Library Association, 50 East Huron Street, Chicago, Ill. 60611.

Together with *Choice* and the *Library Journal* (both of which are listed below), *Booklist* exerts a great deal of influence on librarians' decisions to buy or not to buy. Skimming its reviews, you can begin to sense the patterns of public taste that libraries both reflect and help to create. A sample copy is free on request.

Book Publishers Directory. Gale Research Company, Book Tower, Detroit, Mich. 48226. Quarterly.

A new publication designed to carry over 1,000 entries a year describing small, private, special-interest, and avant-garde presses. Subject, geographical, and personnel indexes make this an easy reference work to use. Try your library for copies.

Book Review Index. Gale Research Company, Book Tower, Detroit, Mich. 48226.

Reviews from over 250 periodicals are indexed here, and you should be able to use them to spot trends and predilections if you browse creatively. Ask to look through copies at your local library or bookstore.

Bowker Catalog. R. R. Bowker, 1180 Avenue of the Americas, New York, N.Y. 10036. Free on request.

Bowker's primary purpose is to publish books about book publishing and, as this catalog shows, they've mined the field well. Simply looking at the titles should give you fresh ideas about placement, and perhaps you'll also want to get hold of a few of the analyses and some of the reference works.

Chase's Calendar of Annual Events.
See "Learning to Write Resources."

Choice. Association of College and Research Libraries, American Library Association, 100 Riverview Center, Middletown, Conn. 06457.
See *Booklist,* above, and send for a free sample copy.

The Chronicle of Higher Education, 1717 Massachusetts Avenue, N.W., Washington, D.C. 20036.

Studying the lists of campus best-sellers that the *Chronicle* provides makes a good way to keep up with trends among young people, and sometimes, in this youth-oriented age, sheds light on future trends among their elders, who often latch on to student enthusiasms eventually.

Coda: Poets & Writers Newsletter. Poets & Writers, Inc., 201 West 54th Street, New York, N.Y. 10019.

Assorted pieces of information that will give you an edge in placement and apprise you of new openings.

"Consumer Alert—The Vanity Press." Federal Trade Commission press release dated January 14, 1970. FTC Bureau of Consumer Protection, Washington, D.C. 20580.

Still valid after all these years, the FTC's write-up on vanity publishing should serve as an effective warning.

COSMEP Newsletter. COSMEP [Committee of Small Magazine Editors and Publishers], P.O. Box 703, San Francisco, Calif. 94101.

COSMEP's monthly newsletter for members is an extraordinarily good tool for learning about the smaller presses' current needs. We'll be mentioning it again in other connections, but where getting your foot in the door is concerned its most valuable sections are the ones called "Manuscripts Wanted" and "New Magazines." Write for information on enrolling.

Directory of Courses in Book Publishing. Association of American Publishers, 1 Park Avenue, New York, N.Y. 10016. 1976.

Quite a variety of programs are listed, and each is clearly and fully described.

See also "Courses for the Book Trade" in *Literary Market Place;* most of them teach skills that will be valuable in connection with periodicals as well as books.

Directory of Publishing Opportunities. Marquis Academic Media, 200 East Ohio Street, Chicago, Ill. 60611. Third edition, 1975.

The 2,600 academic and special-interest journals listed here are not to be found, for the most part, in other marketing guides. Fully annotated entries are arranged alphabetically within sixty-nine specific fields of interest.

Dustbooks. P.O. Box 1056, Paradise, Calif. 95969.

Len Fulton's press, Dustbooks, has been issuing reports on the small-press scene for over a decade. The most valuable of them—the annual *International Directory of Little Magazines and Small Presses*—offers information on a wide range of smaller presses; its subject and regional indexes will prove particularly helpful in solving placement problems.

See also the annual *Small Press Record of Books in Print*, which may provide clues to nascent trends, and the monthly *Small Press Review*, which will give you a sense of the way small-press people evaluate each other's work.

Editor and Publisher International Year Book. Editor and Publisher Company, 850 Third Avenue, New York, N.Y. 10022.

This directory of newspapers names department heads and gives circulation figures and other assorted bits of data for each entry. Useful for selling stories with a local slant.

Folio: The Magazine for Magazine Management. 125 Elm Street, New Canaan, Conn. 06840.

Though his pay will be small, a writer who gets published in *Folio* may reap sizable profits through exposure to the magazine's audience of publishing higher-ups.

Grants and Awards Available to American Writers.

See "Money Resources" for this title and for *Awards, Honors and Prizes*, edited by Paul Wasserman, *et al.*, and *Literary and Library Prizes*, edited by Olga S. Weber; and if you think you see a way to become a winner, try it out. Both the credentials and the funds should come in handy in the early stages of a writing project or a writing career.

Guide to Women's Publishing. Women Writing Press, RD 3, Newfield, N.Y. 14867.

Roughly two hundred women's presses and a good number of general but nonsexist publishing operations are cataloged here.

Henderson, Bill, ed. *The Pushcart Prize: Best of the Small Presses.* The Pushcart Press, Box 845, Yonkers, N.Y. 10701. Published annually.

A lively collection that makes a fine small-press sampler.

Hudson, Howard Penn, ed. *The Newsletter Yearbook/Directory, 1977.* The Newsletter Clearinghouse, 44 West Market Street, Rhinebeck, N.Y. 12572.

The newsletters listed here use outside material, and the write-ups indicate whether and in what ways freelancers can contribute.

Library Journal, 1180 Avenue of the Americas, New York, N.Y. 10036. See *Booklist,* above.

"The Literary Agent." Society of Authors' Representatives, Inc., 101 Park Avenue, New York, N.Y. 10017. Free with a SASE.

This little pamphlet explains briefly what agents do and how they prefer to be approached, and it lists those agents (with addresses but no phone numbers) who are members of the Society.

See also "Authors' Agents" in *Literary Market Place,* a listing that includes established agents who do not belong to the Society of Authors' Representatives, plus the names of staff members at large literary agencies and, in some cases, descriptions of the kinds of properties handled. (Remember to translate "No unsolicited manuscripts" in your mind to mean "Query first"; see "Procedures.")

*Literary Market Place: The Directory of American Book Publishing; With Names and Numbers. R. R. Bowker, 1180 Avenue of the Americas, New York, N.Y. 10036. Published annually.

As we noted in "Learning to Write Resources," *LMP* is an indispensable reference work, and under the creative editorship of Janice Blaufox it promises to grow ever more valuable with each new edition. For the purposes of getting your foot in the door, study the following sections:

"U.S. Book Publishers"; note especially the subject listing, which, although general, is handy, and the geographical-location listing, which is a goldmine of good leads.

"Reference Books of the Trade"; here you'll find specialized subject guides that may be relevant to your current work, along with leads to books about the publishing industry.

"Book Review Services," "Magazines," and "Newspapers," all of which will be useful for placing book reviews and longer pieces too.

"Prize Contests Open"; if you enter and win, you'll have acquired credentials that editors will respect.

"Writers' Conferences"; a partial but useful listing.

"Authors' Agents"; with names, phone numbers, and some annotations.

"Courses for the Book Trade" and for work on periodicals as well.

"Employment Agencies" specializing in publishing personnel.

Margins. Box A, Fairwater, Wisc. 53931.

A leading review journal devoted to small-press prose and poetry, edited by Tom Montag.

Montag, Tom. "Stalking the Little Magazines." Available from the author at Box A, Fairwater, Wisc. 53931, if you send a 9 by 11-inch envelope, self-addressed, with 39 cents postage on it.

Originally published in *Serials Librarian* in 1977, this piece was written to acquaint librarians with the small-press scene, but it will serve as an excellent introduction for anyone who's interested in finding out what little literary presses are working on.

Publishers' Trade List Annual. R. R. Bowker, 1180 Avenue of the Americas, New York, N.Y. 10036.

Browsing through these volumes—which offer a huge collection of current book catalogs—can lead to worthwhile discoveries about the strengths, weaknesses, and idiosyncrasies of individual houses. Available in many bookstores.

Publishers Weekly. 1180 Avenue of the Americas, New York, N.Y. 10036.

PW, as it's familiarly known, has no equal as a source of up-to-date information about publishing facts, figures, ideas, and people. You can arrange to join the insiders who read it regularly by using your library's subscription copies or by subscribing yourself.

Though it's aimed primarily at people who work with books, *PW* pays a significant amount of attention to magazines, and it frequently announces new periodicals, which provide promising markets because they're generally hungry for copy.

"Publishing Positions: 30 Job Descriptions in Editing, Production, Marketing, Customer Service and Administration." Association of American Publishers, 1 Park Avenue, New York, N.Y. 10016.

The jobs covered run the gamut from Chief Executive Officer to clerks of various kinds. For each, there's a chart couched in general terms listing basic functions, training prerequisites, organizational rank, responsibilities and the like.

Standard Periodical Directory. Oxbridge Publishing Company, Inc., 1345 Avenue of the Americas, New York, N.Y. 10019. Published annually.

Information about 2,500 periodicals in the U.S. and Canada.

Subject Guide to Books in Print and *Subject Guide to Forthcoming Books.* R. R. Bowker, 1180 Avenue of the Americas, New York, N.Y. 10036.

Try your local bookstore or library for copies of these guides. They're excellent tools both for trend spotting and for manuscript marketing.

Tebbel, John. *Opportunities in Publishing Careers.* Vocational Guidance Manuals, Inc., 620 South Fifth Street, Louisville, Ky. 40202.

Tebbel, who's an astute and distinguished commentator, defines publishing careers to include the full range of jobs relevant in any way to getting printed words out to the public. His book is a thorough, informative, and readable primer for about-to-be-published writers as well as for eager-to-be-employed job hunters.

Ulrich's International Periodicals Directory. R. R. Bowker, 1180 Avenue of the Americas, New York, N.Y. 10036. Published biennially.

Over 62,000 periodicals published around the world are listed here by subject. Available in libraries.

Weyr, Thomas. "Getting Your Name on the Title Page," *Publishers Weekly,* November 29, 1976. Copies are available from University Microfilms International, 300 North Zeeb Road, Ann Arbor, Mich. 48106.

Weyr chronicles the rise of personal-imprint publishing and quotes at length from interviews with many of the editors involved. A fine introduction, complete with pictures of the editors that will add to your impressions of what these people are like and what sorts of material will interest them. If you can't find a copy at the library, the expense involved in ordering one may be worthwhile.

The Writer's Handbook: What to Write, How to Write, Where to Sell. The Writer, 8 Arlington Street, Boston, Mass. 02116.

A raft of well-known writers, editors, and agents have contributed tips to this compilation, at the back of which is a list of approximately 2,500 markets.

Writer's Market. Writer's Digest, 9933 Alliance Road, Cincinnati, Ohio 45242.

Like the *Handbook* mentioned above, *Writer's Market* flags thousands of publishing opportunities. If you do a bit of extra investigating to learn more about the ones that interest you before you approach an editor, these leads should serve you well.

The Writer's Yearbook, Writer's Digest, 9933 Alliance Road, Cincinnati, Ohio 45242. Published annually.

The *Yearbook* is essentially a fatter-than-normal issue of the monthly *Writer's Digest.* It offers standard writing and marketing advice along with a smaller version of the marketing directory found in *Writer's Market.*

People, Places, and Programs

Alumnae Advisory Center, Inc., 541 Madison Avenue, New York, N.Y. 10022.

The center provides free counseling and placement services to alumnae/i of member institutions and charges a small fee to serve others. In addition, it puts out numerous booklets for job hunters; the most valuable of these in our view is "How to Write Your Résumé," which explains and exemplifies the functional résumé, an excellent tool for selling yourself. Write for information.

Association of American University Presses, 1 Park Avenue, New York, N.Y. 10016.

By stopping in at the association's bookroom (which functions as both a library and a bookstore) readers can get a sense of what the university presses are producing.

Denver Publishing Institute, University of Denver, The Dean, Graduate School of Librarianship, Denver, Colo. 80208.

The institute offers a much-praised four-week course of workshops and lectures about varied aspects of book publishing. Write for details and for application forms.

The Home for Unpublished Books, RD 2, West Winfield, N.Y. 13491.

As we mentioned in "Openings," this repository is designed to house unpublished manuscripts permanently and at no cost to their authors. Write Everett Adelman at the address above for detailed information on sending material or on reading what's now in his collection.

Magazine Internship Program of the American Society of Magazine Editors, 575 Lexington Avenue, New York, N.Y. 10022.

ASME summer internships are open to students who will be starting their senior year in college in the fall and who have demonstrated an interest in magazine journalism. They provide an excellent way to learn the publishing business and to forge valuable personal connections within it. Write for full particulars.

Magazine Publishers Association, Inc., 575 Lexington Avenue, New York, N.Y. 10022.

The MPA maintains a collection of materials on all aspects of the business, and if you're in New York with some time to spare you might call to arrange to browse through it; phone (212) 752-0055.

The Newspaper Fund, P.O. Box 300, Princeton, N.J. 08540.

Founded "to encourage talented young people to enter news careers," the fund runs an internship program and issues a number of pamphlets about jobs, schools, and financial aid for journalists and would-be journalists. Write for details.

Poets & Writers, Inc.
See "Learning to Write Resources."

Radcliffe Course in Publishing Procedures, 10 Garden Street, Cambridge, Mass. 02138.

One of the leading programs available for people interested in training for publishing jobs, this six-week summer course invites editors and other publishing personnel to lecture on all aspects of book and magazine publishing. Students meet people in a position to hire, and by completing the course, acquire respected credits.

The Unpublished Library, 170 Duane Street, New York, N.Y. 10013.

Started by Michael DeMarco in 1977, this library issues a catalog in which writers describe the works they've supplied. There's a fee for inclusion and for copyright. Write for full information.

Writers' Conferences.

For the most comprehensive listings of upcoming conferences consult the May issues of *The Writer* and the *Writer's Digest. Writer's Market,* the annual put out by the Writer's Digest, has a listing of the perennials, as does the "Writing Conferences" section in *Literary Market Place.*

Once you've studied these listings, you can send for literature about the conferences that interest you most, and then—taking account of the speakers, the topics, your needs of the moment, and the condition of your pocketbook—choose those that will serve you best.

Sequels to a Sale Resources

To help your work reach its best audience, it's wise to proceed as though you were responsible for getting it out to readers. We urge those of you who are ambitious, therefore, to study and use the "Self-Publishing Resources," particularly those under the subhead "Sales, Publicity, and Promotion."

Writers who are inclined to play a more passive role can consult the resources for this section, which explain the conventional course of publishing events and flag the easiest, most obvious marketing aids.

Printed Materials

AAP Exhibits Directory. The Association of American Publishers, Inc., 1 Park Avenue, New York, N.Y. 10016. Published annually.

An annotated, chronological listing of over six hundred gatherings that's used by publishers of all sorts all across the country. If you're familiar with it, you may be able to spot some meetings that your publisher missed where your book might sell. It's expensive, so ask to read a copy at a nearby publisher's office.

Balkin, Richard, with two chapters by Jared Carter. *A Writer's Guide to Book Publishing.* Hawthorn Books, Inc., 260 Madison Avenue, New York, N.Y. 10016. 1977.

Balkin, who's an editor-turned-agent, reports honestly and readably on standard operating procedures in publishing; distinguishes among norms for textbooks, trade books, religious books and the like; and suggests ways in which writers can become involved to some extent in conventional publication procedures. A good survey for authors who want to know what's likely to befall them; complete with an intelligent discussion of book contracts.

*Coda: Poets & Writers Newsletter. Poets & Writers, Inc., 201 West 54th Street, New York, N.Y. 10019.

Each issue of *Coda* offers roughly thirty pages of first-rate material for writers who want help in devising strategies for dealing with publishers, in setting up small presses, in reaching readers, and in earning a living. Its articles are intelligent, helpful, and friendly in tone, and its occasional modest proposals for improving the quality of writers' lives are a delight. Highly recommended.

Dessauer, John P. *Book Publishing: What It Is, What It Does.* R. R. Bowker, 1180 Avenue of the Americas, New York, N.Y. 10036. 1974.

Dessauer probably knows more about the business of book publishing than anyone else alive, and he's provided a thorough and readable introduction here.

Encyclopedia of Associations. Gale Research Company, Book Tower, Detroit, Mich. 48226. Revised periodically.

A galaxy of groups, among which you may find some that will be interested in learning about and helping you promote your work.

Grannis, Chandler B., ed. *What Happens in Book Publishing.* R. R. Bowker, 1180 Avenue of the Americas, New York, N.Y. 10036. Second edition, 1967.

An "outline of procedures in book publishing, not a how-to book," this collection of essays offers still useful descriptions even though they largely ignore the human element and the figures they cite are now out of date. The chapters on copy editing, advertising, management and accounting, and subsidiary rights are particularly good.

Gross, Gerald, ed. *Editors on Editing.* Grosset & Dunlap, 51 Madison Avenue, New York, N.Y. 10010. 1962.

In this collection twenty-five book and magazine editors talk about their work. Helpful both for the person who wants to become an editor and for the person who wants to know just what an editor does.

Gross, Gerald, ed. *Publishers on Publishing.* Grosset & Dunlap, 51 Madison Avenue, New York, N.Y. 10010. 1961.

A delightful anthology in which nineteenth- and twentieth-century British and American publishers offer observations about their profession that are still very much to the point.

Guide to American Directories. Bernard Klein, ed. B. Klein Publications, Inc., P.O. Box 8503, Coral Springs, Fla. 33065. Ninth edition, 1975.

Since this guide is designed to help businesses locate new markets through the mailing lists of national organizations, it makes a fine place for you to find groups and reference materials relevant to your marketing efforts. Arranged by subject.

Karp, Irwin. *What Authors Should Know.* Harper & Row, 10 East 53rd Street, New York, N.Y. 10022. To be published in late 1978.

Counsel to the Authors League of America (parent organization of both the Authors Guild and the Dramatists Guild), Karp is one of the country's leading authorities on writers' legal rights and problems. His book will offer information about securing full copyright protection, about libel and invasion of privacy, and about contracts and how to negotiate them.

Lee, Marshall. *Bookmaking: The Illustrated Guide to Design and Production.* R. R. Bowker, 1180 Avenue of the Americas, New York, N.Y. 10036. 1965.

Intended to acquaint beginning designers and production managers with the requirements and potentials of their jobs, this well-regarded work will give laymen an understanding of what design and production entail.

Literary Market Place. R. R. Bowker, 1180 Avenue of the Americas, New York, N.Y. 10036. Published annually.

To supplement and reinforce whatever efforts your publisher plans to make on your behalf, familiarize yourself with the sections listed here and explore the various ways in which they can help you get your work known and loved: "Review, Selection & Reference"; "Radio, Television & Motion Pictures"; and "Public Relations Services."

Meredith, Scott. "Just Sign Here, Please," in *Writing to Sell.* Harper & Row, 10 East 53rd Street, New York, N.Y. 10022. 1974.

A very brief but straightforward introduction to book contracts by an experienced literary agent.

People, Places, and Programs

American Society of Journalists and Authors, 123 West 43rd Street, New York, N.Y. 10036.

Originally the Society of Magazine Writers, the ASJA serves people who write nonfiction for the periodical press and sometimes those who write books as well. Although it's about one-tenth the size of the Authors Guild (see below) and although the information it makes available to members is generally impressionistic where the guild's is solidly researched and thoroughly practical, the ASJA charges more for membership privileges.

The Authors Guild, 234 West 44th Street, New York, N.Y. 10036.

It's well worth joining this group of professional writers, and getting in as early in your career as you can, so don't wait to write for application forms. The guild and its first-rate staff give writers power to handle publishers by providing surveys, seminars, newsletters, and a sample contract form (see "Getting What's Coming to You"). Moreover, the guild helps its members with problems involving taxes, insurance, and the like.

P.E.N. American Center, 156 Fifth Avenue, New York, N.Y. 10010.
Though it has other functions, this international writers' organization is primarily useful in connection with grants. See "Money Resources."

Petty, Ryan, Cold Mountain Press, 4705 Sinclair Avenue, Austin, Texas 78756.
Petty, the leading authority on small-press contracts, is working on a book about them and would like to hear from people who can contribute samples of contracts now in use to his files and from people who want to share their relevant experiences.

Poets & Writers, Inc., 201 West 54th Street, New York, N.Y. 10019.
If you've published fiction or poetry, by all means get yourself listed in *A Directory of American Fiction Writers* and/or *A Directory of American Poets,* both updated at intervals by Poets & Writers.

Quarto Book Service for Contemporary Poetry, P.O. Box 4727, Columbus, Ohio 43202.
Because he was troubled by the fact that very few volumes of contemporary poetry are stocked in bookstores, Wayne Hausmann started Quarto, a mail-order distribution center. He mails a free catalog, which lists over a thousand titles, to 1,500 people; to get your book of poems included in it, ask your publisher to write Hausmann at the address above.

Society of Children's Book Writers, P.O. Box 296, Los Angeles, Calif. 90066.
Membership in this national organization helps people who write for children gain access to the thoughts of editors, agents, and children's librarians through a bimonthly bulletin. Members also get information about new markets and advice on contracts, and become eligible to use a manuscript exchange.

Self-Publishing Resources

To make it easy for self-publishers to concentrate their energies on selected facets of the publishing process, we've divided this section's resources into four categories: "General," "Editing and Copy Editing," "Production," and "Sales, Publicity, and Promotion."

Conventionally published authors who want to understand fully what's happening to them, and to participate fruitfully in determining their own fate, should find essential information here too.

GENERAL

Printed Materials

"Directory of Courses in Book Publishing." Association of American Publishers, 1 Park Avenue, New York, N.Y. 10016.

This is an annotated listing of courses around the country that offer instruction in the theories and techniques of publishing; most of them will serve magazine people as well as book people. Issued for the first time in 1976, it's scheduled to be updated periodically.

See also "Courses for the Book Trade" in *LMP* and watch for announcements of workshops in your area.

Ferguson, Rowena. *Editing the Small Magazine.* Columbia University Press, 562 West 113th Street, New York, N.Y. 10025. Second edition, 1976.

Although it's directed primarily to the editors of sponsored magazines, this book provides a fine introduction to planning and putting out any sort of periodical.

*Henderson, Bill, ed. *The Publish-It-Yourself Handbook: Literary Tradition and How-to.* The Pushcart Press, Box 845, Yonkers, N.Y. 10701. Revised annually.

By now a classic, this collection of spirited essays by self-publishers and their supporters should serve to embolden would-be self-publishers and to entertain and inform readers of all sorts. The brief how-to section at the back of the book is superb, and rich in specifics. And there's a good annotated bibliography as well.

Kennedy, Bruce M. *Community Journalism: A Way of Life.* Iowa State University Press, Ames, Iowa, 50010. 1974.

The joys of doing all the jobs there are to do on a small-town weekly come through beautifully in this autobiographical work. Kennedy offers sage counsel backed by plenty of specific examples, and he's delightful company throughout.

Lichty, Ron, ed. *The Do-It-Yourself Guide to Alternative Publishing.* Alternative Press Syndicate, Box 777, Cooper Station, New York, N.Y. 10003. 1976.

A sensible, general introductory work, with the stress on improvisation and on the particular problems faced by underground periodicals.

*Literary Market Place. R. R. Bowker, 1180 Avenue of the Americas, New York, N.Y. 10036. Published annually.

Among the wealth of listings in *LMP,* a good many will be of use to self-publishers. We direct your attention to Sections 27 through 67 and 76 through 82, but we also suggest that you study the Index to Sections to make sure that you don't skip any that would be of special interest to you.

*McKinney, John. *How to Start Your Own Community Newspaper.* Meadow Press, P.O. Box 35, Port Jefferson, NY. 11777. 1977.

McKinney tells just what the title promises, with enough detail to put beginners on firm ground, and an admirable emphasis throughout on common sense and on the learning opportunities experience provides. Splendid in its specifics and remarkably enlightening about both day-to-day operations and basic publishing philosophy, this book will be an invaluable asset to anyone who's putting out a periodical that either is or in some way resembles a community paper.

Melcher, Daniel, and Nancy Larrick. *Printing and Promotion Handbook: How to Plan, Produce and Use Printing, Advertising, and Direct Mail.* McGraw-Hill, 1221 Avenue of the Americas, New York, N.Y. 10020. Third Edition, 1966.

First published in 1949, this is essentially an encyclopedia, with alphabetically arranged entries that both self-publishers and ambitious conventionally published authors can use to advantage for solving well-defined publishing problems.

Montag, Tom. *Concern|s: essays & reviews 1972–1976.* Pentagram Press, P.O. Box 11609, Milwaukee, Wis. 53211. 1977.

Reports, observations and predictions about the small-press scene abound in this collection by the editor of *Margins.*

Mueller, L. W. *How to Publish Your Own Book.* Harlo Press, 16721 Hamilton Avenue, Detroit, Mich. 48203. 1976.

Mueller, who runs his own printing company, covers all the steps involved in printing, promoting, and distributing books, and includes a nice list of exhibit services as well as a roster of remainder companies to contact in the unhappy event that you need to dispose of large quantities of unsold stock (see also the *LMP* listing of remainder dealers). A thorough and encouraging guide for people who need further persuasion to believe that self-publishing makes good sense.

The Self-Publishing Writer: A Quarterly Journal for Writers. Joanna Gregg, editor and publisher. P.O. Box 24, San Francisco, Calif. 94101.

A compendium of practical tips and inspirational stories, some of them original and some previously published elsewhere. The editorial tone is friendly, personal, and unpretentious.

People, Places, and Programs

*COSMEP [Committee of Small Magazine Editors and Publishers], P.O. Box 703, San Francisco, Calif. 94101.

A flourishing organization whose membership has doubled every three years in the recent past, COSMEP is peopled by men and women from both small presses and little magazines; self-publishers are welcome, and so are people planning new presses or periodicals. The monthly *COSMEP Newsletter* is an enormously helpful source of information on every aspect of do-it-yourself publishing; the organization runs assorted programs that are useful (there's a COSMEP van, for example, that carries samples of members' works to college campuses); and at irregular intervals it publishes valuable information for publishers in book and pamphlet form. A highly effective tool of connection and communication.

The Newsletter Clearinghouse, 44 West Market Street, Rhinebeck, N.Y. 12572.

The Clearinghouse is a thriving institution that puts out a *Newsletter on Newsletters* (which is full of useful data), holds annual seminars, and has just begun publishing an annual *Newsletter Yearbook/Directory.* Send for a free sample of the *Newsletter* and the promotional brochure.

EDITING AND COPY EDITING

Printed Materials

Ashley, Paul P., in collaboration with Camden M. Hall. *Say It Safely: Legal Limits in Publishing, Radio and Television.* University of Washington Press, Seattle, Wash. 98195. Fifth edition, 1976.

Designed as a working tool for everyone who writes or processes copy, this is a first-rate manual that makes dangers visible enough so that you can steer around them, decide rationally to call for help, or forge ahead with confidence. The tone is friendly and the text commendably readable. (N.B.: the section on copyright in this edition does not take account of the new law that went into effect in January 1978.)

Bridgewater, William. "Copy Editing," in *What Happens in Book Publishing,* edited by Chandler Grannis. See "Sequels to a Sale Resources."

A short and unusually lucid and attractive explanation of fundamentals.

"Free-Lance Editorial Work," *Literary Market Place* (see above).

A list you can use to find editorial aid nearby. Be sure to get samples, check references, and compare prices before you make a deal.

Garst, Robert E., and Theodore M. Bernstein. *Headlines and Deadlines: A Manual for Copy Editors.* Columbia University Press, 562 West 113th Street, New York, N.Y. 10025. 1961.

An excellent guide to editing (the copy editors of the title are newspaper copy editors, who do far more general editing than their namesakes who work on books or magazines). *Headlines and Deadlines* discusses such matters as writing leads, developing stories, and cutting copy, and it offers a lengthy "Headline Vocabulary" to decrease your dependence on overused words.

"General Information on Copyright." Register of Copyrights, Library of Congress, Washington, D.C. 20559.

This pamphlet will tell you all you need to know about copyright, including what form to send for. If you have questions after you've read it, you can request the list entitled "Publications of the Copyright Office," which may lead you to the answers you need, or you can write and ask the Register of Copyrights for help.

Karp, Irwin. *What Writers Should Know.*
See "Sequels to a Sale Resources."

Lindey, Alexander. *Entertaining, Publishing and Arts; Agreements and the Law.* Clark Boardman Company, 435 Hudson Street, New York, N.Y. 10014. 1963–.
A collection of forms of legal agreements that are useful in publishing deals. Available in law firm libraries and law school libraries.

A Manual of Style. University of Chicago Press, 5801 Ellis Avenue, Chicago, Ill. 60637. Twelfth edition, 1969.
The aristocrat of style manuals; used by many academics and professional copy editors.

"The MLA Style Sheet." Modern Language Association of America, 62 Fifth Avenue, New York, N.Y. 10011. Second edition, 1970.
Also well regarded in publishing and academic circles, this is a more compact style manual than most.

New York Times Manual of Style and Usage. Quadrangle Books, 3 Park Avenue, New York, N.Y. 10016. 1976.
A standard reference work, arranged alphabetically, and more difficult to use, in our view, than those arranged topically.

Ringer, Barbara. "Finding Your Way Around in the New Copyright Law," *Publishers Weekly,* December 13, 1976. Copies are available from University Microfilms International, 300 North Zeeb Road, Ann Arbor, Mich. 48106, but they're understandably costly, so try the library.
Writing from the vantage point of her position as the United States Register of Copyrights, Ringer here explains the new law to the publishing community.

Strunk, William, Jr., and E. B. White. *The Elements of Style.* See "Learning to Write Resources."

Words into Type. Prentice-Hall, Englewood Cliffs, N.J. 07632. Third edition, 1974.
Long a favorite of many professional copy editors, *Words into Type* is clear, comprehensive, and easy to use. A first-rate guide for self-publishers, particularly those who self-edit.

People, Places, and Programs

ISBN [International Standard Book Number Agency], 1180 Avenue of the Americas, New York, N.Y. 10036.

By assigning a unique number to each published book, the ISBN system simplifies ordering, shipping, and billing. To get yours, send the agency the data on your title page along with the name and address of your press and a SASE; they'll send you the proper forms after that.

ISSN [International Standard Serials Number], National Serials Data Program, Library of Congress, Washington, D.C. 20540.

The periodical world's equivalent of the ISBN, and just as useful where distributors, retailers, and libraries are concerned. Request the appropriate forms.

Library of Congress Card Division, Washington, D.C. 20540.

The address to write to when applying for a Library of Congress catalog number.

Volunteer Lawyers for the Arts. See "Money Resources."

PRODUCTION

Printed Materials

Aronson, Charles N. "A Book's Calendar." Charles N. Aronson, Writer Publisher, RR 1, Hundred Acres, Arcade, N.Y. 14009. 1976.

Excerpted from Aronson's book *The Writer Publisher*, this pamphlet should enable even the most disorganized types to take every important book-publishing step on time. Forms and a checklist are included.

"Book Manufacturing" and "Services and Suppliers" in *Literary Market Place* (see above).

Even the largest publishing houses frequently farm out some production tasks, while small firms generally make it a practice to subcontract work. As a result, there's a huge group of publishers' helpers for hire. Many of them are expensive and unused to dealing with self-publishers, but with patience and careful reading, you may be able to find some among those listed here who will serve your needs.

See also the *COSMEP Newsletter*, which issues a steady flow of bulletins on small-press services and suppliers.

Burke, Clifford. *Printing It: A Guide to Graphic Techniques for the Impecunious.* Wingbow Press, 2940 Seventh Street, Berkeley, Calif. 94710. 1972.

A wonderful book for people who still feel jittery about handling production themselves. Burke is experienced, knowledgeable, and encouraging, and his explanations will serve to help you produce anything from a flyer to a book expeditiously and economically. Includes step-by-step instructions on making your own light tables and other equipment.

Chartpak Graphic Products Catalog. Chartpak, 1 River Road, Leeds, Mass. 01053. Free.

Chartpak's transfer type for headings and its other "visual communications products" are available in art supply stores throughout the country but this catalog will give you a chance to contemplate your choices before you go out shopping.

Dover Publications: A Catalog. Dover Publications, Inc., 180 Varick Street, New York, N.Y. 10014. Free.

Dover's Pictorial Archive Series, which is described in this catalog, consists of volumes of drawings on a wide variety of subjects that you can cut out and use in your paste-ups; no charge (except what you paid for the book) and no copyright problems. A clever publishing idea, beautifully executed.

Fototype Catalog. Fototype, Inc., 1414 Roscoe Street, Chicago, Ill. 60657. Free.

The Fototype catalog explains how to set headlines and borders, displays type samples and, incidentally, offers a good deal of equipment for sale.

Goodman, Joseph V. *How to Publish, Promote and Sell Your Book: A Guide for the Self-Publishing Author.* Adams Press, 30 West Washington Street, Chicago, Ill. 60602. Fourth edition, 1977.

Though the basic information here will be familiar to readers of *How to Get Happily Published*, you may find some of the forms useful, and looking through the samples of typewriter type reproduced in various ways is sure to prove enlightening. See below for a description of the Adams Press itself.

Harry Volk Art Studio Catalog. Box 4098, Rockford, Ill. 61110. Free.

Harry Volk offers 244 books of line art on a variety of subjects to cut out and use in paste-ups. Each book is described here in brief, and you can get a general idea of the contents from the accompanying illustrations.

Instant Art for Direct Mail and Mail Order. Career Publishing Corp., P.O. Box 19905, Dallas, Texas 75219. 1974.

Labels, slogans, and symbols for use on mailing-piece mechanicals.

"Picture Sources," *Writer's Market.* Writer's Digest, 9933 Alliance Road, Cincinnati, Ohio 45242.

An annotated and reasonably lengthy list.

Pocket Pal: A Graphic Arts Production Handbook. International Paper Company, 220 East 42nd Street, New York, N.Y. 10017. Eleventh edition, 1974.

Penny for penny, this may be your best source of elementary information about printing processes and the production steps that precede and follow them. Copiously and intelligently illustrated.

Polk, Ralph W. and Edwin. *The Practice of Printing.* Bennett Books, 809 West Detweiller Drive, Peoria, Ill. 61614. Seventh edition, 1971.

A heavily and helpfully illustrated text for fledgling printers.

"Selected Manufacturers," *The Publish-It-Yourself Handbook* (see above).

Together with items from the *COSMEP Newletter,* this list provides the most up-to-date information extant on companies that work regularly and well with self-publishers doing small editions.

Swap or Buy: America's Leading National Publication of Graphic Arts Listings, 343 Johnson Avenue, Brooklyn, N.Y. 11206. Bimonthly.

A cornucopia of display and classified ads for new and used publishers' equipment. Free sample copy on request. See also your local graphic arts magazines.

Wales, LaRae H. *Practical Guide to Newsletter Editing and Design.* Iowa State University Press, Ames, Iowa 50010. 1976.

Basically a production manual which offers a few hints on editing, design, and circulation, this is a wonderful little book. Clear and comprehensive, its guidance will apply not only to newsletters but also to any other printed (or mimeographed) materials you may want to produce.

Wills, F. H. *Fundamentals of Layout: For Newspaper and Magazine Advertising, for Page Design of Publications and for Brochures.* Dover Publications, Inc., 180 Varick Street, New York, N.Y. 10014. 1965.

The focus is on ads, but the principles and techniques revealed here are easily applicable to the design of books and periodicals. A thorough and readable primer with a wealth of captioned illustrations that teach important lessons pleasurably.

Wilson, Adrian. *The Design of Books.* Peregrine Smith, Inc., P.O. Box 667, Layton, Vt. 84041. 1974.

Comprehensive, comprehensible, detailed, and heavily illustrated, this book will help you master basic procedures, and it may well stimulate you to come up with new visual ideas as well.

People, Places, and Programs

Adams Press, 30 West Washington Street, Chicago, Ill. 60602.

A well-established printer of short-run books, and the publisher of a guide for self-publishers (see Goodman, above), the Adams Press also does typesetting and binding and produces jackets. Send for their price list.

California Syllabus, 1494 MacArthur Boulevard, Oakland, Calif. 94602.

California Syllabus produces small, no-frills editions from camera-ready copy rapidly and at reasonable prices. Though they specialize in academics' work, they can easily handle materials meant for a more general public. Write for detailed information and/or for a copy of the company's book *How to Make a Book.*

Compugraphic, 80 Industrial Way, Wilmington, Mass. 01887.

Compugraphic typesetting machines are small and simple to operate (all you need to know is how to type); they start at about $4,000, but in some large cities you can rent them with an option to buy. Write for descriptive literature.

Marchione, Rich, 318 Lexington Avenue, New York, N.Y. 10016.

Marchione worked in typesetting and printing businesses for ten years before becoming a consultant. If you have questions you'd like to ask an experienced hand, send them along with a SASE and he'll do his best to answer them free of charge.

Northwoods Press, RD 1, Meadows of Dan, Va. 24120.

Robert Olmsted's Northwoods Press offers a wider range of publishing arrangements than any other organization we've encountered. Write for "The Neat Nine," a pamphlet describing the various Northwoods plans; they include straight royalty deals and co-op and subcontracting set-ups.

The Print Center, Inc., Box 1050, Brooklyn, N.Y. 11202.

This well-established enterprise provides complete services—including typesetting, darkroom work, plates, printing, and binding—for printed materials of assorted sizes and shapes that are primarily literary or arts-related. Prices are about half of what commercial operations charge, and you can reduce them still further by doing some of the work yourself (the center's staff will instruct and assist as necessary).

See also the West Coast Print Center, below.

The Town House Press, Inc., 28 Midway Road, Spring Valley, N.Y. 10977.

Alvin Schultzberg, who runs the Town House Press, will handle all aspects of production for small editions and, if you like, will steer you toward help in the sales and publicity areas.

University Microfilms International, 300 North Zeeb Road, Ann Arbor, Mich. 48106.

This company will print and bind small editions through its Reproduction Services department, and it will handle all production and marketing operations for professors with work sponsored by schools or institutions through the department called Monograph Publishing on Demand. Write for information.

Academics and others interested in publishing anthologies for guaranteed audiences should also send for descriptive literature from the Individualized Publishing department of Ginn and Company (191 Spring Street, Lexington, Mass. 02173).

Both Ginn and Co. and University Microfilms are part of the Xerox Publishing complex. For information about smaller and newer on-demand, custom, or tailor-made publishing companies in your area (the terminology varies but the system exists throughout the country), consult faculty members at nearby schools and colleges. And, as with every business deal, be sure your rights are protected by any contract you sign.

West Coast Print Center, Inc., 1915 Essex St., Berkeley, Calif., 94703.

Set up to do poetry and fiction and some experimental works for nonprofit presses in the West, this center will handle as many or as few of the production steps as necessary for work that qualifies. In addition, the West Coast Print Center offers advice, seminars, workshops, and lectures, and there's a library in the works.

SALES, PUBLICITY, AND PROMOTION

Printed Materials

For a basic list of listings to apply for, see "Managing Sales," pages 174–175; for additional possibilities, read on.

AAP Exhibits Directory. See "Sequels to a Sale Resources."

American Book Trade Directory. R. R. Bowker, 1180 Avenue of the Americas, New York, N.Y. 10036. Published biennially.
      Listings of U.S. and Canadian booksellers, arranged by city and state and annotated. Try libraries and bookstores for copies.

American Library Association catalog. ALA, 50 East Huron Street, Chicago, Ill. 60611. Free.
      Among its many other functions, the ALA includes publishing. Reading through the descriptions of its books that appear here should prove stimulating where listings and library sales of your books are concerned because the titles reveal a good deal about what librarians are looking for and where they look first.

American Library Directory. R. R. Bowker, 1180 Avenue of the Americas, New York, N.Y. 10036. Published biennially.
      Lists libraries and library schools in the United States, Canada, and some overseas locations, with addresses. Most libraries have it, and it makes a fine basis for compiling your own library mailing list.

Bowker Annual of Library and Book Trade Information. Bowker (address above).
      An almanac that includes, in addition to facts and figures, a directory of book and library associations. Stimulating browsing.

Bowker catalog (address above). Free.
      Like its counterparts from the ALA and Gale (see below), this should get you thinking about promotional possibilities.

*COSMEP Newsletter (see above, page 245).
      The best source of timely information on fairs, distributors, re-

view media, co-op exhibit services, and everything else a self-publisher needs to know to get maximum attention for his work. Also features warnings about people who'll rip you off.

Directory of College Stores. B. Klein Publications, Box 8503, Coral Springs, Fla. 33065. Published annually.
Annotated, and probably available at your nearest university bookshop.

"Dunhill Marketing Guide to Mailing Lists." Dunhill International List Company, 444 Park Avenue South, New York, N.Y. 10016. Free.
Like the *Selected Guide to List Markets* (see below), this catalog will serve as a good introduction to options in direct-mail campaigns.

Editor & Publisher International Year Book. Editor & Publisher, 850 Third Avenue, New York, N.Y. 10022. Published annually.
A number of the listings in this trade publication for the newspaper industry can provide valuable leads for promotion. See especially the sections on daily U.S. college papers and special-service papers.

Encyclopedia of Associations. See "Sequels to a Sale Resources."

Fulton, Len, with Ellen Ferber. *American Odyssey: A Bookselling Travelogue.* Dustbooks, P.O. Box 1056, Paradise, Calif. 95969. 1975.
Fulton's account of the cross-country tour of bookstores that he undertook in order to see what selling his own work would be like is instructive and entertaining.

Gale Research Company catalog. Book Tower, Detroit, Mich. 48226. Free.
First-rate stimulation for ideas about reaching your readers.

Lendt, David L., ed. *The Publicity Process.* Iowa State University Press, Ames, Iowa 50010. Second edition, 1975.
A beginner's guide with several useful pointers.

National Radio Publicity Directory. Peter Glenn Publications, Ltd., 17 East 48th Street, New York, N.Y. 10017. 1976.
Over 2,500 talk shows are listed and described.

National Trade and Professional Associations of the United States and Canada and Labor Unions. Columbia Books, Inc., Suite 601, 734 15th St., N.W., Washington, D.C. 20005. Published annually.
Lists and describes 6,000 organizations, and indexes them by product or profession and by location.

"Radio Station and Other Lists," Federal Communications Commission Information Bulletin, August 1976. FCC Information Office, 1919 M Street, N.W., Washington, D.C. 20554. Free.
    A useful rundown for beginning publicists.

"Selected Guide to List Markets." Dependable Lists, Inc., 257 Park Avenue South, New York, N.Y. 10010. Free.
    Another catalog that will acquaint you with the potentials of the direct-mail approach.
    See also "Dunhill Marketing Guide" (above) and the "Mailing Lists" section of *LMP*.

Serials Librarian. Haworth Press, 149 Fifth Avenue, New York, N.Y. 10010.
    A quarterly journal designed as a librarians' selection tool, the *Serials Librarian* accepts small magazines for review. Send copies and press releases to the Senior Bibliographer.

Shinn, Duane. *How to Write and Publish Your Own Book, Course, Song, Slide Chart or Other Printed Product, and Make it Go!* Shinn Music Aids, 5090 Dobrot Way, Central Point, Ore. 97501. 1976.
    The title accurately conveys the flavor of this loose-leaf work, which is rich in good advice for go-getters about marketing and other business aspects of publishing.

Standard Rate and Data Service, Inc., 5201 Old Orchard Road, Skokie, Ill. 60076.
    Several SRDS publications are designed to give people who want to place ads with newspapers, magazines, shopping guides, buses, and radio and TV stations the facts they need to proceed intelligently. Send for the free descriptive brochure.

Weiner, Richard. *Professional's Guide to Public Relations Services.* Richard Weiner, Inc., 888 Seventh Avenue, New York, N.Y. 10019. Third edition, 1975.
    "A personal guidebook"—available in many libraries—by one public relations man for others. The chapters on literary services, media directories, and fine art services are especially good. Weiner's annotations inspire confidence, and the money-saving suggestions he's sprinkled here and there in the text should prove handy.

Weiner, Richard. *Syndicated Columnists* (address above). Second edition, 1977.
    One sentence of praise from a Dear Abby can boost a book right onto the best-seller lists, so it's well worth while getting in touch

with columnists who figure to like your work. This book can lead you to them.

People, Places, and Programs

One of the best ways to learn about individuals and organizations that can help you make connections with a paying public is by talking with nearby piccolo-press publishers. Consult the Dustbooks skein of small-press information, *Alternatives in Print*, the *Book Publishers Directory*, and the *Directory of Publishing Opportunities* for names and addresses of kindred publishing spirits in your area (full references appear in "A Foot in the Door Resources").

Bookstore chains.

Like sales to teachers, sales to chains have a bonanza quality about them because one sales pitch can get you orders for dozens of copies. The leading chains include those listed below, and you can write or call upon them yourself if they're not being covered for you by a distributor.

Brentano's, 6 West 48th Street, New York, N.Y. 10017.

Dayton-Hudson, 9340 James Avenue South, Minneapolis, Minn. 55431.

Doubleday Book Shops, 673 Fifth Avenue, New York, N.Y. 10022.

Walden Book Company, 179 Ludlow Street, Stamford, Conn. 06904.

Center for Direct Marketing, Seminar Division, 3 Sylvan Road, Westport, Conn. 06880.

The seminars are expensive but descriptive literature is free. Send for it if you think you might be interested.

Coordinating Council of Literary Magazines Distribution Project, Suzanne Zavrian, Director, 80 Eighth Avenue, New York, N.Y. 10011.

CCLM is tackling the problem of getting little magazines into the hands of readers on a number of fronts (and giving small book-publishing houses some attention too). They've funded regional distribution clusters to prepare catalogs and cooperative ads, and to send representatives to book fairs and trade shows. Moreover, they've set up a traveling exhibit of magazines and a subscription agency to serve libraries.

Additional services for small publishers will no doubt be set up continually, so be sure to contact this organization to get an immediate leg up on the latest distribution options.

Distributors.

The direct route to local distributors lies through conversations and correspondence with piccolo-press people in your area. For distribution over a wider geographical range, contact:

Bookpeople, 2940 Seventh Street, Berkeley, Calif. 94710. The grand old man of small-press distribution. Bookpeople's people will advise on production and subsidiary rights if they take your work on. Write for information on application procedures, services, and fees.

B. DeBoer, 188 High Street, Nutley, N.J. 07110. A well-established distributor of little magazines.

Women in Distribution, Inc., Box 8858, Washington, D.C. 20003.

See also CCLM (above) and look through the listings marked (D) in the "Publishers' Distributors and Sales Representatives" section of *LMP* to see if you can spot likely affiliations.

Jobbers.

For obvious reasons, you may want to let the giant wholesalers who fill orders for stores and libraries know about your work. Leading jobbers include:

The Baker and Taylor Companies, 1515 Broadway, New York, N.Y. 10036.

Bookazine, 303 West 10th St., New York, N.Y. 10014.

Dimondstein Book Company, 38 Portman Road, New Rochelle, N.Y. 10801.

Ingram Book Company, 347 Redwood Drive, Nashville, Tenn. 37217. See also "Wholesalers" in *LMP* for other listings.

Lusk, Daniel. 326 East Spruce, Missoula, Mont. 59801.

Lusk's radio review program, "Off the Wall," treats small-press publications for National Public Radio stations. Send work to the address above for consideration.

Public Relations Society of America, Information Center, 845 Third Avenue, New York, N.Y. 10022.

The country's largest collection of materials on publicity is housed here, and it's open to the public.

Schanhaar-Gottstein, P.O. Box 558, Corte Madera, Calif. 94925.

Jack Schanhaar and Ruth Gottstein exhibit West Coast publishers' books at book fairs. In addition, they act as agents for small presses in negotiating subsidiary (including foreign) rights. Request further information.

Small Press Book Club, P.O. Box 100, Paradise, Calif. 95969.

Started by Robert Miles and now run by Dustbooks, the Small

Press Book Club selects roughly fifty books a year to offer members, and it also distributes "mag-bags" filled with an assortment of little magazines. Send review copies, reviews, and the like if you want your work to be considered.

Small Press Exhibit Service, 14 South Street, Milford, N.H. 03055.

The SPES takes small-press and museum publications to library conventions so that librarians—who prefer not to order unless they've seen what they'll be getting—can learn about them and, ideally, buy them.

U.S. Government.

Federal bureaus engaged in all sorts of activities issue frequent press releases designed to keep the public informed on where funds are going and for what, and how assorted projects are working out. There's grist here for sales and promotion plans when and if money is allocated to a particular region for study of the particular subject you've written about. Ask to be put on the mailing list of the agency or agencies whose bailiwicks are relevant to your writing/publishing efforts. See the *Washington Information Directory* (page 225) for names and addresses.

Money Resources

The financial aids listed here should enable you to win money, save money, and earn money, in any order and any proportions that suit your circumstances.

Printed Materials

Annual Register of Grant Support. Marquis Academic Media, 200 East Ohio Street, Chicago, Ill. 60611. Published annually.

An access route to five hundred grant-giving programs, indexed according to subject, organization and program, geography, and personnel. One of the easiest directories to use, the *Annual Register* is particularly valuable for the help it can give you in applying the who-do-you-know strategy to obtain a grant.

Belden, George. *Strategies for the Harassed Bill Payer: The Bill Collector—and How to Cope with Him.* Grosset & Dunlap, 51 Madison Avenue, New York, N.Y. 10010. 1974.

When he was a junior editor struggling with an anything-but-balanced budget, Belden made two small discoveries: (1) collectors who issue summonses and utter threats are bluffing, and (2) you can relieve the pressure to pay by telling the truth ("I just haven't got $90 this month") or by small sleights of hand (forgetting to sign your check buys a few days' grace). A comforting friend for the poor man in a panic.

Burke, Clifford. "Starting a Shop," in *Printing It.* Wingbow Press, 2940 Seventh Street, Berkeley, Calif. 94710. 1972.

A brief but solid introduction to camera work, platemaking, printing, and various other production steps that you can learn to handle well enough to charge others for your services.

Coda, June/July 1975. Poets & Writers, Inc., 201 West 54th Street, New York, N.Y. 10019.

An annotated guide to writers' colonies.

Commerce Clearinghouse, Inc., catalog. 4025 West Peterson Avenue, Chicago, Ill. 60646. Free.

Here's a good source of information about inexpensive, annually updated guides on income tax preparation (both federal and state), individual retirement plans, and assorted problems and opportunities generally faced by small businesses.

Grants and Awards Available to American Writers. P.E.N. American Center, 156 Fifth Avenue, New York, N.Y. 10010. Published annually.

One of the best directories where money matters are concerned, *Grants and Awards* is reasonably priced to boot. It lists fellowships earmarked for unpublished writers, contests for both high school and college students, writing programs and colonies that offer financial aid, and teaching fellowships. All entries include addresses and information about standards and deadlines.

Hillman, Howard, and Karin Abarbanel. *The Art of Winning Foundation Grants.* Vanguard Press, 424 Madison Avenue, New York, N.Y. 10017. 1975.

Although this is a book addressed primarily to groups in need of funding, the thoroughly professional approach outlined in it should also serve individuals. The authors' ten-step program—from (1) define your goal to (10) follow up—makes good common sense, and they've listed all the resources you'll need to execute it successfully. A sample covering letter and a sample proposal are also included.

Holcomb, Bill, and Ted Striggles. *Fear of Filing.* Volunteer Lawyers for the Arts, 36 West 44th Street, Suite 1110, New York, N.Y. 10036. Published annually.

Because tax laws are constantly changing and because interpreting provisions that apply to writers is a tricky business, there's no such thing as a simple, definitive guide to coping with your IRS forms. *Fear of Filing* comes close, though. It'll give you the ground rules and it'll probably convince you that if writing is your primary source of income you should hire an accountant posthaste.

Internal Revenue Service Publications.

The IRS issues a good many intelligible booklets that can help writers and piccolo-press publishers. Among them:

"Tax Guide for Small Businesses" (#334)
"Tax Withholding and Declaration of Estimated Tax" (#505)
"Information on Self-Employment Tax" (#533)
"Tax Information on Business Expenses" (#535)
"Retirement Plans for Self-Employed Individuals" (#560)
"Questions and Answers on Retirement Plans for the Self-Employed" (#566)
"Record Keeping for a Small Business" (#583)

Call your local IRS office to get the address of the regional center nearest you that will have these materials; most of them are free, and those that aren't free are cheap.

"Journalism Scholarship Guide." Newspaper Fund, Inc., P.O. Box 300, Princeton, N.J. 08540. Published annually.

A single copy will be sent to you, free, on request.

Kennedy, Bruce M. *Community Journalism: A Way of Life.* Iowa State University Press, Ames, Iowa 50010. 1974.

If you've got the equipment to set up shop as a printer, you can use the advice in this book with profit and pleasure.

Large Type Books in Print. R. R. Bowker, 1180 Avenue of the Americas, New York, N.Y. 10036. Second edition, 1976.

Roughly forty-five houses that do large-type editions are listed here. Together, they have some 2,500 titles in print, all of which are indexed by subject, author, and title. A nice aid for plotting subsidiary sales of large-type rights.

Literary Market Place. R. R. Bowker, 1180 Avenue of the Americas, New York, N.Y. 10036.

LMP comes in handy in two ways where money is concerned: it has lists that you can consult to find funding, and it has lists that you can get on to earn fees.

To consult: Employment Agencies (the ones that specialize in publishing); Government Agencies; Lecture Agents; Literary Awards; Literary Fellowships; Prize Contests Open; Literary Grants; Publishers of Braille Books; Independent Film Producers.

To get on (given relevant skills): Composition; Computerized Typesetting; Editorial Services; Freelance Editorial Work; Copy Editing; Special Assignment Writing; Rewrite; Proofreading; Stenographic and Typing Services.

See also the table of contents of Richard Weiner's *Professional's Guide to Public Relations Services* (listed below) for other lists to add your name to.

Millsaps, Daniel, and the editors of the *Washington International Arts Letter. The National Directory of Grants and Aids to Individuals in the Arts.* W.I.A.L., Box 9005, Washington, D.C. 20003. Third edition, 1976.

Although this directory covers all the arts, coded alphabetical listings show which grants are for writers. There are programs mentioned here that we haven't found listed elsewhere (including a fund for research grants for proposed magazine pieces), so it's worth trying to get hold of the book at your library.

O'Neill, Carol L., and Avima Ruder. *The Complete Guide to Editorial Freelancing.* Dodd, Mead & Company, 79 Madison Avenue, New York, N.Y. 10016. 1974.

There are plenty of ways to earn money from a publisher other than by writing or becoming a full-time employee. Manuscript reading, copy editing, proofreading, indexing, and translating are among them, and here you'll learn what skills each of these jobs requires, how to interest a publisher in hiring you to handle them, and how much to charge. Sample letters and résumés are included.

Palmer, Archie M., ed. *Research Centers Directory.* Gale Research Company, Book Tower, Detroit, Mich. 48226. Fifth edition, 1975.

Individuals can become eligible for some of the many desirable grants offered to nonprofit groups by becoming affiliated with appropriate institutions. To find the centers most likely to take you under their wing, look up your project's subject in the *Directory*'s index and then study the description of each group listed under that heading.

Shinn, Duane. *How to Write and Publish Your Own Book, Course, Song, Slide Chart or Other Printed Product, and Make It Go!* Shinn Music Aids, 5090 Dobrot Way, Central Point, Ore. 97501. 1976.

Shinn maintains that he's learned how to earn a "very satisfactory" living running his own publishing business without hassles with employees, time clocks, or equipment, and here he explains his systems. Forceful advice backed by experience, native shrewdness, and zest.

Silver, Gerald A. *Modern Graphic Arts Paste-Up.* American Technical Society, 6608 Stony Island Avenue, Chicago, Ill. 60637. Second edition, 1973.

Instructions and exercises to equip you with the skills—and the portfolio—you'll need if you want to sell your services as a paste-up person.

Small Business Reporter, Bank of America, Dept. 3120, P.O. Box 37000, San Francisco, Calif. 94137.

The Bank of America publishes dozens of how-to books to help small businesses succeed. Write for their free catalog.

Smith, Alvin. *Writing and Selling Newspaper Feature Articles,* and *Writing and Selling Paragraphs and Anecdotes.* Alvin Smith, 1141 Elm Avenue, Placerville, Calif. 95667. Undated.

Plenty of sensible advice on style and procedures for those who see writing newspaper features and fillers as a way of supporting themselves.

Thomas Register of American Manufacturers. Thomas Publishing Company, 1 Pennsylvania Plaza, New York, N.Y. 10001. Published annually.

A compendium of names and addresses that may include several potential sponsors for your manuscript. Consult the products index and the geographical listings to find likely sources of subsidies.

Wasserman, Paul, with Janice McLean and Krystyna Wasserman, eds. *Awards, Honors and Prizes.* Gale Research Company, Book Tower, Detroit, Mich. 48226. Third edition, 1976.

This is a general reference book about all kinds of awards except fellowships. By using its subject index you should be able to find programs for which you're eligible. Entries are sensibly annotated.

Weber, Olga S., ed. *Literary & Library Prizes.* R. R. Bowker, 1180 Avenue of the Americas, New York, N.Y. 10036. Ninth edition, 1976.

As the preface makes clear, this is not a comprehensive directory (most journalism awards are not included; little-known prizes have been omitted; and only a handful of awards designed for people who write short prose are mentioned). But what it does cover—all major literary prizes, including fellowships for the Bread Loaf Writers Conference and the National Endowment for the Arts fellowships—it covers admirably. Moreover, you'll find all previous recipients of each award listed chronologically, which should make it easy for you to get in touch with the people who can help you win what you want.

Weiner, Richard. "Literary Services," in *Professional's Guide to Public Relations Services.* Richard Weiner, Inc., 888 Seventh Avenue, New York, N.Y. 10019. Third edition, 1975.

The second section of this chapter offers an annotated list of subsidy publishers. Try your library for a copy.

White, Virginia P. *Grants: How to Find Out About Them and What to Do Next.* Plenus Press, 227 West 17th St., New York, N.Y. 10011. 1975.

This is not an easy book to use because it has long stretches of text that apply only to nonprofit groups, but individuals may be able to pick up a few good pointers in the section called "Writing the Proposal."

Writers in Residence at Academic Institutions in the United States of America. P.E.N. American Center, 156 Fifth Avenue, New York, N.Y. 10010. Published annually.

To help writers who would like to teach creative writing for a semester or more, P.E.N.'s catalog lists names, addresses, and job descriptions for colleges and universities in a position to hire.

People, Places, and Programs

American Society of Journalists and Authors, 123 West 43rd Street, New York, N.Y. 10036.

Membership (which is not cheap) entitles you to a place in the "Dial-a-Writer" listing and to a handful of other arrangements that may help you earn more money and/or spend less, particularly if you write nonfiction for magazines. Send for information.

Associated Writing Programs, Washington College, Chestertown, Md. 21620.

For a small membership fee, the creative writer can take advantage of a number of income-generating services sponsored by AWP. The organization runs placement services for writers interested in teaching on the college level, and issues a catalog of writers available for readings and lectures, a calendar of poetry festivals, conferences, and the like, and a lively newsletter which keeps its readers posted on new workshops, projects, and publications of special interest to them.

Association of Media Producers, 1707 L Street, N.W., Suite 515, Washington, D.C. 20036.

The membership directory—which lists names and addresses of film producers and distributors for the educational market—is free on request, and a fine source of leads if you've written anything that might make a good audio-visual classroom aid.

Authors Guild, 234 West 44th Street, New York, N.Y. 10036.

A highly professional organization that offers solid, practical guidance on financial matters, among other things. See "Sequels to a Sale Resources" for a fuller description.

CCLM [Coordinating Council of Literary Magazines], 80 Eighth Avenue, New York, N.Y. 10011.

CCLM has its fingers in a lot of pies vital to the existence of little magazines. In addition to funneling financial aid to these magazines and their editors and writers, CCLM is now actively involved in solving the distribution problems that play such havoc with little magazines' economic well-being. Write for full information about the group's services if they're relevant to your projects.

Community Arts Councils.

Approximately 1,000 communities across the United States have arts councils that give grants to individual artists. Check with your local government.

The Foundation Center, 888 Seventh Avenue, New York, N.Y. 10019; and 1001 Connecticut Ave., N.W., Washington, D.C. 20036.

With national offices in New York City and Washington and regional offices in every state, the Foundation Center is a splendid source of information about 26,000 foundations that offer grants to individuals and groups.

To learn how to use the center's resources to best advantage, order a copy of "About Foundations: How to Find the Facts You Need to Get a Grant." To find the regional center nearest you, look at the list at the front of the center's directories in your library or in "About Foundations." And to make sure you cover all your options, send for the center's free publications list.

Although the center's directories are addressed primarily to nonprofit groups, they may be worth consulting for background information on the current interests of particular foundations.

The *Foundation Directory* has information about more than 2,500 of the largest foundations in the U.S., arranged by state. Each item includes the foundation's address, a description of its purpose and activities, financial data, and the names of officers and trustees.

The *Foundation Center Source Book,* a compilation of portraits of over two hundred of the largest foundations, is worth consulting if you need to familiarize yourself with the policies of the Ford Foundation and other philanthropic giants.

The center's third directory, *Foundations Grant Index,* lists grants recently made to universities and groups, and so individuals can skip it.

Goldsmith Bros., 141 East 25th Street, New York, N.Y. 10010.

When writing is more than a part-time affair, you may find it wise to buy paper, folders, typewriter ribbons, and so on in bulk. Goldsmith's free mail-order catalog carries the standard office supplies along with such items as small copiers and telephone answering machines.

National Endowment for the Arts, Washington, D.C. 20506.

The literature program of this federal agency channels hundreds of thousands of dollars to writers through grants to individuals and to community and educational institutions. It also regularly gives financial support to literary magazines and small presses. Write for complete, up-to-date information about current programs.

Poets & Writers, Inc., 201 West 54th Street, New York, N.Y. 10019.

Through their publications and referral services, Poets & Writers can boost the income as well as the spirits of people who write fiction and poetry.

Service Corps of Retired Executives.

This voluntary group is ready to give advice on setting up and running businesses. Consult your yellow pages for offices in your area.

Small Business Administration, 1441 L Street, N.W., Washington, D.C. 20416.

Starting a small publishing business takes more than a love of printed matter; it takes some hard business sense, and the SBA can help you acquire that. Visit one of the field offices (you'll find them in most major cities) and send for the free publication list (from which you can consider ordering the primer called "Starting and Managing a Small Business").

State Councils for the Arts.

The best way to find out whether your state has an arts council is by writing your governor's office. If it does, ask for full information about the council's programs.

Volunteer Lawyers for the Arts, 36 West 44th Street, Suite 1110, New York, N.Y. 10036; phone (212) 575-1150.

If you need a lawyer—to help you incorporate a small press, for instance, or to negotiate a contract—and you don't have the cash to hire one, your first step should be to contact VLA, which was set up in 1961 to give free legal help to impecunious artists. There are VLA branches throughout the country, so ask for the address list as well as for the publications list and for information about services and eligibility.

The Word Guild, 119 Mount Auburn Street, Cambridge, Mass. 02138.

Founded by freelancer Zelda Fischer, the World Guild helps freelance writers, editors, and designers get loans, group insurance, and information about jobs across the country. The guild has succeeded so well in the Boston area—where it now runs a full program of workshops and lectures—that Fischer plans to set up similar organizations in other cities. If you'd like to get in on the ground floor, write for more information.

Index

Sales of books, 94-95, 117-134; author as salesman, 117-118, 120-134, 171-185; author's personal appearances, 124, 127, 130-132, 184-185; best-sellers, promotion of, 119-120; direct mail, 181-183; distributors, 175-178; to libraries, 95, 129, 173, 179-180; publicity departments and promotion, 121-125; publisher's responsibility, 118-121; resources, 253-258; return system, 127-128, 176-177; review copies, 122-123, 172-173; sales meetings and conferences, 126-127; in self-publishing, 168-185; serial rights, 100, 125-126; to stores, 126-129, 175-179; subsidiary rights, 100, 125-126, 180-181; unsold copies below cost, 134

Self-publishing, 64-65, 72, 73, 137-185; advantages of, 139-143; binding, 165-167; design, 152-158; editing, 150-152; material suitable for, 143-148; paste-up or dummy, 157, 161-165; printing, 165-166; resources, 243-258; sales, 168-185; Starter Kit, 149-167; typesetting, 158-161

Sangrey, Dawn, 15
Serendipity Books Distribution, 177
Serial rights, 100, 125-126
Seskin, Jane, 131
Shimkin, Michael, 205
Shirk, F. Alan, 145-146
Simons, Carol Lew, 25-26
Skip books, 126-127
Small Press Book Club, 181, 257-258
Small presses, 56-57, 61-62, 140, 142, 173, 179-180, 205
Small Press Record of Books, 57, 233
Small Press Review, 57, 233
Smith, Lisa, 47
Society of Authors' Representatives, 181
Special-interest publications, 146-147
Stark, Norman, 51
Stevens, John O., 205
Stringers, 68
Subject Guide to Books in Print, 64, 66, 235

Subject Guide to Forthcoming Books, 55, 235
Subjects, 49-59; collecting material on, 12-13; and manuscript placement, 66-69; timing of, 67-69
Submission of manuscripts, *see* Manuscripts
Subsidiary rights, 100, 125-126; in self-publishing, 180-181
Subsidy publishing, 72, 196-197
Swansea, Charleen Whisnant, 184

Tapes, books on, 200-201
Targ, William, *Indecent Pleasures*, 64
Targan, Barry, 190
Tauber, Peter, 46
Taxes for writers, 194-195, 260
Taylor, Nancy, 127
Teaching, 204
Television rights, 198-199
Thoreau, Henry D., 12
Todd, Alden, *Finding Facts Fast*, 58, 234
Translation, 199-200
Truscott, Lucian K., IV, 132
Type, 153-155; body, 153; display, 153, 155
Typesetting, 158-161
Typewriter copy for printing, 158-161

Van Dam, Theo, 146
Vanity presses, 72-73, 138
Veloxes, 157
Virginia Kirkus Service, 122
Volunteer Lawyers for the Arts, 195, 266

Washington *Post*, 122
Weiner, Richard, 144
Weisinger, Mort, 48
Woolf, Virginia, *A Writer's Diary*, 11
Writer, The, 32-33, 225
Writers: Achievement Awards List, 211-212; advice from, 44-45; criticism from, 18-21; lecturing, 203-204; money-saving and money-making suggestions for, 189-197, 258-266; personal appearances by, 124, 127, 130-132, 184-185; as salesmen of their own books, 117-118, 120-134, 171-185; taxes, 194-195; as teachers,